S0-CBR-715

茫眼

吉明 著

長江出版傳媒
长江文艺出版社

图书在版编目（CIP）数据

茫眼／吉明著. —武汉：长江文艺出版社，2017.9

ISBN 978-7-5354-9661-4

Ⅰ.①茫… Ⅱ.①吉… Ⅲ.①长篇小说—中国—当代 Ⅳ.I247.5

中国版本图书馆CIP数据核字（2017）第113381号

责任编辑：刘程程　　责任校对：陈　琪

装帧设计：长　岛　　责任印刷：邱　莉　胡丽平

出版：长江出版传媒　长江文艺出版社

地址：武汉市雄楚大街268号　　邮编：430070

发行：长江文艺出版社

电话：027—87679360

http://www.cjlap.com

印刷：无锡市长江商务印刷有限公司

开本：640毫米×970毫米　1/16　　印张：29.375　　插页：2页

版次：2017年9月第1版　　2017年9月第1次印刷

字数：318千字

定价：48.00元

自 序

一

九年前我决定写一部长篇小说，目前厚厚的样稿堆叠桌上，一时想到出书的底气。

毕竟我写出许多想象人物和虚构事件：楼板上垂下雪白的大树；一位男子钻进电视机，三位医生观察、治疗他的疾病；少年在古城的屋顶墙头奔跑；告雪身披污泥浊水，等待雪花漫天飞舞……

书中还保留着我在苏州时的青春影像，1979年到1992年是我的启蒙期。我邂逅几位朋友，经常彻夜交谈。他们不像丝绸般柔软、绚丽，也不像糕团般糯是糯得来。他们渴慕未来，是当时最优秀的思想者、行动人。我渐渐开始觉醒。

第一章里三位男子的对话文绉绉，不合时宜，身边出现了他们喜爱的世界，是臆想的吗？古城的小巷横七竖八，往来的不见得都是些“糖”伯虎、茶精怪、文人“水八仙”、晚明鬼、北宋魂吧。

我的人生大体延续着觉醒后的方向。

大学期间我从翻阅唐诗宋词、西方哲学到接触西方现代派文学，笔记本里抄满了杂志上的翻译诗。当我喜欢上美国自白派诗，学着他们咀嚼着自我的处境和心事，试图大胆讲出自己最真实的感受，悲伤到陷入绝望。

我骑自行车上班要经过人民桥，一瞥大运河尽头晨光白灿灿，内心总会颤抖，要去远方，远方。

在苏州生活二十多年，我挥挥手告别，一转眼又在深圳度过二十多年。

小学、中学和大学我基本都在苏州读完，目睹过古城有滋有味的日子和激烈火爆的天翻地覆。念念不忘古典园林和太湖四季分明的景色。

记得乘坐绿皮火车去广州，好像重回伊甸园，拥挤的车厢里我与旅客整天整夜地话说深圳，不时直盯盯望着窗口。

中国最年轻的城市，一年四季花朵争红斗艳，大海汹涌澎湃，市民来自全国各地，个个雄心勃勃，追逐着效率和金钱。倏忽之间，道路桥梁四通八达，货柜车轰鸣不息，高楼大厦拔地而起。

古老的问题还在：谁能给予我们心灵的故乡和慰藉？我打开从内地带来的几箱书，晚上靠着集体宿舍的铁床阅读，相约几位也是居无常所的朋友，互相鼓励业余写作。

深圳汇集一批优秀作家、报刊编辑、电视人和业余写作者，彼此间慢慢熟悉，常常在海湾、洋紫荆边聚会交流，我感到自己是一条井底的小鱼跃入大海。

我开始为报刊写书评和随笔，读书比过去更有热情，数量也多，但是我的心始终属于那几位大家都熟悉的作家：塞万提斯、但丁、雨果、安徒生、陀思妥耶夫斯基、卡夫卡、普鲁斯特。偏爱的还是中国的志怪小说：干宝的《搜神记》、宋人编的《太平广记》、洪迈的《夷坚志》、纪昀的《阅微草堂笔记》。

渐渐我萌生了写小说的想望，是被亲朋好友的音容笑貌所召唤；

是无法忍受失去直觉和艺术想象的空间；是出于惧怕沉沦和死亡；是追问人的生命能有几何矣？一日一位朋友说，我们不要再写那些短文章，该有个突破写长篇小说。这位朋友后来当教授，填词般写论文，一会儿“藏医妊娠”，一会儿“内蒙墓志”，小小说也没有写。我觉得当上大了，几年后无奈地叹息，一生只能写一部书。还夸下海口，要让自己的文字掉在地上，硬邦邦地砰然有声。谈何容易啊。

在深圳我做过几场相似的梦：层层明亮的高楼围绕低陷的青瓦古城，最终改编成《茫眼》里重复出现的背景。一日我回苏州发觉梦里的景象变成真实，新楼林立古城低陷，苏州与深圳仿佛合成一座城市。

二

几年前一位作家朋友来信说：“我和你都是向内走的人，可是我们走的方式不大一样。我走进自己独有的，一个小我的内心里；而你，走进梦里，走进思想里。”

“一般说来，他们心生幻想，不可能实现。也许有极端的方式，但是用水无法洗干净。人们全都错了，不是用水而是要用火。”（第七章）

“世间流传着‘不洁’的说教，人们都有‘不洁’的感受，我听到近处、远处焦虑的怦怦心跳：触摸了死人（包括行尸走肉）不洁净。我们每日触摸到死人（包括眼观和交谈），反感、抵抗、挣扎，却迟迟得不到洁净。渐渐我们都察觉不到自己触摸了死人，也感受不到死人触摸了我们，或者自己像死人一样触摸了他人。等到我们变成了死人就不会去辨认自己的死活，如果能够知道的话我们会止不住地哀叹和哭泣。”（第七章）

任何行动始于微小的开始：眼睛一瞥，看到混合成歪曲、僵死的论断。一瞥如同人们前行了虚假的一小步，接着一小步又一小步……生命从头到尾都是错误和死亡。

秋风里小说的大树落叶纷飞，我们获得功利的教诲，荣华富贵的迷梦，春药激活的亢奋与冲动，借助跌宕起伏的情节和虚情假意的表演消遣永夜，让紧张的现代人所有的疲惫痛苦百无聊赖得到全面的回避和麻醉。但是，什么事物真正地打动过我们？哪里有生死变幻中的永恒？

优秀的作家思考人们面临的难题，憧憬未来，追问存在的本真，这既包含文学形式的探索性实践，也包含哲学和信仰的朝圣般的跋涉。

普鲁斯特曾说过：心灵里“令人望而生畏的黑暗中却蕴藏着何等多彩的宝藏而未为我们所知”。

任何经历、事物和记忆都会在时间中消失，但是过去好像依然存留在当前事物的气味、声色、冷暖……有时闻到凉爽的夜晚飘来花香，过去的某个夜晚就回来了，故人仿佛活生生地伫立在你面前，你的眼睛不禁湿润。

不请自来的往事深深打动你，如同清风明月本无价，却远比任何利润的上升下落热情和善，摄人心魄。

而昆德拉的阿格尼丝：她唯一愿意保留的是一枝勿忘我，那纤细的花茎开一串小巧玲珑的蓝花。在街上，她把花举在面前，死死盯着才能忍受世界。

清除虚假意识，也会同时消除外界的层层表象：隐喻成功配对，堆积象征物渐渐屹立，寓言戏剧拉开了帷幕……

我也在期盼之中，《茫眼》的一些篇幅剪切了无意回忆和纷纭世事，但是不会简单地粘贴了事，而是琢磨着把它们加以扭曲、变形，打扮成蒙上红纱巾的新娘，即用睡梦般的象征物暗示真相，犹如美术家描绘“形似”期待着充分地表达出“神似”。

真实的回忆用想象来表达：“往日剧院翅膀般的屋顶轻盈，将要高飞。当交响乐或合唱的歌声金光闪烁、缓缓升腾，观众就跟随乐声、

歌声，跟随剧院一起飞升，飞升，飞升……走出剧院，周身，连脚下都布满耀眼的群星。”（第三章）

真实的处境用想象参与电视节目来揭示：“亮光一闪，卧室装饰考究，一位俊俏的女子对我说：‘你终于回来了，我多么想你。’我一愣，刚缓过神，露出微笑，发现卧室里还有一位男子，他们紧紧相拥。”（第十章）

三

我长期记录具有象征、寓言特征的睡梦，睡梦自然流淌冲垮了死气沉沉的观念环绕的铜墙铁壁。

对于文学来说，所有的意识都需要重视。我甚至觉得睡梦是上天的恩赐。有的睡梦富有逻辑性，有的无法理喻。睡梦越是语焉不详越会造成陌生感、错愕感，即，发现新的意识矿藏，如同乘坐新型潜水器观望深海生物。

通过分析睡梦的特点，我接续着梦貂的狗尾，也可以随时高仿山寨版的睡梦，不受睡梦的限制。

人们祈祷，或者闭目求问未来，有时空中会传来说话的声音，有时脑海里会浮现出一个场景，一个故事，让人去琢磨和领会。人们称其为“异象”。我写到这里，闭眼看到树木茂密的柳条、长叶，其中隐藏着一个孩子摇动着树枝，枝条摇摆非常优美。这也是个“异象”，也许就是某个小说的起始，或者段落。

尽管如此，《茫眼》还是以人物为主景，只是书写个体特殊性的时候也留意概括其普遍性；不是简单的肉身和身外丝丝披挂的个体，只是捕捉个体云卷云舒又乱云纷呈般的意识；即，摆脱描绘身份、吃喝拉撒、取个标准人名等等劳作，直奔真情实感，叙述时能够天马行空。

人物的容貌，有时稀奇古怪，有时又看不太清楚，只有人影绰绰，思绪飘飞。

画丝最清晰的形象："红帽子一脸严重烫伤后的鲜嫩疤痕，眉毛粗细不匀和胡乱断开，小黄眼，塌鼻，厚厚的嘴唇。夏日一棵大树被锯掉头，半人高的笨重深黑的树桩疯长轻盈茂密的细枝嫩叶，周围正常生长的笔直大树，叶片是深灰色，等待白亮的寒风来临摇晃飘落。伤残让树变得丑陋不堪而又具有了少年般的娇嫩、优美和冲劲。碧绿的喷泉的歌声随心所欲，源源不断，仿佛整个城市只有伤残的树才真正活着，真正超凡脱俗。她脸上的疤痕可以把人吓得半死，新生的皮肤醒目地白嫩、红润，带着一股妖气，就像大树桩上的细枝嫩叶肆意欢歌和生辉，让无意看见的人内心糜烂。美女的皮肤其实极其粗糙、暗淡。难道非同寻常的美妙的事物都是创伤的再生，根本无法和平常的景色谐调？我们似乎总是在那些发亮、伤感、难忘的日日夜夜中失落、变形、烫掉皮，很久以后痛苦的煎熬好像平息，可是脸上似乎还是有什么东西丢人现眼，内心依然会莫名其妙地隐痛和焦虑。正常的生活以下的存在才有追求美景的距离，正是低才有高度可攀，到了正常又陷入不知如何是好的茫然和空虚。但有时通过低，发现比正常的高更高的境界，鬼斧神工，天堂仙境。"（第八章）

四

当我们摆脱概念性的主题后，怎样超越眼界的狭窄，避免灵感的枯竭？

世界列车呼啸飞奔，人流、车海、地铁、快餐店、飓风预警系统、老鼠会、电吉他、黑匣子、航天飞机、移动电话、电子游戏、数码相机、互联网、电动汽车、虚拟实景……这些全新的现象，这些震撼天地的雷电击不中人的末梢神经，也无法弥补内心的空洞，掀不起灵魂的一丝波澜。

卡夫卡借用“非常道”勾勒城堡隐喻捉摸不透的生活；普鲁斯特原创“现象学”享有心灵至福；马尔克斯投下“意象集束炸弹”让灵魂出窍……人心是否随之转变？

20世纪一批最前卫的诗人轻视理性，重视直觉，不惜借助歪门邪道飘入异国他乡：把脚浸泡在冷水里、吸食大麻、把自己饿昏、打坐入定、举办“睡眠会”、自动书写……他们心生幻象，饿虎扑食般地记录，吟成诗篇。

那些不愿意被麻醉又走投无路人。幻觉是射来的一道道曙光吗？能不能赋予他们一线生机？

我也置身荒野，只是乱走。察看睡梦和白日梦的花纹，往往是我被引导，发现新主题和新内容。

两个真实的梦，含有新的主题：

梦一，寻找音乐声：

“火车悄然无声缓慢地飘。对座的男子和我谈起他父亲谱的交响曲。窗外是他的故乡，他指着窗外说他父亲知道景物独特的声音，淡紫色的远山啊——啊——响；黝黑的丛林哈——哈——响；一片片白蔷薇嘿——嘿——响；白茫茫的湖面呜——呜——响；太阳在水中跳跃的残辉叮、叮响。他说着说着窗外的景物发出嗡嗡声，交响曲一阵一阵欢呼升腾。

“他带我到他家，他母亲出来招待我。我们坐下继续交谈。他说他父亲已去世。我想看看他父亲的音乐手稿。他说他父亲烧了。又说，还好景物未变。他带我去寻找乐声。”

梦二，亡故者的生活：

“明清时期的民宅，深深的三井。最后一井阴暗潮湿，摆放一盆紫

红色杜鹃花。有人说，‘这房子不拆了。’

“幽灵领我走进深暗的弄堂。眼前漆黑，我害怕，默念道：‘发光吧，眼睛发光吧，把这里照亮，照亮！’眼睛没有发光。

“来到荒废的花园，一位男子转过头，脸庞苍白浮肿。他说，‘你不用再害怕，总高兴了吧。人死后不会毫无知觉，就像你这样迷迷糊糊活着。’

“废园里种着几丛干瘦的月季。几丛我不认识的植物开满蓝花。男子说，‘这是手臂兰。’”

当我某个阶段觉得写什么都没有意思，尝试聚集、糅合睡梦，即，进一步放弃主观意识和经验，不确立什么主题，也没有什么目标，聚集两个睡梦，直到十几个睡梦，有空就拿出来阅读，细细分辨它们的差异与相似。琢磨这一切要告诉我什么，最后糅合成小说的篇章。

五

我写过诗，可惜没有音乐才华，即，不能让一首诗变得动听。写作《茫眼》的过程，有时觉得在写没有诗律束缚的诗，感到自由行文的酣畅与痛快。当然也会犹豫，是像写小说那样大张旗鼓地铺陈、稀释，还是像吟诗那样的提炼、浓缩？

受诗影响写下的段落：“许多年后，母亲看望他，说带他去玩。船头高仰驶向江湖的深处，岛上的建筑隐藏林丛，早晨白雾朦胧。街上的工艺品琳琅满目。一排瓷盘画：云朵玫瑰红，当中老树青苔绿，树干的下面长满青筋疙瘩。小叔叔喊他又躲闪，说一声，他们还会见面。他独自乘船回返。想到瓷盘画，湖水下摇晃玫瑰红，那就是母亲的面容。懊恼，怎么没买一个？”（第四章）

事件的发展没有具体交代，为什么非要事无巨细地写出母亲如何离开，而不去描绘人们一般都会有的结局和感想：某日忽然想到随时可见的母亲不在了，永远也找不到了，只留下些记忆和依恋母亲的情愫，模糊不清的一些悔恨。

小说有无限的可能，可以用新的角度、诗的表达手法对生命做出深入的关切。

好像一个人离开了人山人海，他们还是同类却有着猫和鱼的差距。设计室描画出一张张图纸，工地堆满了欲望、情感、想象、回忆、梦幻、憧憬……某日客观的大城边多出一座文字小城，两个世界你瞧瞧我，我瞥瞥你，再看看自己，弹拍弹拍衣服上的灰尘、叶片。

今夕何夕，在物与影的变奏和生与死的变幻时，仿佛身处难解的四五维空间和混乱的蒙太奇中，有没有超越时空的事物顿然闪亮？雪花再次优美地飞舞；歌中的歌的歌；少年的绿衣女子；青的梦想；城市“冲浪”的体验……是不是痴人呓语？

《茫眼》分为十三章，好像十三座相似又不断变化的园林。所以，读者可以从头到尾走一圈，可以从某一小节开始游逛，也可以进入任何一页闲瞧片刻。

2016年10月

目　录

contents

去　向
物与影正在摇晃和变奏

我推开窗，热浪、轰轰声、油烟与汗酸味，亲近空调吹凉的脸。高楼大厦鳞次栉比，黑色沉沉，重叠的窗框内灯盏闪亮，路灯依次点着，街道瞬间拥堵，笛声嘟嘟、嘟嘟、嘟嘟，行人麇集洪流，起起伏伏绕过圆溜溜的车辆。公园那边，天空开阔、碧蓝，团团云霭聚拢、升腾，一座巍峨的峰峦，顶端翻滚着惊涛骇浪。

云峰间的隧道口有人向外走，原地奔跑。他的身后出现亮光，渐渐耀眼，弥漫。他向我挥手，似曾相识，他就是我，我就是他？两个人互相观望，吸引。他伸开双臂，一群黑鸟啪啪啪掠过。灰蒙蒙的身影，白亮的雨水遮掩天地万物。我初醒般的懵懂、茫然，多少个你糅合成他？

慢慢想起，高大的红黄色土山连绵起伏，热风与寒风交替呼啸，卷走和送来层层沙丘；想起，小街窄巷如同迷宫，细雨迷蒙，高墙下青苔墨绿，黑黝黝，攀附残墙的粉红色十姐妹花群芳众香，深深的庭院里桂花的甜酒味，客厅里草兰的幽香忽浓忽淡；想起，泥泞间牲畜的粪臭，粪的形状，村庄里公鸡打鸣，麦子红黄如同烈焰；

想起，开阔的灰色浊流，群山峻岭，陡峭的高峰，攀登上去可以触摸亮星，峡谷凉风阵阵；想起，一张张脸渐渐清晰，浮现熟知的音容笑貌，年代久远。

体察自身，有时血肉之躯好似秋日的残花败柳，水泥垃圾堆中的废渣烂骨。如梦似幻的影子也是我吗？让我觉得青灰色云霭后还有其他的往事：橘黄、乌蓝、深紫、碧绿、浅红……全来自异地他乡，难以触摸和被触摸，享有和被享有，撞击和被撞击。我曾是想象中的清亮的精神景物，又觉得身体糅合泥土、泉水、草叶和花瓣，还觉得我能够深入繁星，又闪闪烁烁从远处归来。

窗外，如梦似幻的影子似乎轻又仿佛重，卑微褴褛，暗淡无光，小心贴靠高楼的墙面移动、躲闪，或者一动不动，眼巴巴看着我，瞬间出人意料地散发出彩光和香气，好似成群结队的流云随意变幻，一会儿花朵般精致，一会儿妖魔鬼怪般奇形怪状，张牙舞爪。

我不知道他们是身内、身外之物，是后天才有，还是来自祖先的遗传变异。一天天从我的体内爬出来，流出来，飘出来，数条血管，几段根茎的细丝还与心脏粘连。他们会不会再次把我淹没，带走？不知不觉我陷入其中，困惑、害怕，一时又惊喜、沉醉。我观望，描绘他们。

他开车，街道口涌来清澈闪亮的波浪，车轮陷入草丛。满城的汽车开不动了，生锈，塌陷……眼前出现草莽，山峦葱翠，花木闪光，湿润的芳香。

太阳暖洋洋，街边雪堆融化，小溪流淌，半夜凝结成乌黑的薄冰。流浪的女子身披白色风衣，裤腿、胸前污迹斑斑，瘦弱的身体不停地颤抖，靠近我悄声细语："等待干净的雪，你信吗？"她的脸庞伤痕累累，流云的影子划过地面时的笑容，温顺的双眼滴落肮脏的泪珠。早晨，我看到树木的新叶嫩黄、鲜红。远去了，含糊不清地自言自语。

他开始旋转，他是裹挟无数花瓣的旋风，花瓣是人的眼睛，也是脱离身体后自由飞舞的目光。人的眼睛，人的目光是花瓣？暂时稳定的花瓣。他想携带花树种在漆黑的天空，真是难以忍受死去的星星叠着死去的星星，伸过来一副副夜光手套，一点点报警的灯光。一位陌生人说，他也去。他们坐飞机。不久，飞机喘气、咳嗽，团团红云从巨大的翅膀滑过，让他进入伤感的事件。

飞机剧烈地咳嗽，震醒他。飞机渐渐冻僵，静悄悄悬浮半空。旅客恐慌，颤抖着想变成发动机，或者想出去抬飞机翅膀，推飞机身体，抚摸飞机脑袋。缓慢飞来一架返航的飞机，飞机的门窗破碎，旅客的脑袋都包着厚厚的白霜。他冷得哆嗦，怎么离开？大家偷偷走出飞机舱门，把大袋大袋树苗悄悄塞进垃圾箱。

机场外天完全黑了，霓虹灯急切地来回转动，眨眼、招手，全是些诱惑和挑逗。他突然觉得自己面临危险，怎样离开梦幻？

摇晃的海面惊心动魄，来吧，呼啸、碧绿的海水竖成高墙，他终于被卷入深渊，大吼着惊醒，睁开眼。

进入古城，穿过几条小巷和许多房间，走到最后一间，大小橱柜摆放着陈旧的茶具、木雕、玉雕、铜器和山水画。老人唤来穿细花裙子的女子。女子皮肤白皙，依偎他的怀里，目光坦然，微笑和芳香……他瞬间离开那里。

阵阵抽泣声，母亲断断续续说：你怎么总是这样怪？他说：我不怪，帮帮我，我要出来。母亲叫人抓他的脚底，挠痒，不见效。母亲说：那就用厉害的办法。母亲摇他，脸不见了，身体不见了，只能看到摇他的一只手，手也消失。他忍不住哭出声，瞬间回到自己的房间。

离开飘摇难解的事件、影子，继续面对和接受现实。室内还是那些家具和摆设，窗外还是灯火通明的楼群……我的头发杂草般随意生长，被风摇摆。怎么也想不起今天是什么日子，记忆的光盘缓慢打开，一片空白；再点击，打开，还是一片空白；再去点击，点击，打不开了……如果停止回想，刚才的经历也会瞬间遗忘。

心神被眼前的事物捕获，宁静中又冒出忙碌时隐藏的疑问：我、万物。万物的一般如同灰色茫茫的干枯泥潭，跳出一朵花，犹疑举步的蚂蚁，重峦叠嶂，奔腾的河流……死，巨大的青蓝色积木门，面临深渊，苍白如纸。他在乱糟糟的喷吐青烟的车辆中逃窜，一道道冰凉的闪电在脊髓忽闪、刺扎，双手湿漉漉。这样的疾病经常发作，谁决定他的命运，谁让他不断面对如此现状，暗示什么？悚然、晕眩和茫然。

建筑物左遮右挡，仅仅出让些零碎的窟窿、狭缝，几何形天空。人造物，人造事件，人造人傲然站立，排印书籍、占据脑海，堆满了现成的答案，现成的意义，即，家具、墙壁、盆花、壁虎，人语车鸣；低矮拥挤的住宅群、精心打扮的商店、饭店、金黄豪华酒店；深度重彩桑拿按摩健康城吱吱叽叽滑溜溜；新能源、古董、人工智能、美食家、网红网紫。帷幕上升，玫瑰红银行、墨绿证券大厦；浩荡的游行队伍，广场上聚众呐喊，革命的千军万马。

空气炎热，城市边缘灰绿色海湾漂浮油花，死水般懒散摇晃。黑体红头巨轮，以及白色游艇拖长银光闪闪携带腥味的波浪靠近码头。吊车红色的长颈林立，货运车排成长龙，在高速公路上呼啸驰骋、喷吐废气、任意吼叫。满地堆积着所有的价值：钢材、集装箱、矿石、粮食和色彩鲜艳的水果。

我出去寻欢作乐，赚得自夸、心安的真实本钱，还是闭门胡思乱想？冷漠的水泥墙面和喧嚣的车流，黄烟、青烟。空调外挂箱吹出火热的口气撩拨一下路人。高音喇叭咚嗒、咚嗒、咚嗒传播店主的焦虑和慌乱，把整街的人心当鼓敲。贪婪的女人光滑、黏稠，黑暗中流泪挣扎的未来劳动者，难得的陌生寒露之间的最紧密的贴靠。她数钱，又扳手指数数我们有多少快乐，有多少时间。

千年如一日，吃饭，抢钱，打架，杀人……还不是为了多玩几个带气味的明眸皓齿、粉脂裙钗。

我的过去，那些抒情的表达，那些痛苦与伤心，白雪阳春，明月秋菊，寒风里的蜡梅清冽的香气，飞鸟星空，无瑕美玉，纯净的人……多愁善感，不真、稚气、做作、浅薄，想到都脸红。过去的做派怎么全都让我嗤之以鼻，厌恶到想呕？

现在，我也不见得深沉和聪明多少。如果真的我们寂灭不再回来？如果世界都是虚拟的？如果情感是内心被极度匮乏，被虚无、绝望挤压、酿造，渐渐增值，冒出股股塑料花的芬芳，略有满足便仰起脑袋，又伸出痉挛冰冷的手专卡对方的喉咙？

我的心越来越贴近，觉得真实不假的东西竟然是空虚、纵欲、发呆、污浊的河流、有毒的空气和食品、黑法官、金钱、发泄后的颓唐、臭味、空中飞落的避孕套隐藏的谜……这些无望的贪婪与末路中隐忍的痛苦、自晒幸福、痴狂和喧嚣。我曾经号叫般唱过忧伤、悲哀的歌，想望过故事里的邂逅，英雄气概，极力做个好人，自由自在地飞奔，营建花园。如今，无奈地面对着人间，昏昏沉沉，嘴角流淌口水，总是似睡非睡。还有光与道吗？还需要情感吗？又说傻话啦。偷偷说，不干不净的心在迷乱与彷徨中痛苦地诉说。

我关上窗户，唰唰拉紧窗帘，空调的冷风冰凉。我呆呆注视家具间的影子轻轻飘动，一股溪流从地板淌过，抬头古木参天。我跳跃，鸟一样踮脚，高高举腿跨步，保持住姿态的优雅，又频频转头观望，忽然昂首挺胸扑棱双臂，扑棱半天也没有腾空的感觉。把飞作为理所当然的鸟类一旦翅膀几次扑空，或者钻入乌烟瘴气里喘息，瞎了眼，坠落？我就是那样惊恐、懊恼，溺水一般龇牙咧嘴，狂抓乱蹬，绝望地被射入深渊。

我继续扑棱，仿佛离地，干枯、空洞的内心立即感到湿润、饱足和自由。叭叭，叭叭，窗外恶气冲天的货运车发飙，轰隆隆驶过，我又掉到地板上。刚才的快乐被惊散，或者被掩埋。

意识又返回城市，无数支霓虹灯的彩光起伏跳跃，向我招手微笑。诱人的迷梦和刺激，激活与我血肉相连却无话可说的亲人，即，蚂蟥、猴子、山羊、老虎机、锡女士这些烦人、缠人、黏人的累赘，这些冤家对头。潮水起伏，膨胀萎缩，盈利亏损，时不时搅得我心神不定。我极力想再次体验飞升的感受，又不断回避生命孤独寂寞的枯涩、冰凉、荒芜。身体越来越沉重，扑棱、扑棱浑身虚汗。我躺地板休息了一会儿才慢慢平静。想象自己伸开双臂，大风吹开胸前的羽毛，洁白的细绒翻卷。我似乎看到墙外深蓝色的高空，层层山峦燃烧火黄色的花朵。我起身用力挺胸，离开地板。

埋没，在喧闹、快乐的商业街，有酒菜、足浴店、健康城；有私人秘密会所、五彩伟哥梦想、置业公司、证券交易所；有微信起哄、网络人体图片、色情小电影……

天边玫瑰色的回光返照，云朵展开，万紫千红。公园里，路面颗颗砂砾折射出水晶般的紫光……这样的伤感与欣慰，我一时无法控制住自己。

第一章
精心设置的上升活动

一、意识雾团凝聚成天地；三位男子的经历和期待

我是一团含有意识的雾气在虚空飘飞，变换朦胧的彩光：橘黄、粉红、淡紫、靛蓝……弥漫开仿佛没有止境，我感到超然的自由。天地无限，奇异的景色层出不穷，等待我去观望、认识、探索、体验。又飞来一团团雾气，水母般悠闲摇晃、伸缩、发白光。柔和的说话声，爽朗的笑声。雾团与雾团靠拢，手指般触动，滚烫的热流划过我的深处：强光，颤抖，疾飞……此起彼伏爆发出水涔涔的具有生命的叶片、花朵。雾团，雾团飞渡，聚集，融合，连成起伏翻滚的云海。

夕照里，分明出现辽阔的大地。轻雾渐渐飘散，山峦黑色黝黝，梯田上紫花、黄花鲜艳。潭潭碧色湖泊。褐色的大道笔直，小道蜿蜒。墙壁淡绿色，一条条屋檐高翘起飞。远处平静的蓝色海面向天空延伸，几条弯月形的黄铜色船只轻轻摇摆……我感到自身激流般向一个地方汇集，收缩，从雾气中涌出，一棵墨绿色的树，沐浴着滂沱大雨，树冠低垂，一开一合，树叶闪闪。无数细小的眼睛往上涌，

我极力睁开眼睛，当我睁开双眼，我又成了人的形状，发光的白色雾气人。我站立沙路，挺直腰，身边碧色山溪，流水中晃动茂密的水草如同粗黑的长发。

沙路上还有两位男子，一位高大结实，内穿黑色无领棉衫，外披浅红色长衣；另一位中等个儿，较瘦，穿褐色长衣，紧扣头颈的白色圆领像两朵巨大的花瓣。他们有时交谈，有时沉思默想，神情刚毅和庄重。我走过去，两人都向我点头微笑好似曾经相识。

浅红衣皮肤白皙，淡眉，细长的眼睛清澈热情，那里隐藏着遥远的景色。他一说话四周的云雾就翻滚奔腾，我又返回雾气的浪涛。浅红衣说他容易激动，谈起往事，“火车快速飞驰，车厢里一股神秘的香气，春雨后花园里的芳香带有凉湿的青苔味和淡淡的苦味。秋日晴朗，古旧院落中三两株桂树，枝叶茂密，散发着甜香……激起我的想望与莫名的情思。我穿过拥挤的车厢找来找去，眼睛询问旅客：‘你们闻到香气了吗？出自什么地方？’愉悦的心情淡化了车厢里的尿骚汗酸味，陈茶的霉味，方便面的油腻味。地上杂乱的瓜子壳、纸团也是一派脉脉温情。窗外闪过一个个村落群，房屋都像棺材，呆滞、阴郁，有股邪气。旅客对我漠不关心，或者困惑地抬眼瞧一瞧。

“咣当、咣当、咣当……走到最后一节车厢，老头蓬头烂衫，坐地面，半醉半醒念叨：‘你可以出门，天一黑，哦哦，外面大车厢，哦哦，都空了。’我走出去，草香清凉，垂挂颗颗大星，诱惑我独自仰卧。想起车厢浊气中的超凡脱俗的花香；鹤立鸡群，鹤又飞向天际。花香如同人的情意感染了整个夜空使之生动、芬芳……急风呼啸，发觉奔驰的火车悬浮于繁星中间，不知驶向何处？

“我迷迷糊糊，一条铁链绷紧哗啦啦报警，一根枯枝的指点，一片飞叶的暗示。浓云笼罩雪地，寒风刺骨。夜晚点起篝火。我离开，进入灰暗的地下建筑，新装修的房间，宽阔的大厅。有人说：‘我们的魂灵可以去天空花园。’他领我们去图书室怀抱许多书，告诉我：‘这些书可以让我们飞升。’他翻开一本书，从中拿出一块木牌，上面是用金粉描绘优美的山水。我欲飘飞，一个人说我不能看画，并拿烙铁把木牌上的画烫掉。我头痛，人们说我的脑袋烧焦了。领我们去图书室的人对我说：‘还可以补救。’可是来了许多人把书翻得乱七八糟，我无法上升。陌生男子扯扯我的袖子。有人说：‘这是来帮你的人。’我跟他走，面对一堵墙，他喊：‘走！’我们就穿过墙，我们真是些魂灵吗？他恢复木牌上的山水画，风景越来越明亮、耀眼……我醒了，冻得直咳嗽。天边渐渐发白，我快步走回车厢，站在路基上。老头从后门伸出脑袋，张大嘴，用力挥手，火车越来越远。花香的源头也被带走。山峦静谧，鸟啼滴溜溜，滴溜溜。我沿路基边的小道走，中午来到空旷的野地，闻到被热风翻卷的类似车厢里的芳香。遍野黑幽幽的树林，香味越来越浓，紫红色的杨梅张灯结彩。是不是车厢里有几筐杨梅？杨梅的香气竟然让人迷惑，沉迷，痴迷，甚至确信，人们可以飞向天空花园，获得深情厚谊，享有无限的幸福。”

我似乎认识浅红衣，一时想不起什么时候遇到过……很久以前，阳台上看出去天际浩茫，我想在对面七楼的后窗下和我的五楼阳台顶拉上几根绳子，种几盆喇叭花或者凌霄花，七楼的女子还可以看到花的瀑布。好像浅红衣进来，神气活现地高举一盆盛开的海棠花，他对我说：“不要种！”又说，“先做个样式让女子看看。”

白茫茫天空，红色海棠花朵朵晶莹，天空飞过一颗星球，海棠花漫山遍野。浅红衣说：“如果这样，女子感到放盆花美妙，你就能避开让你惶恐的虚无天穹，也可以不再看到令你有些厌倦的她们。她的被你诱惑的心也会属于你，让你从干枯到片刻的滋润返青，生机盎然，回到干枯……”又觉得浅红衣像另外一个人，忘记他的名字了，到底是哪位朋友？

浅红衣继续说：“一天天总是在墓碑前哭泣，越不过去。刻骨铭心，怨天尤人又害怕冲动。焦虑，渴望新的风景又想要众人的夸奖，冰凉的握手。浑浊、躲闪的眼睛的面对面看顾。生活还安置在负数内，对他们说什么也没有用……我打开还未装修的套房，两个身影站立起来微笑，我们交谈，其中好像有你，也有褐色衣。你的声音低沉、含糊，他的声音尖利、短促。你们瞬间全飞出窗外，飞到手臂、竹竿、太空火箭、目光全都够不着的星群。淡黄色的身影飘到房内，墙壁一层银光，一层绿光。淡黄色身影打开一扇门，里面，五颜六色的长窗彩绘玻璃炫目。我扑进门，啪嗒被发硬的珠帘推出，我看不见自己的翅膀，但知道翅膀撕裂。我着魔似的不停撞击珠帘，啪嗒、啪嗒，大脑浆汁晃荡和成稀泥，恍惚中我是一团雾气飘出窗户。平静，愉悦，喜悦，我站立船头，前头闪烁金光的海面和天空。”

褐色衣一开口，天空出现铜绿色的明镜，镜子里紫云英般的繁星。我看到云团一样大的脸，卷发交织，脸色苍白，眉毛粗短，多肉的大鼻子，柳叶形红润的嘴唇，脸部肌肉微微颤抖，情感总是抑制不住，蕴含一汪清水，涌到目光迷茫的大眼，亮光一闪又变模糊。他大约喜欢凝视富有激情的风景——朦胧的秋林，云朵烧红西方、东方的天空，开阔的江水奔腾……目光黯淡下去渐渐平静，一层傍晚的亮光，大雪梦幻般飘落、旋转。当我猜测那也许就是自己的面容，一丝羞愧，镜子里的脸立刻失去独特的韵致。

我低头听褐色衣说：“我是男孩时，我家附近的公园里有弯月形睡莲池。夏日，小伙伴一起抓鱼，水清亮，灵活的小鱼眼睛亮晶晶。后来挖掘毁坏，面目全非，靠街树我坐道路边，伸开腿。这个地方原来是公园的草坪，弯月形睡莲池被建筑垃圾填埋，泥头车开过地面颤抖摇晃。我们家附近，过去还拥有几潭水塘，红艳荷花，一大块不断变幻的天空，小鸟飞过，许多跟随四季转色的高大树木。失落感，失落就是过去给予我们安宁、美感和希望的景色丢失，就是我们必须拥有，理应得到的事物被污毁、被剥夺，我们落入陌生、苍白、绝育的荒漠。

“有时，突然想起弯月形睡莲池的一汪碧水，眼睛发亮的游鱼。我想拼命，为什么非要消灭另一种生命的见证？我又回到破烂的城郊，一堆乱糟糟的平房，化工厂边的一条运河发红，气味难闻，我赶灰花毛嘎嘎叫的三只鸭子的骨架……三只野鸭，湖水和茂密的白芦花，安静、寂寞。城市车流嘈杂、废气污秽，灯光招摇又冷漠……我哀怨但还活着。一天我领悟到我不会再混入车流，不会再混入臃肿或面带疲惫、沮丧的胸小志大的人中……再也不会去表演自我的痛苦和伤残……我在人群中独自走，如同人们视而不见的具有另样光泽、姿态的草木。

“为什么要处死我？是我把他们的纪念碑变成了黑铁塔？他们可以调查，我改变不了什么。勃勃生机的高楼大厦长不出奇异多变的叶片？他们过去嫌我麻烦，现在是弄不清楚我想什么而头疼。”

我觉得褐色衣似乎在说我，我过去也是那样既向往远方的风景又毫无主见，随波逐流。至今我依然需要比自己更单纯更有力量的同类鼓励，寂寞中走向一个远景。

褐色衣的话断断续续：“昏暗的广场人群拥挤，人们突然让出一条道，警察把我推到当中。”

我走神没有听清褐色衣为什么要被人作弄。

“我飞得高高观望自己，我被押到广场……我叫喊，警察开枪，人们像惊飞的鸟群散开，我扑倒，手抓地面，腿乱蹬……人们又围过来，交头接耳。几天后我飞临广场，寂静的广场有个飘来飘去的影子。旅游者开始涌入，到处摆放地摊，制作和吞吃麻辣肉串、臭豆腐干、香葱油饼。广场事件很可能是其他事件的变形的表达方式，也许是个梦幻。我逃走，模糊的小点在高大起伏的群山中寻找相似的小点。”

我说：“我感到最为陌生的是人。那么多人，他们的感想和经历对我都是个谜。我渴望人与人的交往，得到微笑和肯定。”

浅红衣说：“在人群中哭啊，笑啊，发怒啊……都是为了传递信息，为了获得同情、支持，或者想左右他人。但我们有没有想过独自一人面对大海？你哭喊，依然是那样的波浪；你跺脚，依然是那样的波浪；你爱，你恨，依然是那样的波浪；你冷漠，你死，你活，依然是那样的波浪……因此，面对人群我们更深地感到孤独和绝望。”

褐色衣说：“当做出新的选择，命运的结构就会变化。我们会突破，会发现隐藏的人生景色。一个即将离世的人不抱什么希望地出走，他觉得任何地方都是紧张、无聊的办公室。旅途中他发现山水深奥得不可思议的秀美容颜，他还遇到一位成熟、干练的女子。沐浴风光，对女子心灵的探索中他也在改变。”

浅红衣说：“我们想望探索和理解眼前的事物，我们也有些能力，那就会陷入危机。我们不断建筑又不断否定和毁坏，仿佛被驱赶。我们所有的价值和生命一样有限，不完美，其实意义、价值是虚幻的。”

褐色衣说：“内心的精神和外在的事物脱离关系。人们往往认为精神虚幻，认为只有外在的东西最真实，实际最容易流变和最为无常。悲剧在于，想把精神的愿望在具体事物中证实，几乎把两者等同；还想完全实现精神的愿望。特别是水泥高楼疯长，汽车喧嚣吐气如狂人的今天，隐藏的精神具有唯一的超然的空想的自由。”

我问："那么我们现在的交谈和生命呢？"

褐色衣说："我们的精神和周围的事物此时恰巧类似童话。"

土路上野草青青，两边密林满树细小发亮的繁花，前方平原辽阔。我跟随小道步入褐色衣的往事。也许我们曾经彻夜交谈过，我是高原的红土，褐色衣的说话声一铁锨插下去，挖起满满的土；一铁锨插下去，挖起满满的土……显露一座城堡的金顶。远离街道乱糟糟的行人车辆，远离痛苦的抱怨和真实的虚妄。

我问："我们注定到处游荡，失去就永远失去了吗？"

褐色衣说："也许还没有到末尾的失踪。"

浅红衣说："由谁来安排和决定？也许就像建城，现在的建筑样式来自不断的改变、改进。也可以说，留下的古老建筑穿过许多风雨、火灾、地震。不管人死亡后有没有知觉，还是失踪……当我现在确定我和万物就在眼前，我感到只要知道这些是有的，这就是奇迹，我们的一切就不可能化为虚无。这分明告诉我们：还有希望。"

一阵沉默，脚踩沙砾路嚓嚓、嚓嚓，遍地蓝雏菊的花色渐渐转深。我一瞥两位挺拔的朋友，想着他们的与众不同的憧憬，内在的坚毅与力量。

身边碧色的溪水流淌，我被不可抗拒的魅力诱惑，摇摇晃晃贴近流去，我和无声的溪流尽情奔走。我和溪流，背后一样的灵光，一样的含义。溪流和溪流靠拢，就是两条无隔阂的溪流，一条变得宽广的溪流。天蓝得干净，容貌高贵、庄重。我们曾经在灰黑的杂质里挣扎，想望着升腾。我从溪流涌出，天空里洗净的细密蓝色颗粒旋转。溪流继续流淌，不断流淌。这条溪流为什么不变成人的形状？想到两位朋友，不见人影。两只绿蜻蜓并排飞，复眼圆鼓鼓，无数星星点点变换着颜色。

我进入清香的麦田，麦子随风翻滚。与其模仿麦子舞蹈，还不如化为麦子起伏，波浪般层层推向远处。路边两棵细瘦硬朗的高树，毛糙的黑树皮上条条纹路，一阵风，飘落几片艳丽的黄树叶。我去捡，又飘落许多树叶，把我要捡的一片光洁的树叶掩盖。满眼飘落的树叶，模糊的黄色瀑布。

树在说话，明净的光泽：“树枝光秃秃就让你想到人的赤裸的灵魂，树叶花朵满枝也同样赤裸着灵魂。人与我们不同，人茫然、呆滞、收敛和掩饰，我们总是赤裸着灵魂，灵魂就是这样的美丽和坦然……”

红云清淡划过树枝，天色里水雾朦胧，遥远温暖的白日好像一朵娇嫩的白花绽放。地面厚厚黄叶，蝴蝶翅膀扇动。我不可抑制地成为树，把所有的手臂都举向高空和白日……当太阳发黄，落下，天边玫瑰色的回光返照，金色与鲜红的火焰熊熊燃烧，地面一层沙砾如同紫色的水晶。三位朋友融化了，随沙砾路长河般流淌，被美景触动时又从沙砾路中涌出来观望。

浅红衣说：“这景色来自我们。”

褐色衣说：“来自痛苦和疑惑。”

我问：“为什么要这样说？”

浅红衣说：“是的，没有痛苦和疑惑就不需要思索、想象和期待。”

我说：“当风景突然清晰和多愁善感时，我们往往最为伤心与痛苦。”

褐色衣问：“有什么深意吗？”

我说：“难道必须用伤害与失望让我们时时思索和苦苦期待，一直到万物焕发出诗意的层层光芒和色彩，忍不住心痛。你看，风雨飘摇的精神景色，软弱、无用，又铺天盖地，不可阻挡，灵魂颤抖着敞开。”

浅红衣说："改变了翻滚的雾气最深的地方。"

褐色衣说："有时候，我们的痛苦还不够，我们的失望还不够。我们还没有真正绝望。"

我说："怎么绝望？寒冷、萧条遮蔽不了抚慰我们的景色。"

褐色衣说："对某一空间的绝望才会引发对云霞明暗的他乡的期盼。不然我们总是猥琐平庸。我们经历的最终处，眼前的万物，包括自己和他人的生命瞬间被替换。"

天空涌起黑沉沉的红云，滚动无数圆鼓鼓的云头，平原上沙砾折射多棱的紫光，我们也是漫散的紫色的水流，铺满整个荒野。

二、天文台玄想、狂想；认识是徒劳和毁灭

前面出现几座小山，颜料般乌蓝、淡紫、橘黄……其中殷红色的山头上一座银白色圆顶天文台。沿铜绿色山路走上去，房前用花岗岩石块砌成一圈花坛，一条溪水哗哗沿山流淌，大厅里巨大透明的穹顶如同天棚，亮星在遥远处闪烁。他们觉得自己渺小如伏在地面的蚊虫。

三轮初升的月亮照明四周的壁画，画里的人物在云雾中飞舞，双眼炯炯有神。大厅中央几张宽大沉重的紫黑色木书桌，书桌上安放着望远镜、平滑的草制黄纸。天文学者在哪里？消散了，都成了自由飘飞的雾团？天文台也许就是些天文学者，他们终止行动，停留在对太空的体验、沉思和想象。

三人随便找个位子坐下。我拿起望远镜朝天观望，我感觉目光快速飞升，穿过强烈的热辣辣的光芒，深入漆黑的宇宙，看到繁星掠过，一颗星突然爆炸。我拿笔记录："庞大的紫红色花朵慢慢开放，花瓣弥漫渐渐薄如轻纱，好像有位女子在花蕊中蹦跳、旋转，渐渐

形成黄色的大圆球……”浅红衣和褐色衣也在观望、书写和分析。

壁画里的人物，乌黑的眼睛渐渐发白，衣服褪色如同灰色的影子，开始自燃、呻吟。我是不是产生了错觉、幻觉？我走出门，独自下山。六个太阳翻滚、变幻，随意升起、落下，太阳是谁？如果形成人是什么模样？会有什么样的品格和精神？太阳总是圆圆的，最多变变色彩：白色、黄色、红色。

天空深紫，旷野也一层紫光，地下涌出大群紫色的长毛烈马奔跑，腾空直上云霄，黑影连着黑影掠过地面。开阔的溪流铺满云霞的倒影，万丈深渊下面有个紫色的花园。我也化为溪水，自由舒展、流淌。霞光、大地、山峦、草木跟随着我缓缓转圈。我不时咕噜噜翻过圆石，浑身霞光跳跃、放光。

一棵不知名的野树生长在开阔土地，树身粗壮，树冠巨大，白花雪白，香气让我感到平静，呼吸舒畅。一阵激动，我从溪流涌出。

身后女子嘻嘻、嘻嘻，只见一团紫雾阵风般把我的身体刮散，我汁液般渗透到树冠和树皮，飘出来时树上的白花更为繁盛，香气更为浓烈。一位看不清面容的少女，赤裸身体雪白微红，笑吟吟问道：“你是谁？和我一样喜欢变成人。”

我一身花瓣，问：“你是？我的头发总是乱糟糟，容易打结，我就叫自己乱头发。”

“哈哈哈，叫乱头发，笑死人了，我看你还有乱眉毛、乱胡子，咯咯、咯咯。我是霞。”霞嘻嘻哈哈咯咯咯环绕大树转，满树白花带紫，一阵凉风吹来，树飞向高空，一团云雾变成十几朵白云。

夜来临，雾气为什么要沉溺黑色，也不亮起几盏灯？也许他们都很疲乏，也许他们觉得那样才惬意。远处山峦起伏着黑影，只有天文台有一点灯光。两轮巨大的绿色月亮从地平线升起，蜿蜒的沙路如一条绿光蒙蒙的小河。与他们，即，与眼前的万物回忆一个个夜晚？我们夜行，半夜走到湖边，天上、湖面群星带着尖刺般的闪光。凉风花香，讲吓人的故事，严肃地交谈……

月亮发出红光后暗淡，消失。天顶天边水黑色，几朵浓黑的乌云畸龙般怪异狰狞，又如残破的马头长着獠牙、瞎眼，身体扭曲，五条腿粗细不一。我恐慌，连忙往回走。旷野黑蒙蒙，路不见了。

一会儿天空蓝色纯净，抬头看到乌云的形象是水牛流血、怪胎、精神病人在笑……不敢多看，又无法回避。我也是可怕的乌云，身处深蓝的颜色里被谁牵扯？俯视黑沉沉的旷野，瞬间辨认不出哪处是天，哪处是地。我蹲下身，好像钻进温暖狭窄的鼠窝，厌恶和拒绝。一会儿沙路又白蒙蒙显现，游走。繁星宽阔的大江当头哗啦啦奔流，他们就是这样和我交谈？

走进天文台大厅，漆黑的穹顶星星垂下灯光闪烁。壁画人物褪色的丝绸衣衫如条条破布，苍白的身体上几道红痕，脸色乌黑如怪物，眼睛还是灰白色。浅红衣和褐色衣对坐，比画着谈论什么，看到我，起身招呼。浅红衣拿望远镜让我看，繁星呼啸着从身边掠过，一颗爆炸的星星，黄色圆球不知扩大了几千几万倍，渐渐稀薄透明，球中间灰色的内核上建筑高高低低，街树纷纷开放黄花、红花，汽车穿梭，滚滚的黑色人流……许多雾气朝那里飞去，一道道红光划过透明的天空……我点点头。

褐色衣说："原来我们过去居住的地方就是这样出现。"

浅红衣问："我们也会飘向不同的空间吗？我们的世界与那些地方是否相同？还会毁坏吗？当毁坏时他们驾驶一座座高楼逃走？"

我继续问："为什么用这样的方式？有没有最后的地点？"

褐色衣说："不要问这么多，先弄清楚事物的来源、性质、演化方向，也要认识我们自己。明白我们可以做什么才能行动。"

大厅内忽然漆黑，估计云团飘到了大厅上空，我们走出去。外面晴朗，阳光温暖。为什么夜晚如此短暂，一小时不到已经是白天？山道两边杜鹃花粉红，蔷薇花白里透出绿色。他们下山沿溪流行走。

浅红衣说："你说，弄清楚事物的来源、性质、演化的方向……这就像一幅画，本来是让人欣赏的，可是我们却痴迷于画布、颜料、画笔，以及有什么气味。"

我说："我们看到的也许只是这里的独特现象，另一个空间就没有什么星星爆炸，或者根本感觉不到。人们承认有些事物不能理解，想象不到，但不会真正相信无法感觉、无法把握的东西。"

褐色衣说："有能够感觉到的事物，也有永远感觉不到的事物。一幅幅画总是用形象让人感受到画意。人们都是打开手电筒走过黑夜。"

我说："我们身边的溪流、花丛、树木、云朵、太阳……为什么不涌出人的形象与我们交谈？"

褐色衣说："我也在等待他们。看看这一丛紫红色的蔷薇花，会是什么样的人？"

他们观看花朵，遥望原野上蜿蜒的河流，天空的飞云……期盼出现一些人和他们交谈。问问这里到底是什么地方，发生过什么事情？

浅红衣说："我们到了新的环境又开始说话。"

我说："除了失踪又失踪，我们还会去哪里？"

溪水缓慢流动，长长的深绿水草舒舒服服摇晃，田间铺着蓝色的花朵，眼前蓝蓝的光仿佛把身体洗干净。乱头发对着花朵说："你们也涌出来吧，一起玩和交谈。"他摇摇花朵，花瓣上的露水闪光、掉落，还是蓝色的花朵。

浅红衣说："命运是一场游戏，安排好的痛苦的游戏。为什么痛苦？我们期待，或虚无，或腐烂的气味。我们的期待是自欺，还是不屈服，还是崇高，还是庸俗？我们必须期待，唯一的希望或者是自欺。"

他们往回走，又走到蓝色花丛，一朵朵蓝色的花，一个个秀丽、深情的注视让他们的情绪慢慢平和。

褐色衣说："我们相遇，到处是花草树木，变幻着形态、温度、颜色和气味……真希望天地永远存在，我们一直留在这里。散步、观望、交谈，探索无穷无尽的奥秘。"

我说："但愿永远这样。不管到了什么地方，我都不会忘记你们和这里的风景。"

他们回返时已近黄昏，光线显得柔和与美妙。山路边大片梅花树，红梅花、绿梅花闪亮，股股芳香。走进天文台，大厅里依然漆黑，壁画上的黑影乱糟糟走来走去。三人摸索着找到椅子坐下定定神。

空中有人说道："要想保存想望的地方，所能做的是建立想望的氛围，停留在其中等待。认识是徒劳和毁灭。"

黑暗的大厅里看不到星星。大厅穹顶外火焰蔓延，壁画人物的脸瞬间映得通红，眼睛抛出长长的弯曲的光绳，他们看什么，什么就燃起火焰。四周光影摇摆，天文台的大厅金属般变形、熔化、塌陷。我的知觉渐渐消失，我默默祈祷："改变吧，出现一片绚丽的风景，出现一片绚丽的风景……"我听到浅红衣也把这样的话叫喊出来。

三、你看我看室：黑脸医生做报告《就是这样》；文艺表演《向上进》

乱头发好像站立着睡了一夜。时过境迁，一条走廊黑洞洞，当中有楼梯。褐色衣、浅红衣不在身边。乱头发穿过走廊，两边一扇扇门，每个房间都摆放几张双人床，挂白色蚊帐，寄宿七八个人。他们说话、走动、斜躺着看画报，封面上持枪的女军人脸色黑红。

他下楼，一条空空的走廊，漆黑的扇扇大门紧闭，木挂牌上有红字：你看我看室、优影档案室、画里室、模拟室、关爱室、洗心室、分脑室、催生发芽室……走廊的两头被封死。

回走时乱头发在楼梯口遇到褐色衣和浅红衣，他兴奋地打招呼。浅红衣眼皮低垂："我们被关押。"

褐色衣两眼闪光："那就仔细看看这个楼房。雾团为什么变成楼房，这里的人，这里的一切。"

浅红衣说："无所谓，我跟你们转圈。"

乱头发伸开手臂试图改变形状，肢体粘连，固定。也许是心情的原因，这样的环境让人无精打采。

你看我看室的大门"砰"地被推开，红色的灯光扑出来紧贴墙面让路。接着走出黑脸医生，他身披白大褂戴金丝边眼镜，沉重地踱方步。身后两个穿黄色夹克的助理来回奔跑。

乱头发想："黑脸医生曾经是夜晚吗？还是可怕的乌黑马头云朵？助理粉黄色，过去大约是向日葵吧？"助理大声嚷嚷："开会啦，开会啦。"人群在楼梯上你推我挤奔来，个个脸色苍白。腿发软的老头被人搀扶，一股呕吐物的酸腥，温热的尿骚味。

乱头发也害怕，但没法后退，一阵风把他们三人卷进大门。室内如同影剧院，整齐的软皮凳子坐满了人。乱头发感到不可思议：这栋小楼里竟然住着成千上万个人。当时他们形成人的形状，其他雾团装扮花朵、溪流、山峦、天文台……到了这里，怎么都想成为人？

繁星般的吸顶灯散发强光，一声叹息全部熄灭，人们的眼睛亮晶晶，如同猫头鹰的圆眼，阳光下的玻璃碎片。不管过去这些事物是什么形状，现在全都凝固、僵化。一束粉红的灯光射到舞台，两位助手像狗熊笨手笨脚，摇摇晃晃咔嗒嗒搬来长桌，摆好麦克风，不小心又碰倒，都噜噜……又咕——咕——拖过来高背木凳。也许确实变换了时空，他们与过去的雾团毫无关系。

射灯跟随笑眯眯的黑脸医生转，黑脸医生坐定，两位助手直挺挺站在他的身后。黑脸医生嘭嘭、嘭嘭拍拍麦克风，干咳三声："朋友们！天空晴朗，桂花飘香，我们再次迎来你看我看室隆重开门的大喜日子和室内黑暗双眼发亮的光荣时刻。我们开始上升和改变。阳光、溪流、树木等全都凝固，植入规律，坚如东倒西歪的磐石。我们为你们才整天、整月、整年滞留在黑暗里、灯光下。我们不造楼房，谁造楼房？我们不排管道，谁排管道？我们不嗅废气，谁嗅废气？"黑脸医生吐出一堆灰尘，然后用灰尘捏个小人，小人抬手摸索像瞎子那样走路。助手把小人放入口袋。

许多人捂住心口忍不住叹气，厕所前排起长队。黑脸医生浓黑连眉下的小眼睛眨巴眨巴有点湿润，眼镜片立即被雾气遮盖。他的嘴巴一开一合，舌头又红又肥，吐出的声音却像女中音般动听："不要难过，也不用问，我会解答你们的疑虑。如果认真听报告我就奔跑得快些，跑完一千五百米还有舞蹈队的精彩表演。

"我现在大致介绍介绍这里的情况。首先，你们已经待在你看我看室，这就不必解说。

"第二，要确定自己以后成为什么样的人，这可以到优影档案室去翻阅相册，选定照片就选定了你的全部。包括自己、妻子或丈夫也能够选定，当然选择独独或一双再独独也可以。不满意可以重选。

"第三，去画里室参观你们未来的鼓鼓胀胀的多元化生活和一车车酒囊饭袋的欢乐，以及开进条条高速公路的啪嗒、哧溜的命运。什么都是一样的卑微、黑暗，只有我们建的楼房和通道才是光荣、伟大。"

乱头发想笑，看到褐色衣全神贯注地倾听。医生的脑袋后长出更大的脑袋睁开眼睛扫描，他也老老实实地恭听。

"第四点，到模拟室去领取路线图，以便找到你们上升后要去的城市和母亲的产房。”

“第五点，关爱室里，医生会给你们讲解进入胎儿的拿手好戏，一定要认真听讲，做好笔记。不然一旦中途出错，你们选定的内容就会不算数。过去很多人竟然钻到母猪、母牛、母羊、母蟑螂、母蚁皇等等等等的肚子里，或者什么地方都去不了，成了长期免费享受寒风的孤魂野鬼。需要牢记的格言：一滴水落不到马桶里就会缺少细菌。”

“嘻嘻，咯咯咯。”那分明是霞的笑声，她飞得那么高也没有逃脱？还是原来的地方，空间被压缩为一座楼房？乱头发回头寻找霞，只见许多大嘴巴的黑洞，哈哈、哈哈冒着有臭味的口气。

黑脸医生哽咽，讲不出话，“呜呵，呜呵……”一边哭，一边摘掉眼镜，竟然用油乎乎的袖口擦眼泪和鼻涕。他的声音颤颤抖抖继续讲道：“这是多么悲伤的事呵，你们、你们、你们还笑，好好想想，母猪、母牛、母蟑螂……那是什么？我们的一片真心，呜呵呵，呜呵呵。我们长久不见天日，一片诚心啊，呜呵、呜呵，呜呵呵。”黑脸医生痛哭许久，助手也是泪流满面。台下不知哪位男人放声大哭如同闪电刀劈后的雷霆震动。乱头发大吃一惊。

黑脸医生终于喘过气来，拍桌子：“会收拾你们，喷雾！

“第六点，要是你们挑花眼，拿不定主意，由主任决定你们的未来，包括你们未来的父母、妻子或丈夫。我预先告诉你们，主任的话一定要听。主任在三个重要的地方做官，还是个尚书，实际上是个皇帝。

“第七点，如果害怕，说什么好死不如赖活，就到洗心室拿心当陀螺抽。我们有八位学历博士后而后而后后的教教授授，临床经验丰富多彩，锦绣河山呵。绝对不收红包。

“第八点，如有过犯和错误，只好用没办法的办法去分脑室。

噼里啪啦做什么？暂时保密不告诉你们。

“第九点，最后由催生大员在催生发芽室送你们上升。

“让我们欢呼，洋溢起激情，多么灿烂的地点，多么辉煌的时刻。啊！你们如一轮红日上升，上升，上升，照亮天地万物。拍手吧！拍手吧！”

黑脸医生先啪啪、啪啪三分钟左右，两位绷紧脸的助手，也跟着啪啪、啪啪一分钟左右。台下自来水主管爆裂，漏水声哗哗，滚来滚去，渐渐刮起台风。乱头发只见人人红光满面，有人自发地用木条把厕所大门钉死。

台上，小提琴伸出细铜丝般的手臂，又用微风般柔软的手轻轻安抚人心。背景布前红灯闪亮，鼓点混合号角，八位演员从头到脚紧裹黑色衣，从幕后扬臂碎步跑出，两个窟窿里的眼睛似蜡烛发光。她们唱歌：向上进，向上进……光滑的身体波浪一样翻腾扭曲。弹跳而起，一挥手都成了十几米高的巨人，光彩夺目，哗啦啦的巨响中楼板被捅穿。乱头发想过去看看窟窿外有些什么？窟窿里飞进一群黄鸟，原来是趴在照射灯上的小黑人丢下的黄纸片。前排观众去哄抢，一阵骚乱，十来个人头被打破，保安员急匆匆把伤员抬走。

浑厚、超凡脱俗的歌声，听者屏息。男子长发、红脸、大鼻子，他戴着墨镜，高亢放歌，一摇头，长发散开如大树茂密，观众在大树底下纳凉，飞起一群乌鸦。歌声越来越怪，拖腔带调念咒语，乱头发不寒而栗，双肩酸痛。舞台地板上鞋子飞来飞去，好像被人抛甩，也许是些隐形的舞蹈者。青蛙到处蹦跳、攀爬。褐色的小蛇游动，青蛙中毒瘫痪。

唱歌的男子是远古部落可怕的祭司。一队穿白衣扎红腰带的鼓手，敲打挂在腹部的红漆皮鼓，鼓点缓慢，节奏分明，每次咚的一声，唱歌男子就像触电般打个寒战，变个模样。咚——咚——咚、咚、咚……狗熊——老太——秃鹰、牦牛、枯树……鼓手队下台，唱歌男子晃晃身体成为壮实的大汉。又上来两位钢铁大汉，抓住唱歌男子，一位拿木棍把唱歌男子打趴地上，并说："如果再不老实就打死你，揪出你的乌龟儿孙，再踏上几只脚。"台下响起一片疯狂的欢呼，接连不断地叫喊。唱歌男子艰难爬起，抢到买冰糖葫芦的老太的一把钱，老太刚要动怒，唱歌男子眼睛一眨，眼神非常多情。老太靠拢唱歌男子，不断抚摩他的背。唱歌男子卡住老太的头颈，老太挣扎了几下。唱歌男子再次起身唱歌，老太的身影从尸体中坐起，飞走。两位钢铁大汉打开火焰喷射器。

几十个年轻活泼的演员穿彩服，高举气球奔跑上台，喇叭里播放的音乐声调越来越高亢：向上进，向上进……人群狂呼乱叫，演员放飞手中的气球，大群观众飘浮空中，黑点摇晃。演员也离开舞台慢慢向上飘浮，汇集，组成一面彩旗舒卷。乐声忽然停止，帷幕缓缓落地。

人群兴高采烈交头接耳蜂拥出门，上楼。一会儿昏暗的走廊空空。乱头发看到水泥地面潮湿肮脏，石灰墙面污迹斑斑。浅红衣和褐色衣也回到走廊。雾气为什么选择这样的形状和形式？黑脸医生说要送我们到另外的地方，还有选择身份等等自由。黑脸医生的话他记不清楚，就问褐色衣："我们上升以后还可以见面？"

褐色衣回答道："好像是这样。"

浅红衣说："只要我们还能见面聊天，去什么地方都行。"

他们走上二楼，走廊一条笔直的道路，走了很久才找到空房，房间里三张床，好像特地为他们准备的。乱头发不想猜测什么，反正不久什么都会清楚。他独自睡下，木板上只铺一张草席，很硬，黏黏糊糊。他刚躺下就睡着，昏昏沉沉醒来时，看到浅红衣和褐色衣靠坐床边交谈，他听不清他们谈些什么，又睡着了……早晨，褐色衣告诉乱头发："我们谈到半夜，墙倒塌。外面刮大风，地上的雪被卷到空中。我们看到荒地枯草，河水蒙蒙亮，远处的城市一片灯火。黑脸医生带一群助手搬砖抢修墙壁。"

四、优影档案室：翻阅照相册，选择自己的长相、身份和妻子

十几位身穿红色制服的鼓手嘭咚嘭咚敲鼓从遥远处走来，穿过走廊。人们蜂拥而下。优影档案室的大门打开，四面墙壁上排满带长梯的书橱，整整齐齐摆放的照相簿浩如烟海。房间当中有几十张墨绿色单人沙发，茶几上放置一盆盆蜡制水果。主管是位干瘦老太，她堵住门口，凶狠的眼神能刺入他人意识窝巢的九环，面对黑压压的人群她吐出由于雌激素枯竭而变得尖利的吱嚓声："不是每个人都可以进门，要由我来选择。"乱头发他们三人都被拉进门。老太像老鹰一样伸长脖子，抖抖翎毛，又张开她的瘪嘴，裂纹细密的河道扭动着泥泞："告诉你们，你们的父母、妻子或丈夫就在这栋楼里，不过他们的照片和上升后的样子相比就像公鸭变成毛驴，唯有照片可靠。几代人清点配套照相簿到了五亿五万零六本，仓库里还有上百亿本，你们不可能全看完。我宣布停止，你们就乖乖离开。如果没有选好，那么你们是狐狸还是野猫，是鱼醒草还是喇叭花就由主任拍板。黑脸医生说：'如果你们选定照片，疑疑惑惑又想重选。'出尔反尔，想占小便宜？那是不可能的，我不允许这样做！这是我的脾气！开始吧，选好照片的人到我这里登记。"说完后她背手兜圈子，不时唠里唠叨责备他人。

乱头发随手取下一本，翻开，大大的结婚照，女子头上斜插一朵黄色的香水月季花，肉里眼，噘着嘴巴，短短的目光老成、尖锐，挑剔如常住母鸡鼓起的圆眼盯住新来的流动母鸡，为了处处占上风

准备恶斗一场。男子肥胖的圆脑袋，眯细着眼睛，翘几根稀稀拉拉的棕色胡子，和事佬般傻笑。乱头发连忙翻过去。

“你真是个土鳖！”乱头发一惊。身后瘦老太嘲讽地打量他：“他们家可有两栋海滨乌龟螺蛳壳，三只豪华五彩大甲虫……你看看，还有好的。”瘦老太把照相簿翻到当中，指着一位还算端正的长脸女子说：“如果你选中了刚才那对夫妇做父母，你就会娶到她，女强人呵。你也是顶级名牌大学的高材生。”

乱头发喜欢和蔼的女子，女子撇着嘴比柠檬还要酸，让他忍不住大白天磨了几下牙。

“如果娶她，这就是你。看，你的照片。”

乱头发看到年轻男子，戴黑边宽眼镜，嘴唇紧闭，神态冷漠，他可不要成为这样的人。

老太说：“好啦，好啦，你一声不吭，自己去找吧。我也厌烦，懒得管。”

扑通，一位年轻男子跪在老太身边，老太的脸微微发红，抚摩男子的头。男子说：“能不能让我一直待在楼房中，我特别喜欢待在这里，什么地方也不想去。”

老太瞪眼，踢了他一脚：“我这把年纪也不怕丢人，我以为你来求婚。讨厌、讨厌、讨厌。不想上升？走开！”

几个助手把男子拉出门。男子咧嘴笑：“做了坏事，我可以多住几天。”

乱头发翻看照相簿，也有几位夫妇看上去舒服可亲，也有几位女子让他心动，他弄不清他为什么总是犹豫，急匆匆不停地翻阅。有时想返回一睹俏丽的身影，翻来翻去找不到。他暗暗怀疑这件事。他想起霞，激动起来，能不能找到她的照片？褐色衣倒在沙发上，摊开四脚沉睡。浅红衣埋头翻阅，身边大堆照相簿。

乱头发站在书橱边，一本又一本快速翻看，忘记时间的长短，不知翻看了多少本，一张张脸一闪一闪，突然意识到，霞的脸他记不真切，着急和沮丧。定下心来想想，土地辽阔，茫茫虚空。也许她如往日看到的风景，尽管回忆时依然清晰秀丽，但心境却早已变迁，特殊的激情、场景营造的风景不会重复出现。他依稀听到女孩霞的笑声，霞带来的美景，不会让他错判、迷失，找到那个美景就是找到霞……也许霞是个中介，他要找的并不是她，只是通过霞让他证实那个微弱的感受不是假的，是那个脑海里的遥远的美景真实地显现。他快速翻阅照片，仿佛是徒劳的努力，但是感觉中的一片美景，静静伫立远方，越来越清晰。霞再次成为意识雾气，不停地翻滚，高高涌起四处张望。乱头发不像在翻阅什么照相簿，而是怀着希望长途跋涉，竭尽全力。优影档案室一瞬间消失……宽阔的碧绿的溪水沥沥流去，午日阳光下草香、花香，四周树木青翠茂盛，远处山峦高低起伏，头顶蓝天宁静、遥远，他的面前站立着光芒一样的霞。

“时间到啦，到啦！出去！快出去！”老太拔足喉咙大喊大叫。

乱头发猛然惊醒，好像被人一脚踢出门。

浅红衣说：“我挑选了一位，不管怎样，好与不好总是自己选择的。那位女子让我想到暖和的天气，树林伸展嫩叶。不管我自己的命运如何。”

褐色衣说：“周围的人的相貌都是假的，照片的形象是真的。也许倒过来才对。我结过婚，有经验，我都知道，如今我情愿独自一人。”

乱头发说：“我的脑子没有转过神，还想回去查找。”

褐色衣说：“我去过无数的空间，我寻找，期待到达全新的天地。如果我们的命运还是如此，就算一切重现，最后遇到的依然是痛彻心扉的分离。哪里有让我真正安心的世界？我们糊里糊涂地飘来荡去，直到消失。为什么要这样？我们还是抖擞精神去寻找和思索，哪怕只有一线希望。”

五、紫蟒主任拍板判决；分脑室的完美技术

乱头发慢慢往宿舍走，谁轻拍他的肩，一阵惊颤。回头看，一位大汉眯眼嘿嘿笑，他身着深黑色的制服笔挺，摇晃肥头大耳说：“我是这里的主任。你就是乱头发，我比较关注你。我想为你选定最好的东西，真正的金光大道啊。很荣幸你对我如此信任。我特意为你组织人力制作示范片。光荣啊。明天就走。”

乱头发说：“我有一个想法，不知道可以不可以说？我想选择熟人，能不能回去找她的照片。”

主任眉头紧皱：“你竟然这样想？我们为你花费了多少心血，搅拌过多少水泥？搬过多少砖头？你不是我们。”

“我随便问问。”

“你问什么？你问问问……这能问吗？为你选择容易吗？乌云是我们拨开的，靠我们你才有阳光，你才有前途，你才有新的天地、新的生命……别人早就高兴得昏过去又昏过去，你这个难缠的人！”

走廊弯弯曲曲向远处延伸，五六个黄夹克助手飞奔过来揪住乱头发的头发、衣领、手臂。有个助手狠狠踢几脚他的臀部、后腰。乱头发被激怒了，“啊啊……”死命地挣扎，但被按住无法动弹，“啊啊……”腿脚还想乱蹬。助手用麻绳从上到下把他捆得如金属线圈，用脏毛巾塞住他的嘴。哗啦把沉重的黑铁链套上他的头颈，沉甸甸身体都挺不直。

走廊的地面长出枯黄的草，旷野中他被牵着走了几天。面前出现巍峨的红色琉璃瓦殿群。穿过几座高大的厅堂，身边走过的紫

衣、红衣官员，他来到最为高大的正殿。助手让他跪地。层层黄漆台阶上，枣红脸主任披紫蟒袍高坐，大椅子探出木雕黑色龙头。两位助手抱出几大卷宣纸线装本。主任掏出吹风机，对着本子吹，页面噗噗、噗噗快速翻过。主任一拍象牙板，说："这家伙我认识，精神不正常，给他讲情理等于对着小汽车唱歌、吹萨克斯。不要让他睡觉，先送到分脑室考验考验。"

乱头发被牵着回走，背负沉重的铁链，盘算还有多少路。经过草叶枯黄的野地，助手埋怨："你人不坏，就是太傻，发展成为又傻又坏。"乱头发打听楼房的事。助手说："管那么多干什么？"

天空落下零星的雪粒，远处几座残墙覆盖着藤蔓，墙面不断被修补，新墙一堵堵竖立。黑脸医生戴红色安全帽指挥大群戴黄色安全帽的助手搬砖头，叫嚷："这样更好，这样更好。"

砖墙围住乱头发，楼房的走廊里，助理解开他身上的绳索，拿掉铁链，把他推进分脑室。

一台圆桶形机器闪烁不锈钢的寒光，一位脸长如马头的干瘦老医生看见乱头发，让他坐在边上，说："排队，排队，我在动手术，你还要等一会儿。"等助手都出去，他关上门。

老医生念念叨叨："过去，每个上升的人都要经过我的机器，现在可以跳过。有些人恨机器，想回归自然。有些人什么科室都不愿意去，想都不要想。你嘛，不能享受机器和人的互动，当然不知感恩。机器是我亲手制造和改进的，摸对材料和零件的脾气，排好线路一通电，机器就比人还聪明，还要听话。无人机和性爱机器人多么迷人。

"人们都说什么有心，没有心，我说是脑袋经常发痒，发红，发嗲，流泪，做梦，风骚，昏胀，分裂……我的机器就是脑袋的榜样和特效处理器。反正你也快动手术，多说点秘密给你听也不必大惊小怪。”他朝乱头发挤挤眼，紫舌头舔两圈黑红色嘴唇。

“机器里面刚刚塞入选定照片又后悔的家伙，他的内心掠过一道道恐怖的闪电，大约只会发抖流汗，大小便失禁。我的机器里晃动鬼影：白的、黑的、黄的、紫的、绿的。脚下会凭空裂开陷阱和深渊，吓死他。要不要听，鬼哭狼嚎声力透钢筋水泥。你看我按绿色的开关。”

“吃……”机器发出凄惨的尖叫，内壁扑扑响。医生哈哈、哈哈哈放声大笑，乱头发浑身鸡皮疙瘩。

“这是我的二胡跳弓声，怎么样？他的脑袋被我的超锋刀，就是激光剑劈成两半。现在，他的一半脑袋快乐得发抖，一半脑袋痛得龇牙咧嘴；一只眼看到太阳在升起，一只眼望见夜晚漆黑一团。两半脑袋竟然还像男人女人那样互相默默呼唤，幻想如发情的母狗或者公狗跳出墙头，雪地里飞奔一千多公里，为了养七八条叛逆的子女。爱情和传种是怎样的不同？你告诉我。我现在按第二个黄色的开关，我的机器手会抓住头发，倒核桃仁一样把脑子倒出来，我才不会去吃软绵绵油乎乎的核桃仁。你听听，听到了吗？嘭嘭两声，出来啦。”

几声漏风的尖叫。乱头发像听到刮玻璃吱嘎吱嘎一般难受，想抱头蹲下去。

“下面看我按这个红色的开关，探测镜开始扫描了，这很重要，找到希望意识的细胞网络，比如他的霞，他的伊人，褐色衣，浅红衣，他的远方的风景……这些形象必须切成两百片，就像一个人被分成两百个无法复合的人。此时，每部分脑子都会怀疑自己的爱。你爱血淋淋的半只眼睛，还是血淋淋的十分之一的嘴唇？你爱一滴皮下脂肪，还是残破的毛细血管？最后我把两半脑子分别放到搅拌器里和各种杂念一起粉碎、搅混。注意，要分开来搅拌，做这样的事需要科学态度。如果把分开的两半脑子再放到一起，就等于白劈了第一剑，懂吗？有时再加点其他动物的脑汁。搅拌好后分成三百小瓶，这也叫无性混合繁殖，省得丢人现眼地交媾。一瓶脑汁可以控制一具肉体，送到另一个世界，他们能投胎最好，但一般都投猪胎、牛胎、蛇卵、羊胎、马胎、鸡蛋……或者成为杂七杂八的植物，草香、花香就是脑油的香气。所以，有时猪、马、鸡、蛇会说几句人话也算不了什么本事，它们也需要社交活动，炫耀自己曾经多么有钱，再比一比干过什么下流事。当然凑巧也会投个人胎。

“不过有仇的会互相寻找，蛇要咬死人，熊要把狼撕裂，人嘛，也像野兽那样互相厮打撕咬，或者互相寻找和他脑汁相似的人，结交友谊，谈情说爱。嘿嘿。还有一大半都是找不到母体的孤魂，彼此永远想聚集，又永远厌恶和惧怕。

“你听搅拌时喳喳、喳喳很快乐吧。我倒出点粉红的脑液给你看看……不要想到这样的好事就坐不住，摩拳擦掌想立即钻进圆桶，排队的秩序还是要遵守的。接下来就给你做手术，你不可以内心翻卷痛苦、恐惧、焦虑，被我看不起，我说那些是抽水马桶里的风暴。你应该感到荣幸，用我发明的这样完美的机器给你做手术。”

乱头发害怕地想叫，出口的声音却是咯咯咯。“医生！我喜欢主任……”

“不要害怕嘛。我的机器简直就是尤物，我也渴望做个完美的手术。这样吧，我也进去，我先进去。”

“不要这样，不要这样。”

“拉我，阻挡我的享受？我要发火啦。你知道机器里的人是谁？我亲生的孩子……”

一位助手闯进来叫道：“乱头发！算你学会了倒车，以后再滑溜些就事事顺利。”

助手解开乱头发手上的绳子，他浑身麻木，腿软站不稳，跌跌撞撞出了门。老医生想拉住乱头发，叫道："他知道得太多啦！"助手丢入房间粉红色的领料单，拉紧门不让老医生出来。

六、雪夜墙壁倒塌：出走、揉雪、进城、回归

乱头发回到宿舍，褐色衣问出了什么事？他说很累，以后再谈。乱头发睡到半夜被浅红衣唤醒，褐色衣告诉他在下雪。他们的肩头堆积厚厚的雪。倒塌的墙壁外面，一个巨大的深坑，边上无数层台阶，台阶后的围墙直入云雾。他们走出去，松软的雪花飞舞，双眼恍惚迷离。一会儿积雪几尺深……雪片倾泻，积雪像潮水上升，他们腾云驾雾……水泥地、台阶和高高的围墙被雪埋没，形成长长的斜坡。白色茫茫，他们的视线被飘雪遮挡。他们鼓足劲沿斜坡往上爬，雪松软，如同乌龟在长长的通道匍匐。一会儿鞋子和袖口都湿透，冰凉、发硬。

大雪填满深坑后停止。天空间遥远的一轮太阳，小而灰蒙蒙。平坦的雪地无边无际，也许雪埋没了楼房、山峦。浅红衣抓起一把雪，雪在他的手里闪烁耀眼的红光，他用双手揉雪，他的手里飞出红色的幻影，是红色的小鸟。褐色衣坐在地上揉雪，他手中的雪闪烁耀眼的橘黄色光芒，飞出黄色的幻影，是橘黄色的小鸟。乱头发也忙着揉雪，雪又软又暖和，在他的手里火一般燃烧，发出草绿色光芒，他感到心里有说不清的期待和渴望，使他的心胸开阔和敞亮，仿佛进入了想象的最动人的天地。他把想望注入手中的雪团，绿色的小鸟翩翩起飞。他不停地继续揉雪，绿色的鸟群在飞舞。

乱头发听到朗朗的笑声，抬头看到霞，她披件白色带紫的风衣，伸开双臂，歪斜着脑袋欢笑，无数紫色的小鸟从她的怀里飞出。

她嘻嘻哈哈，蹦蹦跳跳，去赶，去抓，又跪在地上揉雪，瞬间她被紫色的鸟群包围。他们围坐揉雪，眼前小鸟飞舞。他们都很专注，脸色红扑扑，雪又开始无声无息地飘落。

彩色的鸟群幻影般开始飞向高空，遥远的地平线上浓厚的黑色云浪透出紫红，上面聚集的五彩晚霞渐渐在纯蓝的天空舒展开熠熠生辉的流云，仿佛回到意识雾气飘飞的天地。他们继续揉雪，雪球忽然又冷又硬又重，反复揉动，滴落脏水。浅红衣和褐色衣面色苍白垂手呆呆遥望远处。“呜呜、呜呜……”霞捧着大雪球哭泣。乱头发走过去，她边抽噎边说：“呜呜，没有了；呜呜，没有了……”

乱头发说：“不要难过，你看，你看，彩色的飞鸟都在天边。”他招呼浅红衣、褐色衣向晚霞走去，仿佛那里能够摆脱困境。雪地辽阔，他们前行很久，晚霞后退，收缩，离他们愈发遥远……他们走过熟悉的座座山脉，路过天文台的废墟，全都失去了以往的色彩，木炭般焦黑，他闻到浓郁的烟火味。

褐色衣说：“天文台和我们被烧毁。想到当时的美妙景色，难受。”

乱头发说：“雾气自焚。为什么？”

浅红衣说：“与我们不同，他们不深究万物的秘密，沉浸在直觉和感受里。”

褐色衣说：“是我们把他们唤醒。”

浅红衣问：“真的是我们的错吗？”

乱头发说：“假设不一定就是对的。不用猜疑和自责。”

他们沿焦黑粘鞋的沙路走，溪流干枯，圆石上一层厚厚的沥青。黄铜筑的山路融化过，留下妖形怪状的图案。那些碧色溪流，开花的野树已不见。他们站立山顶，四野乌黑、荒凉，只有头顶清澄的天空晚霞不断绽放。希望又在乱头发的心里涌动，然而物换星移，他不能随着意愿，或者被感染如云飘去、化为溪水、伸展成高大的树木……

风景也许还是老样子，但存在于被突变的精神干扰的感官中。他受到欺骗，还是看到真实？或许什么样的感官都不能到达真实，更别说情绪不断更换度数、颜色不同的眼镜，释放各种气味诱人或者驱人，不停地大幅度调节空调的冷暖。

天地瞬间阴沉沉，浓云冒出恐怖的红斑，形成一群黑兽，又渐渐变得温顺——灰云大团大团，点点雪花开始飘落，寒风刮过，衣服、肌肤仿佛消失，赤露骨头如铁架，疼痛令他们忍不住哼哼。半夜，月亮从云团露出脸庞，散发皎洁的清辉，雪地瞬间呼应，升腾起灿灿白光。他还是无法飘飞、流淌，也不知为什么走，走向什么地方。

翻越几座土山，穿过树林，荒草间一条公路。远处黑幽幽的城市，天空通红。开来破旧的长途车，他们搭车进城。褐色衣问售票员一些情况。得知，城市叫新城，人口众多，灯红酒绿，遍地黄金。眼前的山叫七峰山。一会儿就来到城市庞大的商场群落，彩灯、人流、车流。乱头发看到路牌名：菩林大道西。经过大小商店，彩灯刺目的银殿娱乐城，到处是茶馆、洗足店、歌舞厅、酒吧、取款机。经过白玉石拱门，院子内一车车婴儿哇哇哭。拱门雕花顶部几个金字：鸾凤医院。

褐色衣说："这就是黑脸医生给我们的目的地吗？"

乱头发记起黑脸医生说，靠他们我们才有新的世界。"这就是新的世界？"

浅红衣说："我似乎明白，他们有意设置墙面、边门、弯道，让人遇到阻隔，绕圈。人们心怀期望又不知真相，黑脸医生他们理所当然就是引路人。如果黑脸医生从来没有到过这里，他也是盲从者。如果他来过，建造孵化器般的楼房，黑脸医生自有他的盘算。"

褐色衣说："是不是像我从溪流捉条泥鳅放养水缸？当我盖上

缸盖，泥鳅周身漆黑。当我把缸盖拿开，泥鳅的眼睛被天光照亮，仿佛天光是我送给泥鳅的。天光是我发出的吗？天光有时是被我掩盖的。”

浅红衣说：“天光，浩茫的天光，那是另外的境界。”

乱头发说：“光辉满溢。”

褐色衣说：“当时捉到泥鳅带回家，微不足道的泥鳅。冬日独自看到水缸里泥鳅的双眼闪亮，活生生的生命就影响了我，四周瞬间发亮，温暖，湿润，我的生命不再孤独和空虚。”

乱头发问：“主任、黑脸医生为什么这样做？”

褐色衣说：“虚荣？权力欲？献身？被什么操纵？错误？或者让我们出去之前带上些什么？也许受什么学说，什么信仰的推动。”

浅红衣说：“让我们无可救药地痛恨所有的事物。”

乱头发说：“改变了平庸，不再沉沦。”

他们只顾说话。乱头发环视周围，不见霞。他提醒大家。他们说，她愿意到哪里就到哪里。

他们继续边走边谈，满街的彩灯毫无吸引力，仿佛颜色褪尽，沾满油迹和灰尘。

乱头发问：“没有经过他们的楼房通道，我们怎么就能出来？”

褐色衣说：“我们交谈到半夜，墙壁倒塌，外面下着大雪，不知不觉楼房无影无踪。”

城市边缘一条街道，小建材商店肩靠肩，铁门全都紧紧关闭。路灯越来越稀疏和暗淡，月亮缓缓升起，被流云擦亮。他们在冰冷的冬天嗅到麦田的清香。

乱头发说：“你们有没有这样的感受？空间变换不定，但任何地方都有美妙的景色和气息。在任何地方我们都有一线希望。”

他们默不作声。辽阔的田地，茂密的青麦三米多高，当云团遮住明月，漆黑，唯有清香。他们走散。

天角发白，远处几个小黑点向乱头发翻滚、蹦跳。原来是黑脸医生和他的两个助手快速奔跑。一个助手冲过来拉住乱头发的手臂，眨眨布满血丝的眼睛，暧昧地笑。医生向天空抛出一堵高墙的虚线，虚线摇摇晃晃要倒地，医生的脸涨得通红，叫骂道："浑蛋！见死不救？"发呆的助手连忙跑到另一头用力扶正。医生又抛出了几根虚线，他像个大蜘蛛，吐丝结网的技术出神入化。准备逃离的人群被虚线构成的楼房围困。

砖墙沿虚线缓缓生长。乱头发看清楼房的整个结构，楼房上下都是方方正正大大小小的房间、厅堂。房间里扭动许多黑点、白点、红点，是人慌忙地奔来跑去。一位青衣人抬腿脚踩虚线想翻出窗户，乱头发也猛然抽身被助手死死揪住。跑来的助手举举女人模糊残缺的裸体大照片，青衣人又跳回来。助手咬牙切齿猛踢青衣人的肚子，青衣人弯腰缩成团倒地打滚。

黑脸医生和助手上下奔忙，四面砖墙，乱头发被关入小房间。黑脸医生临走时告诉乱头发："刚才想逃走的人不是又回来了。这是最近的变革行动，楼里的人可以自由翻阅裸体照片，解放啦。"这句话让乱头发呆呆默想了一会儿。他无事可做，想到天文台，想到眼前的事物和自身，想到"催生发芽"，也许是个还未识破的信念……黑脸医生说的话也有些道理，女人是男子的兴奋剂、春药和迷梦，靠她们度过多少无聊、空虚的日子依然百无聊赖。房间里裸体女人闪来闪去，是真的还是视频、幻影？她们摆放姿势舒展、敞开。乱头发起身追捕，相拥。他不断抱紧一个又一个女人，挥霍苍白、廉价又维持着他苟延残喘的时光和精力。

一个女人指指墙面，乱头发看到隐藏的门缝，他推开门走进灯光昏暗的饭店大厅，顺着铺红地毯的楼梯往上走。遇到两位女服务员，合身的高叉洋红绣金花旗袍，一动就露出白晃晃的大肥腿。她们长得五官端正，表情麻木，见人时才堆起收费员的笑容，塑料花朵艳丽地开放。她们鞠躬："欢迎光临！里面请！"乱头发点点头，穿黑西装的女领班带他前去，他不时想想口袋还有多少钱。

楼上下来粗矮的汉子，他的身后一群凶神恶煞的男人。领班低头耳语："老板，这是客人。"老板瞥一眼，挤出另一种职业的皮笑肉不笑，转身上楼亲自带他走。穿过黑暗通道，一扇破铁门，咔嚓打开锁。沿水泥台阶往下，眼前一亮，有个花园，喷泉水池，紫藤长廊，树木修剪成圆球、尖塔、长方形、正方形。不远处高大的烟囱吐烟。老板说："烟囱怎么放到了这里？"身边的喽啰说："知道，明天就拿掉，放一座玻璃高楼或者木塔怎样？"老板说："放木塔，不许有窗户。"

他们把乱头发交给迎候的女部长。部长说："皮肤白的价钱高，去选吧！"他被推进门，大厅里安置一百多张床好像停车场车辆整齐排放。床铺的破蚊帐悬挂蛛丝、灰尘，坐满被幽禁的女人。她们矮小，瘦削的脸像猴子，涂着厚厚的油脂：青色、黄色和蓝色。很多人怀抱婴儿和幼儿，身上油腻的奶迹发亮、酸腥。女人盯住乱头发，念念叨叨："选我吧，选我吧。"乱头发既心酸又害怕，她们把他看成有钱的好心人，他不可能去接触她们丑陋肮脏的脸庞和身体，他也从来没有看高自己的修养和能力，可以去解救什么人。

幽禁的女人纷纷起身看他，其中一位女人的身体土黄色闪动蓝光，她说："你的心思我知道，这里哪里会有你中意的人，闭上眼睛摸摸我的手。"乱头发闭眼触摸到细腻、柔软、光滑的手，他看到一位玫瑰色皮肤的赤裸女人，长发轻拂他的脸飘过白兰花的香气。他看到树林满地落叶，蓝天垂到地面。又走来一位微笑着的蓝色女子，他再次发现女性独有的美丽、宁静、坚毅、聪慧……赶快睁开眼，他正在抚摸黑脸医生助手的手，助手嘿嘿、嘿嘿笑得弯下腰：“啊呀，啊呀，受不了啦，我要死了，死、死，妈啊，啊呀，啊呀呀……是不是热腾腾、火辣辣的？我要死了……”乱头发不吭声。助手唠叨：“要搞活，要繁荣昌盛，不然怎么会有人急匆匆想上升？他们的血都比你的热，流得比你的快。今天就有几千个人上升到新世界。都像你这样待在楼里怎么会发迹？”乱头发无话可说。助手挥挥手，“你讨厌她们，好好，我马上把她们都拿掉。”助手把自己也拿掉。

乱头发独自留在小房间，他想走到门边，腿重得难以抬起，勉强走了两步，肌肉嗞嗞麻得难受。他蹲下，天旋地转，他在惊涛骇浪中翻腾，瞬间惊醒。他穿鞋睡了一夜，鞋底沾着黑泥，衣服上有股浓郁的烟火味。

七、关爱室：《乱头发意识剪切，分身示范片》

不知过了多久，有人把他推醒，他的眼睛睁不开，那人快速把话一口口吐出：“你要去的城市地图。你和你的妻子，主任帮你选定，加上你的父母。哦……”乱头发想问问清楚，只见黄色的背影闪出门。地上一张城市地图花花绿绿。庞大的城市，成千上万条大街小巷：宽宽窄窄长长短短弯弯曲曲。各类标记：红红黄黄绿绿白白，商店、公园、医院、银行、证券部、学校、政府、公司……看得他心烦。他发现沿一条深红色的路线，十字路口和三岔路口都有一匹水印蓝马标记，蓝马边上几个红字：乱头发。蓝马的起点在七峰山第三个山坳，沿小道绕过村庄，到630号国道，跨上许家桥进城，途经沿河路的碳黑厂、轮船站、牛角里、菜市场……换皮匠巷，刘宜井、百银杏、猪脚浜，换菩林大道……终点是棋本路上的鸾凤医院。鸾凤医院？这地名让乱头发心里一惊，什么原因？答案一时难以出现和清晰。

嘭咚嘭咚，鼓又开始敲响。一扇扇门乒乓作响，乱头发随无声的拥挤的人群下楼。关爱室的门打开，阶梯剧院不断添加座位。乱头发找到最后一排位子，还有许多人在门口东张西望，穿黄夹克的助手哄走他们。讲台上一部电脑，舞台挂粉红色的绸布帷幕。信步走来位中年女人，她披白长褂，头颈里的丝巾随便打个结，一朵紫色玫瑰花。她的脸盘很大，白得好像刷了一层墙粉。圆滚滚的灰眼珠呆滞、冷漠……是死的，是大头娃娃？她的身后飘浮彩色云雾如幻似梦。

大脸盘一句话也不说，坐讲台上啪嗒啪嗒啪嗒敲击电脑键盘，帷幕由黑发白，出现一张彩色的夫妻结婚照，丈夫粗眉大眼，妻子短眉小眼，他们对视，目光里含有哀怨、仇恨，也有点温情。

啪嗒啪嗒啪嗒啪嗒，一对年轻人的标准相貌：女人细眉，圆圆的眼睛，向下撇的嘴巴，她正在想心事，略微伤感。男人满头乱发，一双无光的大眼，神情茫然，如同阴天灰色蒙蒙。他的嘴巴像一片红黄相间的秋叶，能让人体会到空气寒凉与干燥。仔细看眼角处还有一抹淡蓝色。

啪嗒啪嗒啪嗒啪嗒，帷幕出现一行标题《乱头发意识剪切，分身示范片》。又出现一行行小字，“乱头发的路程由主任选择好……”观众呼叫：“谁是乱头发？”大脸盘叫喊，声音沙哑：“乱头发，起来，让大家认识一下！”乱头发站起，弓着腰点头。四周热烈的掌声噼里啪啦，弄得他很不好意思。乱头发被请到台上，拿到大红包和奖状，少男少女献上大把鲜花。上升人群的代表发言，其中有一句让人印象深刻：“愉悦、感谢，害怕什么？”

啪嗒啪嗒啪嗒啪嗒，一行行黑字“乱头发拿到路线图，路线易找，不可弄错，关键在那天零点前必须赶到鸾凤医院，不能耽搁……”他一时记起，下雪天的晚上与褐色衣、浅红衣去过新城。他们好像还谈论:“经过黑脸医生的楼房进入新城和直接进入新城有什么不同?”跋山涉水,或者经过一个花园,或者深入黑脸医生的楼房……最后到达一个相同的场所,这之间有什么差别?乱头发心神不定,不知会有什么后果,他也不太喜欢主任的选择。能不能遇到霞?上升是不是在这里死去,又在那里重生?或者相反?

大脸盘刷新屏幕,电影开始,几个黑点向前推出越来越大的标题:《乱头发上升记》。苍黑的层层山峦起伏,满天云朵黑白相间,松林茂密,黄雾迷蒙,溪流淙淙。长满青苔的高大岩石边,有人像粒种子发芽破土,长成一棵白色的树……乱头发不禁哎呀叫出声,“是我!”他的白色影子,骑上一匹蓝马,沿山路进入小村庄。

观众交头接耳。助手在台上拍手,观众也一起助兴拍手跺脚叫喊。市中心,高楼林立,窗户光灿灿,霓虹灯烦躁不安地闪动、流动。乱头发还是骑着蓝马,小轿车、面包车、小货车穿过蓝马和他的身体,通红的尾灯如同燃烧的河流。街边出现白玉石构建的拱门,几个金字:“鸾凤医院。”产科外的大厅里几位家属坐在长木凳上。乱头发骑蓝马停留大厅当中,突然他飞起来,从门缝钻入产房,里面发出婴儿的哭声。又是一阵热烈的掌声。屏幕变黑,推出颤抖的白色大字:完。

八、催生发芽室:乌合之众罗列方阵;玻璃管里游走

助手告诉乱头发,现在是深夜,他也感到四周清冷。走廊尽头的墙面一块灯光白亮,助手拉他走过去,催生发芽室的面积像个小型音乐厅,厅顶挂满白灿灿的灯泡,加上白色的墙壁,乱头发一时好像身处旷野。

大厅里有一张乳白色的长桌,像条道路,上面安放五六米高、

几十米长的玻璃器皿。玻璃管直径约半米，弯弯曲曲，上下起伏，有几处是黑色的，看不见里面的变化，依稀听到呷呷、哼哧、唧咕。玻璃管最后通到直顶楼板的几个玻璃桶，玻璃桶里的液体冒出彩色雾气，快速向上翻滚。眨眼间玻璃桶里浸泡一位男人，闭眼，赤身裸体。男人冉冉上升，渐渐变成一丛草，一只闭眼的湿漉漉的山羊，越升越高，进入楼板。

进来一群人，穿的都是土黄、咖啡、蓝黑等深色衣服，看上去古板，没有生气。助手分发照片，发给乱头发两张，一男一女，模糊看不清楚。人群排好粗壮的队伍，不停地小声说话，乱头发留意听，“我不想去。那是什么地方？没有把握。去就去。我怕，很怕。这里让你留恋？真奇怪。另一个世界。那是什么事？是死亡。什么叫死亡？你在说什么？一位女子告诉我的，我们看到听到的事。我也感到奇怪？我们是能听到看到。你想过会没有。就是说看不见，听不到。咳，吓什么人！我又不是瞎讲。不讲了。你讲，你讲，我想听。那女子说：我们会死的。你不要厌烦。只要能看到听到。她怎么知道。你们没事可做，有什么好说？”

十几个人蹲下身，呻吟着说：“我不去，我不去。”助手拉起他们，推入队伍。有人疯了，举起手，一边唱歌，一边要抢在最前面。人群混乱，寻找大门想逃走，被新进来的人堵住。进来的人越来越多，信心大增，呼喊震天动地的口号，列列方阵步伐整齐。

助手拨开人群叫道：“乱头发！你手里的照片，男的是你上去的样子，女的是你老婆。算你运气好。上面的植物越来越少需要大量补充，本来你最多能成为一棵臭梧桐。快点到左面的盥洗室去洗你的龌龊胚子。”满屋的人对着乱头发大笑。

盥洗室贴满白色发亮的瓷砖，房顶漏水像下大雨，水暖和、干净，腾起的热气有一股消毒水的味道。乱头发记起他一次中午回家，天空白亮，知了尖叫，路面发软，冒出黏黑的柏油，草叶和花丛散发干燥的香味，突然下起阵雨，地面腾起消毒水味的热气。好多往事涌到他的心里，想想前途未卜，惶然和伤心。

盥洗室有通道，也许可以从这里逃跑，也许会遇到浅红衣和褐色衣。乱头发找不到脱下来的衣服，赤身裸体爬进通道，爬了一会儿才知道已爬进玻璃管，黑色的地方隐藏着门，爬过就关死。玻璃管道里令人窒息，他拼命往前爬，黑脸医生和几个助手继续安装弯曲的玻璃管，向他挥手，一个转弯接着一个转弯。他头晕目眩地浸泡在玻璃桶。他看到边上的玻璃桶里浸泡着牛、羊或者宽大的树叶、碧绿的螳螂、半米长的鱼……他困乏得睁不开眼睛。他想自己现在是条鱼还是树叶？他依稀听到吵吵闹闹的声音，用力睁眼，依稀看到霞冲上来，她大叫："你不能去，我找你找了好久。浅红衣和褐色衣都在等你。下大雪时，你可以离开。"乱头发上升。霞用不锈钢容器砸玻璃管道，好几处哗啦哗啦碎裂，冒出浓黄的气体。开阔的天空大雪纷纷扬扬，各种颜色的雾气聚集，涌起铜绿色的山峦和银白色的天文台……乱头发缓缓上升。五六位助手一哄而上，拉住霞，她还在挣扎、叫喊。乱头发的身体不能动，眼睛无法睁开。他返回到孩提的岁月，温暖的天空白色蒙蒙，矮小的他在小巷中奔跑，翻上一堵青苔斑驳的围墙，院子里有条船，红漆褪色泛白，船身雕刻精细的藤蔓与花朵，红色的泉水从船下涌出。他掉到水里，又被船托起，船不断地上升，如同一个花环。他对自己说："我要忘记这里所有的经历，也许我带上了这里的所有的记忆。"管道弯弯曲曲，他迂回地上升，失去知觉。

第二章

童年，与生俱来的绿衣女子

一、蓝马带他穿过新城和古城；第一位母亲寒气逼人

我睁开眼，层层淡黑色荒山野岭。道道晨光射进丛林，雾气寒冷，贴靠杂乱的野草飘荡，一股腐烂、苦涩的味道。我的身体好像冰凉的气体，透过松树枝，望到山坳外白灿灿的建筑群，一座新城。楼房这样矮小？是公墓。远处模糊的灰影才是城市。两座城市你看我，我看你；你比我，我比你，不断膨胀。一条蜿蜒曲折的沙石小道深入山下的旷野。我向小路走去，草丛间杂乱遗物：褪色皱纹彩纸、枯萎鲜花、红蜡烛头、黑头残香。

翻过两座圆圆的山峰，路遇断墙残壁。院子里洁白的荼锦摇晃，房间里满地乱砖、碎瓦，小虫暗藏其中鸣叫，断断续续的窸窸窣窣。房屋搭建顶峰，天天面对茫茫虚空和草木枯荣的荒野和汹涌起伏的远峰。谁在这里住过，又为什么离开？

马打响鼻，墙后一匹高大的淡蓝色长毛马，头顶一圈黄光，踢踢碎瓦片，鼻孔喷出股股白气。是等待我的蓝马？蓝马耳朵挺直，树

叶形眼睛深紫。看到我，仰头长啸，哒哒、哒哒跑过来。我跨上马，鬃毛柔软，皮肤发烫。蓝马避开小道，嘚嘚、嘚嘚、嘚嘚……摇摇晃晃沿溪流下行。细长茂密的深绿色空心草，圆圆的大石头上青苔湿滑，岩壁陡峭，下临深渊。

刚刚认为蓝马走得稳健，熟门熟路，它就在树林里转圈子，又闪进大片矮小的竹丛，稀里哗啦，似乎不认识路。蓝马要带我到什么地方？按照示范片的安排先要穿过村庄，到630国道，再往城里走。看来不能准时赶到鸾凤医院，随它去吧，也许我注定要当孤魂野鬼。

蓝马终于走下山，暗红色的平坦野地，团团灰白色枯草盘结，结冰的池塘里几丛芦苇干黄。开始我还东张西望，景物单调，温暖的马背摇晃，路途漫长……等我醒来，湿凉的空气有股刺鼻的油烟味，夜空红光蒙蒙，已到城市中心。

蓝马没有走错路。一片片霓虹灯对谁都是笑逐颜开，挤眉弄眼，炫耀刺目的花团锦绣，也可以说，是在表示自我博爱的谦卑和多情。大楼高耸云天，有的轮廓黑黝黝，有的通体扇扇玻璃窗闪亮。人间火树银花，月亮和星星失宠了，就像蓝马和我的存在，以及团团彩色雾气翻滚的故乡。

毕竟是夜晚，总有些漆黑与昏暗之处，亮敞的房间也潜藏着游移飘动的魂灵，让人觉得包拍甜西瓜的物理学之外还有难以把握的东西。如果灯光下显现和走动淡白色的身影，人们害怕却不会认为是咄咄怪事。

悠闲逛街的人们毫无察觉，可是这样的事的确正在发生。有人骑着一匹蓝色的马，嘚嘚、嘚嘚……走过大街，与拥挤通红的汽车尾灯没有关系。一辆辆汽车，包括庞然大物货柜车，碰撞蓝马和我如同穿过空气，司机的长脸、圆脸、方脸在我眼前晃过。我和蓝马还属于故乡，是另外形式的存在，渐渐和眼前的他乡靠近，但是还没有重合，融为一体。

铜墙铁壁也不能阻挡我和蓝马。灯光明亮的商场下面，仓库黑暗，堆积着包装盒，老鼠的目光萤火虫般划来划去。饭店的屠宰房，个个疼痛又渴望自救或复仇的甲鱼头、黄鳝头、蝮蛇头、鳗鱼头、猫头、穿山甲头……嘴巴张大又空空地嘎嘎咬紧。厨房里，不锈钢桌面堆放叠叠浅盆和深碗，大师傅的脸涨得通红，铁勺哐啷，炒锅轰地跳起一团红黄色火焰。写字楼人去房空，静悄悄的桌子、公文、电话机，汽车开过，灯光扫过墙面，又回到黑暗。健康娱乐城的排排房间安置着一张张床，男女笑嘻嘻互相摸来捏去。饭店大厅灯火通明，人声喧闹。仓储超市货物琳琅满目，顾客拥挤。

高楼后的巨大暗影，寒风阵阵，急匆匆刮过。油污的腥臭。我张大眼观看我要停留的城市，琢磨着浅红衣和褐色衣到了哪里，霞还在黑脸医生的楼房，她会来吗？我看到大群颜色各异的马匹潮水般涌来，骑马的男女、牛羊、草木看到我就举手或举蹄、举枝叶摇摆，喊道："后会有期！后会有期！"马群穿过墙壁或飞到空中，钻进楼房……街道依旧灯火通明，急湍的汽车的红流。一辆黑色的轿车穿过我和蓝马，虚胖的粗眉老头眯眼堆笑靠近正在发嗲的年轻女人，老头突然与我面对面，他一丝犹疑，车子急转弯。警笛、警车灯光闪烁，无数车辆穿过我和蓝马。

走进灯光暗淡的小巷，空无一人。我又听到蓝马的蹄声嘚嘚、嘚嘚。光滑的花岗岩方形小石块路，两旁瓦房矮小，几面高墙，高屋子黑黝黝。路灯的黄光照亮飘摇的雨丝条条，白亮的冰珠点点，瓦上一片急切的淅淅嚓嚓。城市高楼密布，中间还有一座古城，低矮、破败和安详。

蓝马不沿街走，穿过一个又一个住宅的墙面。小木窗透进惨淡月光，住家沉睡，鼻息，身体捂热被子的浑浊气味。小院青方砖铺地，凉爽的乌蓝天空星星很亮。

一排红蜡烛挂满烛泪，摇晃黄蒙蒙的火苗。大屋顶建筑黑漆漆飞檐高翘。进入紧闭的雕花描金山门，墙壁被熏黑，潮湿的霉味，沉香烟的苦味。香炷几点红光，香灰颓废地弯曲，已经死去。正北面石台上的神像粗糙结实，高高站立，披大红长袍，脸乌黑，似笑非笑。当时，蹩脚木匠一脸窘态，满头大汗，一次次修改、弥补，结果歪打正着，刻得面目狰狞、神秘，浑身妖气。四周还有几个黑乎乎的小神像，抬起干枯的手臂，手指痉挛。

蓝马继续嘚嘚前行，前行，黑咕隆咚的备弄好像长长的黄泉路，隐藏着最为安宁、华丽、暖和的人间坟墓，或者是幽深的阴道通向子宫，隐藏着人间长不大的胎儿。弯月露头，高耸肩膀的防火墙残破不堪，院子里磨光花岗岩大石板上月光如霜，墙角的花坛用灰色湖石堆积，依偎青翠的竹丛像女子见人连忙躲避，迷人的一瞥。大片大片黑瓦住房，粉墙、朱漆门窗，任久远的岁月去消磨和毁坏，越发显得精致、华贵、楚楚动人。一只猫匍匐房顶像孤苦的老妇人不断哀号，突然奔逃踩得瓦片啪啪、啪啪，另一只大猫的黑影跟着闪出，稀里哗啦追去。

宽敞的院里白雪厚实，房屋与房屋之间瞬时开阔如同荒野，需要长途跋涉才能到达对面的房屋。雪又在漆黑的天空轻轻飘落，只有远处一扇窗棂透出灯光，静谧和美妙。那个房间吸引着我。蓝马陷入积雪，迅雷疾风，我腾空飞去，钻入窗缝。房间明亮，好像有几个人影忙忙碌碌，年轻女子躺在床上，面色苍白如纸，寒气逼人。我号啕大哭，又无法躲避，我贴近她的躯体，冰凉。我在没有边际的树林滑翔，重复看见树的叶子嫩绿，厚重，红色，树枝光秃秃；嫩绿，厚重，红色，树枝光秃秃……天空淡蓝纯净，穿过金光熠熠的晚云……伴随大群白鸟一同翱翔……我是烧得自己皮开肉绽的火，混合着感恩、怨恨，喜悦、苦闷，安详、恐怖，快感、痛苦……黑色的急风暴雨在天空翻滚。我放声大哭，瞬间头脑里的回忆全部似是而非，觉得他乡成为故乡。

二、童年往事忽明忽暗：父亲、河流、冰花、蓝色兔子；掩埋手枪

当我追忆我的来处，模模糊糊的影子：白色枯树，雾气和天文台，黑脸医生的楼房，与朋友交谈，骑蓝马行走于喧哗的街道和小巷，历历在目又似乎是些假设、想象和梦幻。从现有的空间不断向后退，直到无边的青灰色雾气冬云密布般忧郁、寒冷、无声。想穿过青灰色的雾气，一条可以进出的通道。我落入有限的时空。

有了我，突如其来地有了我，又非常平静和自然。我是什么时间、什么地点的我？大房间空旷，整齐排列许多绿色小床，之外寂静，混沌无物。这就是我的最初的意识。他们后来告诉我，当我还未出生时，天上毫无意识的星球爆炸、熄灭，窗外大北风刮过，树枝尖利吼叫。接着灰狼、老虎在门外走动，亿万人瘫睡床上做梦又做梦。我感觉我当时被绸纱包裹住，眼睛前一片黑色。

我的头发开始生长，乱蓬蓬一堆。有人告诉我，我十三岁，我怎么觉得一晃才几天。我能回忆或想象十三年中和十三年前的我。比如，灰蒙蒙的天空云霞变幻，女孩的脸和爽朗的笑，远处传来歌声，大群黑鸟翻飞，几位高大的朋友，一团明亮暖和的火焰……想象和梦幻也许就是回忆，而不是内心渴望的友谊、恋情和开阔的风景。

六岁，旷野黑咕隆咚，好像是凉爽的夏日夜晚，我穿绿军装握一把手枪。形势紧急严峻，手电筒裹上红布，几团红光摇晃，我领一群小伙伴东奔西走。冲、冲，冲上去，自信，无所畏惧。我们冲啊，不

清楚要赶走什么，预感黑咕隆咚中随时会冒出鬼怪。

街道宽大，两三层楼的建筑群呆板沉闷。郊外一排排白桦树笔直，黄亮的麦田芳香，乌黑干瘪的癞蛤蟆在干燥的黄土上如落魄的乞丐迟缓爬行。我总是感到浑身寒冷，双手、脸庞和鼻子干燥、微痛，天地好像被风沙笼罩，一年到头阴沉沉。遥远处两座破损的山峰，瓦蓝色岩石披挂白雪。大人和孩子叽里咕噜说癞蛤蟆的坏话，用线绑住癞蛤蟆的后腿，吊在树上，吐口水。傍晚我见癞蛤蟆拖一条残腿爬到黑暗中。癞蛤蟆有根胡萝卜，我一把抢走，躲到树后，在癞蛤蟆呜咽的伴奏声中三口两口吞下。癞蛤蟆没有告诉我父亲。早晨癞蛤蟆被踩扁，头上一只大苍蝇。

为什么回想那时的人有点温热，有点汗水的气味，却暗淡无光？单调土灰色的父亲无意中把我带到河边，他不说话，过河就是过河。可是，我注视着河，心里只有河。宽阔清澈的河流浅而湍急，哗——哗——咕噜咕噜，一片乱石和白花花携带蓝色的闪光。涉水过河，细腻多情的道道水流漫上圆石，滑过。腿脚凉爽，脚底圆石柔和，至今还没有人这样唱道：我愿成为一颗颗圆石让你踩过。走到河心，不见两岸，低头看着水流头晕，站不稳。是不是站在两个不同地点的交汇处？放弃牢固的事物就可以跟随流水而去……太阳升高，清澈白亮的流水一抹红光。似爱非爱地踏入清凉的河流，茫然发呆吗？心急的父亲一边责备我，一边用力揪我过河，我滑倒跪在水中，满眼明亮的流水。哗——哗——咕噜咕噜，那条河流在我的一生冷不防就会霍闪，奔流不息。

五岁，清晨我醒来哈出股股白气，靠床的玻璃窗户蒙蒙亮光，我向外张望，看到窗户结了层冰花，是由呼出的潮湿的热气凝结而成。为什么是一朵朵花？我还在做梦，玻璃窗还没有醒，还是有人路过，想让我欣喜和凝神默想？花纹在窗户里面。后来我领悟万物随时随刻都会传递相似的信息。我用指尖轻轻触动凉凉的冰花，融化了，一个小圆洞，窗外地上几只冻死的鸟雀。到底是谁？晶莹的冰雪世界，我进去。树林深处有一间白色小矮房，老太太很和蔼，她给我一朵花，十六片粉红花瓣。我往前走，四周寒冷的冰花闪烁。

深夜下起暴雨。轻而缓慢的敲门声。一位女子浑身湿透，面容如雪，披肩长发滴落雨水。她说她是个公主，慌张时敲错门。房间炉火正红，她烤火，身上冒白气，好像身后又腾起一个软绵绵的人，慢悠悠舞蹈，是不是天使？她看着我疼爱地笑。不知为什么她又跑出门，夜色漆黑、空旷，雨声滴滴答答。她的笑容让我长大后好几次去回想。

三十岁，我把守一座废弃的水泥碉堡，从碉堡口望出去，我被人包围，他们猫腰渐渐靠近，身后其他几个碉堡口随时会射进子弹。祸根是我手里的一把枪，六岁时让我自信的手枪现在让我害怕。发现有暗道，我逃走，到了山上。山顶光秃秃的树丛有一座黑砖塔。也许有人来寻宝，挖空塔基，一个大洞，黑棺材露出方方的头。我把手枪丢下去，捧沙掩盖，沙打枪柄叮叮叮、叮叮叮，枪摇晃摊开，乌黑的人头面具，沙埋没了面具。我念叨："他人不要再来挖，不要再来……"我大摇大摆往山下走："你们查就查，什么也没有。"一路没有遇到人。黑咕隆咚，六岁的我穿草绿军服握一把手枪。你为什么挥舞手枪？现在你又为什么要把手枪丢掉？黑咕隆咚随时会冒出什么鬼怪……现在我害怕，想掩盖和隐瞒什么，不顾一切也要掩盖和隐瞒。我是鬼怪吗？你六岁，有许多伙伴，我孤独。

灯光下父亲喝酒，玻璃杯里透明的水，他说："哪一天我快死时，你就给我喝烧酒……畅快。"

我害怕失去知觉和身体腐烂或者烧毁。严厉高大的父亲瞬间好像是用发脆的旧纸糊成，风吹破裂，飘散。半夜父亲呼哧呼哧喘息。我睡不着，想到死，不断冒冷汗。

野地灰兔子蹦跳，父亲开枪，子弹尖利呼啸，兔子腾空，重重落地，凝固。沙地露出苍白的骷髅架。我家也养兔子，新生一窝兔子，有白的、灰的、棕色的，还有一只蓝色的。父亲同意蓝色的兔子是我的。蓝毛纯净，身边烂草叶，湿湿的灰色兔粪骚味钻鼻。从此我有了一扇蓝色的窗户，一只蓝色的眼睛。深夜我害怕，蓝色就敞开，我在蓝色里睡着。

八岁，春节的早晨我就走到土坡上，抬头，野地和山峦的空旷景象让我停下脚步，空气干燥却昏蒙不清，也许是风吹起了黄尘，四周深黄色的连绵土山，天穹上一轮寒冷高远的白日。我茫然遥望，心里反复唱吟：一人望着高远寒冷的白日，一人望着高远寒冷的白日……当时我就觉得我会牢牢记住这一刻。

十岁，我去捧湖边的小鱼，鱼群银光忽闪。汪汪汪，白狗追逐一只翠鸟，翠鸟飞起落地又飞起。翠鸟飞向我，钻到我的宽大衣袖。白狗继续往前跑，无影无踪。我带翠鸟走到草地，翠鸟从我的衣袖飘落，长长的白色绸带空中摇晃，一位女子站在我面前："我要报答你。老太太给过你一朵花，你丢失了，我再给你一朵，你摇一摇我就会来。"她给我一朵十六片花瓣的蓝花。后来我竟然没有摇过一次。当我想问问我死去的外婆在哪里？客人来访，我养的蓝兔子被摔死，吃掉，镜子里自己也是满口白牙，心就往下沉。我想问问："不吃东西能不能活？"花又找不到了。不摇花，她就不来，这又是为什么？后来这样的想法还会如亮光摇晃。

从水里捞出一只翠绿的小虫，放到草叶上，阳光温暖，它一动也不动，渐渐展开颤抖的翅膀，飞起，瞬间不见，它是一座皇宫里的最小的王子。它也没有回来看过我。

好几次我在草地捉住尖头绿蚱蜢，用硬草茎捅蚱蜢的嘴，蚱蜢吐出灰色草药味的口水，我把它的头拔下来，长长的食道装满褐色的草泥湿淋淋。尖头的触角摇摆，光亮的复眼好像戴眼镜的知识分子那样呆气十足地看人，他问："奇怪的事，我的头怎么和身体分开了？你赔我，你赔我。"我用颤抖的手无法把头装进脖子。失去头的身体翅膀倒背着蹦跳，翻跟头。

四岁，大地摇晃，我被卷入灰色的浓雾，起伏旋转，我迷迷糊糊被抬到车中，车子在大街飞驰，急切紧张的铃声叮当叮当，窗外迷雾灰蒙蒙，我觉得我快死了……只是一个梦吗？后来回想感到奇怪，当时我还不知道有救护车。

我迷失方向。田野黑色沉沉，蜿蜒的河流洁白，闪耀一抹红光，瞬间夜晚降临，变成黑亮亮的。家在什么地方？回头看到一个黑影瘦长，我恐惧，我知道他是鬼。我往前跑，他追我。我越跑越快，他紧跟，睁着通红的眼睛。我张开手臂跑几步腾空飞起，扇动双臂快速掠过麦田、河流、树林，我越飞越快，我甩掉他，内心安宁，自由自在滑翔。十多年间，许多晚上，我不断逃，不断飞，在未知的地方生存……他反复激发我的飞行能力，某天晚上他不再来了，我也只能在街道上行走，无精打采。

我回家，家迁移到车辆很少的沙石公路边。院子里进进出出许多人，那位瘦长黑影，眼睛通红躺在木板上。我又好奇又惧怕，靠近观望。我认错了，她是女子。渐渐我开始走神，脑子里浮现：我骑蓝马到达下雪的院子，一位冰凉的女子合眼平躺床上，她是我的母亲？她见我连忙坐起身，脸色红润，张嘴发不出声音。瞬间她又倒在床上，脸色苍白、蜡黄，边上用被子包裹的孩子脸上带血，啼哭……现在她张开的嘴巴里塞满米饭，粉红色的新裙子一摊黑紫色的血。寒气逼人，仿佛她的胸膛、肚子里装满冰块。一个男人蹲下抱头不吭声。她不是我的母亲，那是郊外遇到的死于难产的村姑。她为什么不会是我的母亲？拿下门板出门就方便些。门板像船，她离开，随河流漂去，遥远处河水带着她向天空流去，哗啦啦、哗啦啦。

几十年后这些断断续续的记忆形成完整的色调——无边的严寒、干燥、灰暗、冷漠。父亲说的死亡，好像把他的骨架抛在起伏的沙堆或者荒山坡，我们都会落入一无所有的漆黑深渊。但是，还有些色彩鲜亮的事物，单调的土黄色中的白色卵石滩、清亮的急流、窗玻璃上冰花盛开、摇晃的炉火通红、蓝色的兔子……这些事物在整体灰暗的色调里全都不太分明，懒懒散散，可有可无。起码不能让我一时惊喜蹦跳。这对于我有什么意义？很长时间里，我把那些事物一股脑丢弃。黄土山无边的荒凉、冷漠，第一次看到那样清澈的河流。窗玻璃上的冰花预先告诉我：有的地方花朵就是这样的茂盛、精致。蓝色的兔子与冰花也相似，我当时也许看见过蓝天，可是再怎样回想也觉得没有见过，疏忽了吗？蓝色的兔子是我看到和拥有的第一块蓝色或蓝天。炉火通红，公主，灵魂。煤气中毒，我醒来时头那么痛。父亲曾走遍天下，为什么不让我多看几眼荒漠乱石中的河流，点明喧嚣的河水显现不会由于灾难而暗淡的永恒事物的光彩？他为什么没有指着冰花讲述我不知道的遥远的花园和田野？还有为什么那么早就对我宣讲死亡与虚无？我不能承受如此沉重的黑暗。换一种精神，不是作为对父亲的要求，如果你像那些黑瘦的满脸痛苦皱纹的他们，他们说：“河流接近神灵的面容，发出天国般的光辉。我们未来的生命就是那样：喜悦、滋润、清澈和美丽。慷慨的神灵答应也给予我们……”那么，我的眼里，我们的生命，河流、冰花、炉火和蓝色的兔子会闪烁起怎样的光辉，我会感到怎样的安宁和惊喜？当我长大，对什么都开始厌倦，你说什么都可以。其实不用父亲说什么，也不用他们说什么，河流、冰花、炉火和蓝色兔子默默观望、安抚和等待着我，一个接一个给予我各种美妙的形象、颜色和声音。那些景物全都没有像如今这样明亮和动人，让我心里存留着希望和安慰。

一个重大的事件发生了，那就是：给予。当时我什么也不懂，什么也没有准备就开始享受和忍受。出生是给予。给予你温热，给予你昏蒙的光，给予你寒冷，给予你风景：群山、河流、云霞、闪电和雷声，给予你食物，给予你睡梦，给予你欲望，给予你忧伤、酸楚和快乐……给予你命运：生老病死……还是阳光、泥土、岩石和水的冲动，艰难地爬起来，睁开眼睛。不管怎样，现在想来——是不是为了依靠我所遇到的一切又越过我所遇到的一切，感受到遥远的尽善尽美的他乡，终于喊出来：我感谢，我明白了。

三、迷宫般的粉墙青瓦建筑群，少年人奔走屋顶墙头

红眼鬼夜里又来了。是她的哭声驱赶我，还是我主动逃避她？这是升起，或许是再生。一天，父亲带我到了很远的南方古城，雨雾蒙蒙，四周铺天盖地的绿色，明亮、温暖和湿润的绿色。蓝色的兔子铺展开优美的蓝空。冰花变为宁静的翠绿树木、草地、花丛和透明的密布的雨线，暖洋洋的白雾缭绕翻腾，浩荡的万紫千红。急流变为平静的条条碧绿的河道，座座小石拱桥手脚撑着两岸炫耀祖传的神功。

古城建筑整体看上去只有三种颜色：黑、灰和白，如同浮云下的一片片阴影，身在其中，无数墙面和横七竖八的小巷构造一座迷宫，不小心就会失去方向，走投无路。当人们晕头转向，或者面对无法穿透的重重墙面，开始烧香、抽签、跪拜。

拐进小巷，灰墙高耸，狭窄潮湿，光溜溜石头路高低不平。窄门里长时间走不到头的备弄白天也如黄昏、黑夜。稀稀落落垂挂几盏

昏黄的灯泡，整天整夜都飘荡魂灵的淡影，冷不防头顶上伸出细长的黑手，拿着人们想吃的桃子。

我住的地方，备弄两边有三井院落的窄门和两个宽大的楼梯口。转弯处的漆黑的楼梯间安置电闸、电表，小伙伴说那里吊死过一位偷东西无脸见人的住户，伸出的紫舌头有这样长，他用手比画就像墙角枇杷树叶长长的阴影。上楼梯，黑黝黝，需要不断摸索开关，开灯。楼上无数走廊暗道，房间套房间。有的房间很大，很高。有的房间一排落地窗，窗玻璃白光明媚，上面有浮雕般的玫瑰、常青藤，推开窗一个深不可测的天井。五间房间的走廊对着静悄悄的大戏台，灯光不知何年何日最后关闭，依稀还能看到脸色苍白、衣着鲜丽的演员上上下下，摇头晃脑，吁吁吁、嗷嗷嗷地吟唱。房间里四面薄薄的木板墙，红漆剥落，老住户安家几十年，偶然发现家具后有扇门，打开看到一个房间里还住着一家人，或者发现楼梯，走上去从门缝瞥到没有家具的房间，陌生人睡在地板上……随着暗道走廊摸索还会遇到向上或向下的木楼梯，还会看到许多老房间和陌生人。

每当一年年寒冬姗姗而去，十姐妹花红了半个墙面。有的人家会手舞足蹈蹦蹦跳跳冲出个神经兮兮，往往是年轻的女子。长发蓬乱，满面污垢，衣服一股臭味。她们睁大呆滞的白眼，哼着含糊不清的小调，跑到小巷中跳舞、唱歌。水气白蒙蒙，天光暖洋洋。她们的亲人躲藏在房屋最深的黑暗角落，寂静中冷不防响起摔凳子的乒乓，木头断裂的啪啦、吱啦，接着传出阵阵痛苦的呜咽和愤怒的责骂，念念叨叨地抱怨："呵，让我死吧，让我死了吧。"

当我感到困惑时会观看自己，比如，摊开手掌，从各种纹路的造型来揣摩我的过去和指示我去什么地方。三条开阔的河道，河水曾在这里泛滥。孤零零的手指是古代巨大建筑物残留的石柱。石柱一动，有些可怕，好像几人倒栽花草般被活埋，露出的腿脚摆动挣扎。大拇指和食指又像欲将扑动的一对翅膀。手背汗毛如黑色的灌木林。遮住太阳的手变得像玉石一般红润。手掌的旷野，三条河道边许多小河道纵横交错，谁用优美又难知含义的文字写下天书？有时，我在指关节的花纹中看到一张笑脸，几座山峰，许多数字，三角和圆圈。书写者极力表达，清清楚楚，我就是不认识。我的思绪回到寒冷的荒野，回到哗——哗——咕噜咕噜白光耀眼的宽阔河流。

空中有叫我的声音："嘿，嘿，你是谁？"抬头见一位少年人站立高高的墙头，他瘦长，脸庞黑里泛红，像一棵生长荒山野岭的小树沐浴秋阳。

"刚来的。你怎么爬墙？"

"一次捉迷藏，我不知躲到哪里，就爬墙。喜欢爬墙。"

"你看到了什么？"

"层层黑屋顶，月亮升起白乎乎，太阳下落好像红色炭火。远山有时灰蒙蒙，有时绿莹莹，有时黑幽幽。"他指了指高得看去晕眩的工字形防火墙，"那里我还没上去过。"

"太高了，危险。"

"我爷爷说，孩子以后会变成两种人，跳舞的和哭泣的。我不太懂。我算跳舞的吗？"

干瘦女人高举扫帚冲进院子："你找死呵！我作了什么孽？我作了什么孽？你给我下来！"

"啊！我妈妈……"少年墙头上疾走，跳上屋面，把黑瓦片踩得稀里哗啦，翻过屋顶的正脊。地面上的人看不到双坡屋顶的另一面斜坡。斜坡成群。女人跺脚，坐花坛大哭。少年走后，几天做梦，黑暗里我也在墙头飞奔。

一天中午，高墙上垂下条细瘦光滑的手臂，少年正在墙头沉睡。阳光下他的长发与墙头根根枯黄的草叶、草茎一样发亮，一起随风摇摆。步态雅致的花猫跳到少年的身上，走过，悠然自得踱步，蹦跳到屋面。

少年翻身。我担心他掉下来，叫了一声。少年醒来，看到我立即坐起，说："你好。"

"我就住这里，到我家玩玩。"

"没有人在地面上看见过我。"

"你会下来吗？哪天一起玩摸瞎子。"

"还不如在墙头屋面奔跑。我想爬到最高的防火墙，这样能看到最远的地方，哪一天我就朝远处飞奔过去。"

"你要爬防火墙，告诉我一声。"

"你怕大人吗？"

"有点怕。"

"那么你就半夜出来。"

"好的。"

"我再睡一会儿。"

"我也睡一会儿。"

我们一个在上面，一个在下面，熟睡。此后，很久没有看到他。我一直盼望他带我爬上防火墙，这是我的一生没有实现的愿望之一，什么时候想起都会默默叹息。

四、摸瞎子游戏，误入旧楼，奇闻逸事

我在备弄不断遇到陌生人，有些楼上的邻居多年来仅仅见过一次，互相警觉地看一眼，从来不说话。楼上的人冷淡，楼下的人迅速混熟，称兄道弟。七八个少年到备弄玩摸瞎子，青竹竿的眼睛蒙上红布，他腿长臂长，叉开腿，张臂，两手可摸到两个墙面。他猛

扑而来，我们尖叫、大笑，没命地跑。他一把抓住我，我的心扑扑直跳。青竹竿扯下红布蒙住我的眼睛。红布系得太紧，平视乌黑，鼻角处反而透进些微光。我拘谨跨步，伸开手臂东摇西摆，摸到一面墙就远离另一面。我听到他们从我的身边穿过，有人还拉拉我的衬衫后摆。我猛然转身，扑个空。我摸到转弯处，摸到僵硬伸直的腿，冷汗直冒，还好是铁皮落水管。我往回走时，青竹竿竟然大叫："你来呀，我在这里，你来呀！"我扑过去，他从我身边逃走。红布往下垂，遮住鼻角下的微光。备弄里忽然无声无息，充满霉湿的味道。如果他们都回家了？不会这样坏吧。这条备弄我天天走几次，半道有个台阶，楼梯口有股凉风……我都知道。我大胆奔来跑去，想抓住他们，我找不到他们，很焦急，想象还是幻觉？我抓到青竹竿肩膀，他往下一蹲就滑走。我又抓住撞到我的人，兴奋莫名。他叫道："我不玩，我住在楼上。"他走后，空中有说话的声音，仿佛听到熟悉的歌声从远处飘来。我伸直双臂摸索，捕捉虚幻彩色的梦团。当眼前漆黑，狭窄的备弄也让人感到硕大无边，万物纷繁，显出一张张清晰的脸庞。备弄消失，我也不再找人。

农房白墙青瓦，麦地和大树，我自由自在大步走。我们也许不该摸瞎子，五月了，如果爬到高墙上远望，也许可以望到郊野嫩绿的杨柳如云似雾，田野里菜花黄灿灿的……我撞到墙，摸一摸冰凉光滑，一辆轿车？我呼喊小伙伴。长竹竿走近，他说看我可怜就不再逃走。我摸到他手臂上密密的长毛。他说他是头狒狒要回动物园，然后大笑。我不能违反规则拿掉红布，如果拿掉红布也许两眼还是一团漆黑……

"汽车怎么开到备弄？"

"汽车占满街道，泛滥成灾。你走到大街上，或者汽车真的开进备弄。"

“街头，没有人按喇叭？”

“备弄、旧房早就被拆掉了。天乌黑，快下雷雨，我们也该去躲躲。”

一只猫从我的头上方跑下，我心惊肉跳，把红布拉掉，抬脚不见鞋子。我摸索，小心翼翼迈步。我摸到木楼梯，一级级爬上去。他们违反了规则，不可以上楼躲藏。两个人拉着我的手说：“我们带你走，前面好玩。”我听到响亮的敲锣打鼓声：咚咚哐、咚咚哐，咚哐、咚哐、咚咚哐……飞机呼啸起飞。我去什么地方？她再给我一朵蓝花，十六瓣，我走进翠绿的小青虫的皇宫。或者看雪花轻轻飘落，嘻嘻哈哈打雪仗。野地里放火，噼里啪啦，呼，火团腾空，呼，火团腾空，像小山一样高的熊熊烈火。谁在宇宙点燃团团大火？人们不再欣喜若狂地观望太阳。

我推开门走进大厅，四周朱漆木板墙，胡乱堆放涂金粉的民间神像，其他房间里的神像整齐地安置。走进另一个大厅，长供桌上一大叠木牌。见一人穿白色长衫，脸庞像脸盆那样大，大黑眼珠，眼眶边鼓出柔软的肉，不断眨巴。他说：“我看守这里的物品。”大厅中央一盆花，花朵像一只只小鸟，颜色各异，鲜嫩到半透明。他告诉我花的名字：“这是黄褐色的草石。这是由白到黄，尾巴是天色般的蓝羽。这是透明翠……”

厢房中一位美丽的女子坐雕花镶嵌大理石高背木椅，一股要偷偷做禁事的气氛。她起身打开茶几上的台钟，钟里的宝石射出一道炫目的绿光，她的手掌对着钟，吸收能量，绿光跳跃。然后，关上表壳，挂在墙上。她朝我微笑，无精打采的眼睛一闪年轻女子干净的光。她转身，脑后挽起的头发上别着三片枯叶，是褪色的绸缎小花，细细的叶脉闪动紫色的光。她整整衣服，带我穿过木板墙。

走进乌黑的通道，我听到哗哗河水声，好像进入了船舱，竹木棚上噗噗啪啪。夜雨。我想，去什么地方？耳语声："去摸瞎子呀。"我摸索身边没有人。深洞下亮起一盏黄灯泡，船舱里两米宽的陈旧木楼梯，我走下去，古色古香的雕花木窗透进模糊的白光。房间空荡荡的，到处是灰尘。推开一扇门，蓝天下绿茵茵的辽阔草地，独自生长以及丛生的几株高大古树，树冠尽情舒展。绿蒙蒙的女子微笑着摇曳走来，淡绿色真丝衣衫飘摇。她们走路好似风荷，眼睛大胆注视我，我有点害羞。一位女子走到我的跟前说："我们在梦里，不要怕。"是呀，她是梦影，谁也不会知道。我去抱她，她脸红了，哎呀呀笑着逃脱。她们招手，我过去，又躲开我。欲望如风，我不停地缠绕她们，笑声和绿影旋转，梦呵幻呀，大风凉爽，枝叶摇摆，蜡梅的清香，桂花的甜香，荷叶荷花的芳香。

只有她留下来靠树等我，我止步看她向我走来，微风吹动，绿衣飘举。她站我面前，一声不响。她的脸庞有着清纯动人的色彩和表情，她的眼睛含笑，紫云装饰的雨后蓝天。她伸开双臂拥抱我，我也抱紧她，悬浮翻飞，转眼棵棵古树满树红花。我惊醒，躺在船舱，抱的是松软的棉被。

小伙伴把我推醒，说我怎么摸瞎子上楼，让他们白白找了好久。打开灯，破旧的空房间，天窗，一块小方玻璃上模糊的雨点。小伙伴带我下楼。穿过厢房，见一位年老的女子呆呆坐在黑暗角落，绣花丝绸棉袄上一层灰尘。矮橱上一个光滑的白色胖瓷娃，嘴唇鲜红。大厅中一只摔碎的花盆，几枝蓝色和红色的干花。靠墙叠叠废旧报纸。到处是门，打开看全都住着人。古戏台还残留着红漆、绿漆和金粉。我们找到楼梯，下楼后小伙伴还要玩摸瞎子。他们都说应该让我继续戴红布，我又进入了黑暗中……

五、绿衣少女；大胡子的遭遇

丽日和嫩黄的菜花，温暖微辣的香气……那件事发生在浩渺的湖边。湖面翠绿、光滑、摇晃，不断涌起粉白的烈马般的波浪，沸腾，跳跃，冲向宽阔的芦苇滩。沿湖的餐厅里，夏日的热风被挡在落地窗外。空调呜呜，我的赤露的手臂凉丝丝。我和几位不相识的游人围坐棕色漆木圆台，玻璃酒杯发出洁净的光。轻声细语的女招待纤纤素手，倒上白酒。大胡子咕噜咕噜两口喝干，红晕立即从胸膛升到脸庞，渐渐通红："嘿嘿，我们来谈谈爱情吧？"我们肌肤细嫩红润，一脸稚气，刚刚知道有个远景，看到朦胧的光彩，觉得刺激、奇妙和羞愧。音响送来低声唱出的歌，我想到清淡的绿云，眼神中的流光，满树粉红的花朵。

我与一位少女恰巧坐在安静的角落，湖面上几只白色水鸟蝴蝶般轻盈起落。我一瞥少女轮廓精致的脸，她也穿着绿绸做的衣裙，是大树下那位等我的少女吗？当下的我，不管在梦境还是在清醒的时候，只有少女能够进入我的心。不管她们在哪里，全都是绿衣女子。与现实的女子交往好像张望幻影；与幻境里的女子交谈、相拥，是真实，是现实。几天前梦将醒时，我能选择，无数张女子的脸不断在我眼前替换，越来越美，我开始陶醉，一张脸停下，她就从虚空中显露全身。刚醒时的残梦唤起不顾一切的激情，我想走遍天下，寻觅那位女子。

身边的少女短发棕黄，眼睛乌黑，鼻子小巧，笑容似翠竹摇晃生风，风到水面，一片波光。你知道她真实地在你面前，隔开一小段可以缩短的距离。可是两人都没有开口，随着消逝的时光，颠沛流离，距离越来越遥远。

想想梦里，我与她相处的时间太短，不存在感伤，念念不忘，甚至还没有交谈。不觉得可惜吗？我与身边的少女分开多年，还记得她的脸型和恬静的表情，可是再也寻找不到她了。把自己送回过去。

我说道："你还好吧？"

她点点头："你怎么才来？"

女子的面容开始变得模糊，声音很清亮："歌声真是如泣如诉，渗入心底，我呼唤遥远的风景渐渐靠近。"

"你们总是这样，面对面也不可接近。"

"我们有顾虑。"

"我想长大，走进现在只能观望的树林和草地。"

"我不是跟你来了。"

"真实的经历已经开头？"

"你随我去吗？"

白色茫茫的湖面有千万匹白马奔腾，岸边快速冲出摩托艇，劈开湖水，撞击大浪被弹起，落下，弹起……驶向远处。你我什么也没有说，那样的话我们还是说不出口。梦里的绿衣女子仿佛在我身旁，我们无所不谈，相依相偎。我与少女拘谨地坐在一起，我渴望靠近她，眼睛却在躲避。我独自想你，你坐在小巷，备弄，月洞门前。人有时就是被向往的人。

大胡子那一桌人，哼唱小曲，脑袋摇晃。大胡子起身，蹦跳起来拍拍两脚，张开手臂舞蹈。他一定以为自己跳得非常优美，动作幅度太大，同桌的人忍不住扑哧地笑。大胡子受到鼓励，唱道："来吧，啦啦啦；来吧，啦啦啦……"他蹲下，笨重地蹦跳，突然变得轻盈，手臂每一次甩动，都会让我的心飘向遥远。他越跳越快，旋转，飞旋，桌子上的酒瓶、酒杯、盘碟、碗筷稀里哗啦掉到地上发出清脆的碎裂声。

淡蓝的天上几朵白云凝固。大胡子说："看到黄色晚霞的时候，在蒙蒙碧色的天空也看到了她，为此我在天空撒满霞光的花瓣。什么样的疯狂，呻吟着把牙咬碎；用刀狂扎胸口；跳到大火痛苦焚烧；撕心裂肺般叫喊；眼皮也不眨地掐喉咙、投毒……多少个不眠的夜晚翻来覆去。”大胡子一瞥众人，目光凶狠又温顺、可怜。

一位女子噘嘴按桌站起，大胡子跳到她的面前旋转，女子的脸色涨紫又瞬间煞白，紧紧拉住女招待的手说：“可以尖叫吗？我可以尖叫吗？”

大厅里，十几桌人没有尖叫，只有哄闹。大胡子控制不住，踢碎玻璃窗，外面飞进七八只红鸟窜扰，客人脸庞掠过一层层红光。女子尖叫，连续尖叫。女招待责骂大胡子：“你这个野蛮人！你这个下流胚！你这个杀千刀的！你这个癞蛤蟆，女人眼里的臭要饭的鬼！”一句一句，机枪发射子弹，打得大胡子千疮百孔，全身黑洞洞的窟窿流淌鲜血。我望着面孔扭曲的女招待，她刚才还是非常秀丽、温和。大胡子拧着脖子歪着嘴说道：“哦，规则，规则？对不起，对不起，你说违反了，我就改正，不再冒犯。”说完，扑倒在地。

一位戴高高白帽子的厨师指挥戴平顶蓝帽子的徒弟砍下大胡子的一段小腿，扛到厨房，据说要把皮肉骨筋分成三十个品种，分别或混合烧成五十道菜。我发现大胡子的脚是紫红色的蹄子。剩下的骨肉放进运泥车，丢到湖边，一个巨浪卷走了大胡子。大胡子浑身白毛的身体在波浪中起伏，他属于白浪、花草、异乡、坟墓，那些浪漫的事物。一时排排白浪转变成金黄，是大片芳香嫩黄的菜花，是用什么也抑制不住的精神景象。

二十年以后，我在一座棕色旅馆的柜台上算钱，八百七十一，三十七八五。一位瘦长的年轻人交给我一叠火车票。我走出旅馆遇见湖边餐厅坐我身边的少女。她从树下走过来，递给我两张照片：“都有你，你看上去很显老。”一张是黑白集体照，模模糊糊。另一张是彩色照片，我才十二三岁，晴空深蓝，身后几丛黄色菜花。房间消失，我们站在香气浓郁的菜花田，女子说：“你还是那么年轻，你过来，你原来就是我的。”

排排浪头是士兵的白色头盔，士兵登陆一步步逼近。战火中的饥饿、流放、横尸。柳树、翠竹、女子。相爱、告别和等待。现在是一片平静的山水。不要心急，不要心急，更不要疯狂。要克制，要有耐心，通过那些规则到达遥远的风景。我在风景中，也许只能这样说，有时我在风景中，有时风景还在远方。欲望膨胀，在风景中亢奋，紧紧相拥，折腾，快感集中一处……为何要用无边的美景，极端的妩媚和妖娆来推动身体舒畅的潮汐，引发快乐的呻吟和尖叫？让遥远的无法进入的地方下一场瓢泼大雨，让穿梭天地间的孤魂有个安身之处。

风雨没有落到空灵的美景，美景自满自足，却一次次激起欲望。还是，借助欲望让似乎可以拥有的风景突然美到极致？

我拉掉眼睛上的红布，吵吵闹闹：“不玩摸瞎子，我不玩摸瞎子了！”小伙伴高高大大，肥肥胖胖，胡子根粗黑，一位开始谢顶。他们一起大笑：“谁还玩，我们早就不玩啦。”

六、第一次婚姻，我与妻子跨越橱顶；蓝身和水泥墙面

我和一位女子夹在墙壁上的镜框里，衣橱的一面镜子正对我们，我的眼睛刚刚一转，她的眼睛就嘲讽地看我笑，我马上耷拉眼皮。结婚照！怎么能垂头丧气？我又睁大眼，抬起右脸颊做出标准的笑容。

夜深人静我们常常一闪而出，爬到家具顶绕圈子。家具高得与摩天大楼和险峻的山峰相同，从大衣橱顶跨到梳妆台又跨到床头柜。朝下望去毛骨悚然，我们赶紧小心翼翼你拉我，我扶你，跨过

一个个深渊。

西装最像新郎的样子：笔笔挺，别红花，容光焕发，喜气洋洋，插着一个不太协调的脑袋。我的面容消瘦，无精打采，绿叶扶不起来的蔫花。唉，累坏了。她柔情地斜视我。如果不怕寂寞，生活中的人越少越好，现在只有两个人。窗外有一位女子走过，我的脑袋不动，眼神却刺溜出去几次，恰好没人发现。我在镜子里看到我的眼神变了样子，往日对视的一双眼睛盯住我。我捏紧老麻雀，它回头，眼神就是这样凶狠，一股桀骜不驯的野气，还夹杂着恐慌与绝望。火红、火黄的相思鸟，白眼圈的画眉鸟都能养活。我把老麻雀关进鸟笼，过了一夜就双眼紧闭，浑身硬邦邦。毛色灰不溜丢，一副坏老头、老乞丐样子的麻雀竟然绝食、绝水，不自由，宁可死。

绿云般的女子，笑容荡漾如微风吹过白亮的河水……蓝色蒙蒙，光影晃荡，柔滑凉爽，那是泳池里的清水，蓝色身体的女子。蓝身的外表和神情明亮动人，可是渐渐我觉得她单调、乏味，见面无话找话。告诉她，我曾迷恋日夜奔流的碧色江河……她插话，她十二个小时不断循环过滤。我说，游到几里外望不到两岸，风刮得猛烈，浪涛奔涌，抬头只见云霞万里开合，自己瞬间渺小得像一只飞蛾，要被怒吼的硕大天地吞灭而战战兢兢。她说她的胸怀毕竟也很开阔，耳朵浸没能听到水琴弹奏，仰浮水面也能看到风起云涌。我不说什么，也不再去想蓝身囿于水泥坑里有股药味，花花绿绿的男女戴防水镜、橡皮头套嬉笑、打闹。江河里，摇过木头船，漂浮树叶、花瓣。芦苇茂密，根须下躲藏鱼虾，甜嫩的芦根。平坦的河滩几棵大树，人们在浓荫里休息交谈，眼望宽阔的悠悠河流，远方腾起雪白的云山云海。再也见不到，曾经久久对视，深深相爱的我们……那时我们为什么一直觉得寂寞和压抑，向往着远方？向往着楼群人潮？

蓝身让我投入她的清凉怀抱，不带任何爱意的折腾，如果情感的最后目标就是快感，那么情感反而会碍手碍脚，可笑地没事找事。我们最怕冷清和管束，也失去相爱所需要的内涵。谈什么爱与不爱。谁也没有想到会是这样，离开与结束就是彻底烟消云散，新颖、新贵、新思维就会变质霉烂。污浊的江河把芦苇和鱼虾毒死，江河的悲剧在于面貌全非却依然广阔，奔流不息。还能亲近什么？蓝身也是一片清水，心血来潮时还会模拟模拟惊涛骇浪，逗逗乐的戏剧冲突。那天早晨天蓝，云霞红艳，我游了几圈。每次换气时听到奇怪的呼呼声，原来大风骤起，树木前仰后翻，叶片纷纷飘落。雨越下越急，一粒雨点落入池面飞溅五六个水珠，满池晶莹耀眼，瞬间白色茫茫。风寒、雨凉，我蹲在水下取暖，观望。

我的厌倦和麻木让蓝身尴尬、自卑，她挖空心思附和我，讨我欢心。想着想着，我懒得动弹汽车竖着开上山峰，下去的路狭窄，很容易翻下山谷。我落入灰黑的水池，水面漂浮拥挤的人群、汽车、自行车……一派歌舞升平，我为什么总会想到不好的前景？

绿莹莹的她来了，她是院子里和街道边草木的嫩叶和花朵，我遇见她内心深处就会下起明亮湿润的雨点，摆脱面对一堵堵墙壁和一张张脸时的绝望。我对她说：忘记事物存在的悠久来源，广阔的背景，草木也不再显现神秘的光泽，人的形象和灵魂同样随着干枯、黯淡。凭借神性超越狭隘、迷失、重复和死亡变为祈求贪欲的餍足。神灵是由于我们无能、软弱、匮乏而臆造的幻象吗？那还谈什么，原本我们就是生无大道，死无葬身之地。出于什么原因？一瞥嫩叶和花朵冷不防发现异样动人的光影：洁净、爱、美、单纯、再生、诗意。她说，不要那样看高她，她最为普通，最为俗气了。她觉得自己很幸福，很满足，有时快乐得要命。我想，我又怎么样？万事讲究一个自知之明。砖块和水泥的乐园里除了她和蓝身还有谁更为明丽、多情?

七、新娘的魔桶嫁妆，自行车飞入高空

傍晚，楼下鞭炮噼里啪啦，两响爆竹嘭——啪，嘭——啪。叽里呱啦的说笑声，一直闹到半夜。窗户上雨水流淌，哗哗的风声雨声渐渐明晰。新郎告诉我，他不断地思念，为某某女子感到愧疚，思绪走到他们相会的郊外，脱掉衣物拥抱亲吻，春末半青半黄的麦子甜香。那女子一定在失声痛哭。

几天后，我从阳台见肌肉发达的新郎穿背心在院子里挖泥坑。我问："种什么?"

他抬起多毛的脸，汗水淋漓，说："老婆陪嫁的破木盆。什么年代啦，还用这个?埋掉也许可以成活。"

空中有许多人应声唱和："好啊!"

"她怎么会成为你的妻子?人的结合好像有许多……对不起，这不能问。"

他抬起头，眨眨眼。木盆丢进泥坑，一铲铲泥土抛下去，木盆像一条粗壮的蟒蛇，光亮的花纹，头咬住尾巴，扭曲的身体从泥土中翻动拱起，是充足气的红色内胎。他回头问妻子："嘿呀，能不能拔出重新埋。"他的妻子不吭声。

空中毫无踪影，却有许多声音出主意："不行，这可不行!"

红色的内胎不停地颤抖，新娘出来用脚踩住，丈夫搬来石头压上，红色的内胎婴儿般啼哭。丈夫一铲铲泥抛下去，啼哭声越来越沉闷，呜咽。每到半夜声音就变大。真是烦死人。

我和新郎交涉："这样不行，吵得我不能入睡。"

他说："那是暗暗发芽，出土就好了。"

果然不久长出一棵金银花，渐渐绿藤遮住炎热的太阳，钻出千百朵小花半白半黄，香气浓烈。

三四年过去了，楼下女子的身体渐渐丰满，脸上没有了稚气。她来我家告诉我妻子，说她丈夫像石柱，她们家许多稀奇古怪的事都消失了。她不喜欢她丈夫，她的丈夫头上过去会发光，那是后脑勺绑了两个手电筒。或者说她是有个丈夫，可是不知道其他的一些男子的新奇玩意儿，就像没出门的人想了解外面的风景。这可不是闹着玩的。

楼下的丈夫告诉我，他妻子从一扇门仰头欢笑跑出去，长发在脖子后摇曳，手舞足蹈说她结识一个人。

丈夫又说，他去找那个人，他住的地方确实像妻子说的有大理石雕花的拱门，进去宽大的院子非常昏暗，地上到处是泥泞和浅沟，当中有块黑石打磨的墓碑。房间的墙根处安放着白色的假山石和种着细长的树，几只肥胖的鸭子蹒跚走。他感到阴冷和忧郁，鞋底沾着恶臭的烂泥。

妻子问他去什么地方？他告诉妻子他找过那个男人。妻子说他找的地方找对了，但那个男人要建造内心园林和身外价值城，可不是你故意编造，破坏他名誉的墓碑和肥鸭子。那个男人是了不起的人，头上有光环和香气。

他的妻子偷偷挖出内胎，院子里的金银花立即枯萎，花和叶子簌簌落下，一地黑色碎瓦。内胎的气很足，她坐上，内胎上下震动，好像柴油机噗噗噗发动。一位陌生的男子坐在女子的前面。男子看到的东西我也能看到，内胎是崭新的自行车，自行车飞快地向前冲，两边的树林如同薄纱、绿绸越来越秀丽。男子问有没有刹车？女子一看没有，自行车越冲越快，女子脸色煞白，蜷缩身体。

他们上了高速公路，自行车飞驰，一下子离开地面，飞向晴朗冰冷的高空。一辆红色的拖拉机跟着飞起，追上去。我看到空中一个黑点和一个红点，红点哒哒、哒哒离黑点越来越近，他们紧张得声嘶力竭。女人尖叫令人心惊胆战，一朵朵云都像面包被锋利的刀整齐地划开。

自行车转圈子快速从高空掉下，两个装满旧衣服的麻袋扑通掉到地上，呜呜哇哇缓慢翻滚几下。我和许多人围住看，两人坐地捂脸哭泣，等到他们茫然垂下手，我看到他们脸皮苍黑，皱纹深深，脸颊和嘴巴都凹进去。围观的人全都年轻滋润，白白嫩嫩，容光焕发。

八、解读图画诗：领奖台上的夫妻与女儿

陌生人来拜访我，说他是诗人、画家和股民。我说，听到有人还写诗脑袋上就长出嫩叶迎接清风，写诗者与万物和人生体验仍然非常贴近。他说他还能认出我，年少时我们结伴玩过。他又说当时我们做过羞愧的事，不能多说。他还年轻，无奈地笑笑。

他拿出自选的诗集。诗集大如彩色的报纸，翻开来一幅幅画，猫头鹰、高楼、足球、花篮、乳房、酒瓶、飞鸟、屁股蛋……半透明的玉石般的碧绿螳螂、知了、蝈蝈、人头……仔细看密密麻麻的小字爬行，原来是用字拼成的画。我赞赏此类翻天覆地的大胆尝试，可惜，往往诗没写好，画也没有画好。他指着几幅画说，这些画与我们的处境相关，也和你的疑问相关。

“我们的处境和疑问？”我看到四张怪里怪气的画。

第一幅，白色凸形领奖台，红漆标号1、2、3。1号位是空的。2号位丈夫没有身体和腿，只搁置他的紧闭双眼的脑袋。3号位长发妻子没有身体，脑袋下垂两条细细的腿，安坐。四肢健全的女孩，微张

开嘴，显得尴尬和不安，斜靠母亲站立棕黄色地面。

第二幅，妻子的肢体已经齐全，女儿拉住母亲的手和母亲挤着站立3号位。妻子把头搁在1号位，眯眼含笑，长发从1号位倾泻。女儿微微低头，门牙咬住下唇，像只兔子，抑制住内心的喜悦。丈夫还是没有身体和腿，脑袋还是闭眼占据2号位。

第三幅，丈夫有了身体和腿，他站在2号位，怒气冲冲用黄色的乒乓球拍噼里啪啦拍打妻子和女儿的头。

第四幅，丈夫又失去身体和腿，搁置2号位的脑袋闭目养神。妻子站地上，女孩站在3号位，母女俩都没有脑袋，头颈像破损的排污管道。

我说："我们的处境？是不是家里总有个大男子，做事专断，讲究等级，制造痛苦和悲剧？"

"也许有那么点意思吧。也许你说的东西远离画意八只脚，艺术作品怎么会这样一目了然？比如，丈夫原本可以爬到最高的位置1号位，可是他胸怀虚谷极力谦让，只位居第二，高度也与妻子相同。而且你有没有发觉，第一张画，丈夫，缺失胳膊腿脚，而且连身体也没有。妻子尽管也缺身体，但还可以用腿脚穿街走巷。女儿呢？什么也不缺。这表示，丈夫尽管位居第二，可是他自愿放弃了许多功能，保持与妻子女儿军备竞赛的平衡。

"再说说1号位空缺，也许还有一个未知者没到场。他们等待，那个未知者是谁？如同渴慕金钱的人召唤财神木关公？"

我感到不可捉摸，未知者能够主宰他们的命运？

"你可以想象未知者无比威严，或者大慈大悲。你也可以把他当成神灵，散发雪白的灵光，千万不能是淫荡的毛驴、人鬼和铁壳汽车变化的瘟神。当然，到时来者也许会令他们哦哟哦哟哦哟叫喊。迎来散播病毒的人，刺眼的视频广告，废气和街舞的响亮伴音……比如，是只苍蝇，红头绿翅阵阵恶臭；比如，是个警察不厌其烦地盘问他们；还比如，窗户外突然飞进来一只麻雀，最多能够用来炖碗蛋吃……”

“你是不是说，空出来的位子特意留给不可捉摸的来者。人的未来是否幸运和倒霉、滑稽可笑全都偶然。必然是上街买电脑，打电话，结婚生孩子，空调加雪种，阳光下打开远光灯……妻子歪头占据了1号位，是不是再也不想胆战心惊地等待下去？”

“也许她太累，想靠一会儿，也许……但她在笑。反正第二张画，三个位置都占满，再也没有什么可以等待。如果他们开始等待的是神灵，尽管等待不是感知、经验、取样，再加上逻辑论证的可靠等待，对于眼巴巴的他们来说总算怀有一线希望。结果等来等去的东西竟然就是妻子的脑袋，一个与自己的脑袋差不多的圆球，一个全世界到处都在摇晃的东西。”

“不，这里也许还有其他含义？女子的光影一直让我留恋，我经常从她们身上感受到和谐、温暖、妩媚的气息，开阔的和深入到底的彻底的安慰，没有她们相伴连最美的风景都会干枯、死寂。红头苍蝇都有可能占据1号位，妻子的脑袋为什么不可以？”

“照你这样说，丈夫打掉她们的脑袋是虐待狂发病，而且还打掉了你的美好感受和想象，打掉了你的女神，让你心灰意冷，愤愤不平。我过去也这样想过，我不喜欢她脑袋里装的东西，我和她没有什么话好说，只有省略掉东拉西扯，才可以和她猛烈云雨。身体是上天造的，想法是人造的，只要她不开口，我就享受上天的恩赐，而不是人的恶俗、人的无聊、人的痛苦、人的数落、人的计算、人的盛典和炫耀。”

“哈哈，原来你也要打掉她们的脑袋？小心点，说不定她们还想死死掐住你的脖子，哈哈、哈哈。你似乎也承认她们的到来是上天的恩赐。可惜有脑子能够偷偷想，有舌头不可以随便说。”

“有点失望和厌恶吧，不至于要打人，禁止他人说话。也可以说，图画诗和我没有关系。你倒是很天真啊，美景等等事物能给人带来快感，落魄失神的人得不到，他们得到的是无休止的妒忌和痛苦，焦虑和恐惧。与人的想象和期待完全不同，那些得到快感的人最后明白所有事物一碰就会快速脱掉诱惑力：美酒走气，鲜花失水，腐烂或干枯，湿淋淋的霉臭味，绸缎褪色，女子贪钱变凶。如此看来，你有没有认为，妻子把头放在1号位是不是不太虔诚，缺乏耐性？人坚持无拘无束地想象，有时可能超越现实，出现新的希望。”

“为什么这样说，谁能长期忍受担惊受怕的处境？与其等不到，还不如不等，还不如占据1号位，还不如放一个木疙瘩，一个钻戒，丰乳肥臀，推荐三只股票的短信，带花园的别墅……急不可耐地出门寻欢作乐，或者疯狂熬夜加班。”

“逃避和掩盖？他们曾经荒淫放荡，突然脸色发青，尖叫着跑回家，站在原来的位置压抑自己，做到清心寡欲。我刚才说他们等待有两种可能。你也知道人要靠期待活下去，要靠忘这忘那欢欢喜喜。丈夫有什么错，如果可能和不可能，滑稽戏与灾难剧同时存在？不等待最后的结果就好像自暴自弃、不求上进。有时，傻乎乎的无所畏惧，信心十足，微笑就露大牙，一线希望才会落到头上。”

“妻子的恐惧和丈夫的信心，理由是一样的充足。丈夫打掉她们的脑袋，也可能是为了拍打妻女与自己相同的念头。他和妻子一样恐惧焦虑得要命，他害怕妻子穿透胸膛、楼板的尖叫声让他跌落深渊……人必须站在牢固的地方，哪怕被欺骗一辈子。”

“你是说，丈夫的脑袋放在2号位上，紧闭双眼，表现为极端害怕。或者那是早先被妻子打掉的脑袋，什么也不敢看，或者已经昏迷不醒。不过，再怎样害怕，丈夫也不能打掉妻女的脑袋。”

“人已经疯狂，你不相信疯狂的道理。当然，这里打掉脑袋也许不是真的打掉，艺术往往用隐喻表达。拍打脑袋实际上是互助合作洗头，拿错了清除铁锈的钢丝刷；也可能是选用消防水龙头冲洗脑袋，不小心水放得大了些，急了些。人选择麻木和忘却，还是接受无穷无尽的焦虑和失望的折磨？谁也不知道等什么，如果来者你根本无法确定。妻子挺身而出占据来者的位置，来者就永远也无法到达本来应该出现的地方。”

“我厌恶主宰，来者非要可笑地站在1号位，举手摇动一束鲜花，得意扬扬看遍献媚的笑脸，牺牲的血肉。”

“来者是什么我也不知道，但如果我们的心里没有他的高位，他又怎么会被我们看见。”

“来者和我们的心有关系？”

“什么都和我们的心有关系。”

“妻女没有了脑袋会怎么样？”

“丈夫继续等待，失去脑袋的妻女用身体生活；也许妻女失去胡思乱想的条件，开始了冰雪纯洁的等待。丈夫用身体生活？完全有这样的可能，丈夫的脑袋在2号位上假装昏迷，失去的身体偷偷溜到健康城、私人会所、牌桌、酒宴、游艇俱乐部、肥皂泡女人的怀抱……不过，别把我的艺术简单化。艺术可以有无穷的解说，无穷的解说又都是废话，如果不除去废话就发现不了艺术的光辉。”

“还可以解说？”

“假如，1号位不是空的。”

“不是空的？”

“对，因为我们的肉眼看不到占据1号位者。如果这是事实，一切都要从新解说……现在你只看到文字拼成的画，还没有读过文字组成的诗句，以后再读吧。我快要狂发、泛滥自恋疯啦，想让所有的人理解和肯定我的诗作。我要听听你的看法，要在否定不同意见的口舌中展现作为独一无二的艺术家的无比坚定、高大光辉的信念、勇气和个性。我的手机存有最近写的一首诗，要不要读一读？歌力思、丝毯弗拉、灸乒司机、摊搭理鸭、害得嗝儿……他们说，都拍来做毛地黄腊思达率达到肥了射钉……我还会分析诗里所有奇思妙想、深刻寓意。下次再读吧，哈哈。再见，你竟然没有认出我是谁。算了。”

我又想起那样的感受：童年我住的古屋在备弄的第二井。房间高大黑暗，院落三面高墙，一棵粗大笔直的古树，枝叶遮住一半天光。当床从墙角移到窗边，我常躺在床上遥望天空。发白的天空，阴沉的天空，幽深的天空，漆黑的天空，满天繁星的天空，彩云燃烧的天空，雨线急速掉落的天空……我的记忆中，天空突然变得神奇仿佛出现过不止一次。盛夏半夜令人不安的闪电、雷声，倾盆大雨，早晨转晴，到了中午我躺在床上，四周静谧，透过偶尔轻摇的树叶，洗净、高爽的淡蓝天空含笑邀请我进入，亲切、熟悉早已相知。团团轻淡、洁净的白云携手飘过，不断飘过，远远高于围墙、房顶、防火墙，我也跟随飘飞，我和成群结队的云朵远行，笑嘻嘻说话……

当我发现自己躺在床上，疑问：我不是飘走了吗，怎么还在这里？我分成了两个我，我总是觉得我幸福地飘向远方，留下的我是沉重的被遗弃的我，没有什么意义，受苦、忍受、寻找刺激、得过且过，如歌的忧伤。

九、绿衣女子还会回来吗？我的酒香大提琴

新郎已是个鳏夫，经常到我这里来坐坐，一支接一支吸烟，很少说话。他的吸烟习惯，让我妻子反感。有天他说了一堆话，他的妻

子过去年轻貌美，那时，他觉得女子如同宫殿收藏着各种珍宝，更像是清风里的美景。我说，美如仙境，像玉石、嫩柳、荷花、翠竹、睡莲、云朵和蓝天。她们是清晰的绿衣女子。他说，对对对，绿衣女子。问我，还可以找回来吗？我也问他，真的能找回来吗？

他说，他找过，很简单。先要心情舒畅，洗好澡后换上干净的衣服，听一张低声抒情的唱片，看一段小说，必须是：人物情感悠悠如春雨沙沙，河流涓涓。然后钻进太阳晒过的新洗的被子，美美入睡。有时，那位女子就会来，用伤感的眼神望着你，或者笑眯眯地看你。也许会有更多的情节，夜里你开车出去，她轻轻坐到你身边，你们什么话也没有说，窗外吹来凉风，无边的黑夜。路灯照亮街树，彩灯一路凝视，回来了往日时光中的景色和气息，又立即成为回忆中的景色和气息。

我说，去年郊游，看到山坡上一片片不同颜色的花丛，白花当中有块紫色的萝卜花，淡蓝的雏菊，粉红的石竹……是我们过去撒下的细小种子，然后在梯田长出枝叶，渐渐茂密，开花。有人告诉我那便是我们写下的诗。花丛站起许多赤裸的人。一位女子走近我，我们下山，她不断搂抱我，脸靠着我的脸，身上一股酒香，我叫她我的酒香大提琴。

还有，走入群山间的碧绿江河，坐船顺流而下，温暖的微风，一棵棵头发嫩绿的杨树站立岸边的水里，当阵雨过后，黄昏来临，一小块，一小块蓝空，是我见过的最美的女子。

他说他昨天睡觉前读的小说一定写错了，媒婆看中小伙子，想把自己女儿嫁给他，所以专门给他介绍些衰老的人或者斜眼、哑巴、瘸腿等残疾人，还吹嘘那些女子如何貌美、家境好，让他一次次不知所措。我同情那些有缺陷的女子，为什么要连带作弄她们？后来媒婆留下自己女儿的照片。女子的相貌、姿态和神情瞬间打动小伙子，他拿着照片几天后找到躲躲闪闪的媒婆，一把抓住媒婆叫喊：我就要这个人。他和媒婆走出昏暗的房间，比照片还要动人的那位女子从洁净的光芒中向他走来。那全写错啦。媒婆的女儿二十岁就死去，不过少女确实一如生前衣裙飘飞，神采奕奕向小伙子走来。小伙子就是年轻的他。

我想起幼时，面前茫茫的土黄色山峦，天空白蒙蒙。我第一次看到的花朵是窗户上凝结的冰花，却预告着未来我会面对的景象：山间紫色的野杜鹃，白色的野蔷薇，蓝色的雏菊，田野里嫩黄的菜花，开满墙头的粉红色的十姐妹花……绿衣女子如同玻璃窗上的冰花？汹涌、浩茫的菜花是不是也在预示着什么？我要离开这里，我要远行。

我的妻子回来了。鳏夫起身告别，我见他后背微驼。我不知道新婚的一段日子，我和妻子谁也不肯忍让，时常吵得天昏地暗，疾风暴雨。我与妻子不同，我心里还有这样的想法，如果我不和你结婚，我会爱你。但和你结婚，你就是枷锁，我们就不会融洽。

我们又在争吵，越来越不像话，双方都想用最恶毒的话把对方压服、掐死。我只骂一声，她竟然歇斯底里叫骂不停，喊得楼上楼下都知道。

我拿起刀冲上去，猛然把她的一只手剁掉，她转身消失。

她的手在地上扭曲、痉挛，像一只刚被割断喉咙的鸡挣扎着蹬腿，扑动翅膀。我用手帕把她的手小心翼翼包好，她的手在手帕里扭曲、痉挛，我不敢看，我不忍心看。

你是绿衣女子，你是宫殿收藏着无数珍宝，你是我的酒香大提琴……曾经在开满鲜花的大树下躲藏，曾经在蓝空、红嫩的树叶、黄色的菜花中出现，曾经看了我一眼默默无语。

第三章

父子处在不同的世界

一、驰骋上瘾症；第二次婚姻，计划制妻子；描绘情欲现象

此时乱头发回忆他的生活，如同一位工匠雕刻玉石，心里的形象遥远、朦胧，瞬间又最为清亮迷人。满怀期待，精心劳作了许多年，不小心失手，满地碎片。这能怪自己吗？唉，如果当时再小心点。可以接近的女人也许没有一位是绿衣女子。他的绿衣女子，秀美令人叹息，神态让人难以平静，像自然的风景一样和他亲近，又像虚空中飘忽的影子般透明，不可把握。绿衣女子是他无意中写下的诗？只有诗意才能给予他最终的安慰。他想逃到很远很远的地方，离开熟悉的人，重新开始生活。对什么都不再抱过高的希望。他知道，如果心情这样变化下去，表面看，他还年轻，但内部开始滋生忧郁，渐渐烂空。他半死不活在漫长的时间中苦熬，不禁心惊肉跳，懊恼难忍。他怎么能放弃他的期待和生命？他在内心喊道，我死也不屈服！可是他面对的是不可靠的自己、他人和时空。面对的现实，按部就班跨着沉重、坚实的脚步，无法左右。一声哀叹，倒霉的他

还会被自己投射出的光彩迷惑，还会眼见诚惶诚恐雕刻到一半的精美玉饰碎裂。

乱头发的灰影站立乌黑的球体，周身夜色茫茫。他觉察到每次夜行都会伤感，特别是城市的夜晚。湿润的汽车尾气、尘埃、下水道的气息，彩灯闪烁、跳跃和明亮洁净的商店，满街小车的尾部点着火把，昏黑中行人渐渐走入梦境。夜空广阔柔软，仿佛有谁仁慈地注视他，拥抱他。原来夜空和眼黑是一样的黑。夏日的闷热和乐声，秋日的凉风和稀疏的雨点……脱离辛苦劳作的自由人，夜晚想起许多感人的往事，寻找他们的朋友和情人，长谈、依偎和亲吻。热闹的饭店、酒吧，迷人的罪恶、交易、快活。呜呜哭泣，痛哭。白昼强烈的阳光里有刀光剑影，人们简直像工具，像匹马，像面具，像木头，像骗子……隐藏了情感、欲望和伤痛，忘却了心灵、过去、梦想、友人和风景。夜晚似乎什么都知道，越来越宁静，九里香、米兰和蔷薇的香气越来越浓郁。人们丧失的一切全回来了，乱头发感到自己是个活生生的人：美妙、湿润、忧伤、苦闷、茫然……

两条光柱直射他的双眼，白晃晃的强光穿透了他，融化了他，他与万物瞬间消失。轰鸣声，汽油味，嘎——黑漆漆的卡车停在他的身边。他早已遗忘的朋友“墙头少年”跳下车，大声说道：“我知道，你像我们少年时，总是想爬到围墙和房顶上奔跑。”一把揪他到驾驶室，捏得他手臂都酸疼。“我正好要去远处，我带你跑。”

卡车开得飞快，一闪而过：路灯，小镇安静的座座民宅，黑沉沉的田野几点灯光，树木、水塘、荒坟……火车吱吱嘎嘎摇晃，窗外黄色的云光，红圆的夕阳跟随着一路奔跑。跨越小铁桥，车轮发出短促清脆的哐当声。一条大江，清脆的哐当声长久不息。飞船银白，颤抖呼啸，歪斜着掠过乱砖般的城市，进入碧色的天空，白亮的云山云海。去遥远、遥远的太空，他的眼睛为什么湿润？卡车在杂草丛生的荒野飞驰，每小时200公里。向远处张望，卡车仿佛慢慢散步；看近处的景物，卡车如同呼啸的子弹，那就是我和“墙头少年”曾经盼望的时刻……出现一盏盏路灯，柏油路上一摊摊红光。灯光和建筑越来越多。卡车停下来。

“墙头少年”说：“我把你送到这里，我还要去拉货。”

“不要，我想向前冲，我愿意坐你的卡车飞驰，一直到消逝。你带我走。”

“下去吧，这里不能停太久。”

“你要我死，你要我死。我求你了。”

“你要去什么地方？”

“我不管，只要车子往前飞驰我就感到我还活着，我还有希望，我依然幸福。”

“唉，警察会来的。车开得再快、再远也会停。”

“你说你知道我的想法，你一点不知道，根本不知道。我下去自己跑，但我跑不出这座城市。车子总是要停的，我不懂吗？你开，你开！”

两位警察铁板着脸指手画脚让他们下来，说道：“胆子好大，竟敢胡乱停车！跟着走。车去车场，付钱。一月后。再来。”路上“墙头少年”说乱头发和卡车没关系，警察就放走他。卡车远去，他独自迷失于上上下下霓虹灯闪亮、流动的光辉里。

他想睡觉，疲惫地奔波，仔细看了一扇扇门，烤瓷牌上都没有他的名字：仿宋体字“乱头发”。也没有熟人的名字。他寻找什么？一座浑身布满小窗的高楼，他乘电梯缓缓向上，二十九层楼全是大门敞开的空房。他随便走进一套，躺在木板床上沉沉睡去。半夜有人砰砰敲门，穿红色制服的骨感女服务员发给他一张印刷精美的纸票。说道，这座楼的住户都配给一个妻子，不结婚房子要收走。第二天早晨又来位肥胖的主管，推进一位女人低头不语。主管说：

“这就是黏附你一辈子的妻子。”

乱头发说：“我不要。”

主管微笑，低声回答：“抱歉啦，我们这里不行。”

“我走。”

“你知道找个住房的艰难吗？”

“能不能自己挑选妻子？”

“过去是可以的。不过那不好，如果一个人急于造房，他不管石头的花纹和色彩；他不急于造房，石头堆里千挑万选，挑花了眼，最后也许永远没有房子。就算他没有挑花眼，挑了中意的，不过也是瞬间的中意，一种颜色的石头怎么能和颜色无穷无尽的千万种石头相比？如今开始，你还是先享受，人的需要嘛。至于是不是自己挑选，将来结果都一样。至于以后做坏事情……”主管斜眼，咧嘴，嘿嘿、嘿嘿。

他再次打量妻子，硬挺得像根木头，皮肤白皙，细眉弯弯，嘴唇红红。还有黑色的衣服裹住的身体对他还是一个谜，他的欲望和好奇心驱使他想剥去女人的衣服开始探索，让想象的美感、快感和喜悦在赤裸的身体上印证、欢唱。乱头发的欲望涨满了，武功全失，迷糊，什么也不知道。如果他被欲望牵扯终将身败名裂，或者穿过熊熊火海也束手无策，不，是在所不惜，万炮齐发也压不住。他不属于自己，属于种族，属于大楼，属于快感，那是更强大、更神秘的力量。娇美面容、温香柔润的身体，欲望勃发，汽缸活塞运动迷惑人、支配人，让人对精神探求深深怀疑。追寻意义积累了多少脑浆精华的文字，可是种种观念突然就像白晃晃的塑料泡沫。性幻想、性搏击呼风唤雨，调兵遣将，令人内心蹦跳、升温、脸红、激荡。时光流逝，人将衰老，设想走到青春和壮年的边缘，满心懊恼地预知再苦苦思索也改变不了什么，不会有新的结果，人生无非就是活过和死去。这时，是手捧得意洋洋言说人生道路的厚厚书籍，还是酸溜溜羡慕财主日进万金。是省钱去按摩，还是期盼一夜暴富，把自己武装得金光灿灿，游山玩水，寻找不同品性的异性云雨、云雨、云雨……爱与欲望要握手言和，媚眼相对实在是千载难逢。爱往往被欲望支配，欲望高涨时满目春光，欲望消除后发现层层枯叶，瑟瑟秋风。嗅到垃圾的腐臭味。渐渐爱意再次从人们想望的远方露出倩影，也可以用手机搜索倩影的图片，或者是再次错认幻觉为实在，铁皮罐子一发光就惊呼找到了黄金，就开始要死要活。他觉得心烦。人，就不能单纯或简单一些。想到阉割和欲望最为方便地打开、删除，再从回收站复原，复制、粘贴。然后，睁大眼睛平静观望无穷的他乡。如果要求真切的爱，如果要求扩大视野，寻找新的意义，情欲似乎就是强加给他的累赘，让他受尽煎熬和悔恨。怀疑、懊恼和反抗，但下身软塌塌像熟透的开始发烂的水果，乱头发和配给的妻子抱成一团。

只要有欲望关系就容易密切、融洽，不过没有快感就不会败兴，不会争吵。妻子随和、麻木，你要她怎样就怎样。她有欲望的时候贴你紧紧的，平时默默平躺，任你无味地玩弄，平息使你心神不定的欲望潮来汐往。几个月后，好奇心消失，除了无聊外就是懊恼，一次次被欲望支配，缺乏激情的放纵，又不可能不受欲望支配。自渎，重新拥有自己，就像吃喝拉撒一样。欲望一消失又百无聊赖，悔恨、厌倦。欲望已在心灵之外，是从深渊中带来的顽疾，眼前不再出现美景，也无法把两颗心靠近，没有肉浪、热浪、汗水搅和、呻吟，只有腐肉的怪味。

两具赤裸的身体分开，一具呜呜哭泣，一具茫然盯着楼板。妻子惊慌地翻身坐起，说，一团白光发亮。他们起身看到窗外一匹蓝马瞬间消失。不久他们就有了个活泼的儿子。

二、热病火烧眉毛，创意灵丹妙药

我来路不明，飘来晃去。妻子也不说什么，依然像过去那样随和。一段时间我懒懒散散自锁家中，一出门就感到紧张。无聊时向窗外遥望：群山般的楼房蓝色、绿色、金黄色，千万个窗口空空洞洞。街道上点点黑色人头和五颜六色的甲壳虫般大的汽车。城市的景致渐渐出现异变，白日当头，天空却像傍晚一般通红，楼顶无数灰色的平面也是一层土红色。玻璃墙幕和玻璃窗仿佛也在喷射耀眼的红光，汽车全都红彤彤，行人的头发、树冠上燃烧起一团团火焰。最高的大厦烟囱似的通云塔冒出浓烟。热浪里空气摇晃、扭曲和折叠。

妻子回来说她病了，她的手指发烫。我看到她眉头紧皱，身体抽搐，手指冒白烟。她还想去烧饭，碰到筷子，筷子好似肉色细蜡烛被打火机点着。我扶她坐沙发上，她的手放在沙发上，沙发也跳起一团火。她叫我不要讲话，不要管她。她在家里走来走去，到处都是火团。我拿起灭火器跟着她，哪里烧着，就喷一下，到处是白色泡沫。我忍不住往她手上喷，手像螃蟹不断吐泡沫裹住自身。她安静些，说疲劳要睡觉。我用细绳把她的手吊在床架，她的手像蚊烟香有几点红光，冒白烟。她睡去，半夜说梦话，唉声叹气。

清晨窗外透进亮光，妻子乌黑的头发全白。她说她去看病，不用我陪。中午她回来带股旋风，她说，城市流行热病，除了干草和冰片，没有什么药可治。还有就是自然疗法，等会儿下雨，要我陪她到楼顶。

云团黑压压向城市缓慢移动，我与妻子到楼顶，那里人群拥挤。四周一望，千百座高楼，楼顶全站满人。电闪雷鸣，黑云遮盖硕大天空，只有云的边上有些白色，垂下的黑云如同轻烟。无声的两架大肚子银色飞机在低空滑翔，不断撒下灰黑色的细粉，瞬间还有一点亮光的天空如同深夜。城市的路灯亮起，塔楼顶上的红灯好像在墨汁里沉浮，商店的霓虹灯开始变幻。闪电劈开弥漫黑气的天空，耀眼的白光把楼顶的人群照得清清楚楚，人们眯眼、闭眼，面容惨白。巨雷嚓啦炸裂，轰隆隆滚过。重复显现令人心惊肉跳的画面——乌黑的夜空刷地亮起闪电——面容惨白的人群——乌黑——雷声——白光再次耀眼——面容惨白的人群……大风裹挟灰尘和树叶四处飞扬，让人紧闭双眼，稀疏的大雨点啪啪落下。天空泛白，哗啦啦碧绿的暴雨倾泻。雨水冰凉，我的头发、衣服立即湿透，冷得牙关咬紧，两腿打战。远处一声号叫穿透人的胸膛，整个城市响起此起彼伏的号叫声，压抑的冤屈的狼群飞舞，扑向天空。人山人海蒸腾大团大团白色热气，天空被雨和白雾笼罩，什么也看不清。雨停时，闷热的白雾依然积聚半空，直到被几阵狂风刮走。天空晴朗，万物明净。一会儿我又感到空气如干沙，鼻窦疼痛，舔舔嘴唇的裂口，微咸的血腥味。

晚上我的食指也开始阵阵作痛。我偷偷去挂急诊，矮个秃顶中年男医生看也不看我，随便给我缠上纱布，纱布立即被血浸红。我的食指发烫，冒白烟。

我问："是不是那种病？"

医生说："没什么，不就是划破了表皮。"

"哪里是表皮？"

医生感到我不太好缠，啪，打开一盏画着双眼的灯："把手拿过来按在灯前。"

我的手掌和指缝是半透明的红色，一会儿又成紫色。医生皱眉等待、思索。我问："严重吗？"

"你问我？你没有看到灯的眼睛？他在观察。"

“灯说了什么？”

“这还要会诊。你过三天再来。”医生写药方，说让我妻子拿药，又叮嘱我不要看，不要研究。

我走到紫红色路灯下看处方，原来是给我妻子的一封短信，字迹很潦草：“你丈夫，热病，对于这些垂死的人，你什么都满足他吧！比如打警察，偷超市的刮胡子刀，摸人妖的奶，像孩子舔雪糕纸，穿错袜子一黑一白，光膀子上街，看电影往前座吐口水，短裤穿到长裤外面，街头小便，公园里采松针吃、嚼花，球场积水中自由泳，聚会时用衬衫擦鼻涕，说自己是落难银蛤蟆，打很响的饱嗝，斜睨女人，狼吞虎咽红烧蹄髈，迷恋写真照片，发脾气揍你……”我的脑袋轰然作响。欲望、期盼、争风吃醋，包括遇到危难时最需要的安详、庄重、意志也都属于健康人。当真正的灾难降临的时候，恐惧和焦虑控制住整个人的身心，弄也弄不掉，其他事情瞬间惨淡无光，什么都不必要去辩白争吵，包括医生对我的人格污辱。

我返回医院，告诉医生我知道自己患了热病，请他给我开药。他说：“唉唉，你不看信就是灵丹妙药，你太太会治愈你。好了，好了，热病是绝症，但绝症不一定马上死掉，也就是，不一定个个都像菜场里的鸡鸭。算你福气，遇到天下最好说话的医生，我竟然让电灯的眼睛给你确诊，如果它看到半透明的手掌里血管像风扇一样转，由于凉风徐徐，那么你还可以活很久；如果血管像一堵黑灰色的墙，挂满苍蝇，那么你就活不了几天；如果……”

“那我的怎么样？”

“可惜，灯泡没说什么。不要紧张。我可不是一般的医生，我长期研究无为而无不为睡眠疗法，我的名字被收录到《世界名医录》、《大X科全书》，我有专著三本，另外我还有论文一百多篇。业余时间我还敲敲网络随笔美文，与网络上暂时看不见摸不着的女人调调情，这样不仅专攻心脏爆竹，也研究两性浑水，心理游鱼。人死了也不要紧，只要尸体新鲜我保证让他起死回生。”

“起死回生？”

“我有祖传秘方。我是西医，但我知道西医都是治标不治本，把人当成白耗子的一根神经。我告诉你大体的思路，具体的配方在家人中传男不传女，传以后会叫的蝌蚪，不传癞蛤蟆，癞蛤蟆爱爬不爱跳，太老成……必须是月光明亮的惊蛰的夜晚，走向深水河的东面，从树根底下捕捉一条一斤八两重的金须花背鲇鱼，然后放到大水缸里，养到芒种取出。不能让鲇鱼受伤，挂阳台的西面风干。到腊八把鲇鱼干放到木盆里用温水浸泡，再放到保暖的水缸，盖上盖子。等三天后打开缸盖，你会看到鲇鱼干活啦。用鲇鱼的腮片再加上其他草药……草药是秘方，不能告诉你。制成五粒乌黑发亮的药丸。你咽气几天，只要尸体冒汗就用黄酒把药丸灌下，一会儿你的肚子咕咕作响，心脏怦怦跳动，你会睁眼起身。试问，现代西医有过这样的成就吗？告诉你医院里的干草和冰片用个精光，冰箱也锈穿几个大洞，我无法给你开什么药，你还是先回去接受淋雨疗法，据说政府会继续考虑人工降雨。”

回家见妻子跪着擦地板。房间里窗明几净，一股蒸蟹和白酒的香气。她见我回来，起身，腰酸挺不直，垂着两手说，她的手指发冷，大约过段时间才会发病。我注视，她的脸有点黄瘦。我没有告诉她我也生了热病，只是说声，很累。然后回房休息。我的食指烫得疼痛，不过没有冒烟，辣气直入骨髓。

妻子进来依偎我，脸贴着我的脸轻摇，她的身体非常柔软和温暖。我记起焚烧古旧书画垃圾的年代，看到郊外野地，一个个坟堆被刨开，两个相连的糯米拌石灰做的白色窟窿，全是夫妻合葬墓。木棺被挖出，砸破的颅骨、其他白骨抛撒一地。死去的岁月比活的时间长，荒凉的茅草又瘦又硬，干燥的泥土味，他们曾经选择死后在这样贫瘠的地方安放床榻，裹上两床被子住下来，只要相伴就不会害怕……我糊里糊涂沉睡。

我和妻子像两棵树移植到山阴后，树叶渐渐发黄透明，一片接一片飘落。儿子没事，健康如日头和满月在两棵渐渐干枯的树中升起。我们带着忧虑和悲伤观望他。

窗外你推我挤的高楼上密密麻麻的嘴巴，挨个颤颤抖抖呜咽，有人说："音响发烧友在尝试城市整体环绕声。"每个音符确实会产生几百几千个回声，久久旋转。谁在故意增加恐怖的气氛？

我下楼时，经过三楼住户，门半开，冲出杂乱的声音。我望了望，光影摇晃，满客厅黄衣光头和尚，一位坐烛光边闭眼摇头背经书；两位敲打木鱼，还有的，不时齐声吹奏声音很大的阴阳怪气。客厅当中躺着的小女孩，头顶前放置一支蜡烛，她的脸色白得如墙，静如秋日的花坛。

我转身逃回家。妻子说，她买了一只公鸡，溜到客厅里，让我捉。客厅的地板上竖起一个个鲜红的鸡冠，我的左手、右手都抓满，都不是公鸡。客厅油亮的地板似水，盛开丛丛火红的鸡冠花，映照朦胧宁静的倒影。公鸡一闪步入花丛深处。地板下伸出两只鸡脚，我一把抓住，拉出大公鸡，红黄色羽毛上流动一层蓝光。妻子说，就是这只公鸡。我到厨房宰杀公鸡，水一泡公鸡显得又瘦又脏。拔毛时我想找几根漂亮的尾羽，一尾巴血管毛又黑又粗，觉得恶心。又想，不能吃丢掉算了。我把公鸡放到瓷砖地，瓷砖软得像烂泥，公鸡陷入泥浆。公鸡摘掉围巾，头颈寒冷，一道伤口流淌鲜血。头颈扭曲，鸡头睁眼，想抬起头。还是活的？我害怕，用盘子、案板、包装袋掩埋公鸡，公鸡的头又摇摇晃晃伸出，越来越像我儿子的脸，就是我儿子的脸。他讲不出话，可怜巴巴的眼神说，不要丢掉他。我很难过，如果一刀没有划下去……我无能为力。他慢慢往下陷，我继续丢下许多盘子把他掩埋。想走开，又觉得不能走。

我离开厨房白乎乎的冰冷的瓷砖墙面，客厅里大片鸡冠花越来越红艳，儿子兴奋地大叫着跑进门。我立即进厨房翻找公鸡，什么也没找到。我拿下挂墙上的黄风筝和儿子到鲜花盛开的公园，把风筝放到蓝蓝的高空，接着到春日暖洋洋的山丛步行，看到一串串紫红、鲜黄的野花上蜜蜂、瓢虫嗡嗡飞着采花粉……他以后遇到不如意的事，想起父亲带他玩就会得到些安慰吧。

城市里行人拥挤的街道灰黑，到处是污迹、脏水和废气。汽车、摩托车、电动车饥饿的食人鱼般满街乱窜，街口闹哄哄一大堆人观看车祸，楼群坚硬高大不动声色……我害怕，把儿子反锁到房间，再坐门口看守。大楼仿佛在摇动，地震？又慌忙打开门，在阳台垂下一根长长的绳子。

三、木匠郎中制作神龛；抱儿子出逃

半夜客厅总有乒乒乓乓的声响，白天看那里家具摆设都安安稳稳站立原处。我偷偷起床，走到古老的客厅，木头楼顶挂一盏嗞啦吸气的玻璃罩汽油灯，亮光里，木板墙壁，粗大的圆木梁，一位长着大鼻大嘴的红脸木匠修理梁上的木雕，金粉涂脸的人物骑红马走过桑林，或者在云里滑翔。木匠用木锤敲打白光晃悠的钢凿，木花纷纷落下，干脆的暗红色漆皮下露出细白的木质。

木匠梆梆、梆梆敲几下，两条壁虎像紫红色的蜻蜓飞出窗户。我说话，发不出声音，就看木匠做事。他开始修理古老的红色神龛。用水洗清后钉到墙壁上。褪色神龛上布满皱纹一样的黑色细缝，木匠把凿下来的木花放到神龛里，木花旋转站起穿裙子的小女孩，女孩盘腿坐下，双手合十。木匠说，将她关进去，一直到风干。女孩的父母站在边上，冷漠呆滞，无动于衷。神龛被木板隔成两个空间，小男孩也爬进去试试，说盒子太小，受不了，钻出来。父母硬把男孩塞进去，他就坐着不动。客厅里来了许多人，他们接二连三点着香，下跪，念叨。

男孩、女孩的身体微微颤动，人们全都隐藏门后。木匠靠椅子休息，燃起一支烟。

“为什么要用小孩做神像？”

“这样灵验。神像作怪，就是小孩待在神龛难受后作怪。”

“最近发生许多稀奇古怪的事情，原来是你故意让这些事情发生？”

“不是我，是你们需要。你还不知道？到窗口望望。”

我打开窗户，沸腾的喧哗声。路灯下的人群，汽车火烧屁股如同急流，远处不时爆发烟花的震响和彩色火光。我说：“这算什么，正在过节？”

“热病一流行，我还要修复许多神龛，赶做许多神像。神像一多，热病风雨交加，连树木和楼房都会生病。”

“你不像个木匠。你暗自操纵着我们？”

“我是你妻子叫来的木匠，她怕你担心，没有声张请我的事。女东家说，你在鸡冠花里抓公鸡，你想保护你的儿子。再会啦，再会。”

木匠背一大包工具穿过墙，一张转过来对我笑的脸从墙面渐渐消失。隔壁邻居的墙面开始乒乒乓乓响。

客厅还是原来的样子，偏头张望的月亮的银光洒向地板，地板平滑流淌沥沥作响的清水，鸡冠花全都枯萎，枝干上还有片片绿叶。我和妻子都病了，只有儿子健康，我要带他逃出这座城市，立即焦躁不安。卧房里儿子还在睡觉，我抱他出门。

妻子说："你干什么？"

我说："你早知道我也得了热病，儿子还没有，我想带他到山林里住一段时间。"

"你为什么瞒我？快把儿子抱过来让我看看。"妻子看到儿子后呜呜地哭，眼泪掉到儿子的脸上。

"过些时间我就回来，你想去也可以。"

"你们去吧，我是定量配给你的，产权属于这幢大楼。城市里热病消除后，就回来。也许以后我看不到你们。"妻子低头任泪水滴答。

"怎么会？不会的。我们先走，不要怕。"

出大门，保安盯住我不放，我告诉他小孩生病，要挂急诊。玻璃门缓缓分开，透进清凉的空气。大街空荡荡，长串的路灯像箭头的标志指向远方，地面一团团晕光。街树外表明亮，树冠中黑黝黝，沉睡了吗？我背儿子累得腰酸背痛，一身热汗。我的食指越来越烫，还要伸直，怕把儿子点着成为一团火焰。

远处云层泛白，蒙蒙亮。我走到郊外一条宽阔的河边，我跨上即将解开缆绳离岸的木船。船刚离开码头五位警察奔跑赶到，他们用带铁钩的长毛竹竿想把船扎住，铁钩直直地冲向船舱的窗口，乘客惊呼，慌里慌张躲避。船继续漂开，离岸很远，分量很重的毛竹竿从警察手里滑落，在船沿嘣嘣跳几下滑落河面。

我感到警察来抓我的儿子，紧急中儿子是一只健壮的黄鹂，我把他藏匿在空铁罐里。

警察又甩长绳子，想套住船，绳子掉到河里，他们收绳子继续甩，终于套住了船头上的木桩，绳子拉紧，嘣嘣抖动。我突然发觉我和船员、乘客都不在船上，我们沿岸拉纤绳，把船拉到岸边。他们想让我们到什么地方，我们就在什么地方。可笑我们还想逃。

警察召集乘客做报告：《人都要生热病以及生热病的人都要受到关怀》，五位警察不时放肆地打哈欠，当他们同时张大嘴，闭上眼睛的时候，我连忙把装儿子的空铁罐从口袋拿出，放地上让儿子逃走。码头不远处一片矮小破旧的青瓦平房，儿子顶着铁罐向那里快速跑，警察张望，他就不动，等一会儿再快速跑。我等会儿怎么找他？到时再说吧。

警察呆头呆脑，原来都是油漆木偶，他们似乎又能察觉外界的任何变化。我往后退，溜走，警察会网开一面吗？我追儿子，他非常灵活，顶着铁罐左拐右拐，飞快地跑，我跟不上他。他逃到稻草堆边，钻进去不肯出来。我翻来翻去，稻草霉烂，跳出许多蟋蟀和癞蛤蟆。我拿起翻滚的铁罐把儿子倒出，他从三岁长到了八九岁的样子。

四、返回原处，是废墟，还是闹市？大群青蛙满台阶蹦跳

我和儿子坐长途车到青峰山，那座山我没去过，少年时从屋顶能够望到远山一抹如云的黑影。车里开放冷气，我的食指已不疼，拿掉干结的纱布，双手光洁如常。车厢坐满人，他们都在微笑，全是大头娃娃那种制作出来的微笑。

女售票员走来，我说："两张青峰山。"

"实在对不起，你不是去青峰山的乘客，你应该回城。"

"我高兴到哪里就到哪里。"

"不能去。"

"我看过车站的牌子，终点站是青峰山。"

"对不起，这和终点站没关系。前面几位顾客去那里，你不是。我们早已安排妥当，你以为事事都是乱七八糟的吗？"

"开什么玩笑呀。我们要去青峰山，不想回城，城里正流行

热病。”

“热病？一千年前的事情。”一位旅客说道。

“一千年前？我昨天晚上才从城里出来。”

售票员朝旅客挤挤眼笑一笑，转过头说：“不要再丢人现眼。我知道你去什么地方，我也知道这些旅客去什么地方，你就是回城。大家都不作声，就是你多嘴。对不起，想打架吗？欺负女人？像个男人吗？我不想和你再讲什么。”她一把抢走我手上的钱，丢给我印着绿色青蛙的车票。

几位旅客说：“售票员说得很对，你应该回城。如果告诉你我们为什么去青峰山你还不肯去呢。”

旅客讲话时还是面瘫般地微笑。离开城市原来没有那么容易。唉，他们为什么可以离开？

长途车飞驰，窗外荒凉的田地枯黄的野草丛生，黑色的细树光秃秃，座座荒坟，白色的残雪。儿子趴在窗前使劲观望，说看到草地、野花和牛羊。一会儿，浓雾弥漫落下大颗雨滴，窗玻璃凝结的白气遮挡住视线，温暖的车厢内儿子和乘客全都睡着。我抹玻璃，光洁的圆洞，外面嫩黄色的雨越下越急。我看到远处模糊的高大黑影，石城墙。汽车直对石墙冲过去，越来越近，要出车祸。我叫喊：停车！惊醒的乘客哈哈大笑。车厢漆黑，打开车灯。汽车快速穿过石墙，高高的蓝天，汽车开到巨大的水泥广场停住。

女售票员过来说：“对不起啦。恭喜你平安到站。”

“全是断墙、泥沙和屋顶倒塌的房子，我不能去。”

“对不起，你们必须留下。我给你解说，热病流行时市民全部失踪。有人说是被烧掉的，有人说不是。我也不知道，反正你不能再坐车。”

“我们住在哪里？”

“说什么吃和住啊？”车厢里人们轰然大笑。

她继续说：“我没有义务继续解说，但是，我知道你们应该立即在这里下车！”

售票员拉扯我，我说：“我自己走。”她还是用力推我出门。我和儿子还没有站稳，汽车就掉头穿过石墙。我们身边一块铁皮烤瓷站牌孤零零树立着，字迹被铁锈涂抹掉。什么汽车，什么乘客，往日我好像骑一匹蓝马，汽车川流不息通过蓝马和我的身体，蓝马带我深入一道道墙壁……久远久远的白日梦吧。不过，我有过那样的体验，从某一个空间进入另一个空间，我和新空间还未重合、融洽，我还不能移动身边的任何东西，身边的事物也不能给我任何阻力和伤害。我打量面前的废墟，难道由于热病我撒手归天，现在又回来了？如果我的身体和眼前的景观是同一空间的事物，我无法从封闭的石墙出入。汽车竟然穿过石墙。要么，我自认为和这个空间融为一体。汽车是影子，上车暂时也成为影子？只有一个办法可以解决疑问，试试看我能不能走出石墙，一圈石墙遥远得好像鼓起来的地平线。

天空转暗，干燥寒冷，儿子默默跟我走。我们寻找出口，不是有没有出口，而是能否走到石墙。到处是残缺的建筑群、碎红砖，裸露的钢筋弯曲、折断、锈迹斑斑。还有废弃的家具和褪色、发硬的塑料残片。几处杂草丛生，昆虫鸣叫，黄鼠狼钻进钻出。阵阵凉风吹起尘土迷茫，好像我们离开这里真的上千年了。一条残破的道路宽阔、笔直，那天晚上坐“墙头少年”的卡车到达这里。当时，行人涌动，汽车连着汽车匆匆流过，夜里的群集高楼，繁灯耀眼仿佛是用水晶做成。几十条大街把城市分割为大大小小的方块，每条大街边都有蜈蚣腿似的许多小路。我找到空房，第一次面对妻子的情景如在眼前。全部消失，永远也无法唤回吗？

我和儿子在废墟中跋涉，寻找遗物。我的脚沉重，走不动，坐下拨弄水泥块。这里原来有个快餐店，为什么快餐店的名字叫蛇馆？玻璃缸嵌入墙壁，几条花鲢大头鱼翻转肚皮，黄鳝睁开呆滞的眼睛扭曲滑动，漂浮的甲鱼眼神可怜兮兮……供氧管不断喷出气泡，组成无数个零、零、零、零。一大碗面只有一根，无法咬断，不断吸，欢快地吱吱、吱吱，面条和碗相连，碗是大蛇头会叫人的名字。我把两个故事相混，细身大头蛇躲藏竹林中。

街道对面的圆形大剧院堆积废弃的碎石、水泥块，几丛杂草高过人头。往日剧院翅膀般的屋顶轻盈，将要高飞。当交响乐或合唱的歌声金光闪烁、缓缓升腾，观众就跟随乐声、歌声，跟随剧院一起飞升，飞升，飞升……走出剧院，周身，连脚下都布满耀眼的群星。

我和儿子又走了一会儿，靠近荷花公园。当时夏日荷花的香气随风飘动，时浓时淡。我和妻子看儿子草地上爬，儿子站起摇摇晃晃走几步……现在，草地光秃秃，池塘干枯。

不知不觉走近城市边缘，不是石墙，遇到的是坚硬开阔的层层花岗岩台阶。我每次低头想钻出去，总是跨上一步台阶。台阶高耸入云看不到顶端，让人畏惧。我转身往下走，色彩鲜艳的树叶撒满台阶，飘摇，是大群五颜六色的小鸟和青蛙往台阶上跳，有些跳得又高又远，腾空滑翔；有些疲惫衰竭跳不上去，依然反复蹦跶；有些好像被踩扁晒干，如片片碎报纸随风翻滚，嚓嚓哧哧。我一扭头，小鸟扑棱惊飞，盘旋几圈，高飞。天空大团小黑点飘摇，不见，又被风吹回来，凝固成缓慢变化的朵朵云霞。小鸟、青蛙似曾相识，内心浮现想象的清丽美景，情感荡漾。不禁闭眼低头回想，无穷的空白，身处半空，向着高处洒下无数光线的源头飞去。

飞不起来的五颜六色的青蛙继续往台阶上跳，似乎不同于干燥的阵风翻动的破布、碎纸、塑料袋。青蛙让我联想到摸瞎子那段时日，古城的郊外，晴朗的天空下汹涌泛滥的嫩黄菜花和温暖的花香，不由愉悦、伤感，如坠梦中。云渐渐消散，日光白亮烫人，汗落到发软的地面嗞嗞、嗞嗞被吸干。青蛙跳动，垂死挣扎。嫩黄的菜花盛开时，起伏的山峦黛色，清亮的溪水漫过嫩绿的草地，水洼中群群黑圆的长尾巴蝌蚪。

我和儿子走下台阶，荒草丛里堆堆发灰发黑的石灰泥粉，古老的青色的薄砖、瓦片。真的是那座古城吗？我的绿衣女子，最初的遥远绿色蒙蒙的梦幻，后来如同碧水落尽，显露河床的嶙峋怪石，回想最初的相遇依然清丽，在流淌。

公共汽车带我到达我住过，儿子陌生的城市。颓败得太厉害，往昔绿树间有错综复杂的小巷和碧绿的小河，现在连河道边的石块也找不着。地面露出石板的脊背，踢开上面的瓦砾，一大块、一大块磨光的长方形花岗岩，也许就是“摸瞎子”那条备弄边的几个院子，院子两边用如云翻卷的白石垒叠花坛，种着病恹恹的枇杷树和紫薇树。如果没错，走出黑乎乎的备弄，外面的小巷前横着一条较为宽阔的街道，一排木头墙壁的楼房，楼下有糖果店、丝绸店、糕团店、杂货店、金银首饰店……再走过去是古老的寺庙布置成的展览馆，我记起展览的图片，知道这个城市曾经被烧毁过十几次，我亲眼见过一次大火。

我们躲藏一座楼上朝街角望去，出来个杀手他们就开枪，把街道死死封住。敌方蜂拥，渐渐失控。危难时刻，司令激励他们送来几卡车西瓜，人们抢夺，用长刀砍成两半，挖心吃，多下的威武雄壮地抛下车，然后杀到天黑。半夜号角声集合起黑压压的人，城里到处被人纵火，一座迷宫暗道般复杂的水泥楼的大厅，躺着烧死的人，乌黑的脸和身体，活生生的人怎么变得这样可怕？后来我几乎忘记那些经历，似乎什么也没发生。

眼前，青蛙奋力跳动。我自言自语：“这么多青蛙和我一样不知为何在这里。”

“哪有青蛙？”儿子指指天空，“爸爸你看，那朵云像青蛙。”

我看到天空几团浓云翻卷、伸展如巨大的青蛙痛苦扭动。躯体乌黑有白斑，边缘金黄耀眼。头赤红，剥去了皮浑身渗血。我惊恐，低下头。

儿子却说：“天空真蓝，青蛙身边有许多轻云像彩带。”

凝固的浓云，巨大乌黑的青蛙被人重踩一脚吐出鲜红的长舌头。云朵越来越怪异、狰狞。我告诉儿子，青蛙就在我们身旁跳动。

“哪有青蛙？爸爸，哪有青蛙？”

“你看不到？”我凑近他的脸，仔细观看他的眼睛，又黑又亮。用手在他的眼前晃晃。

“嘿嘿，我的眼睛很好。我们周围大群灰色的蜻蜓飞舞。为什么热闹的大街会有这么多蜻蜓？我在找玩具商店。”

热闹的大街、商店？我揉揉自己的眼睛，身旁仍然是大群的青蛙在灰白色的废墟和水泥台阶不停跳动：“我讲给你听，青蛙有黄的、绿的、红的、紫的和蓝的……”

“像红绿灯，彩色气球。不要给汽车压扁？”

“也像各种各样的花瓣……给汽车压扁，什么意思？”

“大街上汽车来回，嗞——的刹车声。爸爸看不到，也听不到？”

“什么汽车？”我不去理儿子，一阵沉默。

算了。我继续说：“青蛙很瘦，我想起城墙边的事，幼时我经常去玩的地方。”

“城墙边，我去过吗？”

“你无法去，全部拆光了。这里到处是青色的碎砖瓦，仿佛就是那座古城。”

“碎砖瓦？商店全都新新的，柳絮在飘，街边的紫荆花和月季花全都开了。没有，什么都没有。爸爸你说。”

“我幼时哼小调：‘城墙边，树林后，野草摇晃的瓦砾堆；蟋蟀乌红，叫声唧唧，牙齿像黄铜。’有个废弃的深水池，积聚小半池雨水，浓绿，翻泡沫。每年春天到夏天，越来越多的青蛙掉下去。没有落脚之处，青蛙常趴在浮萍上喘息，加上虫子不够吃，青蛙就长成多角小头，瘪肚子，细腰，细腿，灰不溜丢。青蛙整夜呱呱呱、呱呱呱，力气全用于叫嚷。不是抱怨，也不是叫人捞，而是呼唤母青蛙。有些母青蛙不顾一切跳下去，有些公青蛙也不顾一切跳下去，青蛙乌黑一堆，比闹市、集会还要拥挤、喧哗。我从来没看到过水池里有小蝌蚪、小青蛙冒出头。秋风呼啸，水池寂然无声。冬日水面结冰，覆盖厚厚的雪；第二年春天，又有青蛙在那里叫；第三年春天，又有青蛙在那里叫；第四年春天，又有青蛙在那里叫……叫……叫……叫……”

我开始难过、害怕，渐渐厌倦、厌恶和麻木。青蛙的欲望和不可逾越的水池相勾结制造了一个怪地方。过去什么也没有，大地上有了种子就有了荒草和树林。人的目光扫来扫去，人说，水池是好的，就有了水池；人说走就走了，但青蛙怎么办？

儿子笑眯眯，耳朵像筛子，钻进他觉得滑稽的话，公青蛙掉下去，好像他们偷偷抽开凳子，让同伴坐个空。母青蛙掉下去，好像写封情书签上女生的名字塞进男生的书包。我觉得悲哀，好像一只落入水池的公青蛙，挤在只只无聊瘦弱病恹恹情欲难熬的黑压压翻滚的一只只青蛙，恼怒不已，一声不吭。难道我不想健康美丽的母青蛙掉下来？我忍不住呱地叫出声，连忙捂住嘴。

“我也想去，我也要蟋蟀。”

不能回返的城市，就像走不进记忆的场景。也许钢筋水泥浆翻滚，摊饼，城市瞬间扩大几百倍，到处是沉重的高楼，压得往日的瓦片、石块、各类尸骸酸痛、碎裂、窒息，永远也不能伸直、翻身。也许像秋天干枯的野草杂木被一阵野火烧尽。唉，你不会明白。

“我后来看到幅画，白衣女子怀抱一只绿青蛙。一排红字：‘大力保护益虫青蛙。’晚上我和邻居的小孩去救水池里的青蛙。我们用扎在竹竿上的尼龙丝口袋捞起青蛙，有的死去，有的半死不活，一股股臭味。活青蛙战战兢兢向四周跳几跳，又转过头跳回水池。乌黑如炭的树梢上一轮明亮的圆月，走来身穿白色长裙的女子，她看到青蛙捂脸哭泣，突然跳下水池，水声哗啦。过一会儿蛙声又开始喧嚣。皮肤黑溜溜的男子跃出水池逃走。”

“青蛙围坐着望星星、讲故事，不知不觉天亮了。”

“青蛙晚上呱呱呱、呱呱呱，讲什么故事？”

“讲到他们以后会有什么变化。讲到深不可测的稀奇古怪的未来。讲到海水的尽头会是什么地方。呱呱呱、呱呱呱。”

变化总是在今后，变化就是各种形式的不断重复，大约一切空间和时间全部耗尽时才会发生彻底的变化。

“知了变成老鼠，老鼠变成袋鼠，袋鼠变成兔子，兔子变成猫，猫变成甲虫，甲虫变成蝙蝠，蝙蝠变成狐狸，狐狸变成青蛙……”

我独自出神，满天死星飞舞，新星突然爆发。大地上，挖沟池垦荒地，天外重物飞落压个坑洼和坑洼，封闭的房间、楼房，文化的死水翻泡沫让蚊子扎破，脑子里的观念，层层墙面，骤雨过后摊摊积水，经典物品的镣铐，污染的空气河流，废弃的化工厂、核电站……这些偶因编织了多少陷阱、暗道和迷宫。落入和迷失的生物听天由命活下去。房顶上的草，山洞里眼睛退化的花斑泥鳅，猪一样大的老鼠，城市里失望和困惑的人，锯掉头的丑陋街树……他们不知道也不相信另外的世界，知道又有何用？你可以说，还有无数美妙的地方确实存在呀，可是哪怕就在你的身边，只要你无法进入，就与你隔开永恒的距离，就是虚幻。青蛙想离开水池就是虚妄，某个坑中的生活才是某个生命的真正的“实际”。为那些可见的虚妄同样可以建筑神殿，比如青蛙面对岸上的世界跪拜祈祷。青蛙为什么叠宝塔，倒了又叠？蛙群为什么围绕宝塔叫？多多敬奉宝塔，来生住进花园。

“爸爸，商店的橱窗玻璃很干净，假人都光着脑袋，一排哈哈镜一定非常好玩。”

“这些乱砖堆原来是块草地，几棵笔直的银杏树。幼时，夏日的夜晚我曾坐在这里玩弹皮弓。古殿前的玉石栏杆都已不见。”

“水果店里西瓜上市，瓜瓤是黄色的。还有好像火苗跳动的葡萄、火龙果、橙子、杏子……”

“到处是废墟的断墙，像个迷宫。怎么出去？”

“我口渴，给我买一瓶水吧。”

“买水？到什么地方买？”

“我们就在糖果店门口，冰箱里还有冷饮。卖东西的人正朝我们微笑。”

“你看不见，真的看不见？这里全是废墟的砖瓦，其他什么也没有。”

“爸爸，你看不到街道上来回飞驰的汽车，排排色彩鲜艳的商店？你看不到眼前的小店？”

我突然意识到孩子没有瞎说什么。我问：“我们到了什么地方？”

“很大的城市，到处绿荫和花朵开放。现在，大街一面沿河，一面栋栋高楼闪动玻璃光。江水翻腾，江边游客正走上白色的客轮，我也想去很远的地方。我害怕，你怎么总是说，废墟、废墟、乱砖瓦和断墙、断墙，半死的青蛙？”

我疑虑，不知怎么回答。一时又找不到钱。有，也不知怎么交给糖果店的卖货者。是往地上一丢，还是用火烧了给他们？

“如果有钱怎么给你买？”

“我在银行的饮水机上喝过水。前面有公园，进去玩好吗？”

儿子带我进公园，我坐残破的石条，他在乱瓦堆中奔跑，挥舞干枯的树枝。他说有个草坪。

儿子满头大汗，脸色红扑扑，回到我身边说：“你给我讲过《青蛙王子》的故事。王子被后妈变成青蛙，放到冰凉的水塘受苦。为什么不把他变成猫？要变，我情愿变成猫，不要生活在冷水里。”

“什么时候讲过？”

“警察追过来，你把我放到铁皮罐子里，你就开始讲了。”

“是有那件事，我看你顶着铁罐逃到草堆。你是说，我把你放到铁罐里后，我也钻进了铁罐，一直有好几年？”

“是的。那里开始很窄小，后来越来越大，越来越明亮。”

“我怎么，不可思议……原来是这样？王子也有魔力，就算变成动物，也不会变成猪、猫、狗、苍蝇或臭虫。我想披挂花纹的绿色青蛙，大大的眼睛高抬起头，还有些贵族的英俊和华丽。”

不过青蛙那样小的鼻孔让人觉得可怜，还要吃虫子。稻田里喷洒农药，一层青蛙鼓胀花白的肚子漂浮，发臭。

“他的后妈太坏，水池里有几个王子？”

“稻田里的事不是童话，童话是编出来的，汽车上你说《胡萝卜旅行记》。水池里稻田里都是真青蛙。”

“那天你们不是看到白衣女子跳到水池里？还逃走位叔叔。”

“不，也许是两只非常大的青蛙。”

“胡萝卜旅行是真的。冰箱里太冷，他要到有阳光的地方暖和暖和，可是遇到老鼠想吃掉他。芭蕉叶半夜运他过河，大青蛙把胡萝卜埋进春光晒热的泥土。胡萝卜好像盖上厚厚的被子，暖和得笑了。他一笑就伸出翠绿的叶子，开了朵当中有圈黄色的白花。”

儿子停止说话，聚眉静听。我也听到远处飘来风声浪声，时有时无的芦苇与荷叶的瑟瑟摩擦声，以及嗅到清香、芳香和水的腥气。

身边跳动的青蛙想去那里吗？我和儿子一步一步跨台阶，听到细微的波浪翻卷泥岸沙石的啪啪声，仿佛看到城墙外的湖泊里许多遥远而无声的白浪追逐着白浪。我自己就是白浪，与满湖的白浪此起彼伏，反复拍打泥岸和沙石。台阶好像会增多，走了好久我们还在原地，台阶的最高处埋没在重叠的云雾里。我似乎看到巨浪撞击高墙，雪白的碎粉，无数巨浪又向高墙飞驰而来。我无法越过无穷无尽的台阶。

以前做过一个梦。黑夜，旷野，红眼睛鬼怪追我，我拼命逃，最后伸开双臂奔跑，飞起，不停地飞，鬼怪被甩掉，内心的恐惧消失，开始自由自在地滑翔。我把手臂伸开，跑几步，又笨又重，看来我不在梦中。谁知道，是太焦急，使不出劲？我想做梦飞出台阶。

我问：“你看到了什么？”

“你带我到湖边游玩，现在我看到水面好像大海，我想去游泳，头发就像水草，漂浮到湖面摇晃，如果眼睛从黑沉沉的湖底向上看，阳光透过水草碎光闪闪。我们走到岩石，白浪奔跑、叫喊，碎石滩像细细的带子。我们是站在岩石上，还是乘坐摇晃的大船？有人游到乱石间，大浪像个喜欢作恶的人把他按入水中。他又从水中冒出，飞到最高的浪尖。你带我去避风的地方，好多的荷叶、荷花。”

“你说的地方我去过，后来湖水发绿。”

“水很清。波浪前后打滚，楼房和街道碰到水发软和化掉。船怎么转弯漂走？湖面有一条黄色的亮光闪闪的直路，大太阳落下，绿色的荷叶和粉红的荷花、白色的荷花都是金黄色。我们走过去玩玩吧。”

“水泥地和废墟。”

“一条淡蓝的大河流到湖泊中，爸爸你常说：去遥远的地方。”

“河面、蓝天的倒影。我想闭上眼睛，我想睡一会儿。”

“我等着。”

无数青蛙还在我的身边往上跳。青蛙跳跳、跳跳、跳跳……闭眼，一会儿天就乌黑。我独自在街头，人、建筑都默默沉睡，或者城里没有人，群峰耸立般的高楼大厦之间，上面一道道深蓝色天空，一颗颗黄灿灿的星星。我漫无目的地到处游荡，抚摸塔楼宽大的石阶、石墙、雕花铁门。我记起过去相识的人，我们曾经多次观望过这些建筑，我又重新和他们聚会。我抚摸公园的草地，草叶露水凉爽，音符般颤动。抚摸到蚂蚱，蚂蚱睁圆温顺的复眼。我又一次仰卧树下的草地，透过树叶观望夏夜的云朵轻飞。抚摸池塘的水面，绸缎一样柔软。抚摸石桥的栏杆……抬头看到两座陌生的楼房高得看不到顶，其他的建筑像云雾和海浪翻滚。高楼后涌起黑云，一个巨大脸庞不断变化，要告诉我什么？雨点在路面滴答、闪亮，一股湿润的草味。我想象什么样的楼房就会出现什么样的楼房，几座楼房如乌黑的独峰。把两座距离很远的高楼弯曲，用丝带绑扎一起，楼顶种植木香花后像两个脑袋。我到楼顶把丝带剪断，我抓住木香花藤被高楼弹到半空，鸟一般飞了一会儿，俯视城市堆积的乌黑的方盒。我在城市的中心竖立三角形的黄铜架。我把城市溜平，从新涌出的高楼错落有致，我安放青铜武士：骑马，手握标枪。三角架和武士都无法让我满足。我有些疲惫，眼前无数台阶。我想出城。

台阶上青蛙跳跳、跳跳、跳跳。台阶像浪一般柔软，绽放白色转绿的绣球花。波浪平息时，一片平坦的草地。石墙变矮，墙边长满高大翠绿的树，青蛙像颜色黄绿相间的成熟果实，挂在枝叶间呱呱呱、呱呱呱唱歌。我伸开双臂就飞，飞到树顶，惊起青蛙像五颜六色的蝴蝶满目闪烁。原来青蛙是一群色彩缤纷的飞鸟，越飞越远。墙外辽阔水面白光闪闪，岸边一条木船摇摇晃晃。这是儿子看到的湖泊吗？一看到水面我就掉下去。我反复飞起掉下像反复跳动的青蛙。我是大青蛙，儿子是只小青蛙，他跟我向台阶上跳。我口干舌燥充满疯狂的劲儿，像小磁石被大磁石吸引，又像被鬼影追逐，不顾一切往上跳。

我恍惚感受到青蛙和我为什么跳动，但是说不出来，好像我的内心有了美妙的感觉，我独自默默呼喊，前方显现风景的一片碧色。

我渐渐知道自己在做梦，做梦没用，梦幻不能带我离开围困我的地方。清醒时看到的湖泊、海洋不会把梦打湿。梦见的湖泊、海洋也不会浇灌、淹没清醒时的天地，也许是因为临睡前多喝了水，醒来去盥洗室，一下子就倾空了梦里所有的湖水、海水。

要离开，状态非要有真实的转变。比如身体离开这个空间，比如化成光影，或者从生到死，从死到生。要做选择，我们又会犹疑，我们不知道会被抛向何处。我睁开眼，我躺在台阶，梦里的城市建筑和湖泊、海洋无影无踪。

儿子说：“刚才我做梦。我和男孩去海边用沙土堆山，我们交了好朋友，他后来变成青蛙。是这样的，他告诉我他积蓄了六块钱，他想出走。他爸爸骂他，他真的出走了。野地一条弯曲的黄色小路，他走向头顶有晚霞的地方。我跟着他，想追他回来。走到远处，天空射下一束五彩的光柱。我知道光照到人身上，人就会变形。他跑到光柱中，变成了墨绿的大青蛙，他只好往河里跳。我告诉他不要碰水下的黑岩石，碰到岩石会变成铁青蛙。青蛙的嘴有点烂，也许发烧了很烫，他的嘴贴紧冰凉的黑岩石，立即浑身变硬，不能活动，沉到河底。”

我很佩服儿子梦到的朋友，有了六块钱就想出走，我们大人钱越多胆子越小。但，是谁把这样的怕埋入儿子的内心？

儿子看不到我身边蹦蹦跳跳的青蛙，我不知为什么说：“蓝色的青蛙是你做的，其他颜色的青蛙好像是他们做的？”

“我喜欢画青蛙。青蛙的颜色是蓝的，眼睛大，肚子大。”

“你画的青蛙头顶一只眼，半夜像颗星，长一对翅膀在天上洗澡，驾飞船，捉迷藏，变成王子和公主。”

“我不再画会飞的青蛙，那是假的。”

“颜色也不明亮。”

“青蛙寒冷，肉里塞进棉花和电热器。”

青蛙跳跳、跳跳、跳跳，几只飞起，彩色的小鸟在儿子的头上盘旋，飞进他的胸口，儿子立即火焰般散发黄色的光芒，天空转成玫瑰色。

我说：“青蛙飞入你的身体了。”

“什么青蛙，我怎么没看到？城市的河流边有好多花朵。”

五、故交在积水里嬉戏；车站遇到白发妻子和红鸟

红霞满天，旷阔的废墟渐渐灰暗，青蛙如乌黑的纸片摇晃。儿子说城市高楼鱼鳞闪亮，汽车举着红红的火把跑步。我找到钱包，一起去儿子才能看到的旅馆。头顶一道繁星如滔滔江流，地面乌黑什么也看不见。风吹野草瑟瑟，小虫嘁嘁嚓嚓，黄鼠狼擦腿而过。儿子说服务员不要我们的钱。难道服务员看不到我们？儿子又说，从窗前往外望，商店门口有人吸烟，烟花烧穿了大黑袍。我慢慢也

能看到几盏孤零零的昏黄路灯了，灯光下地面湿淋淋发亮。几摊雨后的积水中冒出两个人头，朝天喷水，又沉入水中，他们游得非常自在。其中一人叫我："乱头发！"又推推自己的游伴说："乱头发来了。"我认出是褐色衣和浅红衣。

我说："积水好像又冷又脏，你们怎么会在这里？"

"水很深，很干净。你来，你来，我们好久没见面。"

积水的深渊飘过云团，淡红色和黄色的雾气旋转，浅红衣与褐色衣从中涌出，原来他们依然是雾气。

褐色衣说："当时我们走散，你要是再等等，下大雪时你还能离开。"

浅红衣说："我们还会相遇，去最高山峰上的天文台。"

我问："当时你们去什么地方？"

褐色衣："很难说清楚。"

浅浅的积水平静时，星空的影子使积水明亮、多情。积水边有棵细长的树，香气浓郁，是棵洁白的花树。好像是霞，她说："乱头发，还认识我吗？"

我点点头。

"我过去是雾树花，现在还是。我们走散，我曾经回来找你。我和你住在一个的城市，你却不认识我。"

朵朵云团飘飞，他们忽然离开。

儿子告诉我，我们出旅馆走到火车站广场。我说："进候车室，凳子上打盹熬过夜晚。"儿子领我过去坐地上，儿子躺下浮在空中。我靠树身仰头张望，月亮从云中露出，废墟起伏凄凉苍白。风还算温暖，我合上眼。

旅客靠着或睡在排排座位上，大窗户外不时轰隆隆开过列车，房间和地面一阵阵颤抖。样子像霞的女孩穿黑衣背淡绿色帆布包进门，她瞥我一眼如同陌生人。不是霞，或者忘记我，她还是雾树花。

坐在我对面的女子看着我笑笑，起身走来。她对我说，她会唱歌，她们家乡的民间小调要不要听？

警察拉住她："怎么又来捣乱，出去。"

她不愿意走，眼睛直直望着我。警察推她，她突然变成一只红鸟，扑棱棱高飞。旅客大声呼喊："红鸟，红鸟。关窗，快抓。"

候车大厅根根钢管支起穹顶，人们拼命赶红鸟，说红鸟累了就会掉下来。谁会幸运地得到呢？旅客开始在墙边叠罗汉，服务员拿来梯子，小孩放飞氢气球，塑料鸽子嗒嗒、嗒嗒。红鸟有时滑翔，掠过；有时猛烈拍打翅膀，似乎要掉下来；有时撞到钢管，粉尘飘落。人们叫："窗户全关啦，红鸟逃不走。"

陌生男子轻声对我说："红鸟可以飞出去，只是飞出去就不能回来。"红鸟不断盘旋，警察拔出手枪瞄准红鸟，红鸟箭一般飞出楼板。

又一位女子白发的溪流汇成瀑布，她紧紧握住我的手说："终于看到你。"我鼻酸，是患热病的妻子，依稀还能看出往日脸庞的秀美轮廓，她问："孩子呢？"我把儿子推醒，她紧紧抱住孩子哭，儿子也在流泪。

我问："到底发生了什么事？"

"你走后不久，人工降雨飞机装冰片错装成硫黄，整座城市大爆炸，烧毁了。"

"真是怪事。你不是很好吗？"

"我是好好的。我坐A267列车出远门。"

"你过去从来不出远门。怎么这么多白头发？"

"人避免不了出远门。"

喇叭反复播放："A267列车开始检票，请旅客做好准备。"呼啦站起大群旅客，排成角马的队伍。妻子拉住我的手说："和我一起走吧。”

我们缓缓移动到检票口，我没买火车票，还丢下儿子。妻子进去，我大声说：“我马上去买票。”她说她在3号车厢。

我拉儿子跑到售票处，我忘记问妻子去什么地方，那就随便买张票。每个售票窗口都放置小木牌：停止售票。轰隆，轰隆，地面和窗户猛烈摇晃。

我和儿子走出车站，妻子站在路灯下守候，让我又惊又喜。我们进公园坐坐，妻子非要爬一座圆石头般的小山。我说，爬上去会下不来的。她说，她要看儿子。我说，儿子不就在身边吗？她爬上去眺望。

妻子真的下不来，求救。人们往上丢泥块，她终于抱住一块从山顶滑落，她的衣服被突出的山树刮破。问她看到什么。她不肯说。

远远望到一条清澈的河，我独自走近，发现河床在桥上，河水干枯，淤积的河泥发臭。我想，下大雨时河面就会干净。路人善意地笑着把我推到河泥中，河泥没过我的腰。我向对岸走，发现桥下还有条河，也不干净，浓绿的河水漂浮着杂物。我向前走，快到对岸又往回走。

善意的他是气球吗？几朵黑云叫我。云像没有头的马。白光，头昏。四肢被拉开，头大得像树冠，像天空。妻子从口袋里拿出一列火车，我和儿子走上去。一群乌鸦飞过，红嘴，亮眼睛。我们就这样离开。

六、电子游戏都在呼喊：青蛙到了最危难的时日

清晨，微光照亮满地残破的砖瓦，丛丛荒草。城市边缘只有高入云天的层层台阶，没有火车站，没有人影，干燥的冷风扬起灰尘。我和儿子站立这里，残砖碎瓦让我想起古城，废弃的水泥块、生锈

的钢筋让我仿佛看到热病流行的现代城市。

儿子又在向我描述某个城市的草地、花树和碧绿的河流。我和妻子住在什么地方？想起与妻子告别的夜晚，经常依偎我的柔软温热的身体，没有任何怨言的操劳。我一直认为她天性呆板、麻木，也许我根本不了解她。我想到她就觉得痛苦。她再也看不到我和她的宝贝儿子。找不到故居，也没有坟墓，我无法为她摆上她喜欢吃的甜食，让儿子跪拜。妻子的产权属于大楼，大楼属于城市吗？城市又属于谁？是谁把城市收回去了？为什么没有把我们收回去，我属于谁？

"爸爸你怎么不说话？"

"我想这到底是什么地方？这么多青蛙不停地跳？"

"我怕你生气，说：'我说东，你非要说西。'我们走进公园，霞光中大树的叶片像黄铜做的，这大树怎么这样漂亮？"

童年时我遇到过那样的树，我呆呆观望，后来再也看不到了。就算一棵树与童年时遇到的树一模一样也看不到。树的种子，荷花的种子都是细嚼慢咽黑暗的浊水污泥发芽、长叶、开花。为什么最终要显现出美，诱惑人的身影？最后又颓败，回到原来的样子。那瞬间的浮光掠影想告诉我们什么？我幼时很简单，看到这些美物以为就是身边景色，而不是他乡的一线风光。唉，不去想这些。

"我还惦记你妈妈。"

"我妈妈？我想不出她长的样子。"

青蛙总是在我身边跳呀跳。青蛙是什么？让我仿佛看到花卉、云朵，又莫名地心酸。现在感到厌倦、厌烦。

"你晚上不是看到妈妈？你还流泪，不是，不是，那是我自己的经历。有人曾经请我和你妈妈去怪味青蛙百年老店，那时还没有你。要把青蛙当食物，要吃光，永远也不怜悯它们。"

“我也吃过青蛙，好吃，一大碗全吃光。”

可怕，真的这样可怕。连鲜味、香气都不该有，那么就不会再想起它们，就不会兴奋和难受。

“请客的男人还带来三位女人。我一进门就滑了一滑，他们说：蛙皮地滑；吊顶灯不住地眨，他们说：蛙眼多彩；播放器哑着嗓子乱叫，他们说：蛙鸣雄壮。”

儿子嘿嘿笑。

“酒家的四壁镶嵌玻璃缸，塞满活青蛙，压在底下的青蛙闭紧双眼。我洗手时看到几位工人倒垃圾，一大圆桶鲜血淋淋的蛙皮，眼睛灵活的蛙头。我们在圆桌前坐下，服务员端来一桌子青蛙菜肴：白乎乎、红通通、黑漆漆、香喷喷、热辣辣。大家正要举筷，请客者说，你们看这些青蛙多像小孩啊。三位女人马上翻脸，说不吃了。请客者独自张开大嘴把青蛙倒进去，骨头也不吐。我知道他的好心，他在示范，应该怎样活才快乐。”

儿子茫然。

吞吃青蛙，你不要犹豫，彷徨不定的时候太焦虑。你不要去想霞，也不要期待妻子再次回到你的身边。对她说，我现在什么都无所谓，只要过互相温存的日子，把那些期待和梦想都吞到肚子里，让胃酸腐蚀干净。这样你才能重新行走，没有任何负担和失望。我偏偏忘不了那些情景，不能再回去，让我难受到窒息。

我继续和儿子说，又像喃喃自语：“我和你妈妈出来时遇到一只逃跑的青蛙，跳得快、高，敏捷像体操运动健将。它急中生智跳到洗衣机排出的一摊污水，潜泳，躲藏。水难闻吗？刺眼吗？知道周围是纵横的水泥路、发怒吼叫的汽车和躲闪的行人、牢固的楼群？”我陷入沉思，身边无声无息跳动五颜六色的青蛙。

“爸爸记得青蛙过关的游戏吗？”

“哦，知道。”过去我每次看儿子玩青蛙过关的游戏就难受。我听他人故弄玄虚或煞有介事地谈论面相，总会感到一股愚昧的乡气。不过确实有看上去就不愉快的脸，如青蛙。游戏开始，叮叮咚咚紧张的乐声中跳出一只翠绿的大青蛙。尖尖的嘴巴（患慢性病或者极度衰老）；裂口又非常大（吃光、花光的德性）；塌鼻子，两个很小的鼻孔（穷光蛋）；平坦得几乎没有耳轮的小耳朵（干什么事都倒霉）；脸皮发绿（短命）；还有那小得可怜，少肉的前爪（先天不足，后天失调）。

青蛙木头人般跳到高速公路。从绿色隧道呼啸而出：红色轿车、银灰色货柜车、雪白的救护车、黄色面包车、蓝色警车。青蛙向前跳，向后退，避开面包车，躲过轿车，被货柜车撞死。天空出现巨大黑色的骷髅嗷嗷嗷恐怖地摇晃叫喊。

叮叮咚咚紧张的乐声中，又跳出一只翠绿的大青蛙。青蛙跳过汽车飞驰的公路，跳进封闭的花园，花园的小道如同迷宫，随青蛙的跳动不断地展开。小道边上是池塘，青蛙不小心跳入深水，天空出现巨大黑色的骷髅嗷嗷嗷恐怖地摇晃叫喊。青蛙是两栖动物，怎么落水就死了？污染，喷洒农药了吗？

叮叮咚咚紧张的乐声中，又跳出一只翠绿的大青蛙。跳过公路，跳过花园的小道，来到城里的河边。两条水泥坝截断河面，坝上排列许多圆孔，棕色圆木从圆孔漂出又进去，圆木在河面快速流动。青蛙从一根圆木跳到另一根圆木，小心谨慎避免随圆木撞到圆孔。一跳没跳上圆木，掉到河里。天空出现巨大黑色的骷髅嗷嗷嗷恐怖地摇晃叫喊。

叮叮咚咚紧张的乐声中，又跳出一只翠绿的大青蛙……

饭店里逃跑的青蛙从污水里猛然跃出，向一丛盛开的黄色美人蕉跳去，躲藏在枝叶后面，亮眼睛眨巴眨巴。我知道离青蛙两百米处就是公园的荷花塘，春天夏天，青蛙欢唱，许多圆鼓鼓的绿色蝌蚪摇着尾巴浮出水面。大大小小几十个公园、花园散布于城市。池塘里的青蛙平庸和颓废，从饭店中逃出来的青蛙恐慌和激昂。

青蛙跳呀跳，孩子在周围奔跑，如果他们抓住青蛙，会用线扎牢青蛙的腿，拖着青蛙走，或者剪开青蛙的肚子，把心剥离出来，放到盐水里观看其搏动。青蛙跳呀跳，起伏着黑压压的匆匆行人，有人啪叽踩死青蛙，他会皱皱眉，又向前走。青蛙跳呀跳，大道上呜——呜——汽车川流不息，青蛙无声无息地被压扁。青蛙跳呀跳，跳到了眼镜店，店员把青蛙打死丢进垃圾箱，死去的青蛙保持着向荷花塘跳去的姿态，那个地方和天堂一样美。

我身边的青蛙不像真实的青蛙，它们没有眼睛，仿佛不是跳动，像被风卷起的秋叶，又像半透明的朦胧幻影在摇晃。深秋开始，白亮的寒流来时，冽风冷雨把骨髓和内心吹得冰凉。灰黑的住宅群，稀疏的行人中间，纷纷扬扬飘飞着色彩鲜艳的悬铃木叶，街道乌亮如同河流停满船只，如同铺上长条的绣花地毯。我感到温暖、喜悦。青蛙不像真实的落叶，也没有随风奔走。看着真不好受。

七、唤回往事：朋友围坐揉雪，彩色的小鸟飞舞

身边的青蛙不是真的，这里只剩下无边的废墟，往日的枯叶和幻影。青蛙般的幻影为什么不停跳动？

儿子长得高高大大，说道："城市楼房的样子都差不多，一条条笔直道路，行人刚从冰箱里出来。阳光里飞舞密集的灰尘，兴高采烈地跳舞，掉到地面一层乌黑色。城市边有很大的湖泊，几百公里外有大海，云朵不断变幻。湖泊、大海和天空与楼群相比柔软、神秘。为什么要为城里的事物失望和难受？城市渺小，微不足道。"

"可是废墟是真的，阶梯和高墙也是真的。"

“你不是说，彩色的青蛙在跳跃。”

一阵清风，跳跃的青蛙飘飞，大群小鸟在天空摇晃。原来在我身边蹦跳的不是疲惫的青蛙，而是疲惫的小鸟。飞起的小鸟又一次亮光般围绕儿子，穿过他的身体，或留在他的体内，他的身体明亮，放射光芒，闪烁金黄色的霞光。就像往日，春天的阳光洒在黄菜花、红桃花和绿梅花上，光芒围绕我，进入我的内心，一直让我燃烧，直到今天。

我也看到儿子说的湖泊。死寂的废墟渐渐被股股白浪吞没。儿子说他不再恐惧什么。他的长发乌黑发亮，奔跑着就像强壮的野马。我发现地上有烧焦的木头，一条干枯的溪床。意识的雾气飞舞，浅红衣、褐色衣和霞，一件往事也许就在这里发生。我告诉儿子：“绿色的小鸟是我做的，我像棕色的土地和深井；黄色的小鸟是褐色衣叔叔做的，他像缀满繁星的夜空；红色的小鸟是浅红衣叔叔做的，他像一股清澈的激流；紫色的小鸟是霞姐姐做的，她像满树白中带紫的花朵。”

那时我们在天文台观望星空，后来被关进封闭的楼房。半夜下起大雪，封闭的楼房不见了。密集的雪花旋转，沙沙飘落，我们轻轻地飞，大地也跟着飞。不知飞了多少时间，不知飞到何处，周围没有病态的色彩、杂乱的建筑。我们浑身是雪，还在飞，景色越来越美，整个世界就像晶莹的花园。

雪填满深坑，太阳下雪光微紫、微蓝。我们四位朋友，面容如同花瓣，团着如梦似幻的雪。雪团飞出手心，彩色的小鸟环绕我们飞舞。当雪团变得冰凉沉重……现在我仿佛又看到褐色衣、浅红衣失望的目光，霞在哭泣。褐色衣说：“小鸟都飞到天边，结成遥远的一片绚丽的晚霞。”我们向那里走去，半夜时我们走散。

霞后来还和我见过一面，她说：“褐色衣、浅红衣离开封闭的楼房了。”

如今他们在哪里？他们找到飞走的小鸟了吗？雪融化后，小鸟是飞走了，还是疲惫不堪地扑动翅膀？这里到底是什么地方？

飞鸟还在跳动，极力跳动，色彩发灰，干枯如纸。那时我们团的小鸟色彩纯净，身影明亮，我沉浸于遥远的记忆的清流。我听到儿子说，他看到彩色的小鸟，他要跟小鸟一同飞走。等我回过神，儿子爬到台阶高处，一只蓝色的鸟飞走，难道儿子也不属于我眼前的世界？我也试着走过去，穿过黑暗的通道走出台阶，我竟然还没有和废墟融为一体。外面没有白浪追逐的湖泊，一座巨大的城市，楼群起伏，嘈杂的商店、饭店、人流、车流。我看到儿子所说的城市，我在这里居住？

第四章
房间里思绪如絮；倒垂的大树和歌中的歌的歌

一、空房没有门窗，投入回忆和想象；第二位母亲

他双眼干涩，头昏涨，翻身侧卧，粉墙上一滩水迹好似焦黄的脸，鼓起一个白眼珠。细看是三人扭曲成一张脸。好像他们跳舞时被贴在墙上。也像古人直瞪瞪的眼睛，想预知前景，变化了还是原样？掠过一群会飞的人，紫色的大火燃烧……那是想象。怎么样才能看见？脑子如糨糊，束手无策。

他起身，不见儿子。儿子是一只蓝色的鸟飞走了。朋友围坐笑咪咪揉雪，彩色小鸟飞舞……没有望到窗外绿绿的橘子树，窗户的位置竟然是墙面。什么时候换了房子？小区几百套住房全部就是你，就是他，就是我，就是我们、你们和他们。他走来走去，只有一间房，没有门窗。时间长了，他觉得乏味、忧郁。如果灰尘、柳絮游荡，跑到任何地方，经历各种各样的事，平静如常。如果有一颗心附体，灰尘、柳絮也会惊恐、赞美、伤感和厌倦。

房间越来越空旷，依稀竖立着几个门框。他尝试跨过门框，一

次次走出门，终于到野外。他浑身水草离开沼泽，道道霞光转为暗云飘落雪花，草房清冷，朋友点着干柴，他的头重重碰到墙壁，光线里灰尘翻滚，像人影摇晃，咧开嘴大笑。面对荒凉的水泥地板、墙面，他感叹时日难熬。用手拍打墙壁，坚硬，冰凉，啪啪响。抓住回想，忘记现在的处境。他不断回想，终于回到被遗弃的遥远的往事里。

他落到初秋的草地，干燥、柔软。他闭着眼，眼皮红色朦胧，黑点游走，描画出细细的花纹。睁眼看到高空昏黄，几十只褐色小鸟忽隐忽现。冷风吹过，遍地荼锦摇动毛茸茸的白光。他赤身裸体，疼痛，恐慌，哇哇哭。远处飘来几朵彩云，也许是荼锦的光团聚拢。他们含笑围着看他。女子的长发如同雨丝、云带和光线，她说："我是你妈妈。"女子把他轻轻裹入被子，搂在怀里。一群人边走边谈。他睡着了。等到醒来，他是少年人，混在同伴中喊叫大笑玩着追逐的游戏。

许多年后，母亲看望他，说带他去玩。船头高仰驶向江湖的深处，岛上的建筑隐藏林丛，早晨白雾朦胧。街上的工艺品琳琅满目。一排瓷盘画：云朵玫瑰红，当中老树青苔绿，树干的下面长满青筋疙瘩。小叔叔喊他又躲闪，说一声，他们还会见面。他独自乘船回返。想到瓷盘画，湖水下摇晃玫瑰红，那就是母亲的面容。懊恼，怎么没买一个？

船到对岸他已长大，粗壮的手指，粗蓝布袖口沾满机油。他挥动榔头啪啪敲打铁皮。车间高大空阔，排排钢铁机器尖叫、轰鸣。人们往输送带放置铁皮制作的方块、圆球、塑料红皮书本、烟囱旧砖块、石膏塑像、黑白电视机，尽头是一个大布口袋，里面不断发出女人的哭喊声，疼痛的难产吗？

不知道母亲住在什么地方，会不会惦记他？长脸背来一麻袋纸张，都是练习与考卷，让他做十几年他也弄不清楚的题目。四周渐渐安静，他发现两腿陷入污泥，拔出洗干净，手握两根白萝卜，上面吸附几条蚂蟥，流淌三道鲜血。会心一笑，竟然还会吸出血？门外的水泥地面，铁皮花、塑料花全开了，散发古怪的药水味。

谁在背后轻轻靠近他，想潜入他的身体，回头看，墙壁上焦黄的水迹纹丝不动。总是感到背后有人。他无法控制自身和环境变化。他不知道自己的年龄，也记不清楚出生过多少次。他也不能明确自己是什么？是人，还是河流、树木、酸雨、菠菜、乌鸦、蚂蚱、蜻蜓、画出来的天空、废罐子？也许最像一台破电脑，一会儿黑屏，一会儿蓝屏，一会儿广告小窗口歌唱，摇晃汹涌的大胸脯，正常地泛起所有的信息垃圾。窃喜，电脑还能用。

他很想再遇到第二位母亲，那位母亲是一团荼锦，野地、坟丛上摇曳，夕阳里白亮微红。

他在房间走来走去。天气转暖，铁笼里野狼垂荡、伸缩长长的通红阳具来回奔窜，观赏的游客吸入浓郁的骚臭。一排铁笼里还有脱毛的老虎躺卧水泥地，贪嘴的狗熊跳入脏水里洗澡，淡黄色蟒蛇盘踞枯树装死装活。白蒙蒙的天气越来越热，催生青草、树叶，嫩绿起伏、翻卷，圆滚滚的。小孩舔雪糕，手拿气球、玩具枪到处乱窜、喊叫。

他躺下，分辨墙上的水迹，那张焦黄的脸，三个人跳舞，白眼珠鼓起，笑容怪异。他也微笑，问："笑什么？你们是我少年时的朋友，你们是我的舞伴，你们是消失的人，又想来陪伴我？"没有回答。瞎子和聋子，内心闪过有趣的思绪，不禁一笑。水迹怎么越看越像只瞎眼狮子，伤口还在流血。这里曾经徘徊过一头狮子吗？

他再次感到无聊透顶，觉得不应该拖延，一定要找点事，哪怕是甩手、蹦跳、拍拍大腿。他不断揉搓手臂，搓出长条的污泥再捻成圆球，捏成小人、马匹、鬼怪……新的群体奔跑欢呼，又要形成个有意义的世界？毛孔一粒粒红点，渗血，刺痛。他只想离开这里，他不知做什么好。翻阅往事，封闭的房间再次消失。

曾经多次接近那个幽深辽远的意境，想象与朋友或可爱的女子相伴前行。还有，物丛肉林的僵硬、柔软、闷热、寒冷、温暖的咯叽咯叽咯叽。手机短信骗钱。

需要独自静静地默想和深入，光芒中的沙滩与河流的从容，美妙。生命用低微腥涩的材料构建，张大贪婪的血口和伸出凶狠的利爪，或者拼命挣扎到最后精神散发恬静的光华。树木的嫩叶、花朵，人的容光和迷人的表情，又用情感、情欲的激情不断显现那个标志或符号：似有如无的美景。鳄鱼、飞鸟的追逐与嬉戏，蛤蟆、花蛇的打斗和扑腾。帝王和普通人的床塌，绣春坊和迷魂汤同样让人沉迷，同样不断让其显现。

克制或者自由或者放荡，悲痛、心满意足与污垢、血腥、丑陋与枯竭，渐渐杂乱，是悲哀还是另有深意？过去他沿这样的方向不断摸索，心有一丝感触或被轰击，摊开纸张书写，不厌其烦地安排和调换词句，发现前所未闻的声音和景色，那叫作诗韵、诗意。

用颜料一次次去画眼前和想象的女性，可以相爱，激烈的欲动中孕育湿润的生命，或者迷恋身体透露的超越其本身的秀美，都像难以捉摸的梦幻般的花影，一齐指向可能会变成实在的想象，恰如观望同样无法逃脱坍塌的城堡，结构雄伟，石雕灵动，窗台柔情蜜意……让人飘向更远的他乡。

二、楼板垂下大树，一半像白色雨丝，一半是红艳花朵；与男孩交谈

封闭的房间应该漆黑？地面、墙壁和我的身上一层白光。抬头

看，墙如同电梯井。仰面张望，一棵倒垂的白色大树扎根于高空灰云般的楼板，水泥地面找不到树皮、黄叶。再次仔细观望，树皮剥光，云朵般白亮，阳光照射雪景那样耀眼。树根处被锯断，树身和树墩相距几米，强劲的枝干张开支撑在四壁。封闭的房间原来也是稀奇古怪，不可思议。

我和倒垂的大树对峙，仿佛与颠倒的世界对峙。爬树吧，我对爬树不感兴趣，而且是棵枯树。摇摇头，苦笑一声：我无所事事。如果你的现状就是如此，如果希望化为汽车抛弃的尾气，变成不再闪亮出声的电脑屏幕，与产品脱离关系的工厂边的废铜烂铁、污泥浊水，那么，你就用力打起精神爬树，这唯一可以强筋健骨，苟且偷生的行为。

过去，我凝神注视那些常见的事物，一朵花、一座山、一个人、一条流淌的河，发现不同寻常的特性和难解的疑问。现在，我久久凝视白灿灿的颠倒大树，那里有什么样的目光，什么样的歌声，什么样的奥秘？我觉得，所有的光芒似乎都在注视着人。枯死的树目光冷寂，唱出的歌声却无比优美和开阔。

可笑的杂七杂八的念头，我爬到树根处，只要脚踏树墩，天地就会翻转，水泥地面变成天空。可悲呀，可惜呀。人造的水泥地面变成天空，飞云开始降雨，而天空聚集着山脉、平原、河流、水泥地板……

树被锯断，树冠会不会云一般飘出房间？不要多想什么，先爬上去再说。我又打量那棵树，条条枝干、枝条光滑、白净，优美的曲线，赤裸裸的人扬臂、抬腿舞蹈。如果时空不再变幻，我除了呆呆等待，就是尝试踏到树墩。我有点激奋，不要再去辨认激奋的理由，激奋就是激奋，莫名的激奋就是何必有花样，有名堂，有滋味。

那么高，怎么爬上去？我举手一跃，缓缓飘飞，抓住树冠垂下的枝条，被自己带起的风吹得翻滚一圈。水泥地原来引力微弱，也许本来就是灰蒙蒙的天空。我是从高处落到树冠上的？我也属于颠倒的事物？树枝坚韧，有弹性，我晃荡，向上弹，抓住更高的树枝，就这样进入枝干交织的白色密网。

我有过这样的错觉，小河里划船，两岸茂盛的合欢树弯腰伸向河心，枝条和红艳的花团垂向水面，向上望去一棵棵树木栽种在天空。我是否回到类似的地方？攀上合欢树，再顺树枝爬过去，最终回到河岸。我最后也返回水泥地面吗？看来不会。

我低头，发现光秃秃的枝条长出嫩叶，红艳的花朵越开越多，彩色的小鸟围绕枝头蹦蹦跳跳，叽喳叽喳，又急速翻飞。几只红色的小鸟飞向树冠外的碧空。往上看，垂下的树枝光秃秃。往下看，又是满目繁花。原来目光是一阵秋风，又是一阵春风。

这是真实的，还是我的假设和想象？我看到，下面的枝条吊床般托起青绿色的木屋，一位七八岁的男孩坐在门口，仰头好奇地看着我。他像是我养育过的一个男孩，怎么会在这里？

我怕他掉下去，大叫："不要动！"过去发生过类似的危险，一次爬山他独自往山坡下爬。我见他犹豫不决还叫喊："不要怕，勇敢些。"我往下走时发现斜坡底是一道垂直的悬崖。他还在摸摸索索往下爬，吓得我赶紧拉住他。此时，他很安详，眼睛里有清晨河面跳跃的光点，木槿花的林荫。他笑了，挥挥手，然后向上遥望。

我冒险往下爬，越来越靠近他。他好像看到了我，伸出手拉我，又似乎不知道我的位置。我摇摇手，跳到比他低一些的粗树枝上。秋风又起，他和木屋瞬间消失，只留下光秃秃的枝条摇晃。我上下几次，怪事重复出现。

我和男孩如同梦影进入具有规律的世界，我不能和他同处一个地方。只要他在我的下面，我就能看到他，但是他似乎看不见我。

他也许要爬到我的上面才能看到我，可是我又看不到他。我躺在水泥地面时他看到过我。一件尴尬的事情。如果我们处在树枝相同的高度，谁也看不到谁。身上涂上不会褪色的颜料，如果身体消失，颜料就如蛾子翅膀飘起灰尘。如果身体消失就像电脑，文字、图片被剪切后，从D盘转移到U盘，颜色、形状也随之带走。

能不能改变处境？砰地一起掉到水泥地板，交换些无法温暖自身，无法让自己安心的关怀，慌忙掩饰无聊和失望，原本软弱无能，却强装自信，不断诉说梦想和希望。如同苟延残喘的蜻蜓躺卧地面，被黄蜂啃咬，啪啪扑打翅膀，拼老命只能飞一个圈，落地又被啃咬。如同沐浴毒雾的蟑螂慌里慌张奔逃，翻跟头，肚子朝天，机灵的细腿小脚踩着虚空还在奔逃。不要再观望和考察，犹豫中如果大树像幻影溜出楼板。我和男孩前前后后爬树吧，如果他不愿意，还有这样的可能，我爬到树墩处空间会反转，男孩也会反转过来。这是些瞬间生生灭灭的经不起推敲的游思吗？

我们依附着树枝，下面浩茫的碧色里花朵纷繁，男孩眨眼间像个少年。我与他交谈，还是自言自语？

我说："这是封闭的房间，这是枯树，覆盖水一样清的思绪，树叶，繁花。不要抱有幻想。"

男孩说："我可以出去。"

"房间很大，大到你觉得无边无际；万物的变化也很多，多到你以为幻觉都可以成为真实。"

"我最近感受很多。"

我想：那些孩子的惊异和愉悦对我如同痴人说梦，我还是仔细听，觉得好奇，再次被迷惑？

"面对前方，我挺胸迎风大步走。"

我想，走向未知的地方，他乡在内心散发异彩。平静的天空，猛烈的风被呼唤而来。我也想过，走过，变幻的景色让我感动，或者失望、痛苦。看着错开来的道路，有些无奈和伤感。万物越来越简单，瞬间只剩下骨架般的现实。春日，还有秋日，令人惊叹的风光尽失神奇，想象和迷梦尽失颜色。沉溺，不断沉溺于快感和炫耀。我的大脑呆滞，浑身疲沓，不干不净。我还没有厌恶和敌视自身，如果想望的呼喊后听不到回返的脚步声，简直就是欺骗，就是虚无。

男孩说："你听到雨声了吗？我仿佛看到雨点落到水面的圆圈。为什么会有圆圈？圆圈渐渐扩大。"

树枝是雨丝吗？我看到，倒垂的大树，上一半是白亮的雨丝，下一半是枝叶茂盛的花树。

我说："雨点敲打，树叶扇动翅膀如同蝴蝶围绕树飞。"

男孩说："雨点、河面、圆圈，最早的交谈和最直接的舞蹈。"

我想，很对，真实和自然，没有充满歪曲的描述和假装的点头理解，也不是想象和幻觉。发亮的树倒悬着，我沉没在胡思乱想里。那些同样真实又虚幻的风景、人物，与他们的交往带来快乐、伤感的回忆。

男孩说："我要记住这一刻。以后杂七杂八的观念都不能和这一刻混淆。"

我说："你预感以后会有很多想法、观念会掩盖现在的感受和发现？我接触过真实的美景，我也在想象里度日，最后都被掩埋在碎砖头、破汽车、旧电脑堆里。"

我想，天光里动人的风景，还有我的想象，那样的美妙和那样的意境毫无用处，但是有用的东西让我操劳、焦虑、疲惫。

男孩说："一间房里，地面积满片片黑色的灰尘，肮脏、沉闷和死亡。我也像灰尘躺在灰尘中，一动灰尘乱糟糟腾空。我回想我的过去，什么能触动我？空白和垃圾场，水泥地面上几丛芳草，点滴瞬间露水般发亮的时光。躯体肮脏或干燥，死气沉沉又有热气。我看到窗户打开，透进干净的光线，发现黑色的灰尘都是红色的玫瑰花瓣。我走到窗前望去，红色的玫瑰花满山遍野。”

倒垂的树光秃秃，是一朵巨大的白花？攀爬到树间，朝下张望，树枝缀满不知名的红艳的花朵。“我也曾看到窗户打开，不知是真是假。同样是灰尘，可以是玫瑰花瓣；同样是玫瑰花瓣，也可以是灰尘。这样的话局限于狭窄的天地和短暂的生命，把耳朵吹打得粗糙，让心发疼。但是，如果我们的想象就是将来的真实？”我在封闭的房间里抬起眼皮。

我们的交谈好像在往日，好像在未来喃喃自语。疲倦的我想唤回清凉的诗意。我一边爬树，一边想，要爬近树墩，最后翻身踩到树墩，新的大地会牢牢吸住我。天旋地转，我会到达想象不到的地方，生命再次亢奋，充满活力、光芒和色彩。我向上不断攀登，有时也往下张望，男孩越来越远，树叶茂盛，花朵更为鲜艳。

我朝一无所有的空树枝挥手，低头看到少年也在往上攀爬。他左顾右盼，太危险了。我忍不住朝他身边跳去，我下落，景物高速闪过，变成朦胧的花影和白色崖壁般的色块。我突然看到深渊底部灰色的水泥地板。我恐惧地叫喊，死命拉住枝条，继续向下滑，手和树枝摩擦骤然烧痛，脱手，再拉住另一根枝条，我又站在水泥地面。如果男孩不是幻影，他一定能看到我，一定会叫喊。但是，他在上面，我看不到，也听不到他的声音。

三、目盲者的歌声世界；空论视觉

抬头张望，哪有什么倒挂的树？跟随思绪，发愣的我已是他，离开四壁，走进城市。街道灰蒙蒙，酒店玻璃门窗亮闪闪。云雾缭绕，大理石花纹穹顶飘落难以觉察的细粉，有人说覆盖了所有的城镇。那人还说，粉粒落入眼睛，以为是沙粒，眼皮眨巴，流淌泪水，不适就缓解。第二天，眼珠如同鹌鹑蛋放入生石灰里烧透。

行人慌忙逃散，他和一群人闭眼在黑暗中奔逃，摔倒也不敢睁开。他走来走去，黑，还是黑……不想看，还是真的看不见？黑包围他，黑是迷失，是困境，是危险。为了逃避才潜入黑暗做梦，梦的主题大多是：溺水、搏斗、挣扎、逃窜。

恐惧，按捺不住，他仿佛进入丛林，摸到的都是树枝、树根，又感到四周空旷。对于瞎子来说，眼珠不成像、不透光或失去眼珠，却觉得黑有着无限的厚度，觉得可以骑摩托车呼啸奔驰。自由想象：木船、马匹、花树，幻影如同大群云朵飘来。寂静，大约夜已深。怕鬼，唱着歌走。行走很久，刚刚苏醒的无来头早晨摇晃一根手指，双眼眨巴，冒出鲜红的嘴唇……又走了几天，没有什么事物能够吸引他呼哧呼哧奔跑。

他在黑暗中放入各种形象，仿佛走过熟悉的城市、乡村。当意识到眼睛已瞎，城市、田野、山峦立即被黑色的火苗点着，烧毁。他开始玩火，放火烧河边的芦苇，池塘里的枯荷，一直到村前的草堆。黑色的火焰呼啦跳跃着蔓延开，农民慌张地从房门探出头，高举锄头狂呼怒吼拼命追逐他。天立即暗下来，阵阵悲哀的哽咽和愤恨的敲砸声。他极力睁开眼睛，漆黑。四周又平静了，他听到远处飘来琴声叮叮咚咚和独唱的歌声。

他不再往前走，蛤蟆般蹲趴附近潮湿光滑的稀泥，只要张开嘴，满口荷花、荷叶的清香。他吃得很少，喜欢睡觉。他们都这样说：“美貌就是歌声动听，身体柔软、湿润，最重要的是走到寂静的地方吊嗓子。”

他觉得美貌不是美妙，躺下听歌感觉才会香醇。上空一团燃烧的火吗？火烤得脸和肚子微烫，水声稀里哗啦，笑声吱吱叽叽。他昏昏沉沉，呜呜啊啊的歌声在他身上如清凉的波浪翻卷。他漂浮，缓缓滑动。歌的气流时凉，时热，有时发烫，拉扯头发，划过心口，带走他。歌声里浮现的地方难以想象的雄伟、多情。

路过的他们说话支支吾吾："身体湿润、枯萎和心的暖和、寒冷与空洞，活久了，浑身干燥，沙啦沙啦。如果你的歌声依然能让石块嘚嘚蹦跳，或让胸间的树木摇荡，彩叶纷飞，就走得远远，独唱。一个个稚气的湿润者被诱惑，到处寻找你，就像寻找他们最渴慕的内心的风景。声音沙哑就缄默无声，悄悄隐藏，刚感到悲哀，合声就会升腾。那样的歌声从哪里来？谁也说不清楚。一天，你等下去吧，遥远处会发出难以想象的歌声，你屏息听着歌声临近。"这样古怪又诱人的想法，因为，他们都是些瞎子。

他不会唱歌，天天睡得迷迷糊糊，远处细弱的歌声断断续续，飘来荡去。黑暗里，歌声的世界无边无际，伸手碰到干燥、坚硬的墙壁，墙壁对他有什么用处？沉入更浓的黑暗，他的听觉、嗅觉和触觉越来越敏锐，感受寂静、无味、寒冷。

"我的身边有你。"一位男子撞到他，"你也来这儿？"

他习惯地打量是谁，眼前漆黑，"黑。"

"你和我是同类，我的面前是红，通红、通红。你去问他们，他们只会说，温暖、湿润，或者谈论歌声是否好听。"

"他们没有颜色的意识，没有亮与暗的意识。你知道什么是黑，我们肯定来自相同的地方。你一定看到过春天与秋日，还有霞光。"

"对。我曾经在明亮的五颜六色的地方住过。你喜欢这里吗？"

"本来想进入黑暗摆脱囚禁，如同歌声飞来飞去。此时为了逃避黑暗而做梦和想象，不断做梦和想象。"

“开始我也闷得慌，后来迷恋上他们的歌声。我等待歌中的歌，歌中的歌的歌。”

“歌中的歌的歌？我们真的是些咯咯叫的蛤蟆。”

“哈哈哈。”

“就像过去郊游，从山道一直往前走，野花、嫩草、树木、溪流……清风扑面，面前，山坳间天空纯净的淡蓝色。”

“我们见过亮光和色彩才这样说，他们就不会。因此，这就阻碍我们感受歌声。我们的命运，永远和歌声、天籁难以兼容。不过，你的想望似乎和他们的期盼相似。我要走了，再见。”

“再见。”

极力睁开眼，黑。用手拨开，还是黑。

四、歌者伊；歌中的歌的歌；黑暗熄灭

时间流逝，瞬间几十年，又是阵阵凉风，头上窸窸窣窣，他钻到暖和、宁静的深处昏昏欲睡。一位女子的歌声从远处飘来，渐渐清晰，歌声一丝丝碰伤的草茎的香气。伊走过时，冰凉的衣袖拂到他的脸庞。他问过几次才有应答。伊说，外面冷飕飕，退缩到这里。伊的说话声也像唱歌，他的心如同猴子一阵上蹿下跳。

愉悦、苦闷和期盼时他也想放声高歌，喊出来的声音总是短促和怪声怪调，他的喉咙就是真实？正如他向往远方又不能随心所欲天南地北，上天入地去遨游。从高空看一棵棵树木匍匐地面，根蔓缠绕泥土，遇到岩层受到阻碍，而树的呼唤和感觉，强根穿透岩层汲取不竭的清泉，枝干超越枝干无限地向蓝空伸展。抒情的旋律在心底回旋、奔走，从胸膛往上涌，从伸开的双臂和仰起的脸以及在微张的嘴里呻吟，焕发，展翅高飞。他属于心神还是喉咙？

洞底流淌温暖的河流，伊的话音越来越明快，那是想明白确切的意思反而难于理解的语言。明白，其实就是放弃分析和思索后的享受或者受难，任凭股股春风扑面，吹拂到好像醉卧草地；任凭汽车尾气刺激鼻孔、口腔，扩散到沮丧，死去。水滴掉到泉中般清脆，木槌子在琴板上划过，他的前额竟然一亮一亮。无数张嘴吐出无数种见解主张，眼花缭乱的事物迷惑、搅乱我们的心，原来我们只需要聆听遥远的歌声。有没有那样的歌声？他与周围的他们谈谈亮光，难以描述，谁都感到困惑。他们唯有歌声。

身边车门开关声，有人拍拍他："去看落日。"

"看不见，为什么去？"

"知道我们从哪里来吗？"

萎靡的他被触动，"那就坐坐车吧。"

车内暖洋洋的皮革味，窗玻璃上轻细的叮叮、叮叮叮。他们告诉他："下雪啦。"他想象，大雪飞舞中夕阳红圆，缓缓上升，又似乎是缓缓落下。阵阵雪粒急切地敲打车窗，他昏睡，跟随飘落的雪花摇晃，沉睡。他被人推醒。下车，冷气冲进肺的摆放娇嫩花朵的房间。

他们说："太阳还是苍白的，渐渐会转黄，通红。"

他的眼前竟然出现一片红色，想起过去朋友聚会时的古旧老屋，一面斑驳的山墙被夕阳染黄、染红。他们画画，朗读各自最近写下的怪诗。如果下雪，假山、盆景失去峰尖和生机，圆鼓鼓像白色绒球。

巨大的红色圆球就在他的面前，圆球的一圈金边外依然漆黑。病重而感到窒息的朋友拿一把尖刀插入红球的当中，说是创造出最为先锋的画作。刀在融化，一滴一滴蓝色的铁水，飞旋发亮的蓝色花瓣。

伊在唱歌："不要停留，我带你走。"他们飘飞很久。

与伊相处，伊常常沉默不语，他捉摸不透伊的心境和心思。伊哼唱几声，余音缠绕，细丝飘扬，仿佛可以看到黑色的虚空里游走的发亮的蓝色幻影：扇动翅膀的蝴蝶，游荡的行人，河流和船只……一一无声无息地滑过。伊也在缓缓行走，目盲的人怎么会看到伊？他想看清，古怪的黑气摇晃，涂抹和遮盖可见的事物。他又回到黑暗，用声音高低起伏，物体质地的光滑、粗糙、冷暖，气味香臭等等来把握自己和万物。伊放开歌喉，挥发浓浓的碰伤的草茎的香气。

伊说："捕捉内心的一首歌，歌声飘忽不定怎么也无法真切地感受到……耗尽一只只蝴蝶，一片片树叶，一朵朵浪花。"

"你从什么地方来？你知道蝴蝶、树叶和浪花？那一定看到过它们的光芒。"

"蝴蝶飞过有凉气，树叶有纹理，浪花喧哗。我触摸过它们的形状，想象它们怎样起舞。什么光芒？歌声中出现和丢失的东西吗？"

"你见过有颜色的蝴蝶、树叶和浪花吗？"

"什么叫见过？什么叫颜色？"

"不是黑的，也不是灰白的。一千种黑，一万种白。"

"白，一万种白。白是什么？黑是什么？我弄不清楚。我伸给你干枯的手，碰到不要害怕。"

他伸手摸索，没碰到伊，碰到一块岩石，一面墙壁。伊是幻影？是魂灵？他有点慌乱。他向伊的话音处游去，与往日一样寂静。

暖和的季节又回来，他还是闷闷不乐。游出去昏睡。高处嚓啦嚓啦摇动枯枝，好像故意吓人的叭啦，轰隆隆巨响。他被惊醒。高空不断重复嘈杂的声音，他满脸流淌冰凉的水，清晰地看到他的一位位母亲，她们的面容年轻优雅或者像竹根面具般奇形怪状，全都微微低着头，忧郁地冥思，下沉。他还看到，街道闪烁灯光，郊外的春日草色青青，花朵盛开，朋友边走边谈。白昼相交，他见过许多苗条的女子，明眸秀美，乌发被暖风吹起。他觉得伊也像那些女子。

头顶上方平静时，嗅到新奇的气味：潮湿、凉爽、浓香，渐渐温暖。伊来找他，她说不许碰，说她的手比沙漠还要干燥。风裹挟着歌声，忽高忽低。他的胸膛辽阔如天空，眼睛里光团旋转，突然爆炸，前方的景物明亮刺眼，白光奔泻而来，沙地间湖泊深蓝，天空粉红，淡淡的香气，黑黝黝的鬼魂坐在山峦前流泪，红色荷花占据了一湖水面，几棵大树翘首张望。伊是什么？伊是鼓出复眼的蜻蜓，破裂、褪色的翅膀颤抖，摩擦声，嚓嚓、嚓嚓；伊是朵面容红润的菊花，几只蜜蜂围绕她，嗡嗡、嗡嗡；伊是腾空飞翔的红鸟，啁啾、啁啾；伊是晴空中淡白的影子，身后有巨翅，啊啊、啊啊……他看见伊，伊是条肥大的无鳞鱼，滑溜溜的白色肌肤上点点红色花斑，瞎眼内陷紧闭，两根胡须向上弯曲，小嘴一开一合，让他既恶心又心酸。

歌声继续延伸，风筝高扬，道道细长的紫红云朵划过乌黑的高空，他忘记刚才的一幕，重新享有撩拨内心的美感。伊身着粉红色长裙，面容清丽，穿过彩色云雾般的歌声。他低头。红光向云霄飞去，晚霞绽放。歌声停止，瞬间一片漆黑。他沉默很久才叫伊，没有应答。

他是否把伊想象成了神秘的女子？伊的歌声洋溢着喜悦和幸福。困惑、无奈的他觉得好奇，想跟随伊走，想弄个明白是怎么回事？此时，他惧怕黑暗消失，他去找伊。不知走了多久，也不知走到何处。摸索和不再摸索，只是乱窜，好像急切地想逃离什么。手摸到自己光滑的身体穿上了衣服，不再是什么无鳞鱼或者是什么蛤蟆。

寒冷时还是退缩到暖和的深处，昏昏睡去，乱梦重叠。那天，伊的歌声里他是否在瞬间变成蜻蜓、飞鸟和花树？身处有限的世界，往往就是这样，好不容易遇到一个伊，激动，丢失，找不到，然后无精打采得过且过消磨短暂又漫长的时日。

黑色的大火开始熄灭，天空突然亮得耀眼，眼前五颜六色、高低起伏的楼群，一排排商店，忙乱的车流和刺鼻的青色尾气。一群人围住他问，天怎么亮了？他们的伊在什么地方？一个个失魂落魄，异口同声责怪他不该这样想，不该那样做，然后转身东张西望。

起初他也渴望找到伊，记住一个个空间与歌声黑暗空间隔开几个空间……时空变换，从不倒转，记忆杂乱，他失去寻找的路线和方向。伊的歌声离去就是草地被踩秃，河流被填埋，房屋被拆除。我们揉捏自己，把自己做成提琴、木管、铜喇叭，不停地奏乐。又扭曲着变成人，练声，高歌，依稀感受到黑暗空间里伊的歌声和草香，打雷轰隆隆，季节转换时的冷暖。还是不能进去。他犹豫了很久，睁开眼，一堵固执、冷漠的墙壁。摸摸冰凉干燥的水泥地板，伊说过，她的手比沙漠还要干燥。干燥的水泥地板响起伊的歌声，余音缭绕。

五、枝叶花朵间的居民；倒垂的树是电风扇、水晶吊灯

抬头又望见扎根楼板的大树，亮得如积雪被阳光照耀。那是这里唯一的道路。我再次攀爬，一路上没有再看到男孩。起先觉得大树像天空的云朵，高不可攀，现在我进入树冠的深处，密集的枝枝杈杈越来越粗，仿佛丛林，如同进入白蒙蒙的光团。树的枝杈变粗后，下面的枝条像柳枝随风摇摆，一会儿垂入河面，一会儿伸向变幻莫测的天空。

还是那样，朝下望春意盎然，温暖的花香扑鼻而来。向上张望，树枝、树干依然光秃秃，散发着白色的寒光，锯断的树根伸入蓝色的楼板。蓝色的楼板？楼板也在变化。如果我脚下的水泥地板也会发生这样的转变。一层平静的蓝，仔细看缓缓流动，空间将要翻转的预兆吗？树梢下、树根处都是蓝空。大树真的如同空中的云朵。

好像光芒再次普照，下面的树枝，悬挂各式各样的房屋，许多人进进出出。他们也离开水泥地，从树枝攀上来。当时，水泥地不见人影。我认出我的第一位妻子，院落里花朵紫红，妻子的脸微红。朋友“墙头少年”坐露天茶馆悠闲喝茶，少年时我们都觉得自己的前景远大和神秘，如今他们得到树叶、花丛的庇护，生活悠闲、心安理得。他们习惯于低垂眼睛，偶尔才平视。真实的情况，也许什么也没有。他抬头看时，交错的树枝光秃秃。是不是幻觉不断涌现带着我走，下面越来越茂盛的树叶、花朵掩盖众人。

墙面凸出一排射灯，束束彩光摇动，水泥地上铺层红丝绒地毯，或者是空中落下一朵红云。三人从墙面闪出，那是墙面水迹画上的三位舞蹈者吗？一圈圈灯光里，他们的衣着、肤色、五官的轮廓以及变化的表情异常清晰。当时我在水泥地上醒来，念念叨叨是不是表演节目？同样也被人观望吗？一个不断回忆和幻想的小角色。现在三粒小点像彩色玻璃球弹跳、滚动。他们说些什么？

绿女说：“这是什么地方？我们怎么会进来？”

黄男说：“空房间，我们就在这里。”

蓝女说：“你看楼板长出大树雪白，人们垦荒种瓜果。哎呀，树皮都被剥光。”

黄男说：“很高的树枝上有个黑点，还在动，有人爬树。”

绿女说：“一只鸟吧？”

黄男说：“不管是什么，我们也可以上去。”

蓝女说：“好啊，好啊，唉，树枝离我们太远。”

绿女说：“树枯死了还在跳舞。”

黄男说：“树根处被谁锯断了。”

蓝女说：“就算爬上去，撞楼板，砰！一个大包。”

绿女说：“我要爬，我要爬！”

黄男说："怎么，怎么了？"

蓝女说："快！拉住她。"

绿女说："放开我！啊，咿——喳——"

黄男说："你疯了，不要尖叫，受不了，真受不了。"

蓝女说："不能放开她。"

绿女说："放开！我要咬！天天在房间度过，面对墙壁，半睡不醒，唯一的兴奋是做些过后感到肮脏、悔恨的事情。我只能和你们这些无法交流的人聚集，孤独难熬又互相折磨。"

蓝女说："不要这样说，我反正不会生气。气头上什么话都会说出来。"

黄男说："噢，你咬我。"他疼得甩手。

绿女抬头张望："树瞬间回到原样。缩小了好像是白色的电风扇。扇座脱落，靠绷直的电线挂在楼板。上面有一只苍蝇。"

我往下看，树枝上依然繁花浩荡，红艳。绿女说树是电风扇，难道我把电风扇当成树？明明是棵倒挂的树，枝干的无数头颅和手臂恣意疯狂地撑在四壁。

三个人不见了，细微的说话声还在起伏。水泥地下陷，渐渐如同深渊，蓝色。大树垂下树枝，红花轰然绽放，一朵朵云和高飞的鸟群。

六、下楼，女子等待"他"；红鸟穿墙离去

我又滑回到水泥地，楼板上水晶吊灯粘附灰尘和蛛丝，树又是水晶吊灯？我在迟疑，也无法出去。人走路可以有许多方向，一般都是平行兜圈子。大街小巷纵横交错，几条道路上来回。他想象走出墙，还是一样的房间。再走出墙，还是一样的房间。违反常规，搭梯子往上爬，或者往上飞，飞上去还是一样的房间，再飞上几十层楼，

几千层楼……还是进入房间。数不清的楼房，无限的楼层，无限的房间，连想象中都无法摆脱困境。整座城市的楼房既冷漠、呆板又害怕寒冷与孤独，相互厌恶又像磁石彼此吸附、累叠，呆头呆脑坐在稀疏的草地、树木间谈情说爱，话说远大前程，从来不过问肚子里装了些什么，也不关心会把人围困何处。下去也是一样，一层又一层，一直到地底、湿泥和树根。

他先挖开地板下去查看。轰隆，吊灯和地板砸下去，尘土飞扬。殷红的地板全是水泥块、玻璃碎渣。没有人，他打开电视机，想知道外面的情况。电视机嗡嗡响，屏幕里重复播放一个画面：空房间缓慢转动，前后推移。他要出去，门被反锁。他看到墙上挂张结婚照，两张消瘦、疲倦的脸。唉，两种欲望把人撩拨得如盆栽失水几个月，如带药片味的褪色塑料花。拍结婚照，众人全都相似，新人推高右脸颊奉献永恒的笑容。男人小眼睛转两圈，女人尖下巴点几点，斜视对笑。男人耸耸被西装加宽的肩头，似乎要从镜框内抽出手，抽不出。男人不高兴，虎脸瞥女人，女人立即动怒要咬男人。男人张大嘴，叭，镜框玻璃裂了几道缝。然后他们一起盯住他，吃惊却叫不出声，呼噜噜声在喉咙深处打转。

他害怕，主人突然回来怎么办？从书房挖下去，轰隆塌陷。他从破损处往下爬，尖叫声，淡红色的身影闪过。他的头颈、面孔热度骤然升高，不知如何是好，硬着头皮走出去。

女子蜷缩沙发边，身穿宽大洗淡的红绸衣。女子脸色苍白，细眉细眼，一头蓬松的黑发："你是谁？为什么要下来？"

"东游西荡。我住在楼上。一时走神就到了这里。我也不知道我为什么要来。"

"你想找什么，情致还是无趣？"

"不再寻找，但谁能制止胡思乱想？寻找如同想转转运，后来发觉给你什么，你就接受什么、忍受什么。我想出去，损坏的东西想法赔偿。唉，唉，非常对不起，我也不知怎么会这样。”他去开门，转动把手。焊死了。

“窗户和门都是假的，电话、电脑也是假的，只有你开的天窗上有星空。万物和人，不锈钢做的塑像，结结实实，不过也是幻影。封闭的房间破碎，我快要崩溃、发疯，我再次分不清你这样的人和我等待的他。你回你的房间。”

他看清家具、电器，全是墙纸图案，也好像他脑子里的影像通过目光在墙壁播放。“我的房间空空荡荡，我想找人谈谈，谈什么都可以，不谈也可以。我来了，你不高兴。你想出去吗？”

“出去也没用？像你，痴迷远游，喜欢沉思，无聊时想观望女人干净秀美的眼神目光，心旌摇动。兴奋中不需要苦熬，时光不知不觉悄悄溜走。能让忧愁离开心头吗？”

“唉，你知道深藏让人沉迷上瘾的场所，是想回避失望；奔逃，是想换一个地方，能不能换一颗心？然后，又可以眼望高处，或自得其乐。酗酒、大麻、飙车、纵欲、抱怨、指责，害怕醒来。情色破坏了最珍贵、最美好的事物吗？那一天，第一次把遮盖太阳的帷幕拉开，洁净、温暖的光辉像清泉洒向大地和黑沉沉的太空。什么样的前景？什么样的希望？天上地上都在欢呼雀跃。如今阳光懒洋洋地照着污浊的青灰色天空，发红的河流，巨型核电站、石化工厂，无精打采的草木，直挺挺的建筑群和车流，挑逗着人的同样灰暗的闷骚。那些玩意五花八门的奇技淫巧都没有用处，但人需要止痛，忘却，活下去，好好活下去。你更是奇怪，不出去，又安装假门和假窗？”

“等待假门进来的他，假窗飘进来的光和风，等待假电话传来的声音和假电脑出现的画面。等到他进来，听到他的声音，看到他的面容，握住他的手。我很难区分人和他，我常把人当成他。人救不了自己，人也救不了他人。我只等待他，尽管我也喜欢有点像他的你，你也会带给我一些欢笑，但我真正盼望的不是你，而是他。当他走进来的时候，会带着什么样的眼神？伸直的食指会发出什么样的光？他的话语又是什么样的雷霆和花朵？”

“他是谁？不是痴人说梦，就是过于愚蠢，我的背后吹来几阵凉风。我从楼板中滑落？”

“无法想象，想象不出。”

他再去拧把手，竟然门被打开，楼梯水淋淋拖洗干净。他跨前一步，鼻子、额头重重撞在墙面，酸痛得泪水直流。回身那些墙纸画复活，电脑啪地闪亮，摇动彩色画面；电话嘟噜噜、嘟噜噜。他又回到熟悉的日常生活。

女子说：“你可以出门了。乡村里有梅花、桃花、梨花和菜花。”

“什么阻挡你出门？还有看不见的墙。我可以回想，一起回想。院子里的月季火红芬芳。郊外又高又蓝的天空或者细雨蒙蒙。田埂油绿，青青麦浪，菜花鲜黄。跳跃湿淋淋的大青蛙，天生的色彩和花纹，华丽、神奇。”

“我们曾经有过的生活。”

“是呵，门可以打开，房间一抹黄色的阳光，吹来清风。但往哪里走？”

“门打开，真的门还是紧关着。”

“回忆，门立于消逝的时光里。”

“就算回去又怎样呢？”

“也许和现在一样，往日总是被美化，由于过去的风景消失，一去不返，记忆和照片连气味也没有。还是当时我们浅薄，无法享有？”

“回忆还是想象，还是做梦，然后等待，还是犹豫。”

“等待什么？梦幻，走不进去的地方。”

“等待就等待，安安静静守候。”

“终点和真假的质疑，活力和绝望的厌倦。相信的不一定是真的和唯一的希望。”

“最终他穿过墙壁、高山，穿入无数空间，穿越我们的生与死，走向盼望他的人。”

“你的声音，好像是……”

“我没有声音，也没有形象。”

女子一跳，离开乱头发几步远，变成一只红鸟，拍翅穿过墙壁。乱头发开门，打不开。他脚踢肩撞，闪出墙。墙外房间昏暗，热水没腰，水声稀里哗啦，女人叽叽喳喳，男人叽里呱啦，哈哈哈哄笑。墙内墙外的场景也如电视连续剧，红鸟隐藏在播完的情节里。

乱头发端坐自己空空荡荡的房间，不断走神，胡思乱想。不补好楼板心里不安，他自问为何会注重如此可笑的完善、完美，谁在控制他的精神？还是不由自主地想象找到水泥、钢钉、铁丝，再次下楼。在洞口边钉一圈钉，铁丝缠住钢钉，编织成网，用水泥把洞封住。他爬回自己的房间，再把另一个洞封住。

红鸟飞出墙，他想象走出墙。他走不出封闭的房间，外面的人也走不进来。等待进出自如的神秘者，那是子虚乌有的想象？封闭的空房间是座神殿？墙外的最大的殿堂灯光昏暗，泥塑、木雕和藻井绘彩，供桌上烛光摇晃，或者用红灯泡。这里搬得空空，反而能依稀感受到异样的天光。可是，他就是墙外的一部分，带有墙外全部的晴明的秀丽和雨雾的灰暗。

墙壁出现红漆木窗户，吱啦自开，外面垂柳一身嫩绿，向下望去河水碧色，木船咕吱咕吱经过，有人咿咿呀呀唱船歌。细雨纷纷，青石板街道光溜溜，河里无数小点、小圈。对岸茶馆里坐两位男子，一位起身向他招手，叫道：“乱头发！乱头发！”他想从窗户爬出去，触摸到墙壁，窗户消失。

又一堵墙的铝合金窗打开，吱，唰——嘀、叭、刺啦——呼——叭，很大的杂音迎面扑来，吓了他一跳。他前去关窗，看到灰蒙蒙的空气，水泥楼房像秃石山般丑陋，柏油大街上车水摩托龙。汽车寒光闪闪，来回奔驰，许多人跟随，无影无踪。他伸手碰到的不是窗户，四壁之间寂静无声。他坐下发呆，一时想冲出去，沉溺、迷失在人的癖好里。

七、枝头绽放古老的戏台，我们演戏

他又成了我。白色的树枝垂到眼前，把我唤醒。我抓到树枝如同手臂，发烫的前额贴靠上去，光滑柔软，清凉的皮肤般的柔情蜜意。

我又开始爬树。从来没想过为什么要爬树就越爬越高，树也没有想过为什么要长大就渐渐长大。向高处去，也许是人的与生俱来的冲动，得到更多的提升的快乐和继续存活的机会，想象的彩色幻影也会不断盘旋。我爬一棵长在楼板上的倒挂的树，我也是从水泥地渐渐长高的树吗？一天，我顶住楼板，再向下扭曲着膨胀，再次去顶楼板，反反复复，翻腾的疙瘩妖形怪状，那些半夜呻吟，咬牙切齿的厉鬼就是如此孕育？

我攀完半棵树，站在粗粗的树干，不再吊挂半空，危险，手臂又乏力、酸痛。这棵树像冬日月光下的大树，又像布满神经的大脑，我和这些神经相连，在冬日月光下沉思，走神。我的梦幻充满了整个房间，挂满树枝，这是我在这个空间的最为重要的事情吗？

我哼小调继续往上攀："雨水明亮纷扬，轻拂我的脸庞，腿脚、头脑都在跑过场。树上的道路遂你的心愿，我又来到了何方？"是不是房间里只有我和一棵倒挂的枯树，或者只有我和一个随时都会掉到地面的电风扇，也许是水晶串吊灯？往上攀，树枝越来越粗，下面深渊，掉落定会摔烂。“树上的道路遂你的心愿，我又来到了何方？嘘嘘嘘。树上的道路遂你的心愿，我又来到了何方？嘘嘘嘘。”

封闭的房间，颠倒的大树，竟然让我越过楼群中的事物靠近陌生的天地。我有些忧虑，往下看，花丛中到处是房屋和人，当树翻转后生活会不会还是原样？就算空间大到能让人驰骋也太小，人的心思无边无际，一想到有限就感到气闷和沮丧。硕大的太空也是封闭的房间，只不过放置的东西多些。一根根粗树枝上人们如同油亮的蚂蚁和带花纹的毛虫忙碌建造黄色和红色的殿堂，殿堂像花朵接连开放，又像幻影不断消失。树枝上绽放古老的木戏台，红漆柱子，雕花窗板、门板，飞檐高翘。十几盏白光走马灯，转动线描彩色仕女。几个陌生人从树枝落下，抬头问东问西。也许看不到我，也许见我不说话，懒得理会。他们走开，钻到戏台上。紫色、黑色和翠绿的几个身影走动、舞蹈，说话声都非常清楚。

“还是房间、房间和房间和房间。”

“白蒙蒙的，深夜里影子的颜色也这样。”

“楼板长出一棵树。”

“我怎么没看到？”

“我明明看到，说出来没有人相信。”

“我讨厌这里。”

“我一直想出去，外面有干净的草地树木，脾气温和的人，自由的我会变得怎样的高大丰美？再鼓起我的勇气。”

“那天夜里闪电打雷，许多人挤到我的客厅里避雨，他们叽叽喳喳说个不停。雨停了就一哄而散。我的大门和阳台窗关得紧紧，还有钢网。”

“头撞墙壁，布满了陨石坑，我的只剩一根骨头的铁拳在愤怒中击打火星四溅。”

“运气不好。我看床底有没有躲藏避雨的人，一只大大的癞蛤蟆，眼睛似两盏红灯，我为癞蛤蟆点起几支香。”

“无法改变什么，我就变成蜻蜓、蚂蚱、流云。我想对她平静地说：‘不要再烦了，我不是你眼前的人，我是柳树、蜻蜓、飞鸟，我和你有着遥远的距离，我们几亿年前就告别，你向西走，我向东走。’我没说出来。”

“我感到凄凉，你想，白墙、水泥地，水泥、水泥，把一切都变硬，变冷酷，长不出一根草，看不清楚的蚊子也更毒。你们也是灰蒙蒙的影子飘来飘去。一粒瓜子里，能得到香；一具身体上，能获得温香和快感。瓜子差不多都香，独特的一粒是苦的，个性让人恶心。”

我观看了一会儿也走上古戏台，古戏台瞬间消失，横着几根粗树枝，观众人山人海。我往上爬，低头继续观看古戏台，红紫黄蓝相间的房梁，红漆落地木窗上雕刻人物，涂抹金粉。几个表演者背台词。

“封闭的房间外不会空无一物。厚厚浇筑的混凝土，砌实的红砖头。大厅里点亮许多灯？我想象另一个空间发生的事：国王你过去……少年时真的做过几年青蛙吗？还是当了白天鹅，飞过海岛望见你的姐妹，她们破碎的心在燃烧？”

“为什么要毁灭墙壁？忘记。我永远面对墙壁，就属于墙壁。我对墙壁发牢骚、哭泣、对抗。失去墙壁我会不会一阵空虚？我的处境不好。”

“你和我的想法好像结了几十年的婚。”

“结了几十年的婚也是……我和你有什么关系？”

“我总是疑神疑鬼，渐渐老了，满脸皱纹和一副苦相，还是怕。星座、手相、纸牌、菩萨、黑夜、青瓦、老树。你们又穿过墙壁，要给我什么祸福？千万不要吓我。我也捧过公园水塘里的蝌蚪，眼睛也干净、秀美。光滑灵巧的蝌蚪的癞蛤蟆的光滑灵巧的癞蛤蟆的蝌蚪。他说过他爱我，那张嘴躺在风沙里晒太阳——嘿嘿笑着，白色的颌骨上镶嵌几颗黄牙。”

“我想爬楼板上的树，像一朵飘飞的白云。”

“什么树，幻觉，发疯？六面一样的平面。我心里盘绕一群毒蛇，快要发疯。我的墙啊我的情人，杀千刀的。”

“我又羞又喜，他说他爱我，闻到一股晴天的味道，后来就有新鲜面包的气味。清晨，阳台垂下一朵蓝蓝的喇叭花。”

“她又开始吵闹，数落我，责备我。我厌烦、伤心，我和她说了很久的话，劝她，宽慰她，她才睡去。我一人面对与我共存的令人窒息的墙壁。墙壁是安静的，想到墙壁是安静的，我就离开了墙壁。我不属于墙壁，也不属于你们，我不再为你们而痛苦和焦虑。我走到很远的地方，一棵棵树都吐出嫩绿、嫩红的叶片，让我叹息的美景也让我相信我的所有的期待。凉爽的风带着花香徐徐吹来，遍地花丛中有座城堡。国王是翠鸟，翠鸟蹲在园子里开满玉兰花的大树上。我也甜美地渐渐入睡，在你们认为应该痛苦和烦恼的时候带着微笑睡着。做梦，不是梦？经历，不是经历。万物是那样地柔软。一只红鸟飞到我的面前，女子光彩夺目。我们跳舞，缓慢转圈子，一圈又一圈，花丛树木也跟随大地慢慢旋转。我们一直旋转到天空晴朗的海边，旋转，旋转……”

八、城市上空垂下大树；有救没救等待天地互换，大雨中落幕

他们都走了，戏台在茂密的树叶和花朵中隐藏。我的脚不是踩在粗树枝，而是站在水泥地，又好像是站在一片城区。刚才我也和

几位演员背台词，不知道说了些什么。我是一棵扎根于水泥地里的树，我向上伸展，一直伸展到楼板垂下的树枝。封闭的房间分不清上下，两棵树互相观望，都是颠倒的树，以及不知道谁是颠倒的树。我伸出的树枝也塞满楼房、平房和天空，行人来来往往。

楼板上的树，树干笔直粗壮已没有枝杈。我的手脚长出尖锐的爪子，抱住树身像只野猫往上爬。太高了，树干凝结一层冰霜，我的心不断地收紧放开，收缩时紧张，放开时一阵恐慌。越来越接近树根，我看到树根上强劲的铁钩，钩尖处发出的光让皮肉酸痛。俯视，树枝上花朵怒放和晨曦微红，美景都在低处，爬得越高看下去越令人陶醉。可是，往下面去什么都会消失，回到灰色的水泥地，囚禁在没有门窗的房间。接近树根，上面的景色越来越苍白乏味。在这里不管你怎样上下最后都是一样的结果吗？树身抖动，上升，离铁钩越来越近，铁钩扎住了树身，树枝软塌塌放松垂下，轰然间离开墙壁像瀑布飞落。

我的披肩长发不知不觉褪色，白灿灿的。我身心疲惫，手脚颤抖。几个人也抱不过来的树身高耸我的头顶，我想昏睡。树身与树根相距遥远，我无法到达树根。树下又是满天繁星，一股股清凉的香气，我知道如果放手，我会穿过不断消失的美景摔到坚硬的水泥地面。

我不会这样做，我的耳边传来歌声，看到遍野红色的玫瑰花。也许我就要掉下去，没法躲避，让我痴迷的倒影和风景都会消失。我对自己说："不。常在某处就自以为天地是唯一的。我到达这里，任何实在的东西都无法改变我。我甚至可以离开树，离开这个空间，为什么不行呢？结结实实的幻影：我们、地面、楼板，瞬间我就会飞行，碧色的天空无边无际。"

我再次怀疑自己的想法，厌倦与失望再一次让我苦恼、忧郁。

我坚持，最后还在挣扎？或者管它是否可笑，作为蔑视虚无、僵死的场面也要保持这个姿态。我颤抖着把一只脚伸进树洞，把另一只脚卡在树杈，然后放手伸开双臂，惊恐，吼叫。天旋地转，星云飞舞。我的脚被身体的重量猛然拉扯，脚骨咔地被折断，皮肤划破，满身热乎乎的液体。我像孩子般死去活来地大笑，好像树洞里有蚂蚁啃嚼脚心。痛苦的窒息后不再呼吸，平静又松弛，如同浪子回到故乡。

遥远处的水泥地上几个人影继续交谈，住在枝叶花朵间的人看不到我。我静静等待什么？等待有人醒来，敲门，等待那位变成红鸟的女子期盼的他。

我好像离开楼板上的树。我在哪里？梦境、想象和期待。我们的住房是前行的轿子、汽车、列车、客机。窗外的景色，鸟群嬉戏的沼泽换成干燥、荒凉的红土；稀稀落落的古旧的青色砖瓦房换成林立的钢结构玻璃高楼；乡村的荒野，田鼠、青蛙、纺织娘、蟋蟀、蚂蟥、小鱼换成高速公路、大小街道，以及喧嚣的车流和黑色的人群；山峦起伏的白云换成片片脏兮兮的楼顶。

封闭的房间里，幻影全部消失。我是另外一位乱头发，在这个殿堂般硕大的空房间飞来飞去，看着死去的乱头发倒挂在串串紫藤花型的吊灯上。他的长长的白发和细瘦的手臂垂下。干枯的脸上，眼睛紧闭，依然张大嘴巴，似乎还要发出一声痛彻心扉的干号。吓得我逃遁，飞起，头嘭地撞在楼板，满眼金星。

南墙高大的窗户一直打开着，西墙有一扇真实的大门，这个房间可以随意进出，他为什么没有出去？我飞出窗户，天边一朵朵红云卷曲，炎热的白蒙蒙水汽中隐约显现多姿多彩的建筑群。往下看，条条灰白色的细长街道，传来汽车喇叭模糊的嘟嘟、嘟嘟。

我走到一位满脸皱纹的老花匠身边，他看不到我，我大约如同透明的空气。老花匠用指甲掐掐楼顶盘绕的黑黑红红的树根，一点伤痕是湿润的嫩绿色，然后他给树根培上几袋红沙土。我抬头，依稀看到一棵灿灿生辉的大树扎根于天穹，细枝垂落到城市的楼群、街树、众人、花草、浓绿的河流。

北方，带金边的黑云滚动，竖立，越升越高，步步逼近城市，飞快地掠过天空。黑云散开，水墨花纹般翻卷，闪电和树枝咔嚓咔嚓的断裂声，雷声轰鸣，雨点飞落，嗒嗒、嗒嗒，似乎有许多人踏着楼顶急跑而过。寒风冷雨中老人蹲下缩卷成一团。城市你依我靠的高楼，俯伏抱团的矮楼，灰黑色的楼顶像平坦的小岛，又像无数舢板沉浮飘摇，消失。

第五章
爱，依恋与古城里的花香；扑击死亡的明灯

一、第三位母亲；霉烂气味里花香独自走出；去世的小叔叔来访

城市经不住风吹雨打、拆迁、战火、洪水冲刷，开始摇晃、坍塌，只剩田野中的几座土包。时间不知不觉流逝，回忆往事模模糊糊。

我在橘黄色的大球里滚动，黑暗温暖，水声嗵嗵嗵、嗵嗵嗵，远处几人说话，弹拨琴弦……我像一把利剑穿透包裹我的薄膜，光线再次旋转于头顶，四周翻飞五颜六色的各种几何形物体。我站在高处，一跃，滑翔了一会儿，眼前蓝蒙蒙。踩空，我像云层遇到干冰，雨水飞快滴落。俯视地面大片沙石死气沉沉的惨淡寒光，出现一块岩石满载斑斓鲜花和白石雕像，我渗入带有残花香气的泥土，感受到惊涛骇浪拍打岸石的震动。当什么都平静，蓝色的镜面浮起灰白色泡沫。

感觉和意识似有似无，灰色迷雾中灰色的飞鸟，灰色的人群。蓝色迷雾中黄色的飞鸟，红男绿女，清晨的草叶的苦涩滋味和寒露……城市再次清晰，树木、泥土、墙壁、苍蝇、麻雀……竟然都可

以长久地存在，有的还会繁衍后代。我注视和触摸到自己的肢体，比如，不会观望街道，河水流动，两岸楼房苍山起伏；不会坐上椅子，一匹马驮我踏上古道；不会感伤时伸开双臂越飞越高；饮食，食物质感分明，像异性纠缠般靠肉，抚摩口腔舌头，有滋有味，一粒微小的无味的石子都会引起恶心，把满嘴的东西吐出来；我的重要物品：住房、钱、证书、护照……不会不翼而飞。好多次神差鬼使地担心和忧虑这样的情况发生，怕又遇到尴尬和懊悔，回头张望，摸摸口袋，翻翻抽屉，一切都完好如初。

不过也要小心，逃避跟随和迎面而来的汽车，捏紧皮包防盗，发烧快点去医院，死者被火化后就真的再也没有遇见。有时我刹那间一愣，眼前的事物越是能够把握，物体越是坚实，越是觉得存在不可思议，越是觉得自己正在梦中。年月不停地掐尾向前，再长的时光也会丢失。实实在在的经历不可贴近，最终什么事物都会分解消散，都变得如梦似幻，落入虚无。

养育我的父母说，我在夏日雨天出生，那天非常奇怪，天上出现几道彩虹，蜻蜓群飞如同团团水雾，许多银白色的鱼从天空落入池塘、小河、街道。有时他们嘻嘻哈哈说我是捡来的，给我取名叫雨见。不过我觉得我是自己想象出来的乱头发。尽管如今一头硬发笔直，我喜欢柔软的波浪型翻滚头发。我不谈过去，不谈如同梦幻般的记忆。与醒来不同，片刻间梦里流逝几百年、几千年……

我是古老城市的人。条条小巷交错、弯曲如同迷宫，青瓦房连着青瓦房如同大片的黑浪拍打大片的黑浪；灰白色的矮墙连着显露墙砖的矮墙，出墙几束喇叭花、丝瓜花；厚实的高墙连着密不透风的高墙，墙脚一层苔藓墨绿，抬头一条狭窄的天空，幼时我称呼为天上的小河。

进窄门，穿过黑暗的备弄，边上的一个个院落里白色的石灰岩堆砌假山、花坛。阴沟和泥土潮湿腐败的气味里总是游荡着一丝丝花香。不同于女人身上让人发晕的香水味，一时让鼻孔干燥的粉香，冬日黏稠的油脂香，哪怕自然天成的玉嫩香娇也显得过于混浊和油腻。花朵芳香、清香，闪现不是这个人间的她们如同几朵透明的云。不由得让我感到新奇。追寻香气的来源，不管在空旷敞亮的地方，还是在局促阴暗的角落，都生长着花草、花树。

黄色的蜡梅如同朵朵玻璃花。蜡梅树一株或者是一大片，白雪晴空，凉凉的芳香超凡脱俗，吸入了全身血脉畅通，把心灵都洗刷得干干净净。接下来，蜡梅会久久盘踞人的心头，竟然生出冬日快来的期盼。

玉兰树落满了白鸽，此时，暖和的蓝天也是荷香散漫，是微风吹来了花香，还是蓝天本来就是香的？

客厅里几串带红斑的草兰，近闻无味，香气来时轻手轻脚，悄声细语，寻找时无影无踪，带给人一件隐藏的心事时浓时淡。

蔷薇十姐妹，一墙披挂粉红色，她们结伴来此会合，无数年轻的娇美面容，似乎听到朗朗的说笑声，随风飘来一股股的群芳众香，我淹没在芬芳的流水里。

海棠的花瓣似乎被薄膜密封，不能确定有什么气味。不过，海棠带有美丽的红晕，观望者会被一件羞怯的往事触动，是由于怯生生躲避一个脸庞时无法躲避香气袭人吗？

九里香的白瓷杯里斟满草药酿制的黄酒。靠近，花香浓郁到让人疑惑：你是否刚吃过臭鸭蛋啊？享受某种快乐，需要与事物保持恰到的好处的距离。真是这样吗？这种香味最好埋藏在记忆深处，除非你不想活了。九里香不羁的欲望披头散发嗒嗒、嗒嗒飞奔，不管什么羞耻和后果的冲撞、索取变为给予，让人得以极乐和销魂，快艇在湖面加速，飞奔，飞起，整个海面白浪起伏喧哗，黑夜烟花呼啸升空，怒放。一遇终生难忘，一想面红耳赤，还有什么能够让人感激到磕头忘记疼痛，好话说得嘴巴的铰链脱钉好像中风。

含笑，半开半放，隐藏院子的角落有着香蕉的浓香。

茉莉有白有紫，花小，芳香的气味也如小家碧玉般雅致和平静。

忍冬清凉，一股深山里的野香，混杂着荒草、藤蔓和野花的气味。忍冬难以驯化，可以在花盆生长又嘲笑花盆，一有机会就要泛滥，美丽的金银般的长舌滴下魔露。

洁白的栀子，花瓣厚重，气味是各种花香品性的融合，察觉不到一丝细微的冲突。刚要确定：扑面而来的是脂粉浓香吗？故意骗你，香气摇身一变，或者脱身而出，清寒的花香如同凉风。再闻，香气浓郁，大大咧咧，还有点母亲身上的味道，又摇身一变，或者又脱身而出……因此，栀子的香气既催人入睡，又让人清醒。身心干干净净地睡去，清醒地安睡。

桂花细碎，采下几朵一嗅好像玫瑰被揉碎后香气爆发般地挥发，好像来自伤残肢体新鲜的血腥，好像年轻者疯狂的爱，一浪高过一浪，不顾一切，不惜去死。可是，稳健者看来，桂花的香气闯进鼻孔，迷惑了大脑，其实，那不过是甜腻腻的香水气味。

菊花开在干燥寒凉的秋天，花瓣有皮无肉，香味干干的仿佛失魂落魄，是风里的枯花、尘土散发的那一类味道。

郊外春日到来，压抑的生命得以自由释放，漫山遍野的绿梅、红梅清香、芳香。岩石间的野蔷薇丛丛雪白的新花和满地的薄薄花瓣，一股股接近初夏体温的热香。农田里，紫云英宝石般闪烁，香气混合着黑色的淤泥味，微辛微辣的黄色油菜花花香浩浩荡荡。

花朵散发香气与人的肉身显现的精神和灵魂是一样的吗？

当舞台、街头的叔叔阿姨、大哥大姐吵吵闹闹，后来大打出手，头破血流，直到彻夜枪声不断；当受到些委屈；当生病后无精打采，我就闭眼静静吸入轻轻靠近我的花香。

记得嗅到古城里的花香，会让我陷入沉思。思考、默想有时没有具体内容，只是忘掉嘈杂的世界，安神，陶醉于干净、平静和不可言说的舒适。花香似乎高于所有的万事万物，是城里古老的神灵。

花开花落，回头时觉得岁月长得可怕。我有了自己的窝巢，我被他人和他人被我确定为正常、体面的人。我的生活简简单单，让我回顾，一大堆经历归类重叠为几件事，一天就可以体验完。人们封闭情感和隐藏真实的想法，全都觉得暴露不如隐藏。理由是，不能让本无多大意义的生命再贬到分文不值，一失足成千古恨。少数人想望把自己变成树木自由伸展枝叶，繁花盛开，有时不顾一切像点着火焰，活生生的大群大群的人如同顽石和灰色的影子，无法靠近。就算身陷这样无奈乏味的境地，面对死亡内心依然百般煎熬，这到底为了什么？是因为还存有花香吗？还是因为不断发生小叔叔这样的事？他死去，最近经常回返，这给予灰黑色的世界几片蓝空，让铁律捆绑的天地出现一条锈痕。

最近我常常产生错觉和幻觉，仿佛越来越严重，这样下去恐怕会被遣送到最正常的精英建立的精神病医院。今天也是这样，打量自己的住宅，我怎么到了这里？我是血肉之躯，周身的物体全都那么坚硬、可靠：红松色调的客厅，橘黄色小木房挂钟，低矮的柜子，黑色电视机，有点旧的乌蓝色牛皮沙发。我望着这些奇怪的东西，一时弄不清自己在什么地方。墙壁挂着照片，一位模糊的年轻男子，背景是树木、河流、远山。他肯定不是我，我难道住在别人家里？外面大约也是陌生的街道和建筑，没有认识的人。我害怕，我不敢再想下去。我又非常明确，这就是我的住宅。我心安理得，出门也与街头千百万张脸表情一致，万无一失，但是万有一失无法控制自己怎么办？

有人敲门，门没开人从墙面闪出，他带来潮湿、阴冷的风。男子二十多岁，穿深蓝色春秋衫，浑身湿透，头发被水抚平贴紧皮肤，挂一片长长的浅黄树叶。身上沾着数粒白色桂花，一丝丝忽隐忽现的潮湿的香气。

他看到我点点头，连连说，外面雨下得很大，很大。他靠坐沙发，伸开腿，一脸倦容。畏惧和惊喜，我看清他是久别的小叔叔。我冲杯热牛奶，拿干净衣服给他换。亲近的人分别久了，也会慢慢忘记，我们的意识常常停留在短暂的昨天和当今。有时过去忽然闪出，遥远的他乡、往事，感觉、心情，与当下不知怎么如同买电池太大，装不进摇控器，渐渐仿佛又在其中行走、观望。他的出现使我知道我与他的感情深厚，可是很长时间我忘了他。

他说他不用换衣服，他不冷。他走了许多路，翻山，在泥泞的乡村小道跋涉都不算什么，只是渡江时夜黑雾重，客轮撞到暗礁沉没。他抱紧救生衣，冰凉的巨浪起伏，微弱的呼喊和漂浮的死尸，他被波浪冲到岸边。走了几天，快要到这里时下起暴雨。

我没有提出疑问：死去的人还会死去？小叔叔二十八岁沉溺于大江的出海口。我当时十三岁，现在我们是同龄人。他怎么会来？我冒冷汗，不是由于他可能是鬼而害怕，而是怕这又是幻觉，揉揉脑袋。我想问小叔叔，你好像很久以前就死去。似乎太唐突，他活生生与我面对面。他闭眼打盹，起身把小木箱放在客厅，推门走去。我奔到楼下，想拉住他。看不到他的身影。寒风凉雨呼哗、呼哗，路灯洒下大片微红的晕光，路面上雨点蹦跳、闪烁，汇集成溪汩汩急流。一层细碎的落花。桂花什么时候开了这么多？树叶茂密的桂花树丛，粒粒黄花、白花一团又一团，空气里弥漫的香气浓郁、潮湿。

我回家，小木箱变成大木箱。这只木箱我认识，是小叔叔死后运回遗物的木箱。当时我翻看，里面有墨镜、书信，父母叫我别去管那些东西。此时，木箱散发新锯开的松木的清香，箱内黑乎乎，我把手伸下去，摸到羊毛编织的紫红色围巾。街道寒冷灰白，小叔叔脖子上的围巾一头折叠斜插衣缝，他含笑快步走来。走近，发觉他愁眉不展，神色哀伤。

我的眼前出现蓝灰色湖泊，沙石滩和遥远的一座座枯瘦的山峰。窄窄的土路蜿蜒，森林浓黑。一架紫藤花下俊俏的女子等待小叔叔，看到小叔叔就笑吟吟的。小叔叔的年轻朋友，一个个豪爽开朗精明强干。霸道的胖队长，想控制和教训这批人。小叔叔无意看到胖队长像只老乌龟压住女工张嘴呻吟，队长一瞥也看到他。以后阴冷、庞大的黑影经常从门缝钻进来吓唬小叔叔。我只知道这些零零碎碎的事情。小叔叔说，如果被逼到墙角，只好拼命。

茫茫的山峦，我在小土路上走，静谧苍翠的松林，遥远的高空白云轻飘。穿过松林就是一潭黑色的海子，岸边一层层黄菜花。我看到小叔叔，他长久地徘徊在松林的深处，走不出去。他摇晃的不断被打上彩色方块的身影，只有片刻清晰，我似乎可以叫住他。他回过身，点头。起先我们没有谈论迷路和死亡，就像遇到熟人那样轻松愉悦说说话。他说他太惨了。难过。我想回返，离开他，害怕迷失在他的空间，我会成为两个空间的人而遇到危险。真的有那么可怕吗？也许小叔叔更为真实，我怎么转身，不管到什么地方，他都在我的眼前。不管是睁开眼睛，还是闭上眼睛他都在面前。

我从木箱中拿出一把伞，他的好友瘦骨收藏做纪念的伞，瘦骨的女友被开水烫伤，满脸疤痕，瘦骨还是迎娶她。那位女子以后动不动就流泪。年月已久，他们像白色的影子。模糊的脸有时会靠近我，我看到非常熟悉的脸形、神态，看到圆痣或斑点，内心咔嘣惊悚。

我触摸到一副宽厚的墨镜，我从来没见他戴过墨镜。一捆信，我看过一封，他的同学写道："闲着没事，天天骑马。"我问："骑马?”他说:“是骑自行车。”

他的照片和几张年轻女子的照片,当时被我放进铁皮盒。我把铁皮盒放到房间最暗的角落,既不愿意丢掉,又怕把我带入阴沉寒冷的地方。我知道男女有别后,女子的照片是被我大胆打量的对象。她跳舞,瞬间凝固,一条腿站立岩石,一条腿向后翘去,双臂张开,双眼闪烁快乐的光芒。心向小叔叔飞去?她的眉毛、眼睛、鼻子、脸形都具有标准美女的普通端正形状,只是嘴唇较厚。直到今天我还想找到她,告诉她,我很久以前就认识你。她会抬起脸,闭紧厚嘴唇,用照片里相同的眼神望我,极力搜寻过去的记忆。

细看她的脸臃肿,布满皱纹,怎么摇晃几下是小叔叔的肿胀变形的脸?无法回避那张脸,我还是试图扭开头,看到小叔叔返回坐沙发上。他戴着用青茅草编扎的帽子,说冬天真冷。不管我扭头、低头,他都会转到我面前,看着我。他说蛇爬到家里,生下十几个小蛋,一下大雨就积水。他问起一些人。我说我也好几年没见过他们。他说他很少和别人说话,想说你,说成了他。我去冲杯热茶,一转身他走了。

我抬头看到灰白色的楼板,我的目光穿透楼板,如同穿透一层层云直到蓝天,他浑身雪白向高空的亮光飞去,越飞越远,直到楼板再次阻隔我的目光。

小叔叔来访的事,只要跟着人流上班,拿起发烫的杯子喝水,摸摸发凉的花叶,脚踩坚硬光滑的地面,寒冷的风吹到脸上,股市传来振奋大众的消息就觉得荒唐。

自我分裂吗?如果小叔叔的来访是幻觉或仅仅是期望,我却相信是真的……如果只有现实事物可以确定,而且只跟随铁一般的规律演变,我立即感到窒息,僵死,化为石头。继续发生的事让我不能不相信存在超越现实的事物。我告诉他人,不要怕死。他们觉得莫名其妙。

我乘坐小飞机去旅游，降落狮子匍匐海面似的小岛。夜已深，岛上灯光璀璨，我们走入饭店，大厅金黄、红艳，角落一套蓝色黑花纹沙发，小叔叔在那里走动。几个旅客想坐沙发休息，被什么碰痛前额和膝盖。他们叫来服务员。服务员说，我们住的饭店最考究，玻璃擦得看不见。玻璃房间和沙发都是展品，请到右面沙发上坐吧。小叔叔隐藏玻璃房里，我上前和小叔叔打招呼，他没有反应。我的同伴说我自言自语，笑话我。有位女子走过来和我一样面对着玻璃房招手。我打量她，她也看看我。我想问问她，没有问。

从未见过小叔叔的人就看不到他？时间的药性在他的身上终止，我还能贴近他？也许就像死去的歌唱者，生前钻进磁片、光碟，留下痕迹，不断重复现身，但走不出来。

玻璃房间里还有无数玻璃房，我恍恍惚惚走进一间又一间。小叔叔坐在饭桌前，拿筷子把菜拨来拨去。他皱眉站立窗前。他与三位女子打牌。他挥动一本名为《海虎》的书说："伊没看过，伊不懂。"我靠近他，前额撞上玻璃。想起，他刚出事的时候，我觉得他还活着，只是很忙不再回来而已。

远望你还有笑容，走近看清，总是皱紧眉头，一脸阴云。想到你如果回来，穿着过时的深蓝衣服尴尬茫然地询问门卫和那些自以为是的人。他们见你一副寒碜相，都爱理不理，嘲讽你，刁难你，或者让你快走，快走，不愿多说一句话。我有什么办法让你高兴，我是不是对着你过去留下的痕迹说话，安慰痛苦的身影？如果真的改变你的身影，就意味着你彻头彻尾消失。我们忘记你就没有人知道你曾经活过。你还活着，你还回来，你比过去更加关心我，住的时间也比过去长些。我们一起游玩，一起交谈，多么高兴。我一时深知命运早已确定。我在城市灯火明亮的楼房中寻找你，想在游客里遇见你。但，你既存在，又时时消失，是隐藏的你被看到，是破除虚无的有。如果我只是对着你的录像讲话，那么你的痛苦的影子融化吧。是你来找我，还是我去找你，我们不断相遇，总是伤心和苦苦追问和懊恼，总是心惊、蹙眉、沉默，以及时间短促。依靠回忆无法避开惨痛的结局，依靠想象吧，依靠前景，根本不能相信吗？我无法安慰你，也就是我得不到安慰。我还是在不断地想象和期待，不可为而为之。

二、活着和亡故，脑袋里伸出呼救的手；女子白蓝的死亡体验

我也许只是小叔叔漫不经心瞥几眼的孩子。不过他一定能感受到，家里我对他最热情，他探望我的祖母时和我交谈最多。是呀，那些有点年岁的人盲目自信和专断，而我仔细听他的每句话。我是个内心孤独的孩子，与他度过的日日夜夜我的情感的光芒如同明亮的雨雾洒向他，我被他身上折射回来的光芒照耀得像春光下的山坡、花树、河流。那些美景令我感动，从此内心有块温暖的地方安慰我。

当我长大，凭经验我知道他没有重视过我的情感，他不会探询我的内心感受。我也不会说出这样一些事，比如某次他来了一会儿就走了，我很难过。母亲拿出票让我去观看几年一次的交响乐队演出。昏黄色灯光，溶洞似的剧场，观众如静静的黑水潭。远处整排整排演员，铜管闪闪开放金黄色花朵，小提琴是悬挂枝蔓上的大片橙红色果实，长笛、木管流出股股明亮或者暗淡的溪水，一阵又一阵闹哄哄的生命高潮。我的内心独自流淌忧伤的二胡声，以致交响乐蹑手蹑脚隐藏，只有我独自在旷野中倾听。敲打乐器霹雳般嚓啦啦、嚓啦啦，我被惊醒，满台的乐器一起放歌，声音越来越高亢，突然中止，寂静，长久的掌声。散场了，观众缓缓流去，我不时回望演员鞠躬告别，我感到世界有什么巨大的东西被挖走而破碎残缺，

我无奈，当着一个个心满意足的人紧闭嘴唇。我不想掩饰痛苦，我不承认我的感受滑稽可笑。好多天我闷闷不乐，寂静的丝丝花香和潮湿的泥土气息让我备感美妙和孤独，直到淡忘和新的期待来临。唉，现在没有人能让我那样难受，想想都感到畏惧和肃然起敬。

后来小叔叔去了很远的地方，一年回来一次，我从他那里知道连绵的山麓，一座山同时有春夏秋冬。农场，眼镜蛇。高空架电线，总有一次会摔死。我问他问题，他摇摇头说，学的专业全忘记啦。他又谈起，深黑的大池，苦茶。

我看到他泥水泡过的浮肿尸体，化妆过的脸像彩绘泥塑，厅堂摆满竹条皱纹纸花圈。三个月，我心神不宁，半夜常常恍惚，觉得自己好像是尸体，被色彩不真、带着死气的假花花圈包围，恐惧得流汗不止。他死去那么久又来看我，想告诉我什么？为什么要把木箱给我？

我东游西荡在不同空间，自己都感到自己处境尴尬，不去忙碌淘金掘银，失去家庭，只有个住处，又好像是别人的。近来雨下个不停，我很少出门，靠窗边向外张望，灰蒙蒙的天色，一条条明亮的雨线和依偎墙基的翠绿野草。

我仰卧床上半睡半醒，耳朵有点痒，一摸一只蚊子掉落地上，灰色的翅膀和细腿点点花斑，饱胀的薄肚皮鲜红。蚊子昏睡，渐渐苏醒，细腿轻轻舞动，歪斜着爬起，摇摇晃晃。我抓蚊子，它向后退，飞起，落下，飞起，落下。捏住它的翅膀，拔掉一根根腿，丢到地上，头顶绒毛似的触角颤抖，肚皮收缩、鼓胀。为何没弄死？畏惧？好死不如恶活，死太重大，死了一切就无法挽回。蚊子躺在地上的样子真有点可怜，它叮人我才这样做。还是让它早点死吧，一按复杂精致的肉身成为一点污迹，黑红相杂。

为什么会有此处？为什么我被外力推动，从一个空间游荡到另一个空间？死是怎么回事，会不会去另一个和许许多多的空间完全不同的空间？死后需要沉睡多久？沉睡时感觉不到时间的长短，沉睡十几亿年醒来和沉睡几小时醒来感觉一样短暂。有没有灵魂和万能的神灵？必有答案，但我不能知道，全被黑色铁墙挡住。用冲击钻打不出洞，架云梯总是太低，就是飞到太空的最深处，那堵墙还是挡在面前。

据说刚死又被救活的人，他们说出经历过的事，如，被牛头马面用铁链锁住，带到阎罗殿。也有人说变成一道光芒飞向通体闪亮的城市。大约是幻觉吧。他们没有真正死去，死去就回不过来。现世中我只能看到自己东游西荡，看到花朵和枯骨，闻到干净的香气和腐物的臭味，以及做一些颠来倒去的梦。

我既怕死又想知道死的秘密。童年有次我穿马路，汽车一辆辆开过。我执拗于一个念头，我跨出一步就会被汽车撞死，啪，灵魂蹦跳几米高。跨不跨？跨，不跨，跨。随时可以进去！快要失控，后背不禁挂上几条闪电。我不正常吗？后来，看书，说这是精神分裂。死亡的空门到处排列，零首付、零利息、零门槛、零学历、零背景、零颜值。不会被保安盘问，进去轻易得如同出门，步入街头。如果想回返呢？

白蓝告诉我，有次爬高塔……一位女子穿白底淡蓝小花连衫裙，她沿旋转、陡峭的木楼梯往上爬，塔内的每一层，破损的青砖塔壁上都有一圈沉思冥想的青色小石像。经过白亮的门洞，有时可以看到几只鸽子飞过，看到遥远的开放紫花的树冠，古老楼群黑沉沉涌动的大屋顶和轻淡的远山。她非常激奋，想快点爬到最高处，极目远眺。她流热汗，气喘吁吁爬到塔顶，腿有点发软、打战。顶层的空间低矮、狭窄，需要猫腰才能钻出门洞，一圈窄小的露台。她手扶低矮的木栏杆，向远处望去，越过屋顶组成的黑长衫，一条碧绿平静的大江，层层叠叠的远山，空旷的淡白色天空一只老鹰盘旋。她又俯身往下张望，小巧的花园、水池、几点游人。她的脑子掠过清晰的声音：跳下去。一阵昏眩和惊恐，又感到静谧，柔美的暖流划过内心，躯体仿佛轻盈地飞起。

白蓝现在还不知道自己为什么会那样？想问问我，听听我的看法。

我说："有些事给人的感觉和想到死亡的感觉相似，比如到未知的地方，遇到无法把握的事大约都会让人紧张、焦虑或者感到惧怕、恐怖，隐藏的死亡意识也被连带着唤醒。严重时忍不住呻吟。你想想你是什么原因？"

白蓝说："我不知道。"

"那么，你在塔上的犹豫也许是对进入未知领域的恐慌，当然也包括死亡。还有，是不是活着烦恼，那样可以一了百了？现在连吃东西我都感到麻烦和沮丧，每天几次把油乎乎的青菜啊、肉啊往嘴巴里塞，牙的挤压，舌的搅拌，肠子一样的食管……难道不怪异？日日劳累，头脑昏沉沉，胃发胀，鼻子疼痛，上街迎面扑来大小车辆和污染的晦气，难道不令人厌倦？"

"糊涂一点吧，你太悲观。"

"我也有过类似的欲望，想体验，去寻找死亡，也就是活着就知道死亡的滋味。死太可怕，又想去认清，到底是否真的虚无，突然失去把握世界的能力和意识。"

"我也能体会到，沉重的人想飞升，必有一死的人想弄明白死后到底是什么样。"

"结果会怎样？"

"有时我们会产生错觉，以为自己无所不能，像了解物体一样去认识死亡，轻松走到死亡的大门前，突然清醒千万不能那样做。"

人都有一死，像这只蚊子，总有一天会知道或因为感觉消失仍然不能知道。蚊子进入死亡的天地，可是我却一无所知。看着手指上蚊子的血肉污迹，我好像成全了蚊子，蚊子灵魂般的幻影一边走一边回头微笑。

实在的空间，大体正常，让人安心，不觉得还有什么可怕的事。众多的人往虚空吹肥皂泡，有时吹出彩色的，有时吹出透明的。他们给予生活不确定的感觉。比如，有一种流行玩具是硅胶干尸，穿水灰色西装，面部皮肤龟裂，鼓出呆滞的粉白色眼珠，几根发黄的长牙。身体里仿佛填塞了干树叶。任何人都会苍老，满脸皱纹。容光焕发的人也逃不脱，一阵难以克制的害怕和怜悯。活生生的我无法越过生死之间的墙壁，当然对于有些人来说想这种事是闲得无聊，简直荒唐可笑。

夜晚我偷偷溜出门，穿过几条小巷。围墙里一座碧色神殿，我能感受到一个异象，唯有神殿顶四方的夜色湛蓝。围墙很高，我转一圈不见门。我翻过墙，院子长满青草，草下流淌白亮的水。

起初神殿里空空的，一会儿四周冒出黄绿相间的嫩芽，很快就长成树木，花朵团团开放，花瓣白色，发亮。男女搂抱，我也和身体白皙光滑的女子撞个满怀，她说，不要生儿育女，不要有什么负担和懊恼，单纯的快乐，离开浑浑噩噩，用力，再用力，把我揉碎，嗯，嗯。一股浓烈的花香。

后门步入一道白光，一条道路，神殿和女子消失，满地落花。淡黑色远山立于水中，朵朵彩色云霞和倒影。

我越走越远，迷了路。荒山坡边我遇到我的小叔叔和父母，他们用树枝围个小院子，后面的树丛里有一幢小小的砖瓦房。他们的脸庞瘦削和灰暗，说话轻声细语，露出蛀坏的黄黑色长牙。父母搬出木桌子安坐喝茶。周围隐约还有相同的房屋。满地茅草丛生，想起，小叔叔来时戴着茅草编制的帽子。

小叔叔有事打个招呼出去。我和父母交谈，他们说死去的人一般都与家人住，或者自己认为是哪家的人就住哪家。某某大妈认为她是母亲家的人，就不和丈夫住。

我想除了小叔叔，他们还都在世。眼前的事情是未来的。眼前的事情好像发生在家里，就是我家活生生的现实的象征。我不敢再想下去。他们的日子安静平淡，说些话重复乏味，不死不活。抬头望去，山峦绿茵茵非常高大，他们说从未翻过去。我拍动手臂，用力蹦跳飞起。山下陷，我飞过山头，向下掠过干净碧绿的宽大湖泊，平静的湖面令我喜悦和叹息，响起管弦乐。湖泊很快被甩在身后，远处一个明亮的斑点。

进入古村旅游风景区，殷红色石条山道，茂盛的树冠间显露仿古青瓦房，络绎不绝的游人表情冷漠，也没有声音。我跟随游人走一会儿，又跳到房顶从天窗往下瞧：潮湿、阴暗的房间，人影晃动。

我想回去，与来时不同，我飞不动。用全力气拍动双臂才勉强离开地面。好不容易飞到湖边，湖面缩小为水塘，漂浮一层灰尘、枯叶和白泡沫塑料块。面前的山太高，我选择翻越右面矮小的山。我非常笨重，离地只有几尺。来时见山坡模糊的叠翠，此时看得分明，灌木和草丛间许多皮毛邋遢，嘴脸沾染血迹的狼和狮子撕吞猎物，一股腥臭味。我极力飞升，山坡向下奔泻。过了山，我找不到父母的住处。

我飞不动，落到如同车厢的长方形房子的顶上，平顶又薄又软，已有窟窿，下面房间家具拥挤，妇人打开洗衣机的盖子。天下起大雨，我蹲房顶喘气。我走几步，飞几步，出乎意料，我父母的院子就在前面几百米处。父母带我进屋，房子太窄小，碰头擦肩转不过身。他们说："这里的房子都这样，有钱人的大些，可以造在海边、湖边，天天望望一片水。”我说：“造在湖边真不错。”

与他们相比，活着的人显得空洞麻木，住在宽敞温暖的房间会想到他们低矮的砖房，灌满的雨水在呼啸的北风里冻结，雪花开始从空中飘落。你们想到送上棉被，打开电热毯。情感面对现实多么尴尬，觉得荒唐可笑而放弃。他们和你们一样盼望拔去油腥的松柏，种上杨柳、桃花、梅花，盼望暖风。平整的田野，一片片翠绿、紫红和嫩黄，他们坐上客船顺着江水远去。

三、黄泉下的天空，手臂兰一层又一层

我待在父母的小院子心神不定，身处荒山野岭也不知去什么地方好。远望座座山峰绿茸茸，山坳里深蓝的池塘。我走到脚踩出的小道，转到山的侧面，里面还有一座大山，山坡隐约竖立两排石人石马。我走上前，众多的健壮男子，用草编织的床、凳子和碗全放置露天。他们不伤害我，也不理睬我。

我被什么硬物绊倒，一根折断的大腿骨。一脸怒容的男子站起，他浓眉大眼，叫我把骨头埋好。我埋骨头的时候挖到层层相叠的粗大的骨头。许多人围过来指责我，我勉强把骨头全埋没。

浓眉大眼的男子告诉我，他们现在无房无钱，他们打仗时遭受致死的刀伤和箭伤，全都缺胳膊少腿，尸首不全。当幽灵游移出温热的身体时疼痛得撕心裂肺，遍野的叫唤如同猫狗的干号。瞬间多出一个人的影子，轻松如同进入仙境。骨头在寒风暴雨中或者大雪飘飞时还会冻得呻吟，过去的伤痛也会复发，想起老母、妻儿，互相观望，抹着泪不知怎么办才好。前面石马石人那里墙高宅深，大房子住着官宦人家。

我走过人群，来到石像前，穿长袍的男子让我骑马。他牵马，马

蹄咯噔咯噔咯噔咯噔……茂密的山林杂草间卧着石羊、石马、石鹿、石虎、石人……瓦片、鹅卵石拼花便道很干净。一座装饰墙，水磨青砖上刻着实物般大小的茂密荷叶与几枝荷花，后面是八字形石头门框。两扇黑漆木门里古老残破的建筑摇摇欲坠。我下马，高大的屋群。备弄太黑，我从大门走过一井房屋，又一井院落，好像是最后一井。四周高墙，墙脚青苔墨绿，安静舒适。天井中间摆放一大盆盛开的鲜红色杜鹃花。有人说，这房子不拆除。我找不到说话的人，只感到丝丝凉气，想到铲车推平房屋，阳光刺目，黑暗和凉气消散。

我为住宅安装电话线，不时用手指编织，也用耳朵细听电话线颤动，嗡嗡、嗡嗡中出现灰蒙蒙的空间越来越暗，我极力去听，无法看清。一会儿我就安装十几米，线松松垮垮地垂挂院落和客厅。返工很麻烦。几个人手拿两块三角木块，一种山里人算命的工具。他们把三角木块绑到电线上，电线就会绷直。房间深处的说话声从绷直的电话线滑过。他们步入天井，好像是幽灵。我跟随他们，进入另一条幽深黑暗的备弄，难道又要开始摸瞎子？不知到了什么地方，越来越黑暗，我感到恐惧，默念：发光吧，眼睛发光吧，把这里照亮，照亮！但始终没有发光。

幽灵在哪里？我摸索墙壁前行，碰巧推开门，荒废的花园，阴云笼罩。园中一位中年男子背对我，转过头，粉白浮肿的脸。他手里握块黄色臂骨，叫我捏一捏。我一碰，电流针刺般通过脉络。他说："你的骨头会健康的。"我觉得皮肉下的骨头枯树枝一般松脆。

空中传来说话声："你不用再害怕了，总高兴了吧？人死后并不是毫无知觉，就像你这样迷迷糊糊。"

我体会自己和打量他们怎么利用迷迷糊糊的感觉活动和创造。废园里几丛干瘦的月季有叶无花，几棵细长的树木开着密匝匝蓝宝石般的花朵，我闻闻没有香气。

中年男子说：“这是手臂兰。很香，你闻不出。手臂总是向上伸，伸不出泥土，遇不到天空，就自己开些蓝花当作蓝空。”

“为什么我就闻不出香气？”

“你现在大约还不是我们。”

走出院子又看到两排整齐的石人石马。空旷的山坡上人们七嘴八舌吵闹，没完没了，我听得厌烦。我逃跑，瞬间飞起，飞过许多褐色圆石堆。无数黄白色的幽灵睁开黑洞洞的大眼，仰天伏地哭喊号叫。

忽然周身漆黑，接连落下冰凉的水滴，我如同瞎子，湿透的衣服紧贴后背，觉得我一定还在泥土下面。一朵纯蓝色的小花慢悠悠开放，上升。微光中，我看到自己伸起的手，每一个手指尖冒出一朵蓝花。

我的身边纵横交错的臂膀失去双手，也在往上升，伤残处开放一朵朵蓝花。远处星星点点的蓝光。手臂兰不断汇集，黑暗中形成一层又一层蓝宝石。清淡的香气渐渐浓郁，不是点燃木材、烧香飘浮的那种死亡的苦涩烟味，而是从活生生的荒草、人身、花树上发出的香味。我加快向上飞，看不见幽灵，也听不到哭声。直到头顶出现灰白色的真实天空。脚下的野地间杂树、茅草茂密。

烧杀、劫掠和复仇，物欲、食欲、性欲万欲丛生，腥风血雨遍野尸骨，都化作地底下盛开的手臂兰，最终渴望的是片比天空还要明亮、湛蓝的苍穹。锋利的尖刀寒光惊心，骨折时的疼痛，让万物停顿、消失，老母泣血的号啕还未平静。眼望头顶灰色的天空，飘浮物质性的光芒、空气和白云，还有瞎了、聋了的星云的大花朵。黄泉下蓝色的花丛才是真正高深的天空，就算有了无边无际的遐想也不会落空。如果天空凝固成蓝水晶可以立足，如果手臂兰和泥土石块全然不同，也不在一个时空。手臂兰抖落掩埋它们的石块泥土，那些沉沉的重压原来如同虚设。你们得到静谧和甜美，你们的世界没有瑕疵和乌烟瘴气，过去的爱和情谊长存。走出狭窄的小砖房、水泥坑，不再游荡、诉说和哭泣，伸出手臂让蓝色的花朵再次盛开，如同烈日下腾起浓郁的花香，那是你们享有和我们无聊时的幻觉，汇成花园、建筑、河流、汪洋大海，听取波涛的合奏。

四、青春时期的虚无深渊；追问小叔叔

以上所见的事物似乎不太真实，谁也不会相信，我也不敢讲。我忘记小叔叔，忘记山坡上遇到的事。十年瞬间就平静度过，我三十三岁，住宅里乱七八糟的家具非常破旧。

傍晚，也许出于无所事事，也许是追寻想象的风光，几小时，我转了半个城，感到有点疲惫。远远看到自己客厅的灯亮了，进门看到小叔叔穿黑色衬衫，戴用嫩绿的茅草做的帽子，靠沙发看《等待》一书。他的身材、面容还是二十八岁的样子。我们的往事又重新出现。

他告诉我，冬天远行，出租车司机看不到他，他只好跳到车顶搭车，遇到风雪，把耳朵、手脚都冻坏。进城遇到一股股暖风，街树发芽，柳絮纷飞，花朵都开放了。能和他最喜欢的侄儿见面，受些苦不算什么。

“你要小心，如果太难就不要回来。”

“我还会来，除非你忘记了我。”

“我很久没想到你。”

“昨晚你梦到我。”

“做梦？好像没有……”

“最近怎样，好吗？”

“还是老样子。”

“我又要走了，见个面就行。”

“再谈谈，住几天吧？”

“不，我和你不同。我还会来的。少见面也好。”

“你们也种花朵？十年前我遇到过你。”

“你说的是手臂兰？”

“真有那样的花？”

小叔叔默默退出墙面。我开门下楼，宁静的楼房、道路，路灯光芒晕红，白兰花香气扑鼻，不见他的踪影。当我回去，小叔叔还在我家，他换上雪白的衬衫和裤子，竖直的银发如同散发着光芒。刚才他戴着嫩绿的茅草编织的帽子。他的表情安详和满足，朝我微笑。

“你怎么变了样？还要告诉我什么？”

“变了样？我刚来。我们很长时间没见面，我住天上高高的光芒里。”

我不再惊讶和询问。我说：“我仿佛生活在两个空间，一个空间中你总是清晰实在，给人安慰。在另外一个空间，我想起你就感到虚无、迷茫和伤心。我和你曾经走过的街道、公园，那些高楼和商店，那些假山池水之间，都是些和我无关的游人，我看不到你。”

他低下头。

我又说：“我有些疑问，不知能不能问？”

“什么疑问？”

“二十年前，你离去，可是直到现在我也无法确定，你死后是失去知觉，失去躯体，还是到达另外的天地？”

“你们认为我被烧成一把灰，分量很轻，吸手，一去不返。按常理，你清醒的时候遇不到我。”

“但，我面前的你是真实的，我闻到过贴在你身上的桂花的香气，我现在也能握住你不热不冷的手。”

“是吗？如果你产生幻觉，如果你在做梦。你曾经谈论你做过的梦，梦境里你不会顾忌什么是真，什么是假。”

“我还想问你。有次你走后，我独自害怕。我们从小就被告知，死后没有知觉，烧掉血液凝固的冰冷躯体，回到虚无。所有的前人都察觉到，被证明过亿万次。表面上人人都回避，或忘却。有的人说怕什么！后来发觉他们也会暗自呻吟发抖。我想知道死后到底是落入虚无，还是魂灵游走四方？”

“等一会儿，我又会向洒下光芒的高空飞去。你的疑问好像解难题，要经过长期的论证，你想立即知道，太急了。你也可以耐心等待，每个人都会知道。”

“等待！我活着的日子如何度过？如果死是身心的彻底完结，一无所有，隐隐约约的绝望会刺伤我，我不再有生死的疑虑，我也不再等待神圣者，想象无限的地方。因为，没有我，起码跟着会失去我眼前的一切。他人和我的命运一样，我们都会消失。我怕我活不满天年，像那些腿脚渐渐发硬的人去草地歪斜着倒走，练太极拳，做气功，拍打屁股，吊着树枝摇晃，因贪恋余生而打足精神。

“我会越来越无所顾虑，甚至厚颜无耻，妄想占有天下的女色、美酒、黄金、各类艺术品、天然珍宝来炫耀，来充实自己的心。我会去追求那些感人的体验，比如爱情和友谊，反而增添了更多的忧伤，紧紧相拥和互相温存却无法抵抗皱纹的蔓延和黑暗降临的鬼鬼祟祟的脚步。

“夜晚我会盘算我的愚蠢无知，缺乏勇气，良机已失。我时时伤感，我懊恼、后悔，因为我生命的每一刻都是一去不返。我诅咒人为的压迫和对生命的残害，因为我们获得生命的机会只有一次。我不屑一顾那些圣者，他们温暖蛇群，把身体献给虎豹，心里也摇晃蛇影，冲出老虎、泥头车……

“我的内心阴沉，生活百无聊赖，提不起一点精神，不想起床，麻木乏味地消磨时光。什么也骗不了我。感官的欲望和快感激起的折腾，直至丧失，或者厌倦。

“如果我知道死不是终结而是浴火重生，我就有了一线希望。我不会有任何怨言，不管人间存在多么深重的苦难，我都可以忍受。我的生命成为一首歌。那时我打量造就灵魂的必经之路，我会领会其深意，一瞬间内心舒坦，外面的景色也处处悦目。我留恋我生存的地方，但我也可以平静地放弃。我不会忧虑人的毁灭，他人离开时我也不会悲伤。

“你听我这样说，也许会明白我眼巴巴想看清什么，没有一点明确的回答，怎么办？我这么多年怎么会忽略眼前的明证，你已死去，我们多次相遇。你还是原来那么年轻。”

“我的存在有两种可能，一是我的魂灵真实地存在并和你交谈。还有，我刚才和你说过，我也许是你的幻觉，也许你正在做梦。”

“我亲近死后还有另外的生活，如果终结处真的空无，那样眼前的不可动摇的万物变得松软，水雾一样摇晃，人们的哪一种看法不都是如梦似幻的观念？与其接受呆板的观念，还不如接受可爱的观念。有时，我感到天地和生命的价值，不像沉思者顿悟的亮光，也不像推理归纳者简单的结论。我们的经历不再被自己记忆，终将无影无踪，我们的命运没有任何理由，是荒诞，是恶作剧。

“人从来没有停止猜想死后的谜底。一次我飞到另一个地方，我和他们是一团彩色的意识雾气，慢慢向天空飘去，构成晚霞盛开的花园。我们领略无数恒星和星云的花朵。以前居住过的世界渐渐被忘却，突然想到某片风景和某位朋友，有些惆怅和心酸。

“我们也许会缩小成微粒，种子撒向太空，落到星星上，等待大气和海洋的出现，等到发芽成林……也许我们会变成肉眼看不见的一道光影，用另外的方式去了解陌生的奇光异彩构建的天地。

“遥望生命的终结处，我还有更明确的意识，我们生时想象死亡的不可知的铁墙，死后敞开大门。人穿过大门，铁墙消失，站在今天无法想象的风景面前，被傍晚的蓝空注视，被彩色的云气抚慰，人沉睡，消除他们积累的过多的烦恼、劳累、痛苦和不平，最后醒来结伴向更远的地方走去。

“也许人会落入地狱的烈焰，痛苦地叫喊。不过我感到不太可能，出生的婴儿身上没有那样的印记。我们穿过人间，是一次外出，一次旅行，一次考验，经历艰难跋涉是让灵魂在虚无中出现。”

“面对死，你想象或者依靠信仰，也许那个世界的样子偶尔被你想到，或者你坚信你看到，以及领悟到的证据。你说，两种可能带给你两种生活，那你就在这两种生活中徘徊，去寻找。”

“我曾经想过，人的灵魂存在是可能的，我盼望希望从天而降，我也去寻找和等待，我生活在期待之中。

“有这样想法的人看见一朵花都会万分喜悦。我看着天空蔚蓝如洗，树叶随风嬉戏，看到星云弥漫，看到涌出情感的目光……这一切对我还是一个谜，我不能接受虚无的结论。

“同时我也享受死亡带来的最动人的感情。比如，痛苦、哀伤、忧虑和思念奏响的乐声，一刹那使我的灵魂变得干净和高贵。这样，由于生命的短暂和痛苦而感受到天地的美妙、人间的情感。另一面从万物闪现的五光十色里相信我们的未来。”

“你会有过多的矛盾、希望和绝望，大悲大喜。你会有漫长的孤独、忧伤和恐惧的时光。”

“你为什么从来不问你死后的城市和我们家庭的变迁？”

“如果我知道，说明人死后还有意识。如果我不知道，说明人死后沉睡不醒。我们面对面又相隔万里。你的话，也许进入我的耳朵，也许擦边飘过。”

“我就当你可以听到，我告诉你。”

“小心！我会突然消失。”

“还是让我说吧。你死时我才十三岁，但你现在是和三十三岁的人交谈。”

“我刚才说过，你也许在睡觉。”

他讲到这里开门离去，我追下楼去，他已不见。光秃秃的树枝上闪亮无数寒星，夜空中有一团白影飞升，那是小叔叔吗？我依稀感受到过去的经历：一团彩色的雾气在飘游。不过，小叔叔是一团飘曳的亮光。

我来了，你离去。不要为我担心，出生和活下去难道不是幸运？你走得这样匆忙，回避往日苍白扭曲的脸。你去时天空洁净深蓝，白光高飞。我的头顶是蓝天，还是你们开放的手臂兰？

五、百货楼里重遇第一位母亲

我昏昏沉沉地度过一日又一日。今天我去城市中心繁华的街道，两旁一座座大楼，下面几层用石头垒建，年代已久，表面风化，粗糙、发黑，几道深深的裂痕。雨雾迷蒙时大楼就像湿漉漉的黑色山峰。其中一座高楼，宽大台阶通向根根石头圆柱，上面的一排大门总是紧紧关闭，不知道住着谁。大楼边有些颜色鲜艳的小楼和商店，如同山脚野花盛开。

我打量古老的百货大楼，花岗岩墙壁，门面装饰简洁的椭圆形的粉红霓虹灯。玻璃转门吱吱旋转，西服整洁笔挺的顾客你来我往。我刚想跨进门，看到街道的转弯处走过面熟的女子，不禁一愣，呆呆追忆。蓝马带我到雪片缓缓飘落的院子，一圈砖瓦古屋，一排排红漆雕花窗，房间亮着黄灯，里面躺着脸色苍白、浑身冰冷的女子，她生我时难产死去。也许不能这样说，她在生下一个没有魂灵的男婴时死去，我钻进男婴空空的躯体。母亲怎么到了这里？

母亲想进百货楼，面对玻璃转门犹豫不定。她离开，走到街对面的服装店，假装看橱窗里苍白的塑料模特身穿红色、蓝色或白色的毛皮大衣，不时回头瞥一眼百货楼前的转门。

很奇怪，我总是觉得她死后变成红眼睛鬼奔跑、飞行，不断追踪我。我想，她要驱赶我离开危险的地方，最后我越飞越轻松。

她死后许多年我又看到她。平躺门板上，粉红的裙子上一大摊紫黑色血迹。一张呆滞的脸，嘴巴里塞满白饭。亲人死去的样子最令我害怕，最熟知和最可靠的面容嬗变为最不可靠、最狰狞的嘴脸。小叔叔出事后我经常梦到他的浮肿变形的脸，立即满屋花圈，吓得我浑身流汗。从此我一看到饭粒就想到死亡，饭粒类似于镜子、蜡烛、烧香的青烟。

她穿过马路走到百货楼边，又转回服装店。我走到她身边，叫了声妈妈。她不理我。大约我与她不同，她看不见我，听不到我的声音。我能进转门，她不能进去。我能够看到她，千载难逢，也许对我不利，说不定要生一场大病。

还阳不是没有可能，古书上说，如果女尸不烂，晚上溜出坟墓寻找心仪的男子频繁云雨，接触生气多了就可能复活。如果她向时间的反面走，走过断气的一刻就活了。服用仙桃、仙酒、仙丹……一定还有其他闻所未闻的机缘。

母亲变成一粒白饭粒，粘在一位男子的裤腿上，男子把她带进转门。我跟进去。顾客熙攘，母亲兴高采烈，东挑西捡琳琅满目的头饰，看不出有丝毫的顾虑和悲伤。我靠近她，叫了一声妈妈。她一颤，回身打量我。她二十来岁左右，我近四十岁，竟然叫她妈妈。我的脸发烫。她宽容地微笑，如此动人，我的心都快碎了。

她快步走向电梯，电梯带她缓缓上行，楼上白亮。我感到乘电梯是再次步入死亡。我也去乘电梯，空阔的家具商场，一套套组合家具展开一幅幅家庭尸体解剖图，我观看硅胶做的新郎新娘，险些忘掉母亲。

母亲继续乘电梯向上，我也乘电梯。杂货摊堆放根雕工艺品，粗制滥造的油画，拥挤的顾客和店员。这是到了地面？街道两边仿佛是花鸟市场，笼子里有画眉鸟、相思鸟、黄鹂鸟，还有麻雀。浅口盆子里翻滚油亮的黄色小虫。

母亲继续乘电梯上升，楼上茫茫的天空弥漫雾气，白色、金黄色，她越升越高。我也想继续乘电梯，可是找不到电梯口。有人说，这里是顶层。我知道还有一层又一层，眼睁睁看着母亲缓缓上升，一个浅绿的小点在雾气里消失。

我想仰望天空也许还能看到母亲，我立即跑回一层楼。玻璃转门吱吱、吱吱缓慢转动，我靠近就飞快旋转。出不去，急得我满头大汗。我过去进出和我刚才进来毫无阻碍，真是咄咄怪事。

带我母亲进来的男子也想出去，他从口袋里拿出红色的雏菊，叫我吹，他也吹。花瓣飞舞，我们是蜜蜂嗡嗡飞一圈，又环绕掉到地上生根、长高的花瓣飞。再一吹，我们是浑身喷香的苍蝇吱吱飞。又一吹，我们是绿身红翅蜻蜓，飞出旋转门。

大街上绿蜻蜓、红蜻蜓密密麻麻。天空高远，我飞不上去，沉甸甸地盘旋。行人熙熙攘攘地正常涌动，谁也不注意我们。我和一只蜻蜓相撞，掉落地面。我又成了人。淡蓝的天空上卷起层层橘红色的云片，云边一个小点是母亲吗？我想再看看那座百货楼，走来走去找不到。

六、魂灵分居三处：坟墓、排位和地狱；我的胡思乱想

一晃，小叔叔死了三十年。老邻居跑来告诉我："你的小叔叔的病治好了，没有任何危险，他就住在附近城市，西支弄堂深处的东厢房。"他为什么不来看我？我记得他生病后反复说，我们家里的人重感情。意思是为了情谊我们能够舍己爱人，潜在的含义是希望亲人怜悯他、帮助他……谁知最后他独自死去。我有些悔恨。我去那座城市找他，仿佛看到小叔叔走进一堆青瓦房中。我穿过又黑又暗的大杂院，遇到许多房客，脸上混合着木讷、凶狠、狡谲。我找到他的房间。一位老头告诉我，他搬走了，也没留下新地址。

我回家，第二天小叔叔来找我。他胖了，面色白里透红，说是通过体育活动来强身健体。他曾在病院一天做三次广播操，但为时已晚。他约我去划船。很久以前，我在石山城遇到他，他也带我去划船，还记得初夏时的湖光山色。山岩的刻字新涂上红色、蓝色的油漆，茂盛的绿树和人们愉快的笑容。我和小叔叔选定了船，水面灰蒙蒙。我发觉桨已开裂，要换。怒气冲冲的女服务员说："船要选大的，要选最漂亮的，这么好的船到哪里去找？快点走吧！"我一划，桨如腐草。船被一阵寒风刮到池塘中心，缓慢打转。小叔叔无声无息跳入河中，自由泳，强劲的手臂一上一下，水被他搅得发烫。我也想跳下去，一看岸上积着厚厚的白雪。他爬上岸，跨上辆自行车慢慢骑走，白衬衫一晃一晃。河水结成厚冰，船不能动，我踏着冰面追赶他，追出公园，他拐进了小弄堂。

小弄堂里的悬铃木上知了尖叫，是盛夏了。我追赶他有半年多了吗？我选近路去汽车站，天色渐渐昏暗，我走到大片黑乎乎的麦田，麦子齐腰高，我的腿沉重，迈不动，我俯身艰难地慢慢爬。过了麦田是坚硬的泥土地，突然大雪纷纷扬扬，万物白色耀眼。我被

思绪牵扯，怎么走也不会迷路。好不容易赶到地堡一样的汽车站。半夜，淡黑的雨雾流动，几盏昏黄的路灯像严峻的长老在雾气中穿行。地面坑坑洼洼积着雨水，一大群人仿佛突然蹦跳显现，围住我，七嘴八舌说他们没等到。我又连滚带爬赶到火车站，阳光强烈、酷热，只有生锈的铁轨隐藏在一丛丛长长的杂草中。满身油污的扳道工忙着拧松螺丝，我问他火车到站危险不危险？他和我耳语，拆铁轨卖钱，最后一班列车在二十年前开走。说完后他们像老鼠钻入废弃的水泥洞。

古老平房从地里一幢幢冒出，长结实。一位陌生男子偷偷拉我的衣角，我跟他走，石板路蒙蒙黄光，身后有人跟踪吗？天空一轮明月，乌黑残破的高墙，无数铁钩般的飞檐勾人心魄，鬼影站在角落，秋虫躲藏砖缝深处，叫声断断续续，颤颤抖抖，长长短短。

我跟陌生人转了许多弯，走进一栋中式旧楼。楼梯如摊开的手掌，捧着厚厚的灰尘。楼上一间房大门敞开，我见小叔叔头顶一盏昏黄的灯泡，独自坐在方桌前摆弄麻将牌，摆好了，推倒；摆好了，推倒。这情景使我想起他曾经告诉我，文化高的人必须去农场改造两年，他学的东西全都忘记。他还告诉我，生了这病也许只能活一年。我走到他的面前，看着他百无聊赖的脸。我叫他：小叔叔。他不理睬。我在边上站了一会儿，再叫他：小叔叔！他还是不理睬。定睛一看是空桌子，我坐桌前呆呆地摆弄麻将牌，摆好了，推倒；摆好了，推倒。灯灭了。

我下楼从一条街游荡到另一条街。小叔叔为什么不理睬我？是他最为困苦的时候我没有帮助他？这不奇怪，他死时才二十八岁，我现在四十三岁。过去他比我大十五岁，如今我比他大十五岁。有一天他在我的眼里会成为一个孩子，一个可怜的孩子。有一天我们会成为陌生人，再也无法沟通。我要抓紧时间和他交谈，哪怕在想象中和他交谈。

秋天的公园，我和小叔叔坐在破旧的木凳。他戴着茅草编织的帽子，面色苍白。荷塘里干枯的残枝败叶，身边草叶坚硬如发亮的尖刺，大树上不时有鲜艳的红叶、黄叶飘落，几个孩子欢笑奔跑。小叔叔又谈起气味难闻的灰蛇蜷曲沉睡，夏季生出许多扭动的小蛇；还有经常依偎他的黄鼠狼，皮毛温暖；他身边有三个蚂蚁窝，成千上万个半透明的蚂蚁卵；还有一种小虫，头是平的，就像棺材头，切切、切切尖叫。下雨时刮起寒风，房间里又冷又湿。下雪天漆黑，什么也看不见。没有人来探望他，很快谁也不知道他。

树边有位年轻男子，穿发亮的白衣，含笑看我们，他也是小叔叔？我吃惊地来回打量他们。我带两个小叔叔到水池边幽静的茶馆。刚坐定，又来了位瘦弱的小叔叔，穿身破烂的长衫，我从来没有见过这个样子的小叔叔。他犹犹豫豫在门外走了几圈才进来。他们闲聊，仿佛互相不认识。白衣眼含亮光闪闪的满足和喜悦，他说，他是一团用许多颜色组成的白光，他和许多白光人用各种颜色的光团构筑形态各异的万物，陶醉于这样的游戏永无休止。面对突然完工的山峦、树林、城堡、花园、神殿、火焰、雕像而欢呼雀跃。茅草帽还是不断抱怨他的孤寂和寒冷、酷热。长衫说他们那里一天到晚点着古老简易的油灯，房子里像风干腊肉般吊满了人。一个像狱卒的人经常拿长针扎他们的心脏，他们的手指尖开放苦涩的蓝色花瓣，没有人摘下来。我感到害怕。他们只顾讲自己的事，一刻他们全都沉默。

白衣低下头，又抬头说："怎么会这样？以后我想到你们我就会感到茫然，不知做什么好。"茅草帽和破长衫问白衣他们能不能跟他走。这时又来了一位小叔叔，他围酱紫红围巾，一脸茫然、沮丧。他说，每次回家一个月用掉的钱足够结婚的费用。他怕生病和死亡。他谈起他的女朋友，其他三位小叔叔都知道那位女子。酱紫红围巾就是以前城市里的他们。四者是四位也是一位，我不知道他们是被截然分开，还是依然相连？无法想象四者身处不同的地方又是一体。他们说，他们的胸前都有针孔。高大入云的人，从遥远的深渊般的泥塘里拔出伤残的脚，脚不会因为离开脑袋几千米就与脑袋无关。我又无法想象为什么他去天空，他去荒野，他到了光线暗淡的地下泥房，他依然留在城市中。我坐在边上不知道谈什么好。冷漠吗？有时在我忙碌的时候突然想到他，心惊，心酸。

人用什么来确定消失者有四个去处？无穷的去处？这个古老的认识，是感觉，还是想象？我体验到是感觉，你曾经住过的城市，依然有你的身影游荡，潮水般的人群和空旷的广场都会闪现你的面容。你无处不在，仔细看又隐藏。你们互不相识，可是你又是他，他又是你。随便怎么想，四者都难以平静。

七、小叔叔最后的来访；流星与烟花，女子白蓝的自杀梦幻

我七十三岁，想想比小叔叔整整大四十五岁。一位二十多岁的年轻人路过我家，他满脸尘土，淡蓝色的衬衫，米色的裤子上一圈圈酒迹、油迹，一双穿烂的牛皮运动鞋。我昏花的老眼看了他好一会儿才认出他是小叔叔，头颈上还是围着酱紫红围巾。我觉得不是他长途跋涉来找我，而是我走了很远很远的路才找到他，我走得头晕目眩，腿脚酸痛发软。我叫他小叔叔，他张嘴惊讶地看着我，满口雪白的牙齿。

“我是你侄儿。”

他摇摇头，一脸疑惑，被人要弄后的表情。

“有事找我吗？”

“我路过这里，累了，想坐一会儿。谢谢，给我一杯水吧。”

我颤巍巍倒水，唠叨："你还要走很远的路？很远……"

"有人梦到我。路也许很近。真倒霉，我不知道那个人长什么样子，走了好多冤枉路。"

"那个人是我吗？我找你走了很远，我甚至觉得我们过去相遇的日子都是幻觉。也许今天是我和你见最后一面。唉，老啦，走不远。"

"你为什么要找我？"

"你是我的小叔叔，我们之间有情感。你比我先消失，早先我想让你告诉我死后的滋味。这次我仅仅想在离开之前再看看你。"

"可是……"

"我讲一些事你就知道我是你的侄儿。"

"怎么可能，我有这么老的侄儿吗？我好像有过一个侄儿，年纪很小，我生命的最后一刻没有看到他。最后没有看到的人，我就不认识。我记得船舱里的灯光、烟雾和乱哄哄的游客，认识投江时夜色中陌生男子惊慌的脸，他是我日日夜夜回忆的唯一对象。"

"大约五十年前，我和你到广场看烟火，夜空呼啦啦绽开耀眼的五颜六色的巨大喷泉、繁星、菊花。人群拥挤，像闷热的波浪，我们摇晃漂浮，被挤散了。当我凌晨回家，你立即要带我去日夜商店买糖果，说是庆祝我安全返航。"

他疑惑地再次打量我："那是去年发生的事啊？"

"我还有你女朋友的照片，我老了也不怕说出来了，我曾经想入非非。"

"给我看，是谁？"

我拿出一张发黄的黑白照片给他看，他心神不定。"我见过她，我和你说过，只要有人想起我，我就会去看他们。有一段时间，她非常苦闷和无聊，不断地想起我。"

我和小叔叔谈论其他的事情觉得隔膜，常常觉得无话可说。我不是过去那个总是跟在他身后言听计从的小男孩，也不是面对死亡充满激情的年轻人，重复回忆那些往事也令我乏味。年轻人不愿和老年人交谈，总觉得自己走在时代的前面，而老年人还要倚老卖老，年轻人要忍受为尊老而洗耳恭听的苦。但他不知道我的精神历程和我被什么想法困扰，不知道我的内心世界和他多么遥远。我不能讲出我的精神世界早已与他无关。这样彼此会伤心，令我怀疑自己是不是说错了，难道人就这样冷酷？

既然又遇到，就无话找话把双方拉近一些。我好像装满水的桶，他的桶只有浅浅的二十八年的水，我要倒掉大半桶水，才可以找到与他交谈的话题。谈着谈着，往事出乎意料像深水浮出一朵朵睡莲，明晃晃在眼前开放。郊外的绿荫和天光，装饰霓虹灯的商店，幽深的宅院，不同的房间，一个个熟悉的面容，难忘的事情。许多往事与他无关，但是，只有遇到他才会出现，他代表了几座城市，代表了我过去一段缺乏精神内容的稀里糊涂的生活。死亡抹去了他的生命，而死亡的意识给了我与他完全不同的生命，平庸的想法和生活在死亡的意识里改变。

我有点相信，小叔叔回来和我交谈，当然，也许这些全是我的幻觉和几十年中我做过的几个梦。他早先前来时我还非常年轻，我急切地想借助他开启我对于死亡的顾虑重重的疑问，完成我的思索，追问我蜉蝣般短暂生存的意义。都是徒劳。如果说死后感觉和意识彻底消失，死只是活时的忧虑，死去不可能有死的意识，死去，死也就随之消失。但如果死后还有魂灵，活的时候也不可能知道，只有死去才能清楚。当我没有跨入死亡之门，我不可能完成死亡的思考。当我的生命即将耗尽的时候，我没有必要再去想什么死亡，与其说等待死亡，不如说死亡也变淡或离去。我再一次深切地意识到，死亡对于一个感到死亡还非常遥远的年轻生命才是重要的。

我回忆年轻时和他人谈论死亡。有个女孩内心沮丧，不愿出门，几个星期不是吃睡，就是偷偷流泪。穿白衣、戴口罩的外星人，金属的碰撞声。冰凉。难受痛苦要叫喊。一只小鸟啼哭着飞出窗外。她如果遇到黑色的人，消失于黑暗，不再回来；如果遇到黄色的人，鲜花就会绽放。她说她不想活了，不想活了。死可以抹去全部的懊恼和羞耻。任何事都会渐渐淡忘，几个月后她又开始嘻嘻哈哈，把家装饰得如同超市，自己也渐渐皮肤白嫩，体态丰满。

还有一个她，喜欢穿白底蓝花裙子。我鼓足勇气第二次去见白蓝的时候她似乎很惊讶。我问她，你知道我为什么会来？她摇摇头。我告诉她是因为死亡。她问，你是否仅仅是被美色和享乐吸引？她又说，她明白各种束缚让我们的年华白白流失。可是有限的快感能让我们看到什么和超越什么吗？还是可以暂时忘却痛苦和虚无，然后自己安慰自己没有白活。她又说，来吧，来吧，一起流着泪绝望地疯狂、疯狂，直到死掉。

我一直被死亡缠绕，一直想如果死后就是进入虚无，我一生不安和悲哀，这不是没有道理。可我为什么不去想一想热烈燃烧的生命？烈马奔跑，几乎飞起来。相爱的人紧紧相拥的激情。冲浪时穿过十几米高的呼啸的海浪。疯狂地彻夜书写。顶着暴雨前行，内心呼喊：我要热烈的生活，我要热烈的生活。独自深入风沙漫天的荒漠，失去任何安慰和得救的可能。那样的热情和疯狂中死亡显得苍白无力，似乎根本没有立足之处，似乎根本不存在。最猛烈的燃烧就是在激情中死亡，不是死亡而是生命热烈地释放光芒，生命超然地陶醉，那是生命的复活和生命的放声高歌。她一直想象和渴望那样的燃烧和死亡，就像虚无的夜空突然飞过一颗流星，一道骤然亮起又熄灭于黑暗的红光，那就是最美丽的生命，生命和虚无的黑夜有什么关系？有的人说，我吃过山珍海味，我有漂亮的老婆和聪明的子女，人间所有的福乐我都享受过，一生没有遗憾。这也完全不是那回事。

后来我见过她许多次，还是把握不了她的性格和观念。一会儿觉得她是旷野，可以看到奔跑的野兽，遥远的飞鸟和亮星；一会儿觉得她是一团火，树叶反光，小河流淌，一抹云霞都可以让火苗呼啦啦跳动，如果，她扑入想象的一团火，痛苦、煎熬，简直会要她的命；一会儿她带着贪玩、狡谲或嘲讽的笑容，打趣胡闹；一会儿又像个孩子满面委屈的泪水；一会儿是位淑女，娴静、贞洁；一会儿是绝望的反抗者，酗酒、吸烟、纵欲；一会儿又渴望厚厚的黑色古书里描绘的爱情。不过，我渐渐知道了她内心深处的期待，把想象的男子和男女之间的爱作为解救她的光芒和美景，甚至为此可以放弃生命。

可以让她燃烧的事物有许多，但那些点点滴滴的光彩和歪歪斜斜的感情并不能满足她。她等待，她独自燃烧，她扑向阳光下发出彩色光雾的冰凉的顽石，废弃的铁皮罐头，发绿发臭的水塘，瞬间凋零的桃花……她的热情无法表达或者不断受挫，终于知道那个五光十色、喧哗骚动、活蹦乱跳的世界对于她来说过于灰暗、沉闷和圆滑。什么都会令人腻味，可怕的是有一天人会失去天真和热情。人不能活得过久，像潮湿发霉的烟花存货，或者像让心生凄凉、厌倦的残花败柳。我在和她的交往中突然明白什么都太晚，有时我们嘴巴里还说着疯狂，实际上要想光彩夺目地死去却没有勇气。她的失望成了绝对的无法根治的绝望。绝望才能离开过去眷恋的浮光掠影，才会发现另外的天地。她处于展望前景暗淡又不甘心俯首就范的矛盾中，她开始接近虚无缥缈的可能性的幻想。

高楼如同菌类在荒野腐烂的枯叶中繁殖，瞬间如同丛丛光秃秃的石山代替了古老破旧的灵芝般形状的瓦房。每一套公寓都混合着油漆、杀虫剂、洗涤精、热菜油、牙膏、护肤霜的味道。一日，清冷的早晨，市民全部走上街头，然后涌向中央街。人头攒动，无比壮观的洪流往一个方向推进。队伍走到了郊外，黑压压扩散开来，青黄的麦子全被踩倒、踩平。人们把一座小山围得水泄不通。小山上有一栋黑布遮盖的建筑物，人们一个接一个往黑布上爬，又不断翻滚、滑落。黑布从高大的建筑物上脱落，摇晃，快速滑落，天突然暗下去。人们拔腿飞逃，远远望去，黑布里露出的紫色的塔形建筑物，上面一半隐藏于殷红的厚云。人们惊慌地从各自的卧室里醒来。

白蓝换上红色的长裙停留原处。小山上开满了白色的野蔷薇花，微风里淡淡的又弥漫沁人心脾的香气。清醒的人也闻到房间里丝丝芳香，不知从哪里飘来。云散去，她仰视，自言自语："紫色的塔形建筑物到底有多高？如果与地面有着永恒的距离……"她从小道往上爬，由于速度太快，野蔷薇枝条密布的尖刺扎破、划破了红色长裙和小腿。塔形建筑物的拱门中一排弯弯曲曲望不到顶的楼梯。

山边只有我的一只大眼睛或者我的一丝飘游的目光。辽阔的麦田中许多隆起的土堆。洁白的野蔷薇中耸立的紫色塔外形粗粝，好像是颠倒的通天云。高空一朵红云怎么会快速飞落。是白蓝，是自杀？她重重地摔到野蔷薇花间，白色的花瓣像一群蝴蝶惊飞，又稀稀拉拉撒了一地，鲜红色的花瓣。

我回到了城市。就好像过去刚对视过金光灿灿的落日，一个红亮金黄的圆轮子跟着我的眼睛移动；那些散发死气的灰色楼群，那些独立高楼的玻璃散发刺痛人的光线，那些奔忙的人流的各色衣衫……都有一朵红云摇晃。她的最后的形象映入了我的眼睛，我像得了无法医治的眼疾。

为什么非要让我在如此苍老的时候才想起她，想起那些无法用理论证明意义的完全是属于疯狂的激情挥霍掉的幻影般的年华？我是高空没有燃烧的流星，落到海面，迅速沉入海底，还会燃烧吗？我现在又开始激动，是否有点可笑？躯体微不足道，灵魂永远透亮，永远年轻。全都太晚啦。

我可以从两个方向看过去，回顾我消失的生命，一是站在平地往后看，那是漫长艰辛的征途；二是从上往下望，生命就像跷跷板，过去越来越长，越来越重，余生越来越短，越来越轻。心往下一荡，就升入云霄，仿佛身处万丈崖顶，往事沉落深深的谷底。

我感到自己非常沉重，不断向下坠落，落回地面，地面好似积云不能阻挡我，下面一层又一层的黑色蒙蒙的闷热的空间，摇曳着红黄相间的堆堆火光，苍白赤裸的男女，痛苦的叫喊和哭泣。蓝色的手臂兰一层层地盛开。

我突然又开始飞升，飞入无边的蓝空，还是蓝色的花丛？我的眼里的红云越来越淡，红云飞向远处，我跟着她飞升。大片明亮的小圆点和密集的碧绿的细线，我穿了过去。又看到大群银灰色的鸽子，飘摇，闪烁，飘摇，我飞了进去。鸽子变成白色的花瓣，让我眼花缭乱。我不需要上下挥动手臂也在飞升，不断越过身边无数飘落的花瓣，闻到满空干净的花香，不是从潮湿、腐烂的气息中独自走出来的花香。

过去我观察天空，除了星星外黑咕隆咚，此时天空的任何一处都是白光蒙蒙，越往高处越明亮……地面，暖洋洋的淡蓝虚空下，我舒服地摊开身体。

你离我遥远，我连想象也到达不了你的身边。我现在没有了畏惧。我生活在少年和青年时感受到的风景中，陶醉和得到温暖的安慰，在那里飘散。

第六章

蓝屋生活；我们时代的吸血鬼性情

一、多变的女子紫霞；嘴是吸盘的无体婴孩

乱头发仰卧地板，慢慢读一本书。他很少翻阅那些揭伤疤给人看脓血的书，而是喜欢想入非非的篇章，现实的愿望失去魅力，离开眼前的人事才能驱散心间的阴云。纸雪白，黑字组成错落有致的诗行。

耳边传来熟悉的柔和的声音："乱头发！"窗外，宽阔平静的园子里绿茸茸的草地大部分被踏光，露出黄白相间的粗沙。十几棵榕树，发达的根系盘根错节扭曲翻滚鼓出地面，丰满的树冠紧紧交织纠缠，垂下褐色气根好似密密麻麻的雨线飘洒。一排排粗壮的白兰花树，树身和枝叶蓬勃上窜超过五楼。

他有不同的称呼，紫霞叫他乱头发。九年了，这需要返回变淡的时光里才能听到，怎么会在身边震荡呢？当时花园里草坪丰厚，锯断枝干的低矮榕树种下不久，长叶片的白兰花树手指般粗，他经常遐想到处流浪，渴望湮没无厘头痛苦的爱，为了幻影喜悦、焦虑，彻

夜难眠。如今他常常呆坐温暖安静的家中打盹。

窗外灰蓝色的蒙蒙雨雾，他的思绪不禁飘向过去，仿佛透明，又具有色彩的空间：身影、颜色摇晃、重叠、飞散，回忆、想望、惆怅。雨点中，榕树茂盛的小巧叶子频频点头，嗒嗒啦啦，叶面发出亮光。一股草药沉闷的气息扑入房内。

“乱头发，乱头发！”榕树和住宅瞬间消失，掠过无数田野、河流，透过无数林丛、山脉、楼群，乱头发想象过的紫霞站立旷野，身后翠绿的远山起伏。紫霞跟随乱头发，衣裙淡白，灵活就像风儿忽左忽右。紫霞一会儿摇动树枝树叶，一会儿闻闻九里香，碰碰三角梅。乱头发回头观望，紫霞的脸模糊不清，片刻聚焦成像，乱头发想牢牢地捕捉，笑容忽闪。

黑气昏蒙，流动扩散，万物暗淡，模糊不清，紫霞的身影渐渐厚重。她一头浓密的褐色长发，笑嘻嘻说话，可是沉静下来，脸上出现泪痕，眼皮红肿，眼圈有黑晕。她的苍白的面容突然通红，辽阔的天空奔涌朵朵间隙狭窄的云朵，翻滚燃烧，渐渐灰暗，瞬间变成粉红、洋红、紫红和熠熠发亮的金黄。紫霞说过她不想和任何人接触，只想独自观望晚霞，可是绚丽的晚霞对于人间的得失，人心的焦虑和失望又有什么用呢？

他依稀记得去过紫霞的家。客厅中间放置一张蓝漆婴儿床，靠墙一对黑色单人沙发。几十扇打开和关上的门，门里还有门，到底有多少间房。这么多的门，不知会走出什么样的人？他感到身后有鬼魂跟随，连忙关门，靠墙坐下。一会儿，听到远处房间里的脚步声，越来越近。

紫霞直直地从黑暗的房间步入客厅，她年过三十岁，穿黑色套裙，初看上去还是老样子，高挑挺拔的身材，皮肤白皙，方正的额头到颧骨处显得更宽。乱头发初次见到紫霞就感到她的头由互相争强的两个部分组成，上半部除了眼睛外是男性，那位男子极力要探出头，下半部分才有女性小巧的鼻子、嘴唇。她的脸颊存留一抹淡淡霞光，一笑眼角就生出许多细细的皱纹和阴影。他们长达七年没联系。

过去的时日又回来了，翻过树木茂盛的山峦就是大海，乱头发与紫霞拾级而上。白茫茫的天空硕大无比，沿途几棵细长树木敞开笑容探望来客，满树嫩叶如同白花、红花，或者真的是满树白花、红花。紫霞如同小鸟在他身边蹦跳，叽叽喳喳。

看着身边的紫霞，不知真假。紫霞说，她结婚了。乱头发微笑。紫霞曾说："结婚就是锅碗瓢盆、吵架、怨恨，一个球围绕另一个球转，距离却越来越远。"她还扬脸含笑问他："我不明白，你怎么也会结婚？"他说："因为当时比你懂得少。"

紫霞不知道他人为什么盼望乘坐彩车。她觉得心灵丰富，秀丽俊美的男女应该单身，就如难以寻找的高原湖泊那样深蓝、平静和冰凉。最多湖面掠过浮云和飞鸟的影子，这也会引起一些人的妒忌。他们不能让任何人失望。

紫霞领乱头发走进漆黑的房间，打开一盏灯，黄光浓稠，外表破旧的家具蹦跳现身，墙面水迹斑斑，挂一本发黄的年历。怎么会这样？紫霞好像知道乱头发有疑问，说："新房不在这里。"她指指窗外，"新房在别处。"

窗外茫茫荒野上蒺藜和芦苇墨黑的波浪翻滚。不见城市拥挤的高楼，行人的奔涌和车辆的喧嚣。紫霞招手，乱头发走近蓝漆婴儿床。拉开被子一角，仰卧一位婴儿。婴儿的皮肤细腻光滑，脑袋特别大，额头突出，大眼眶深陷，像个怪胎。婴儿直愣愣盯住乱头发。逗逗婴儿也不笑。紫霞说，这是她的弟弟。接着把被子全拉开。婴儿睡在木制的方盒里，紫霞看婴儿，迷梦般五颜六色的反光。紫霞抱起婴儿，乱头发一惊，婴儿头颈下的衣服里空空荡荡。紫霞用小勺子不断喂牛奶泡面包给婴儿吃，婴儿的嘴好像鲜红的吸盘，吞下食物后还紧紧吸住小勺子，紫霞要用很大的劲才啪嗒拉开。食物不断从头颈里流出。

紫霞说，他没有身体，要不停地吃才能存活。乱头发问，谁能养得起？紫霞说可以重复喂手。紫霞拉住乱头发的手放到婴儿的嘴里，手被嘴吧嗒吧嗒吸了进去，手从头颈里滑出，然后再被紫霞塞进婴儿的嘴里。乱头发看看自己的手还在手腕上，也没有任何不适，婴儿吃的是幻影？乱头发摸摸婴儿的额头，硬硬的，温暖的。婴儿吃累了闭眼睡去。乱头发又看看自己的手，缩小了一半，皮肤长时间浸泡水中似的苍白皱叠，高大的他长着一只死婴的小手。婴儿的头颈里涌出一股鲜血。紫霞忙着安放好婴儿，盖上被子，轻轻塞紧被角。

紫霞表情恬静，说她的弟弟是在芦苇丛里找到的。乱头发不知道这几年紫霞经历了些什么，想些什么。掠过房前大片蒺藜、芦苇，遥远处有一座乌黑的山岭。紫霞说，山岭边一圈没有门的墙，那里隐藏着她的过去，她问乱头发想不想去看看。

乱头发跟随紫霞走，蒺藜和芦苇丛中一条荒草掩盖的小道，不时有蓝色的野鸟飞过，扑扑、扑扑。紫霞边走边说，她曾遇到过一位男子，男子来时她就会看到五彩缤纷的树林，血的洪流呼啸，冲顶，浑身发冷颤抖，大地摇晃，翻滚痛苦呻吟的浪涛。一天天过去，她想问男子，树林的景色是不是真的？男子不再出现。多少个夜晚她翻来覆去无法入睡。一日，清晨两点去敲男子的门，门是两块坟墓的石碑，吓得她满街乱跑。后来她的父亲带她去了很远的地方。

乱头发的眼睛被银白色的光芒照射，什么也看不见。原来不知不觉走到湖边。凉风扑面，水面有股淡淡的腥味。紫霞惊讶地说：“昨天还没有湖啊。你看，那座乌黑的山岭，山岭后一圈没有门的灰墙。”

乱头发观看山岭，原来是高耸的乌云，云头血红，镶嵌厚厚的金边，黑烟般向高空伸展，越来越近，电闪雷鸣。雨点一群又一群好像空降野兽。他和紫霞飘浮于寒风冷雨，如同幻影回到住房。紫霞浑身湿透，黑色套裙紧贴身上，显出略微发胖的身体轮廓，脸白得像茶花花瓣。紫霞告诉乱头发，晴天阳台上看不到的远山，阴雨天就会出现，连草木都一清二楚。

阴沉沉的低矮天空，无边的黑色蒺藜和芦苇，一座乌黑的孤峰。要去，也许两三天也走不到。从山边可以看到一圈矮小的墙，墙面不断地伸长扩大，要遮挡什么？二十多岁的紫霞想进入矮墙，摇头哭泣，长发散乱，回过头，眼珠发白，鲜红的嘴唇，嘴角淌血，闪过疯子般的傻笑。云消散，鲜绿的滔滔蒺藜和芦苇，山与墙渐渐淡如轻烟，天空是完整的大盖子。

乱头发回头，客厅里紫霞走开，门太多了，他不知道紫霞去了哪一间房。几年中他从来没有找过紫霞，期盼无意中相遇，渐渐遇到也不认识。

婴儿床扑啦扑啦，婴儿的头发分成两只翅膀，飞起如同大灰蛾子。婴儿慢悠悠飞出窗口，紧紧用嘴贴住一棵光滑的冬青树，冬青树瞬间开放几十朵红艳的茶花，暖暖的香气。天空变得漆黑，一条条火黄色的烟花蹿高，炸开，噼里啪啦一团团紫光、红光、蓝光、黄光。天一亮，婴儿掉到地面，一大摊绿色汁液，头颈里还在滴落绿色汁液。光秃秃的冬青树干枯，风吹嚓嚓啦啦，枯叶、枯枝纷纷掉落，一条灰蛇游走。婴儿像小鸟飞起，越飞越高，一颗淡白的星。白影又往下滑，婴儿飞回客厅撞到窗框，灰白的细粉飞扬。婴儿偷窥乱头发，似乎想要吸食他，他感到身体里的血管在生长、爬动，要张开口吐尽鲜血。乱头发既害怕又暗暗厌恶，怀疑婴儿是紫霞生的，这和他有什么关系？他为什么要失望？这真是没有任何理由。婴儿又飞出窗外。

紫霞说婴儿是捡来的，又是弟弟，也许是个天外来客。大灰蛾子扑扑扑飞回客厅。身体被谁扯掉？比如，被一阵恐惧或怨恨中的紫霞扯掉？婴儿掉到地上扑啦扑啦，垂死挣扎，乱头发怜悯他。

“你不喜欢他？”

乱头发点点头。

“只要有人不喜欢他，他就会死去。”

乱头发见婴儿不断颤抖，赶紧去抱他，僵硬如木头。紫霞扭头呜呜哭。

二、城市和郊野某块天地如同大脑空白；蓝屋里的新朋友

噼里啪啦，嘣！叭！嘣！叭！乱头发手里的书掉到地板上，刚才的幻想与回忆如同白日梦。窗外一股股青烟和火药味，道路上轿车披挂彩带花团，人群身穿鲜美服装。乱头发又记起与紫霞相遇的蓝屋，蓝屋最后是一片空白。窗外渐渐昏暗，可以看到粉红色长带飘飘的晚霞，浓云渐渐发黑，镶一圈金边。参加结婚的人散去，孩子还在寻找散落的鞭炮，举起小型的二十响烟花，砰——砰——团团火光飞向天空。

乱头发认识紫霞九年，失去联系也七年了。九年前乱头发过着非常平静、安逸的生活，做什么事都像午时瞌睡上来那样温暖、迷糊、慵懒。遭遇难堪的琐事情绪也不会升腾、翻卷，说一声没办法就了结。他渴望女子的温存，每年风和日丽树木嫩绿，大街上脸色红润的女子像轻云飘过，他陶醉于让人叹息的视觉美感，与她们交往的过程中觉得她们越来越沉重。有的女子像青翠的山坡被挖开，

残破处露出沙土，溪流污迹斑斑，他不再观望，自身也随之暗淡。一次他站立船头顺江而下，看到雨后云间的几块蓝空，觉得看到了最为动人的女子。他到处游荡，想望远方，又明白缺少情感激发的痛苦或喜悦，山水的容颜也会失去生气。他不间断地书写、观察、体会、探求和想象。想象只能是想象，想象尽管清亮美妙，可是走不进去。起初羡慕那些胆大狂为的蜂蝶，后来知道就那么回事。他不断酿造乏味的淡酒，怎么摆脱乏味的困境呢？不过他的冷漠与麻木不同，是由压抑和受挫的热情造成，是一柄火红的尖刀哧啦放入水中变得冰凉和坚韧，是瞬间还没有炸掉坚硬外壳的沉闷的雷管。乱头发对自身和他人都非常危险。时间流逝，依然如故，他既没爆发，也没被憋死，大约得益于他的生命的藤条每一段都能发芽吧。但是，顽强的生命处处受阻会长得奇形怪状。微弱的希望还留宿于深黑的地下室的保险箱，世界也许还会乔装打扮向他招手微笑，也许热情会再次升腾。

每一座现代化城市都差不多，密集的高楼大厦，行走其中好像穿过山丛的谷底。满眼光洁的玻璃，豪华石材装饰的商店、银行、证券交易所、饭店、酒吧、美发厅……以及匆忙的汽车和人群。哪里的居民都相似，就像不管用紫铜、钢铁、塑料做下水道，都是圆筒形的管子，飞流直下的还是相同质地的污水。这个比喻不太好，应该说他们除了要要小脾气外是一样的规范、善良和温顺。饭店大厅里食客喜气洋洋，不是吴侬软语的吴侬软语，满桌红通通的大蟹和龙虾，贝类的花纹如草叶漆画。直到深夜，街道边还摆食摊。夜总会里，下身套挂几片布头的女子手握话筒扭动肥臀，看客挤眉弄眼拍手、叫好、灌酒。清晨，傍晚街边的空地上，老人聚集转圈舞蹈，脸冒油汗，一有年轻女子路过，几个老头就招手，哦哦叫。中年人喜欢安坐电视机前，抚摩自己凸起的心满意足的肚子，他们的唯一的激情是猎钱、猎色和开导自己用钱，生命不沾满这些东西岂不是白白被糟蹋？

乱头发有次独自去郊外，走进植被茂密的山峦，爬到山顶看到不远处竟然是大片的空白，如同没画完的画或者是被撕去一半的画。也好像实在的空间不断推进，群山起伏的波浪向前奔涌，老鹰也高高飞过去，瞬间全部被抹去。他仿佛身处梦境，自己也是梦中的物品。回去与他人谈起此事，他们叫他好好休息，多和人吃吃饭、打打牌。几年后，他回想那件事好像做过一个白日梦。

最近乱头发去新的办公室，冷气冰凉，烟味浓重，七个陌生人努力完成突击性的工作——清理和审判他人的功过。主任室的半老头的一份档案材料："少年集体吃饭时给自己多分了一些（贪污）；宿舍里断电时用蜡烛做肥皂（浪费加贪污）；二十五岁的某一天和车间主任吵架（目无领导、造反）；睡觉前哼小曲（大资精神）……"那是他的班主任、车间主任等人写的评语。几个黑影过来给半老头戴上脚镣和手铐，他抬腿哗啦响，见到我说，他去体验罪犯蹲监狱的生活。当阎王把红字宗卷狠狠甩在桌上，平时得意扬扬的半老头，脸煞白，跪下。

乱头发编编宗卷继续走神，穿过往昔黑灰色的城市边缘，运河流经破烂低矮的平房，房后的梧桐树返青。落日时大片乌黑房顶，每扇窗里都有个火黄的夕阳，无数个太阳正在繁殖、燃烧和死亡。在另一个地点，她有单纯的面容，那时只有她朝你微笑，你后来吓坏了她。

七个人编写宗卷都已疲倦，停下来闲聊，张和李是亲戚，我哥哥过去是这里的主任，现在又升了……他是扫地扫出来，泡茶泡出来的官。下班我带你去新商场，商品七折，还可以积分，一千分两瓶牛奶，来世和烧香。乱头发不会评价他们说些什么，只是，如果世界仅仅是这样的一个封闭的空间，你的一生总是和这些人打交道，你的想法永远也无法与他们交流怎么办？他又想起郊外山峰前的景物有一半是空白。你希望眼前的风景和人消失吗？一位同伴叫道，下流、下流。大家抢着看，主任皱了皱眉说，这样不好。大家反常不理他。乱头发也盯住看，每个字都不放过，他认识那位现在还算年轻的女子，她交代了二十岁时与他人私通的全部细节，突然想到她非常可怜，又感到刺激，主任抢过去埋头观看，看完发火，训斥他人。

乱头发闪身，进入单人房，绿木地板、静静的绿墙、蓝色楼板，鲜黄的几件家具好像山坳里的几块菜花田。他想来想去，怎么也想不起这是什么地方。他转一圈，房间里没有门窗，很久以前他被关在封闭的房间，灰色的水泥地板，苍白的墙，好像他去爬一棵没有皮的倒挂的雪白大树。记不清楚。这次他看着鲜黄的家具就像眺望春日的田野，他想起他的年轻岁月，一件件往事。他称这里为“蓝屋”。

墙面又闪进两男一女，男子穿黑西服，女子穿青绿色套装，乱头发不认识她们。二十来岁的矮胖男子，梳分头，脸色发绿像一幅画，他说：“我们那里整天下雨，神经衰弱天气疗法。如果雨再下大些就可以上街捕鱼捉蟹捞虾。街上淌水，发亮的虾群在脚边游过。”说着，黑西装直直向墙面走，出去了。墙是虚设的？乱头发摸墙，有墙。他推墙，出不去。拿摆设用的石头敲击，墙面坚硬无比。

另一位脸消瘦，皮肤黝黑的男子皱眉：“哎，不要敲，没用。”

“为什么？”

“你还没有弄懂。”

“没弄懂？”

“也就是说对于走出去的人，没有墙；对于走不出去的人，墙是实实在在的。”

“画被撕掉一半吗？”

“你说些什么？”

乱头发坐一边听他们交谈，男子仿佛看不见乱头发，讲诉他所在的城市的风光。一位女子短发齐耳，静静听，“悬铃木吐出小小的嫩叶，好似淡绿的云雾，大街吹拂温暖的风。崭新的蓝色和金黄色的玻璃墙幕大厦，其中点缀古老的灰黑色花岗岩墙面，红色、蓝色的尖顶。商店的橱窗明净得仿佛没有玻璃。街上开阔的场地撑起把把艳丽的太阳伞，摆放了圆桌和鲜花，人们坐在那里喝饮料交谈。行人如潮，老年、中年人还穿着深色的厚重的冬衣，年轻小伙子敞开了皮夹克，里面一件像天空般干净的衬衫。妙龄女子穿上细花裙子是人海中带霞光的浪花。公园里传出群鸟的欢鸣。我心神不定，短暂平静时，感受到周围的事物和气息，一切仿佛只是一闪一闪的光，一幅一幅的画，一阵一阵的风”。

“你在读谁的散文？你遇到了谁？”

“秋风，冻红的树叶开始脱水和卷曲，天空干净、高深。”

“星星擦得明亮。”

“万物瞬间有了情意。”

男子走出墙，女子回头一笑也走出墙。乱头发继续想这是什么地方，还是想不起。他又尝试走出去，到处碰壁。蓝屋瞬间失去踪影。

办公室气氛沉闷，人们埋头书写和装订案卷。乱头发翻看案卷上面写着为什么此人不可靠和不能重用的一个个理由。他们的土地要被拿走，结果不可靠的人的叔叔邀集两百多人，拿扁担冲到一座楼前吵闹，说什么要拼命。原来可靠的人的叔叔被抓，七年以后，被没长胡子的人打死。原来可靠的人变得不可靠。

蓝屋说来就来，墙上新挂上一本挂历。十二月的一幅照片，雪山下平静的湖面。照片在变化，泛出一层蓝光、一层紫光，像个窗口，来来往往的行人走过。乱头发不知为什么有些紧张。一位女子停步向房间里张望，脸贴窗玻璃快速变化，一会儿拉长，一会儿压扁；一会儿大嘴巴，一会儿尖嘴巴。眼睛也是一会儿鼓出一会儿塌陷，突然推开窗伸出黑长的手扑过来。吓得乱头发吼叫，直冒冷汗。女子的身体被窗口卡住，又缩回去。女子渐渐平静，靠窗沿，一脸稚气，男性般的前额方方正正，女性的眼睛、鼻子、嘴巴秀气多情。乱头发招招手，交谈。乱头发讲滑稽的童话，想逗逗她玩："有人养了一群猫，三只蓝眼睛，五只黄眼睛，六只绿眼睛，有的眼睛长到尾巴上。它们的眼睛飞出去游玩，到了江边、山丛、稻田，干净的小村庄，可是它们的身体都在呼噜噜睡觉。"女子说她再也不相信童话，可是又说："这好像是真的。"她告诉乱头发，她五岁时，半夜里寻找没有回家的花猫。院子里漆黑，白色的人影晃悠悠走来，穿过她的身体。她回头看，白色的人影不见了。她怀疑白色的人影躲藏在她的身体里。她觉得自己发生了很多变化，好像身体里有两个魂灵。觉得自己应该是会飘的白影，喜欢云霞，特别是晚霞，甚至还有吸烟的念头。另一个自己迟钝、拘谨，喜欢打扮、逛商店。两个自己都可以意识到对方，都可以成为主角。

"你喜欢晚霞，我就叫你紫霞怎样？"

"可怕的名字。"

"你的意思，你过去钻到了五岁女孩的身体里。样子是她的，魂灵是你。"

"只是感觉，我有时害怕自己的想法。不过为什么我会为她的暂时退让而难受？"

"我也害怕这些想法。我现在待在蓝屋里，蓝屋是瞎想出来的，还是空白里的东西？"

"什么空白里的东西。"

"有次我爬到郊外的山上，发现前面的景色是空白的，也就是前面什么东西也没有。我现在也许在家里，也许在办公室，一下子就到了蓝屋。能否出去，由不得自己。出去也是换个空间，看不到蓝屋外面的样子。”

“你的想法比我的还要离奇，我告诉你外面正下着大雪。你的屋里暖和，我的脚冻得发疼。我不想爬窗户，我还是回家吧。”

乱头发还想问几句，紫霞消失，行人又不断从窗前经过。窗户慢慢恢复到挂历，一幅照片，雪山下平静的湖面。乱头发独自观看家具，田里，鲜黄的菜花。几年前，一日想看看街边的花朵是否开放，一惊，春天早就过去了。好几年他竟然没注意到转暖的天空，街树嫩绿、嫩红，也没有沿山路攀爬，两边野花烂漫。他懊恼，怎么会错过呢？

身披雪花的男子从墙面跳下来。乱头发想外面真的下雪了。一扇窗被风推开，雪花飘到他的脸上。乱头发走到窗口张望，大雪如厚雾把天空遮盖得严严实实。他关窗，触摸到的是那张不断变动画面的挂历。房内家具开放着丛丛鲜黄的菜花。

男子告诉乱头发，城市被大雪覆盖，他和穿红色大衣的女子越过水泥隔墙张望，江面翻腾蓝幽幽的波浪，对岸停靠几艘白色、黄色轮船，呜——高亢悠长的汽笛声。

“大雪？”

“到我们这里吧，呼啸的风裹挟铺天盖地的雪雾。你不怕迷路？”

“不怕，可是我走不出去。墙挡不住你。”

“我不知道。你和我哪个是游魂？我们长得到底什么样子？见面，看到的也许是假的。”

“稀奇古怪的想法，古怪稀奇。”

好像一堵墙倒塌，浩荡的寒风白亮，吹得满屋的物品哗啦啦响。女子头插各色羽毛，不知什么时候溜进屋，宽松的衣裙上艳丽的大花纹让人眼花缭乱。她身材矮小，大眼睛忽闪，笑眯眯看着我们，说自己是个活泼可爱的菊花妖怪。说着说着抹眼泪。

又来了几个人。画家长发、长胡子。摄影师穿紧身牛仔服，系宽皮带。画家拿出几张丰满的油画仕女图，他把画丢在地上，用鞋子蹭几下，弄得画面脏兮兮才挂墙面给大家看。众人大笑。

不多会儿大伙疲乏，松松垮垮坐沙发上交谈。乱头发看看油画，发觉斑驳的色彩与污迹浑然一体。摄影师点燃一支烟，讲他最近拍摄古墓的经历。掘开坟墓，棺材里积满了水，考古人员戴皮手套拿出铜镜。铜镜里有远古岁月的风景，非常清楚，许多人脸来来去去。这次他携带一个细碎蓝花瓷瓶。摄影师起身把花瓶放到方桌，一只羽毛丰满的红鸟？

大家悄悄退出墙壁，不辞而别。乱头发独自打扫地面。咳、咳。乱头发回头见一位娇小的女子想引起他注意。女子身穿淡蓝色的裙子，神态端庄和文静。此时女子显示出深藏的天性。

乱头发觉得自己有些油腔滑调："你好，蓝色花。"

女子说："你也不错呀。"

"你怎么知道我不错？"女子不吱声。乱头发又说："蓝色花大地上难得一见。"

"所以我很特别。"

"最后的美？"

"我想，我才刚刚开始。"

"我说是世界上最后的美。"

"最后的美？"

"人的隐痛，什么都不可能长存。"

"开心点吧。"

"好吧，天天傻呵呵。"

“笑呵呵。”

“打快乐针，割掉脑垂体。”

“这个手术可不太容易，不过碰上我可另当别论。”

“不远的将来，每人都会享受到。”

“现在就可以。”

“你是什么人？”

“蓝色的花，种植白色的花。”

乱头发想起一次与德高望重的老者争论。老者坚持认为感觉到什么就是什么，快乐与痛苦和处境没有关系。乱头发说，如果发明了快乐素针剂，痛苦是不是就真的消失了？他的眼前出现一群人面对血淋淋的车祸哈哈大笑。他以为说服了老者。老者还是不断地摇头，不停地辩解：不用分析，感觉好就是好，感觉好就没有痛苦。乱头发说，那是自欺。老者说，不要下什么结论。温暖快乐的朋友聚会滋生出敌意。他们下楼告别时，呼啸的北风寒彻入骨，仿佛要把满街的人吹得冰凉，蜷缩，跟随枯叶翻卷。他第一次发现弯腰收紧身体的老者瘦小得像弯曲的枯叶。他想热情些，含笑注视老者。老者面无表情，手也不挥，坚定地转身离去。什么样的痛苦和恐怖让老者不敢正视真实？是丧妻，还是自己可怕的疾病？还是乱头发的想法错了？公园里的大妈大爹整天笑眯眯或者舞枪弄棒，穿白色、红色的灯笼裤，走路矫健豪迈，盛气凌人。他们在树林里大声唱歌，不断培植和陶醉于自己的好感觉，哪怕是吃一块松软香甜的点心，看一盆杜鹃的紫花。往事如梦幻，隐藏一件件伤心可怕的事，消失吧。唉，无法想象他们遍体鳞伤，甚至内心还在焦虑、后怕，却显得心花怒放咧嘴大笑。不断盘腿入静，万物嬗变的层出不穷的痛苦与混乱的无数恶浪自生自灭。

“不，我不知道割掉脑垂体可怕，还是不割掉可怕。”

“让他们清醒时选择。只不过是一片花瓣凋落。”

“如果选择错了呢？不谈啦，不谈啦。我知道大地上缺少蓝色花就出现了美。”

“到处都是蓝色花那会更美。”

“失去了忧伤和凄楚的美。”

“残酷的美。”

“到处都是吼叫的白色花、红色花、黄色花。笑啊，笑啊，灭绝了从悲哀中升起的蓝色花。想象未来找你的人会排长队，还是他们躲藏在家里发抖？”

“如果他们太疼了，要不要止住？”

“原来人们再也无法忍受痛苦。”

“没有这样严重吧。”

“不要消除，要清醒、等待和期盼。”

“我什么都盼望，蓝色花，白色花，红色花。”

“那当然，也许更想得到人人期盼的好运。不过真正触动我们的不是物品，而是，某个雨夜，某次邂逅，某次出轨，某个人的死去。”

“雨夜？不错，我也喜欢。”

“因为夜色雨声以及散发花香的凉气使人陷入回忆、幻觉。”

“偶尔做一下梦也不错。”

“我的想入非非。”

“唉，各种各样。你经常在这里吧？有机会我领你去摘花瓣，制造名贵的香水。”

乱头发想念这位女子，她不再出现。

夜已深，乱头发睡意全无，此时空荡荡的蓝屋很宁静，那些游魂般的客人的音容笑貌还在摇晃。回想大街上的人流，他常常想走近他们，永远也不可能。亲切的交流，他曾经渴望到痛苦，又恐惧，经历过那么多的障碍、苦恼和难堪。蓝屋温暖，乱头发仰卧沙发想着想着舒舒服服地入睡。他梦到窗户自动打开，飞进来许多人。每个人都牵着个动物，有骆驼、猿猴、毛驴、狗熊、孔雀、长毛狗、绵羊、箭猪，散发一股股骚臭。蓝屋里搭建了舞台，各种动物人模狗样用两条腿站立走路跳舞。没有音乐伴奏和指挥，动物跳得乱七八糟。孔雀开屏转过屁股，猿猴挤奶，骆驼摇晃吐口水，长毛狗蹦跳咬掉身上的毛……然后都钻进红色的粗管道，又从管道的另一头尖叫着滑落。雄孔雀跳到雌孔雀的背上，猿猴和长毛狗交配，咯咯咯，吱吱吱。人们聚集交谈，乱头发迎过去，吃惊地看到那些男男女女衣着不同，但都长着一模一样的脸，张大相同的急切抒情的眼睛。他感到厌恶，根本不想理他们。他无精打采地随手打开一张报纸消磨时间。凶杀、自杀、强奸、拐骗、火灾、爆炸事件、明星绯闻、醋熘小品、白糖小情调、手机降价、美女写真、市长包二奶……

他看到大河，水流湍急、腥臭。一些男女涂脂抹粉打扮得像傍晚公园里拉客的野鸡、野鸭，几个强壮的水手用几米长的电脑键盘，撑一条条船把一群群人渡向霞光初生的彼岸。满船的人腿上都放置电脑键盘、手机，噼里啪啦敲打，无声无息触摸，天空不断冒出印刷体黑字，赤裸的女人发情时皱眉咧嘴，汽车图案，彩色动画，吹喇叭的乐队。乱头发领了一个电脑键盘也上了船，一边敲打键盘，一边看天空出现什么。乌黑的云霞，一道红色的闪电在暗淡的云霞中翻腾；脱掉一件件衣服的女人，白嫩的皮肤，腿高抬、叉开；群山间的古道、马队和远处的雪峰。船踩着波浪摇晃起伏前行，对岸灰蒙蒙，还是快速敲打键盘，各地的风光景物和动画、游戏纷纷在天空划过。船到了河当中，天阔云低，风急浪涌，粗糙如沙的风打磨耳朵，撞击胸膛，波浪吞吐江面的一轮殷红的夕阳。船猛地摇晃，乘客全部摔倒，紧接着又是两座巨浪，乘客号叫，船被掀翻。

乱头发回到一股烟味的沉闷办公室，又要和隐藏于厚厚外壳。跑出来与他不一路的人应对。蓝屋不在眼前，他希望进入蓝屋不再回返，可是这由不得他。对于乱头发的命运来说，牢固的空间也会瞬间消失，离开时会有什么样的滋味在心头？单一的欲望，汇合成欲望的人海人潮。翻看那些荒唐不经的人事档案，悲哀和好笑。如果动物学家像这些书写宗卷的人一样观察蚂蚁会怎样？一只蚂蚁发现了半死的毛虫，急忙跑回蚂蚁窝向大家汇报，他应该先偷偷告诉某个伙伴，然后在众蚂蚁面前互相推让说是对方发现的。这还不行，应该是众蚂蚁共同发现的。一只工蚁用触角碰了一下蚁皇，这不是诱惑雄蚁的老婆吗？要确认这只工蚁的生殖器官是否彻底萎缩，或者萎缩了的生殖器官是否还会分泌微量的雄性激素而导致邪念。两大群蚂蚁厮杀，一只蚂蚁失误咬了一口快死的同伙，不道德！蚂蚁学家越看越气。如果他善良，他会建立自己的目标，献身于改变蚂蚁精神品质的百年大计。不要恨铁不成钢呀，这样他会把犯错误的蚂蚁放进瓶子，拿回实验室先摘掉屁股，再拔光腿，切下头，或者当场在蚁窝上浇一壶开水。一生可怜、忙碌、艰难的蚂蚁不知道大难临头，不知道谁给了它们这样的习性，更不知道自己怎么会改来改去改不掉。有人说，下班啦！主任掂掂乱头发编辑的宗卷，眼神透出疑问，又忍住怒火，转身出门。

乌蓝的天空下街头昏暗，乱头发骑车，跟着黑色的自行车车流，漂浮茂盛水草的平静河面翻腾一朵绿浪，哗啦和砰砰响，乱头发的心也跟着跌落地面啪嗒有声。一位中年女子摔倒了，疼得呻吟，艰难地爬起。他与众人默默环绕中年女子转圈，像广场一样大的圆圈，中年女子坐在中心呻吟。沉默的旋涡缓慢旋转，乱头发的车子滑过，走远了，后面黑压压的人骑车依然围绕伤痛的女子旋转。很久以前，寒冷的秋日在陌生的城市，下起大雨。乱头发挤在公共汽车里，汽车到站了，大群人蜂拥而上，一位虚胖的中年女子，一次次靠近汽车门，一次次被浑身蛮力的人们推开、挤到边上、扯下来，她仰起灰白绝望的脸，满脸雨水。他们也不知道什么大祸将要临头。改变他们？给蚂蚁窝前放个馒头吧。

蓝屋好久没出现，他缺少聚会交谈的朋友，日子像过去一样重复和无聊。他感到无所事事，早晨不想起床。咚咚的敲门声，开门，一位红衣男子有点面熟。他请乱头发去看雪。红衣说他发现了蓝屋，问他想不想去。乱头发问是不是朋友聚会。红衣说他也不知道。他们步行前去。乱头发很久没有悠闲逛街，寒冷的细雨不断触摸脸庞让皮肤渐渐适应，发热。满街朦朦胧胧的彩色行人。

乱头发问："真的能找到蓝屋？"

"我也半年没有去，昨天傍晚，在街角出现。我说过你不明白，所以你走不出墙面。"

"记得，我不知道蓝屋的外形。如果蓝屋在我的面前，我也不认识。"

"只要你看到外形，你就知道怎么进出。"

"是这样，我很喜欢那里的人。"

"我们的样子是被他人想象出来的，我们像灵魂在说话。"

"想象出来的，难怪你谁都认识。"

"不，我住你家附近，经常看到你。"

道路弯弯曲曲，他们走了很久，走进行人稀少的街区，白色的雨雾里看不清高楼，碧绿茂密的街树也像云雾。铁丝网圈内好几块空旷的绿色网球场地，身穿白色短裙的少女冒雨跳跃挥臂拍打网球。乱头发觉得自己有点荒唐，不去追求实实在在的乐趣，却跟着来路不明的红衣寻找什么蓝屋。他们穿过地下通道，靠近郊外。面前一座小山，山半腰有排临时搭建的工棚。红衣带他从小道往上走。乱头发说，原来蓝屋是工棚。红衣说，不是，他去问问路。工棚里静悄悄不见人。他们继续往前走，密集的野竹间的小道长满杂草，散发出肮脏难闻的气味。红衣说，这条路怎么很久没人走了？乱头发说，回去吧。红衣说，他记得走下去天地越来越开阔，一条破损的砖砌古道，一路群山起伏。古道尽头，沿小路绕过几座山就可以看到菜花田前的蓝屋。红衣又说他熟悉，他喜欢这条路。他们走下去，野竹子把路封住，接着找不到路。雨雾更为浓重，竹叶沾满了水，他们继续往前穿行，浑身湿透，冷得打战。回去吧，一样艰难。他们拨开竹枝走。一堵高高的水泥围墙挡在面前，只有一条排污水的水泥深沟通向远处。他们好不容易滑到沟底，哗啦哗啦蹚着冰凉发臭的污水和泥浆，到处是塑料瓶、塑料袋，还有脱毛的死老鼠。红衣喃喃自言自语，前些日子他还来过，不是这样的，以及这条路非常美妙等等。乱头发明白这块地被什么度假村圈占。按道理，起初看到路上杂草、野竹丛生就不该下来，可是美好的记忆让人想望着过去的时日重现。深沟的一面是围墙，一面是难以穿过的草丛树林。深沟脏是脏，但水浅地硬，走起来顺当。一会儿，他们爬出深沟，走过乡村公路，在小河洗干净腿脚。白色的雨雾低低贴靠一块块嫩绿的麦田和鲜黄的菜花田。一条弯曲的似有非有的分界线，分界线外是空白的，什么也没有。红衣说他看到了蓝屋，带乱头发走到一片菜花田前。菜花田一大半是空白。乱头发把手伸进空白，手立即消失。他用另外的一只手去摸空白中的手，摸不到。两只手互相摸，怎么也碰不到一起。他急忙把手抽出来，手还在。

红衣说："你走到菜花田的另一头，就可以走进蓝屋。你知道蓝屋的外形，你也可以走出来。"

"但愿里面不是万丈深渊。今天蓝屋里有什么人？"

"你想见的人和想见你的人。"

“我知道，我总是尝试走过我想象的经历，那些经历都很简单，又神奇又美妙。”

他们走进蓝屋，立即如幻似影，红衣人穿黑西装，长脸变成圆脸。没有镜子，乱头发不知自己是什么样子，不过，太阳帽不翼而飞，柔软的卷发变成短短硬硬的直发。他们说话好像发出的是陌生人的声音。红衣没打招呼走出墙。

乱头发又到了蓝屋，尽管这个蓝屋与过去的蓝屋只不过有点相似，他还是非常高兴。乱头发吓了一跳，蓝屋的黑色沙发上坐着位男子和红衣长得一模一样。

男子看到他起身问：“你怎么进来的？我逛街时突然就到了这里，我的妻子一定还在等我。我怎么出去？”

“有人带我来，我可以出去。过去，我也不能随便进出。”

“哦。黑屋的位置在什么地方？”

“黑屋？这里的家具真黑。郊外的一块菜花田大半是空白的，如同虚空。”

“我住的城市河里还结着厚厚的冰。这里的家具很像河边漆黑的树。你是不是认为构建黑屋，心理多少有些阴暗？”

“任何东西初一见到都会感到不可思议，以后习以为常也就理所当然。”

“我想回去，要等待。”

乱头发走出墙，这里是城市最热闹的区域，穿过两条街就到家。

三、现实与蓝屋；她：沉重的和轻飘飘的；蓝屋里萌发的单相思

乱头发换了办公室，整天爬上大厦的天顶，往长长的红布条幅贴上白字或黄字，有时也用排笔写。主题有：三围粗细、情话绵绵、

深度测评、神奇窥视、香水摇头、流花世界风、搞上队友的老婆、躺着中枪、双色球头奖、明星走光、高人指点、事件大逆转、吃空饷符合国情、先失身再失心、养猪被调侃、美胸尤物也邋遢、哮喘祖传秘方、电影名导超生上户口、收钱通道、我的火锅我做主……然后从窗口噗啦抛下，横空出世。等到人群游动于透明发亮的半空围观条幅，目不转睛或挤眉弄眼，乱头发也从窗户游出去观看，然后编造小品文抛给人群。时间不知不觉就这样消逝，又是漫天红光，暗云朵朵。乱头发的各种运气不错，又觉得无聊、无奈，愚蠢透顶。深夜，总是把自己关入书房，静静回忆往事或沉思冥想。巨大的空间，万物和人的命运由谁设计？为什么会有？人未出现时，万物在漫长的时间里编织自己的花环和骷髅。人的清亮的心灵，没有迷失于观念的浓云密雾，那是借助肉身体验到的唯一不随肉身而衰老的光芒，滋润生命的清香、风景和音乐。肉身的毁坏能否把心灵也黑掉？还是心灵就是我们的灵魂，瞬间摆脱了肉身和实在的空间、物体，自由自在地飘飞。为什么要摆脱肉身和我们生活过的世界，就像暴发户抛弃穷兄弟丑姐妹？

乱头发跟随红衣自由出入黑屋后，还是不断回到熟悉的蓝屋，依然是想出去时无法出去，不想离开却突然离开。他和蓝屋里的人，一起喝茶，谈心事。他时而觉得街树和建筑群让人依恋，时而又觉得人们越来越麻木和无聊。他喜欢蓝屋。

朋友约乱头发去海边，他离开吵吵闹闹的同伙，独自远眺才会融入风景失去自我，感受到幸福和感伤的乐声缭绕。秋日起伏的山丘上草木依然青绿，但显得干瘦锋利。两山之间一片洁净的白色沙滩，前方深蓝的海面起伏翻腾，温暖浩荡的海风吹得人轻摇脑袋。走到海边，见海面摇晃，开阔的海浪一浪接一浪扑向沙滩，阵阵轰鸣声里雪白耀眼的浪花。三艘乘坐游人的皮艇一会儿被浪高高托起，一会儿又随退缩的波浪滑回海中，怎么也靠不上岸。

傍晚，乱头发遥望一丝流云，不知不觉进入了蓝屋。起初觉得陌生，原来家具变成白色。乱头发刚坐下墙面就走出一位女子，她的身体挺拔，穿黄色绸衣绸裤，头微微低垂。

“你好。”

女子一颤，惊醒。抬起头，眼神茫然。

“你好像在想什么？”

“大团白云升腾到半空。”

“我也看到过，你从什么地方来？”

“你不知道吗？身体非常沉重，受到严格限制和看管。沉重的她在三千公里外的卧室里沉睡，眼前我是轻飘飘的她与你交往。”

“你是轻飘飘的她？我们真的有许多个吗？各种各样形式的一组又一组。比如有魂灵，在非常强烈的感情或惊吓中可以离开身体，然后随意游荡。有时回来与原来的身体重合，有时回来尸骨朽烂。这样远的路，过来不容易吧？”

“不是比喻，是真实的，你不是这样吗？我瞬间就到这里。当然，有时也非常缓慢。迷失了方向，内心懊恼，独自回去。”

“沉重的她是怎样的一个人？”

“每天早晨匆匆上班，劳累，缺少自由和悠闲的时间。只有傍晚坐车回家，她从窗口望着渐渐暗下去的街景、天色和亮起的街灯，一路想些愉快的事情，化为半个轻飘飘的她的我。”

“我好像看到她，天空墨绿，霞光辉映，染红缓慢流动的人群。路灯忽闪，放射出白光，凉风习习吹来，街树的黑影不断向后退去，女子苍白的面容浮现难以觉察的朦胧微笑。你看不到她。”

“我是看不到她，可是她仿佛就在眼前，清清楚楚。”

“你想象的一定是优美的女子。她一定会报答你。”

女子面红耳赤，连忙闪出墙。乱头发跟随她，重重撞到墙面，鼻子酸痛，眼睛模糊。

“哈哈哈，嘻嘻，嘻嘻。”乱头发回头看是紫霞。紫霞说她约了许多人。紫霞与几位男孩、女孩边喝饮料边叽叽喳喳争吵。乱头发走到角落安安静静等待其他人。

紫霞皱眉走来说：“怎么不理我？”

乱头发：“想休息。”

紫霞说：“你累了，唉，又不能让你靠着我。”

人们渴望亲近，可是又要掩盖，绕大圈子，甚至向相反的路走。他与女人接触很少，想象头靠紫霞，脸热、心脏加速蹦跳。

紫霞说：“我的朋友告诉我，远处沉重的她也非常想见你，她凭借我的朋友依稀感觉到了你。想和你见面的期望牵引她走到街头，突然想到不知道你的住处，也不认识你。只好自嘲一番。”

“那我去找她，她经常路过什么地方？我不会打招呼，只想看看她的样子，她生活的环境。”

“为什么不招呼她？我的朋友也不清楚她常去什么地方。她醒来的时候，我的朋友就偷偷隐藏。”

乱头发想象那位女子仿佛与挺拔的翠竹对答，翠竹后的蓝天渐渐转红。情感又被换醒，心微微收紧。乱头发问：“我听你们说沉重的她和轻飘飘的她。我现在还不明白是什么意思。”

“我知道一些，蓝屋外面的人的体重一百多斤左右到两百多斤，里面隐藏心灵。他们用许多线放风筝般把我们放出去，轻飘飘的我们就到了蓝屋。更确切地说，他们不再用一根根线牵动轻飘飘的我们，我们之间有一拉就断的细丝相连。”

“你的意思，蓝屋里的我们是他们的魂灵。”

“很像吧。是不是能称为渐渐漂白的他们，称为真实的他们或者放肆的他们？他们看到我们流露出赞赏、友好的神情，当然还有其他的情况。”

“还有？头都昏了。”

“应该是蓝屋里的我们，用一根根线在操纵着蓝屋外沉重的他们。他们反而是虚假的。”

“我现在身体是沉重的，蓝屋外的他也是沉重的。”

“我告诉你的是我的想象，有些事无法想象。”

“你说过你幼时，黑夜里白影钻进你的身体，你说话的口气越来越像阅历丰富的人。”

“不要吓我。我自己都很少相信那些。说起我五岁时的经历，确认自己有一对魂魄，是迷乱的感觉中的清晰的意识，还是清晰的感觉中的迷乱的意识？”

“好像有点道理。我沉重、暗淡、有限。一时又觉得自己是悠悠轻风。”

“人又是烟火。”

“为什么是烟火？”

“我们期盼激情、高飞，无比灿烂，又总是在痛苦中迸发，在耀眼的光芒里毁灭。”

蓝屋里都是屋外人的幻影？乱头发知道眼前的紫霞的模样、声音和沉重的她不同，乔装打扮的形象倾诉着内心的真实。屋外的她仿佛也来了，白色绸衣，挺拔，腰肢灵活。乱头发笑了笑：“我们的交谈好像是为了死去做好准备。”

“什么乱七八糟的想法？”

“据说魂灵都是一样的清亮，也就是说，富贵贫贱、年龄大小和身体的丑美全都无足轻重。”

“我问你，你想和轻飘飘的我交往，还是与沉重的她在异乡见面？”

“希望和她见面？”

紫霞低头想了想：“她在三千里之外。”

“我分不清幻想与真实。团团飞舞的具有意识的光雾，缓慢凝结成万物，天文台遇到女孩霞。霞来了吗？你很像她。”

“我就是我。我想那是你的梦。时间久了就觉得好像真有那么回事。”

“如果那是真的呢？”

“你又让我害怕。”

“唉，”乱头发自言自语，“无数个空间，有无数个他乡？”

蓝屋里弥漫青烟，叽叽喳喳争吵的年轻人抬头吐烟圈，斜眼藐视一切。他们起身催紫霞走。乱头发离开了蓝屋，或者说蓝屋瞬间被风吹散，海边的天空乌蓝，山脉黑色沉沉。

乱头发回到城里到处搜寻蓝屋的痕迹。寻找，生活中的非常灵验的方法已失效，要回到或离开蓝屋，就是没有任何征兆的突然就在，又突然不在。

乱头发觉得霞和紫霞是同一个人，雾气空间的霞又出现了。紫霞五岁时夜里遇到白影，白影又是谁？白影支配着紫霞，白影是霞？她总是说自己是轻飘飘的我，那个沉重的“我”又是谁？还有，是否由于自己离开黑脸医生的楼房比霞早，他的岁数要比紫霞大许多。乱头发向窗外望去，天空洁净妩媚，晨光下树木冒出了一层嫩叶生机勃勃。他的生命就像喝了醇香的酒，身体里有暖流，心里喜悦，口出狂言。完全不同的空间就这样结合，可疑的事物要把坚实牢固、可以把握的世界融化掉，融化成飞云。

乱头发又开始走神。过去，深夜里他独自看书，书写得越好越让他伤心。作者是怎样的孤独和艰难？一个人偶尔走进沙漠，好书告诉他往东面走会遇到树林和清泉。一位爬不出泥塘的人，告诉他树林和清泉没有意义。泥塘里的人被折磨得筋疲力尽，挣扎着把鼻孔伸出烂泥吸灰霾。泥塘外的人俯视嘲笑他们，不会给他们提供《泥塘快乐书》。

雨点敲打窗户，书里的人不管什么泥塘不泥塘，飘出来和他见面，告诉他什么才是生活和优美，引诱他频频向夜色沉沉的窗外张望。

黎明前乱头发又一次身处蓝屋。紫霞进进出出。乱头发想问有什么事情。很久，紫霞才安定下来，说她在等一个人，约好了却没有来。乱头发讲了些刚刚发生的事，紫霞心不在焉，只是谈自己，她喜欢黑暗，她幼时生过很重的病，恍惚到了奔流的河边。她不断做奇奇怪怪的梦，一次到城市中心，老太太领她走，在住宅楼密集的小区迷路，走不出去。她的父母黑影厚重，她的父亲不负责任，父母声嘶力竭对喊。她可怜无用的母亲。她爱看书，又逃避书的霉菌。早晨她快要醒来，一个人影跳到她的身上，压得她透不过气，她一动就落入万丈深渊。街上的男人在身后偷偷看她。这里到底是不是蓝屋？眼前的紫霞到底是紫霞的幻影，还是紫霞本身？紫霞越来越像蓝屋外面的普通人。

紫霞继续说，她和她的十几位朋友都要飞走，起初约好到高山墨色树林聚会。街上紫霞白色的身影摇晃着走来，乱头发也是轻飘飘的白影，他们随风飘起，飘到九十几层的楼顶，俯视楼群。紫霞的朋友是红的、黄的、绿的大鸟，乱头发看到鸟群呼啦啦惊飞，飞远。

紫霞说，她一个人飞。

乱头发说："飞到什么地方？"

"飞，你不会？我会。下雨时飞，难受。我离家很远。"

乱头发听不明白，紫霞的表情让人不寒而栗。

紫霞说："这扇窗户好久没有拉开。"

"什么窗户？对对对，就是那本墙上的挂历，我们在那里认识。"

"不是挂历，是窗户。"

紫霞走上前推开挂历，窗外乌黑，噼里啪啦闪烁彩光，又放烟花了。巨大的夜空，微小的光团呼啸着飞向高空，停顿片刻突然爆炸，绿色、蓝色、红色、黄色的喷泉雨线般垂下，繁星般的光点明灭，窗户和他们的脸彩光闪烁。

四、地下钓鱼池有人鱼；与紫霞打通虚拟电话；海景和激情

紫霞走时留给乱头发一个笨重的黑色电话筒，她念46957……乱头发说自己的记忆差，记不住。紫霞非要他记住，乱头发说蓝屋的电话打不通。紫霞说把电话筒拿出去。然后，她把电话号码慢慢念了五遍469-576-787。乱头发嘿嘿憨笑，跟着念了五遍。

紫霞走出墙。蓝屋和黑色电话筒瞬间不见踪影，身边高楼林立，汽车流动。他办了许多杂事，回家满街灯光。睡觉前，乱头发想起紫霞留下的电话号码，试试看能否打通，这样的想法是不是太荒唐？

乱头发独自一人感到无聊，晚上到处闲逛，无目标地游荡，期待遇到熟人交谈。明亮的商店前挽臂的恋人、结伙的少年，他曾经也是个少年。想不出哪个人值得一见，他像音乐缓缓前行。

地下室的门口挂黄色鱼和绿荷叶霓虹灯，两个红色行书大字：钓鱼。他沿水泥台阶往下走，转两个弯来到未加装饰的大厅，四盏白灯下一个二十平方米的水泥池，里面放养红鲤鱼、带花纹的黑鱼、小鲫鱼、修长的草鱼、四五只青甲鱼。老板圆脑袋，黑色的额头、脸皮油乎乎，一副玩世不恭的嘴脸。墙上贴着《钓鱼守则》："本钓鱼协会以爱鱼为宗旨，钓鱼就是爱鱼。爱鱼的全部，鱼鳞，脑髓，鱼泡泡……杀掉，吞咽，鱼水之欢。”

他付了二十元钱，领了小竹条似的鱼竿去钓鱼。透明的尼龙线很细，绑着大鱼钩。不用鱼饵，让鱼钩沉入水池，握竹竿甩来甩去，如钩住鱼，拉近池边，用手抓到池外就算顾客的斩获。他往黑乎乎的鱼群处甩鱼钩，飘起几条血丝。鱼钩是鲜红的嘴巴，血丝被嘴巴吸进去。嘴巴像吸盘，灵活地游，贴到肥胖的鱼身，不一会儿，池水发红，一股腥味，漂浮着几只甲鱼，头颈僵直，皮色苍白干瘪。

钓到一条大鱼，慢慢拉到池边，鱼身猛然扭动，线就断了。一条条大鱼啪啦啪啦跳出水面，鱼嘴露出黄色的锋利尖牙，似乎要咬他。他害怕。鱼的尾巴来回划水，鱼竖立好像走路。鱼长着和人一样的大眼睛，能够表达许多情感的眼睛。眼角流淌鲜血，可怜巴巴望着他，望得他非常难受、懊恼和悔恨。他把鱼身上的钩子拔掉，跟着五条竖起来的鱼走出地下室，看到霓虹灯通明的不夜城。五条鱼梳妆打扮，五位时髦的女郎，滑进起伏的黑色人流。

乱头发晃荡半天才晚上八点，这个城市的昼夜越来越让他觉得无聊和腻味，他还要观望一百个、一万个相同的续集。街头，一位年轻人用单调的节奏反复喊：“‘上级’录像啦！狂情爆笑啦！”他买了一张票。画面流动，带他去遥远的地方。无边的龟裂土地，女子挟孩子逃荒，偷偷爬进火车货厢。冬瓜头压车员翻过麻袋，脸笑得挤作一团，步步逼近女子，女子尖叫。他离开，回到了街上。如果是两情相悦，两性陶醉，甚至是交易时觉得公平……街上行走的女子不会像录像中的女子轻易把笑容抛洒给观众，录像中的女子不会暴露缺陷，让人潜入最深的爱情里沉溺。

不要明白她们的观念、期望和你是否相同，皮肤光滑柔软，以及面容漂亮这还不够吗？夜晚温暖的风，温暖的海水，伸臂向海的深处滑去，他和一位女子像两条鱼，蒙蒙碧绿色，哐咚咔嚓声。女子一边游，一边用多情的眼睛看他。

乱头发和女子在环绕他们的大网里游泳，鲨鱼进不来。乱头发好几次想拥抱她，女子也好几次游到他的身边朝他微笑。不知为什么两个人一个在玻璃瓶内，一个在玻璃瓶外。他们游出网，游到海边。沙滩搁着条旧木船，他们爬上甲板。白云轻淡，太阳火辣辣，海水翠绿，他们又跳入清凉的海，游来游去。女子和乱头发往回走，路上女子说，这样的机会难得，可是她没有满足乱头发，她很后悔。女子转身，捏了捏乱头发。乱头发感恩不尽，说不怪她，怕别人看见。女子笑笑，眼睛说道：怕人看见？女子回到海边，一条大鱼跳到海里。乱头发也跳到海里。乱头发忽然明白为什么他们相识十几年一再错过时机，他们希望接近，可是又感到乏味而若即若离。哪怕身处不见人迹的大海也不会亲密依偎。女子总是说感到遗憾，不知道他们根本就不是一路人。乱头发情愿远远观望陌生的女子，去想象一位子虚乌有的女子。

秋天，几日寒风冷雨，万物渐渐深沉。乱头发独自在房间，雨越下越大，隐藏窗外的树木、楼房。雨水顺窗流淌，房间既静谧温暖又让乱头发难忍孤独。雨停后，风不停地哐啷哐啷哐啷摇窗。风一会儿就把室外湿润的墙壁、房顶和街树吹干，到处白乎乎好像身披一层虚无。城里没人可以交谈，也没任何事值得去做。找不到互相温存慰藉的对象：所有感伤都揉入想象的女人的身体，渐渐忘记一切，突然极乐的欢呼越升越高，冲出去，无限的空间，滑落，滑落，不要再回来，不要再回来。

乱头发洗好脚，蜷缩，伸展在渐渐暖和的被窝，想起紫霞，看到紫霞的身影和笑容。他惆怅，如果真有紫霞，他不知道她的相貌，也不知她住的地方。又想起紫霞要他打电话，摇摇头。不过为什么不试一试，疯了……拿起电话，胡乱拨个号码，随便遇到什么人，随便他人讲什么，哪怕被人骂几声也好。嘟嘟、嘟嘟忙音，没有声音，嘟嘟、嘟嘟忙音。再拨紫霞的电话。遥远的电话铃声，真有九位数的电话。

女声像唱歌："喂，你找谁？"

"也许打错啦，我想找紫霞。"

"哦，我就是。你是……"

"我是乱头发。"

"你怎么才给我打电话？"

紫霞从电话线幽长的空洞里走向乱头发，走到电话筒里，找不到出口，逡巡一会儿又回去。

"我……"乱头发紧张，不断地哈哈哈傻笑。

紫霞的声音自然、柔和，说她远离自己的家，感到缺少管束像一只鸟，飞啊，飞啊。

"你飞？"他不说幼稚无知时想象的飞和未来。

"现在，我在铜丝里像水一样流动。"

挂钟指向十一点多，房内静悄悄。风声已轻，漆黑的天际，两三颗亮星。霞来了？过去的紫霞身影模糊，声音飘忽，似男非女。现在紫霞仿佛身穿白色绸衣走近乱头发。木桌椅萌发绿芽，伸展嫩红的叶片。他感到自身，以及周身的事物充实、湿润、多情。接着他像喝过浓茶，疲劳昏沉却无法入睡。眼前白色蒙蒙，胃部感到收紧和干枯，他想平静下来，心潮的冲击无法止息。煎熬。

几天后，模糊不清的紫霞来看他。紫霞说话也随便了许多："你闻闻我的头发香不香？"

乱头发皱皱眉。她刚洗过头，正陶醉在香气里。他不作声。

紫霞独自嘻嘻笑。

"最近好吗？"

"我穿上裙子了。"

“天还冷。”

“是呀，不过我不冷。我走上街，有人吹口哨。”

“那我也吹一个，嘘——”

“嘿嘿嘿。”

“我真的和你通了电话？”

“也许吧。我可以自由来去，你不可以。你觉得两个花园不同，其实是一个花园。慢慢在你眼里，两个花园是一个花园。”

“为什么我还不能随意进出蓝屋？”

“要问你自己。”

“你的说话声总是飘忽不定，总是听不出是男是女。”

“我没有感官，也没有喉咙，都是借用的。”

“你在什么地方？”

“只要内心可以应答。”

“我和躲进她身体里的女子交谈？”

“谁知道呢？”

“嘿嘿，哈哈。”

“我拿我的照片给你。”

乱头发弄不清是否入睡，在一片白色蒙蒙的虚空里翻来覆去。早晨，骨碌就起了床，不像过去懒懒散散赖在被窝。万物瞬间变得美好和亲切。屋外清新的空气凉飕飕，街树细枝柔软，嫩叶优美，醉酒般垂下。轻微的焦虑和抒情的乐声始终伴随着乱头发。

蓝屋里乱头发又问起电话的事，紫霞抿嘴不答。乱头发和紫霞兴奋地交谈。回去后焦虑不断加重，他的胃被扭曲，胸口发闷，喉咙仿佛被什么堵住，他总想往公园跑，忍受不了楼群和大大小小的房间。

乱头发独自坐车到海边，一路上不停地想着紫霞。下车，翻过树木茂盛的山峦就是大海，乱头发和紫霞拾级而上，白茫茫的天空硕大无比，沿途遇到几株细长树木，满树嫩叶如同绿花、红花，或者满树白花、红花，如同女性的秀美面容，让他有点透不过气。

他们翻过山，一起去海边的餐厅吃饭，不远处碧绿的海面，无数白色的浪花此起彼伏。他们喝足茶，沿海边林荫道走上半岛，坐在圆滚滚的巨型礁石后避开火辣的阳光。排排波浪呼啸而来，冲击礁石，粉末般的清凉海水泼洒到他们的脸上，一股咸腥味。脚下出现一大片沸腾的雪地，冒着蓝气，白得耀眼。

淡蓝的天空飞过几只白色的海鸥，海鸥缩颈，细腿伸得直直，玩具鸟一样僵硬，薄薄的翅膀轻盈扇动，呀呀叫几声。我们常说雪白的鸽子，海鸥比鸽子更白，而海鸥和这一大片沸腾的雪地相比就成了灰色海鸥。当太阳西斜，海面跳跃粼粼光点。太阳转红，海面一条宽阔的金黄色的大路。太阳消失，山峦乌黑，天乌蓝，摇晃的海面如厚重的青灰色的颜料。渐渐海面好似辽阔的刚刚被犁过的黑土地，为什么这景象让他发慌？

乱头发看看四周无人，紫霞的身影悄悄失踪，唤也唤不回来。西方毛茸茸的黑色山后，太阳的残光再次喷发，把白云以及带黑边的云朵染成五颜六色。乱头发的手和衣服也涂上紫红的光，女人涂脂抹粉，一天下来斑驳、浅淡，野外的光线用更快的速度装饰天地。焦虑和凄楚的感觉又在加重，他去餐厅心不在焉地吃了些扇贝、石斑鱼、苦菜汤。天漆黑。他沿公路走，一辆接一辆汽车车灯刺眼，呼啦开过。转回半岛的路，寂静的黑暗中海风呼啸。黑沉沉的海面，长条的白浪好似旋转的人群的大圆圈，想到地狱被驱赶的灵魂痛苦呻吟，与天堂里灵魂飞舞歌唱有什么区别？两种命运中的灵魂，他们的欲望都一样，飞，自由地飞。更像白色的海鸥群，海鸥为什么排队飞？如果突然自由高飞，整个夜空全是翻飞的白影。海浪重复地冲到沙滩，越来越高，轰然倒塌，不时发出惊天动地的轰隆。风的形体、手指和声音穿过茂密的树丛时显现，恐龙般圆滚滚的巨大身躯和秋虫般唧唧嚓嚓。几棵枯树，风滑过鬼爪般的树枝，尖利凄惨的萧萧淅淅。海边的块块礁石被波浪冲刷得怪模怪样，长久精心制作成的大堆礁石脑袋：有的鼓出眼珠，有的脸上深深的几道疤痕，麻风病人的狮子头，士兵脑袋被劈成两半，头颈断了张大嘴，白痴伸出舌头呆笑，埋头溺毙，满脸毒瘤……黑夜中的形象比白天更加逼真、可怕。

礁石脑袋个个沉默无语，海的灵魂永远也不肯平静，满腹哀怨，满腔喜悦。也许就是这样，海要表达，可是发出的声音总是含糊不清。海借助礁石展示内心的哀伤欢乐和想望吗？乱头发想到，海在说话，如此怪异和复杂，直接地说，借助太阳、霞光、风、树木、礁石说，到底要告诉我什么？为什么和我一样怀着丰富的情感？

此时，海边的人返回饭店，去金灿灿的灯下美餐，包房里小姐忙碌。乱头发没有任何畏惧，遇到强盗怎么办？钱全给他们，再侃侃为什么当强盗，怎么抢。想到此，他乐得嘿嘿、嘿嘿。

亲切的自然啊，我们最早的家，古人有他们的匮乏，也有他们的富足。客厅这样大，摆设这么多，点亮星星。海风暖中带凉，眼前颗颗亮星，他仰卧一块礁石，平整光滑，庞大的挂满繁星的夜空扑到他面前，震撼。大星如朵朵晶莹的绣球花，长在高低错落的树枝上。如果看一颗星，静止不动，整体看，星星真的在飞舞，像许多火把飞舞，整体也像一位舞蹈者起舞。

认识紫霞后，乱头发的焦虑使自然都具有了情感和激情，自然又一次贴近他的心，那样的痛苦和焦虑是甘甜的痛苦和焦虑。一只白色的夜鸟当空飞过，一颗流星。烟花渴望无限而向上飞翔，是为飞翔而飞翔，急切地冲动、跳跃和飞升，楼顶，天空，清淡的高云，繁星，星星的背后，直到自由上升的愉悦变为痛苦的煎熬，最后在摆脱煎熬中猛地爆发，一朵接一朵灿烂耀眼的大团彩花相继开放，天花乱坠般的小花朵噼里啪啦继续爆炸燃烧，青烟飘过，留下静谧的夜空，似乎什么事也没有发生。流星用下坠的方式高飞，渴望相遇，或者身不由己地下坠，向着万丈深渊风驰电掣般地下坠，瞬间欣喜若狂，瞬间胆战心惊，忍受不了火的焚烧又无法摆脱，这样的口吐鲜血的疯狂，这样的咬牙切齿的懊恼，这样的致人死命的砒霜为什么会占据人的心身？是上天窃笑着把神秘的颗粒悄悄放入造物的躯体，人是白影，人是晚霞，人是烟花，人是流星；还是迷恋自我想象的光彩的身影；还是真实地确认坠落之处有无限的魅力？自我发出璀璨的光辉的时候，面对的风景同样美不胜收。为了获得越来越耀眼的风景情愿去冒险，不顾一切地坠落和燃烧，一闪就在半空化为乌有。也许流星的坠落来自深刻的幻灭，流星来自群星闪亮的天空，会逃避什么样的伤痛呢？想把自己埋没在无边无际的黑暗中，痛苦、焦虑以及死亡刹那间化为了平安和幸福。

又一颗流星从天边划落，乱头发坐起身观望。面前重叠的尖尖的礁石后有女子白色的身影不断闪现消失，那是顽皮的紫霞来吓他，他听到一朵朵白花扑哧扑哧绽放的欢笑，他几乎喊了出来：紫霞！他不会走过去，那是波浪撞击礁石飞溅出的浪花声。他又感觉到紫霞就在那里，他不是独自一人。茫茫夜晚中的万物不是外在于他，而是把他压服，让他觉得自己渺小和可悲。不对，那是给予和爱他。

他感受到紫霞的身影、体温、笑声。夜晚的世界充满了紫霞的气息，仿佛就是紫霞本身。身穿白衣的紫霞不断在巨大的礁石后探头，举手跳跃，笑嘻嘻逗他，让他不肯离去。一阵伤感的冰冷电流穿过乱头发的心，惶恐，仿佛要跌到礁石下，他只是独自一人，夜晚又回到了原来的样子，与他毫无牵挂。沉静的黝黑的山脉，海水毫无意义地空洞地摇晃喧嚣。乱头发神思恍惚，快步走回饭店，对路边的景物无心一瞥。当他躺在干净芳香的床上，眼睁睁面对黑暗怎么也无法入睡，他要紫霞属于他，然而不可能。紫霞就是霞吗？他是不是又在回想做过的梦？当时他是溪水悠悠流淌，看到棵笔直的大树白花如雪，一阵激动，他从溪流涌出，站立树下。那是生长于旷野没有被修剪过的野树，树冠巨大，香气如同迷雾。他仿佛又看到霞急忙赶来，叫他不要走。他的心脏和胃部更加闷痛，喉咙被堵，难受，想摆脱，更加难受，难受到快要受不了，他非常清楚哭也没有用，叫也没有用，随其摆布，他再也不去尝试消除不适，让阵阵越来越强烈的痛苦的洪流把他卷走。

有此狂言谵语为证——

头发的车轮，树梢的尾巴，当黑夜的雨水贴地流淌，磨得胸口疼痛，稀薄的昆虫的透明的血液，没人知道，只有蟑螂和老鼠莫名地受不了，你舒展于温暖的被子，张大了天空一样的耳朵，巨鸟的叫喊，是否把你的耳膜震破？

等待，等待，等待，等待……你终于感到了你那被寒风折断的干枯的胃和叽叽呱呱的肠子，群山全部颠倒脑袋，树木和野草被挤压、逃遁，飞满天空，代替了漫天的死尸，我咧嘴傻笑，嘿嘿嘿，等待钻到茶叶罐头里重新变成大群的温热的蝙蝠。

城市的一座座高起的东西，你马上说那是奶小孩和大人的皮老虎。不是，他们浑身布满了眼睛，只盯住体内飘飞的黑云，和一根管子送来的天穹。他们钉了一脸哐当作响的烂铁皮，撒一把种子，疯长鬼影，破鼓里寻找四脚超天的母牛。亲爱的，你忍受得了那样的疼痛，那样的泪水，那样的空虚吗？

白色的黑边的红心中隐藏的膨胀力，嘎叽嘎叽压制塑料袋，红扑扑地向你招手，足以放得下三公斤液体，还要在书中洒些带腥味的脱毛香水，太平洋都打翻了，太腥了，而干枯的大海你的蔚蓝，蔚蓝，蔚蓝色？说是他们爬墙钻窗掉到枯井，用尖刀把经常涨红的脸和一贯冰冷苍白的臀部交换。公鸡又抖抖无数折叠的荷叶边裙，蝗虫翻跟头嗡嗡嗡。

盥洗室的大镜子里乱头发的脸色苍白，眼皮浮肿，嘴唇如鲜红的吸盘。

五、登山，紫霞透明的白影；山顶荒凉，他看到二十几岁的自己

第二天，乱头发去爬海边的群山，夏日山脚高大的林木阴影厚重，炎热、沉闷。向上望去，天蓝云淡，险峻的白灿灿的尖峰，他跟随游人奔涌而上，腿酸气喘登上千百层石阶。穿过树林，山坳吹来清风，走上大块石板铺成的平坦山路，两旁无数乔木细枝弯曲交织，树叶春日般鲜嫩洁净。他手插裤兜里悠闲踱步，望到远山翠绿，白云腾起时就坐一坐。头戴旅游帽的游人随导游来去匆匆，一会儿路上静悄悄。他想到几千年前就开始了，熏风、碧池、红色的柳芽，游人如织，田埂的青草和嫩黄的菜花，黄昏时沙石路边芳香的梅花宝石般闪闪。远离尘嚣，无数踏青的往事瞬间回来。紫霞又一次与他相伴，回应乱头发的自言自语。

紫霞问："这里的草木怎么像春天一样明媚？"

"由于你在我的身边。"

"谁在你的身边？一起看看，明净：蓝天和一尘不染的草地。纤细：乔木的细枝上精致的叶片。阳光强烈：老树叶也像新叶一般鲜嫩、透亮。色彩：叶梗红色如鸟嘴，白花和红花纷繁。"

"还是因为你在我的身边。"

"你的身边没有一个人？"

“我可以看到你。”

“你听，你听，松涛开始震响。”

细微的沙——嗬，嗬——由远而近，大风扑面，满耳大海浩荡的浪涛声。松涛远去消失，也带走了紫霞。

乱头发独自沿破损的古石板路继续往上攀。高山上空气寒冷，山林的叶片枯黄。几摊残雪，溪沟结冰断流。阴云厚重，天越来越暗，寒风里夹杂着冰凉的雨，山路变得泥泞不堪。草木丰美转眼成了杂草丛生，怪异的荒山乱石嶙峋。他不知怎么会到这里，也不知去什么地方。三位高鼻红发白人快速走过，他们身穿鲜艳的羽绒衫，焕发烈火燃烧的体能，带过一股旋风。乱头发感到自己身体的单薄如纸，他加快步子跟随白人走。他们走得飞快，瞬间就消失。

一会儿，风卷雪花旋转，枯黄野草一层白色。乱头发看到浑圆的山头有个年轻人小心翼翼下山，尽管非常遥远，乱头发可以看清楚他的面容。乱头发不禁一愣，那是二十几岁的他，脸色白皙红润，年轻的眼睛里没有一丝阴影，散发清澈的亮光，微笑着边走边遥望风景。年轻的他从未激烈地爱过任何一个人，也未受过苦难和琐事的折磨，他天天沉浸于诗、美景和冥想。此时他的手里还拿着一本诗集，白封面印着翠绿的柳枝和嫩黄的迎春花。只有他才配得上紫霞，才能献给紫霞。年轻的他为什么要到这里？乱头发眼睛湿润了，二十几岁的他一去不复返！可是二十几岁的他活生生地就在乱头发的眼前，生气勃勃，没有任何畏惧和厌倦，到处寻找中年的乱头发。乱头发叫喊，我在这里。可是喉咙仿佛被什么掐住，继续用力发出细微的断断续续的啊声。

生命是什么？是人往前走，身后留下不能返回的路。表现为年龄的增加，身心的渐渐衰老。如果乱头发和年轻的他握到手，这意味着乱头发回到过去，生命重新开始。乱头发眼睁睁看着年轻的他爬上爬下。他悄悄接近年轻的他，几次伸手就能揪住，年轻的他突然加速奔跑，他们不是擦肩而过，就是年轻的他跑得远远的。年轻的他在远处又回头眼巴巴张望，一双让人怜悯的眼睛。他们互相望着，他渴望拉住年轻的他，瞬间融化。年轻的他似乎想看到未来的他。他回不去，年轻的他也不认识他，不过他们渴望找到对方，徒然地在山顶奔跑，跑上跑下。

山顶在变化，乱头发攀登岩壁，脚踩窗沿，手拉窗框，蓝色的墙幕玻璃照出他的瞬间变得瘦削苍白的脸，他身处摩天大厦的当中，低头看车流人流小如玩具和黑点。年轻的他快要攀爬到大厦的房顶，又一格一格往下爬。乱头发看到大厦的玻璃墙幕堆积粗糙的冰雪山峰，也许产生了错觉，此时天边白云腾起如同山峦起伏。年轻的他再次向上攀爬仿佛要钻入白云。乱头发也继续攀爬，翻过大厦依然是荒凉的山顶，他们一次次迎面跑去，又一次次错开。

六、俘获紫霞时的心事；主流发型等；紫霞的热恋和煎熬

乱头发离开年轻的他，分别时禁不住一阵伤感。万物如激流，他成了一条随波逐流的破旧的船，离开青山绿水，远近耸立的高楼大厦，嫩绿的树丛。

乱头发看到紫霞透明的身影和他并肩行走。他快步走到一座通体金灿灿的大厦，去见一位他不想见的朋友。如果从地位来比，乱头发有点自卑，可是那位朋友也喜欢胡侃和向往游荡，这些与乱头发平起平坐。朋友坐棕色牛皮高背椅，身穿笔挺黑西装，油光光的头发梳得整整齐齐。请示的职员进进出出。朋友坐着轻轻与乱头发握手。乱头发笑笑套近乎。他嘛，给乱头发一点脸面渣子。乱头发

知道有这样地位的人，男人见了心虚，女人见了做梦，梦到艳丽的服装、房车、远游、面向大海或湖畔的别墅、宽大的花园。

乱头发说：“我想到你这里来做事。”

“当然可以。不过事情做不完不能回家，要睡嗡嗡响的机房，或者睡在办公室。你没有时间吹口哨走野路，也无法遥望对我已经暗淡，对于你仍然发亮的风景。”

乱头发望着窗外，心想，如果占有这样一座大厦，什么都可以得到。

“你根本不是那样的人，也不可能成为那样的人。你想提高地位，诱骗情人？你要来可以，除了睡觉，百分之八十的时间必须给我。你也知道，我这里无非交流些吃喝玩乐的信息和方法。不管你怎样看，大众喜欢，你不偷偷乐吗？”

乱头发想，吃喝玩乐掩盖单一的虚无，虚无感一出现，灯红酒绿就成为灯黑酒酸。不过他没有说，他也摆脱不了虚无，醉生梦死的人起码得到麻痹和忘却的保护。

朋友很忙，还在敷衍乱头发。乱头发觉得提这样的要求让自己颜面尽失。立即告别，下楼。街头阳光明媚，草木翠绿，商店崭新。他不认识任何人，孤零零独自走，公园边开朗和空无。他登上大巴车，一瞥，看见年轻的他飞跑着赶来上车，他站起身，想下去，人太挤。年轻的他越跑越近，车缓缓开走。年轻的他加快跑了十几步，停下张望。车刚一到站，乱头发冲撞下去，返回前站，年轻的他已经不在。

乱头发想去蓝屋。等待时，照照镜子，头发长乱，开始发松的脸白里发青，硬硬的胡子像火烧过的山留下的焦树，嘴鲜红，如饥渴疯狂的吸盘，一笑，牙齿雪白尖利。他觉得这样见紫霞不行，起码要刮干净胡子，剪短头发。蓝屋里的人，就像从真实的人身上飘出的影子，影子最多能看到事物模糊的形状。乱头发不修边幅毫无关系，不过，他还是担心万一被紫霞看到真相。

他第一次踏进美发厅。夏日闷热的夜晚，装修豪华空调机呼呼响的美发厅里他热汗直流。理发的人很多，他耐心排队，两次要求把空调的温度调低。漂亮丰腴的洗头妹抽空看报纸，瘦骨嶙峋的洗头妹抢先给他洗头按摩。洗头妹一边拉乱头发走，一边告诉男理发师，说自己不想吃饭，晚上吃了半包方便面。她低下头靠近乱头发的脸打个嗝，热乎乎酸溜溜的方便面的油腻味。男理发师穿紧身黑裤、五彩衬衫，长头发包着的脑袋像只破花盆露出带有女性表情的根瘤。

洗头妹往乱头发的头上浇了黏稠发亮的洗发液，干枯的手指伸到头发里抓，乱头发从镜子里看到自己的头顶升起粉红色火焰，他的头像泥团般被洗发妹捏来捏去，看来洗头妹不依不饶要把他的扁头捏成肥头大耳：牺牲上下长度，脸上鼓出的肉用到了耳朵上等等。他的头被捣弄了半天，直到洗头妹看得入眼后才去冲洗，洗头妹的脸频频靠近他的耳朵，发丝拂面痒痒的，小声嘀咕了一句，要不要松骨？乱头发说不要。洗头妹重重搓洗，有点粗鲁。乱头发的头被洗疼，哎哟叫道：“轻一些，怎么像洗猪头呀？”整个美发室的人嘿嘿、嘿嘿，男理发师一眨眼，全都捂住嘴。

洗头妹脸涨得通红，俯身对着他的耳朵轻轻说：“为了叫你不要忘记我呀。”

洗头妹把他交给了男理发师。男理发师亲切地笑着，上来就拔掉了他右眼上的一半眉毛。乱头发连忙说：“不要拔。”

男理发师奶声奶气地说：“不拔掉不好看，来的顾客都要我们拔，你的眉毛，唉，等会儿你就乐了。”

都拔了一半，乱头发不认也得认。眉毛拔光后，要种眉毛，理发师问："要进口的还是要国产的？"又说："国产的不过关，容易烂根。"

乱头发说："好像杂交水稻国产的最好。"

理发师微笑："贵不了多少钱。"

乱头发不耐烦了："好，好，好。"

理发师说："我们这里还是权力机构呢，天下的发型是好是坏由我们鉴定、评定，指引发型科学大方向。洗头妹都是吃皇粮的，知发守发。留眉毛不留头，不留眉毛留头。你放心，怎么会上当呢？"

等到全部搞好，乱头发见镜子里的脑袋滚圆，黑发油光，长眉细细弯弯，耳朵肥大，脸皮粉白，只有嘴巴还保持原样，鲜红，如饥渴疯狂的吸盘。乱头发对自己的新相貌很麻木。大家说好就好，而且真像那些做广告的名人，发型好似孵巨蛋的油光光的黑母鸡。美发厅里，窃窃私语："啊，换了一个人似的，好帅呀。"连漂亮丰腴的洗头妹都站起身，乱头发出门时，她连着献给乱头发三个飞吻。

乱头发感到别扭，他迷恋紫霞什么？紫霞的存在给予他激情，甚至给予他希望。可是要和沉重的紫霞相遇，让紫霞真正接受他，必须和他逃避的现实贴住皮肉。紫霞就像拍卖会上的一件翡翠、一幅字画……良家女子一般身不由己。

蓝屋里，紫霞怒气冲冲和一位年轻人争吵，沮丧的年轻人无可奈何忽然走开。又进来一位女孩与紫霞交谈。乱头发今天穿戴一新，不过新发型和新脑袋带不到蓝屋里。两位女孩没注意他，他哼起一首抒情的歌，翻来覆去地哼，后来他想到此事就脸红。哼歌是情不自禁，面前会出现大片荷花塘，烈日下荷花荷叶散发香气，阵阵凉风徐徐。也许不必羞愧，连虫子都那样自然地吟唱。

紫霞看见他，说："啊，你好。"

"你好。"乱头发把他的新发型描绘一番。

"你的衣服很漂亮，如果能把那个脑袋带进来多好，好一个英俊的男儿。”

乱头发问：“刚才走掉的小伙子是谁？”

紫霞低头流泪。

“不说不要紧。”

“两个影子，夜里相伴的人。”

乱头发心收紧，血发冷，他一直以为紫霞依恋着他。瞬间他感到他和紫霞隔着几堵墙，他找朋友帮忙，他去美发厅，他打扮，哼抒情的歌，简直愚不可及。他想立即离开。

紫霞的嘴与乱头发的一样鲜红，也像饥渴疯狂的吸盘。乱头发想象的紫霞的形象变得暗淡和苍白。紫霞把自己最单纯、最激烈的爱给了那位年轻人，无法再给其他人。紫霞仿佛抛空了自己的灵魂，留下空空的躯体。紫霞后悔也没有用，她只有一块那样的蓝宝石，再也不会有第二块。乱头发期望紫霞不再多想那位男子，可是他无法接近紫霞。

乱头发说：“我要走，我不想来了。”

“不要。为什么？”

“我就这样。”

“你就不能陪陪我？”

“我不能。”

“我叫你乱头发。不许你走。”

紫霞继续说：“我现在喜欢安静的黄昏，喜欢独自一人，谁也不想见，喜欢观望从天边渐渐红到天顶的晚霞。”紫霞的话给她的形象再次注入生气和色彩，那是与山花烂漫般的少女完全不同的另一种美。忧伤的女子，独自走到空旷的山边，静静观望绚丽的慢慢沉入黑夜的晚霞。紫霞继续说：“我还喜欢黑夜，我可以想象一朵朵烟花向高空飞去。我也向高空飞去。接着花朵像流星一样划落。”

紫霞临走时拿出一张照片给他看，说，这是遥远的沉重的紫霞。紫霞站立于树木花丛和清晨的阳光里，看上去二十刚出头，紫霞的额头方正宽大，一位丑陋的男人想钻出来？紫霞的眼睛、鼻子、嘴巴精致妩媚，一位女人站在乱头发的面前。一男一女两张脸还在紫霞的脸上较劲、扭打，是紫霞的父母的两张脸在较劲、扭打？

曾经和他相伴的紫霞跑到另外的空间，就像进入郊外的那一片空白。乱头发走上前，过去的紫霞在江边凝视蓝蒙蒙的悠悠流水，遥远的对岸一排春树淡绿，三两套房舍黑瓦粉墙，几丛菜花嫩黄。紫霞回头看到乱头发，微微一笑。他们没有隔阂，没有实在的空间中的权衡，没有任何忧虑和恐惧。紫霞如同风和空气般透明、飘逸。

七、吸血情人；不再凝望时，万物回潮

蓝屋里微光白蒙蒙，多了具黑牛皮做的长箱子。照片里走出紫霞，她爬入长箱子躺下，牛皮柔软下垂，她用牛皮裹住自己，一只蛹，沉默。蛹壳啪啦啪啦裂开，紫霞僵卧，瘦削的脸灰白，吸盘样的嘴唇鲜红。她穿透明的白纱衣，薄薄的皮肤下肋骨凸出。她翻身坐起，一群红衣人围住她。看到红衣人，乱头发不再害怕。红衣人红皮肤，红胡子，帽子的形状像古代官员的乌纱帽，颜色鲜红。他们好像乡村野庙里上了油彩的泥巴神像，怪异，呆傻，乐呵呵。红衣人神情紧张，迅速用手中的红木牌协力压住紫霞，不许她起身。紫霞浑身镁粉灯般闪烁几次，耀眼的光穿透红衣人，他们瞬间变成苍白的影子。

蓝屋昏暗不清，镜子里乱头发披黑色薄纱衣，突出的瘦骨如钢筋，面无血色，吸盘样的嘴鲜红。乱头发的肠胃如针管抽动，气流向

喉咙处钻，急风在开阔的空虚中回旋呼啸，号啕。无法忍受的悲哀、绝望的饥渴，想望扑过去，嘴巴贴住紫霞的嘴，或贴住紫霞的头颈吸食滚烫的汁液。也想望紫霞扑过来，互相吸食，拼死较量，让饥渴达到极点，快感也会达到极点。乱头发仿佛吸住了什么，飞起，进入旋转的楼板，一片漆黑，速度加快，他任其自然，穿过厚厚的楼板，浩茫的蓝色光芒，欢歌潮水般涌溢，下面耸动千万朵白云。他站立白云，绿色的太阳升起。飞向他渴望的深蓝色的水面，分解，消失。他渐渐觉得吸到的只不过是一股股无味的冷风，一阵空洞、虚无的感受。他依然垂手站立地面，说不出的懊恼。他回身盯住紫霞，紫霞说："你不能这样。"

乱头发曾经蹚过野树林间浅浅的小河，河面落满树叶，到岸上时腿上聚集几十条蚂蟥，鲜血淋漓。吸血吸得胀鼓鼓的蚂蟥一碰就脱落，干瘪的蚂蟥半截身体钻到了肉里，拔也拔不掉。背包里的几袋咸菜都用来紧张地擦腿，蚂蟥遇到咸菜汁缩小掉落。一条蚂蟥全身钻进肉里，无法取出。这条独特的蚂蟥还在慢慢吸食鲜血，越来越肥胖，它的嘴从乱头发的嘴里伸出。

乱头发坐立不安地面对紫霞，渴望吸入热浪，是扑过去，还是不扑？紫霞鲜红的嘴也像蚂蟥的吸盘一样不断伸缩，他不顾一切扑上去，飞了起来。紫霞拖拉沙发堵住，乱头发的肚子撞得闷痛。紫霞苦苦想念的那个男子进来，二十四五岁的样子，又白又胖。紫霞看到白胖，转身扑过去。白胖目光冷漠，紫霞站住。白胖说："我想你。"紫霞说："算了吧，你走。"她低头哭泣，又转身扑过去。白胖东躲西藏。乱头发偷偷接近紫霞，紫霞一边追赶白胖，一边提防乱头发。房间里一股灰白色的旋风，风停时，三个人各自喘气。紫霞突然跃起紧紧拥抱白胖，利牙咬住白胖的头颈，白胖浑身颤抖，脸痛苦得扭成一个核桃。紫霞的脸和身体渐渐丰满，密集的头发飞出彩色的光，这样的光让人联想到旷野前的云霞，一丛丛雏菊，鸟群飞舞……白胖也张开鲜红的吸盘样的嘴，他们的嘴互相粘住，牙齿碎裂。仿佛拉上厚厚的帷幕，房间瞬间漆黑，身边蹿起烟花的火球，一朵朵在他们的头顶炸开，屋顶和墙壁一阵绿光闪烁，紫光闪烁，红光闪烁。

紫霞的头发渐渐干枯，秃顶，缩小的脸布满皱纹，眼睛流淌黏糊糊的血泪。白胖如同一具发黄的骷髅。两个人都为对方的样子感到吃惊，跳起来躲避。乱头发浑身发冷。紫霞四方的额头噼啪爆裂，流出绿色的火药，紫霞抓起火药往天空一丢，天空就炸开一朵巨大的彩色烟花。乱头发觉得蓝屋像电梯开始上升，蓝屋就是从炮堂发射出去的烟花炮弹，乱头发感到令他窒息的快乐，不禁念叨，我要死了，我要死了，剧烈的爆炸声，三团烟花同时开放，把天空照得通红，无数流星坠落，寂静。

白胖变成墙角边的牛皮，带有腐烂的臭气，极力挣扎要复原成长箱子。紫霞一边流泪，一边张大鲜红的嘴。紫霞渐渐恢复到年轻的样子。乱头发悄悄靠近紫霞，紫霞回避。发皱的牛皮自己卷起，湿淋淋滚出墙。紫霞眼神发白，嘴贴在沙发的靠背，满脸泪水地摇头，吸出一个对穿的洞。

乱头发扑过去撞到墙壁，他的嘴贴住冰冷、坚硬的墙壁，恼恨、饥渴、疯狂地吸取，他向遥远的地方飞去，身穿宽大华美的衣服，周身有湖水和朝阳的光泽……他长出利牙，咬得墙面咯嗒咯嗒，身体皮包骨头像具僵尸。疯狂地吸吮和啃咬，辽阔的天空，他渐渐柔软，一朵黄云与晚霞，他在天空自由飞舞。他俯视，地面黑沉沉，烟花飞起。他的身体虚脱，摔到，墙上留下一个深陷的坑。

乱头发离开蓝屋，看到一条黄色的乡村泥沙路，过去的紫霞独自站立光洁、遥远的泥沙路。他们对坐平整的石块，身后一棵高大的杨树萌发黄绿色新叶。他们互相说了许多话，讲不清楚。渐渐他们的对话有了确切的内容。

紫霞说："你最近想些什么？"

"相爱。真是羞于说出口。"

"有没有可靠的爱？相爱的变数太多，我忍受不了，我情愿不要。"

"哦，是这样。"

"每一次爱，我只能听到血液的呼啦奔流和脑袋的轰鸣，每一次投向爱，我仿佛都在做傻事。还要继续做傻事。"

"爱是什么？孤独者走向他人，牵挂另一个人，献出自己。"

"先是孤独者仿佛不再孤独，后来孤独者又回到了孤独的自身，投入燃烧的火焰，折磨自己。"

乱头发仔细看，对面没有紫霞。许多父母带孩子放风筝，风筝抖动，飞起。老鹰风筝看到乱头发收翅落下，一阵风里又高高飞起，越来越高，一个黑点。几棵垂柳，柳枝鹅黄。还有一棵高大的银杏树，青翠的叶片令人陶醉。

紫霞不再来蓝屋，也不再有聚会，蓝屋破旧不堪，被涂白。起初乱头发还要牵挂紫霞，内心被焦虑缠绕，一日症状突然消失，就像感冒发烧、头痛、昏沉，不知不觉痊愈，一时觉得身体舒服，干干净净。也像隐藏地下室的人回到地面，再次发现天空、阳光和花草。好像瞎子和聋子又看到拥挤的高楼大厦，听到汹涌的人流车流如钹如鼓似笛，商店喇叭啷当啷当的音乐和街头电视机、高楼电子屏幕彩光忽闪，叽里旮旯的播音，炸弹的火光和轰鸣，球迷欢呼……乱头发站在路口，车流和人流不断向他快速涌来又漂淌远去。他无法挽留任何人，来不及熟悉任何人，蓝屋和晚霞也是那样随风飘去。他曾经痛苦得无法忍受，想逃避焦虑，无奈的隐痛和失望。失去激情的世界后残留下什么样的天地？陌生、无聊、乏味、坚硬的水泥钢筋，包裹严严实实的路人如同披挂盔甲，感受不到他们的一处柔软、真情和悲哀，你根本无法走进去与其共鸣。爱的激流火焰里，万物才有光彩、情感。我要痛苦无望地爱一个人，蓝屋和紫霞再次回来吧，我愿意在情感的世界、激情的世界里受苦，或者在那样的痛苦中死去。全都过去，仿佛具有什么免疫力，你害怕什么，你厌倦是由于被虚无感染，你不是饥饿的吸血鬼，而是饱食过大餐的空壳、失去味觉的白影、燃尽火药的烟花筒和落地的流星陨石。你是受罚的疲倦的饿鬼，你扑向水果、清泉、女子，一个个化为幻影，或者幻化成烂果子，破肚的死老鼠，干枯水沟，苍白、吸血的匮乏的鬼怪。而今你看到食物、尤物只是摇摇头，饥渴难熬又厌食，呕吐绿汁。总是没有合胃口的饭菜。

乱头发茫然看着世界，什么都不看、不听、不感受。若有所思，发亮的热流从内心闪过，面前的万物一层洁净的光芒或者沉入安静的黑暗。任何迷惑过他的事物都有动人之处，都曾隐藏迷团，辽阔大地、天空和丰富的万物，让他充满了激情，不顾一切地扑过去。莫非任何事物都摇闪着身影，那是他没去过或者无法涉足的地方的身影？这样说更好，尽管眼前的事物不是那里的事物，相差十万八千里，但是曾让他感受到了至美的辽阔无边的风景。当他认识沉重的紫霞的样子，轻飘飘的紫霞就和沉重的紫霞分开了，成为几个完全不同的人，或者处于几个完全不同空间的人。紫霞曾说，我终于获得自由；乱头发喊了出来，我也获得了自由。苦涩的泪暗暗流入喉咙。

第七章
不洁感觉与公共澡堂；城市的冲浪运动

一、洁净的花园在枯叶深处

眼前，紫霞在河畔垂柳下等我，我与她走入一条无穷无尽的路，交谈无止无休。渐渐我感到自己是两个人。第一个我往身边靠去，空的。前面，第二个我与紫霞并肩同行。第一个我喊道，我终于获得自由，指的却是第二个我。第一个我眼睁睁看着第二个我与紫霞渐渐走远，不见踪影。

垂柳的树干乌黑，淡褐色枝条探出红芽。垂柳，寻常之物，树下游人，素昧平生。柳叶嫩黄，绿色，还有，雷雨后天空的湛蓝，荷花的红，百合的皎洁，秋林的斑驳陆离，河面粼光闪耀，湖泊平静，虹的一跃，人的笑容瞬间绽放，就像把脚插入沙石泥土，变形与伸延，盘根错节，身上挂满猪笼草褐色细线花纹口袋，吞吃臭烘烘的红头金身苍蝇，汇集最大的心力归向亮光，头顶终于颤颤抖抖跳出一朵如梦似幻的花，凉风轻手轻脚经过都会湮灭。这是个错觉，超凡脱俗的花朵不会湮灭，时间和风沙的暴行失去威力。

第二个我与紫霞就是走进那样的他乡。第一个我也想去，立即羡慕第二个我天生幸运。比如，演员能够轻松地翻跟头，普通人一个也不行。浑身污迹爬窗户去光洁的房间做新郎、做嘉宾？第二个我是清亮的我，多愁善感，经常眺望远方，或者沉思默想。第一个我，一大堆零件，欲望缠身，东跑西颠。

此时，我的脑袋里泛起奇怪的吵闹声。尘烟开阔，猪群涌动，是风驱赶枯叶，嚓啦嚓啦。荒芜的坡地团团草丛，闲杂的灰色蚂蚱蹦跳，扑扑、扑扑张开翅膀，透亮的紫红色。天与云层的暗色步步下沉，一个个干瘪矮小的人影旋转，又一路狂奔，越来越多。估计耳鸣似的脑鸣发过成千上万条短信、微信，以及用视频争论，一天到晚总是如同出了故障的红绿灯跳闪，类似股票五分钟均线颤抖。我刚刚察觉到。

早晨微风凉爽，街头商店装饰一新，行人和车辆吵闹、混乱又有秩序。我从猪群、枯叶、灰蚂蚱和干瘪矮小的人影中脱身而出。街道如同条条输送带，我任由世界摆布，内心无望和冷漠，不紧不慢骑车跟随人流车潮来回打发掉时日。

城市不断扩张的新区，灰白色的道路纵横，荒凉。光秃秃的高楼林立，窗洞全部佩戴玻璃眼镜片。套套房间由方块拼凑，水泥窟窿里的软体动物如同白嫩的天牛幼虫，啃食木心，经过肚子，一堆堆失去营养的木犀，看着，想着，心脏就被粗糙的手抚摸，难受，不知是什么滋味。一阵急风，回到老街，两旁伸向蓝天的树枝呼啦啦摇摆，紫红色枯叶纷纷落下。记起几天前身穿灰蛾翅膀服的男子找我聊天，他在飞舞闪亮的粉尘中嘴巴开合，无声无息。我的脑袋里又嚓啦嚓啦。天空辽阔，大风穿过枯死的树林口哨萧萧，干燥的叶片群鸟般疾飞，落到街面滑动、翻滚。

我立即制止，不听，也不去想。

走到路口红灯一跳，人与车辆瞬间静止。猪群、树叶、灰蚂蚱和干瘪矮小的人影又在窃窃私语，嚓啦嚓啦嚓嚓……

到了家里，低陷的院子潮湿沉闷，高低摆放许多盆栽，枝干弯弯曲曲，伸出片片绿云、绿手：雀梅桩、榆疙瘩、三角枫、杜鹃花、五针松。背阴处，几朵白蝴蝶花病恹恹地歇息。炎热的黄色余晖贴靠东面的院墙。我想起父亲养的花斑猫，昨天一声呜咽，龇牙咧嘴扑上来，抓伤我的手臂。看到花斑猫不在院子里，心情一时舒坦许多。如果我朝花斑猫的肚子踢一脚，花斑猫的背后会不会站着父亲？我又听到猪群奔跑，枯叶翻滚，细微的嚓啦嚓啦，静静地听，渐渐清晰，干瘪矮小的人影，千万张嘴巴，争论吵闹，诅咒咒语，越积越厚。风翻卷贴靠地面的一层尘雾，猪群、蚂蚱、枯叶缓慢流动，我被埋没。

什么也看不见，也不能想什么，头顶窸窸窣窣让我心烦意乱。我的意识深入灰蒙蒙的天地爬行，用力拨开枯叶，下面的枯叶水淋淋，乱七八糟的死猪群腐烂发臭，露出清白的骨头。还好我趴在当中，如果走动定会一脚深一脚浅，踏到深坑，股股黑水翻冒气泡咕咕、咕咕，淹没小腿、大腿、肚皮、胸口、嘴巴、鼻子、眼睛、头顶。拨啊，拨啊，微光摇晃，依稀觉得不远处安静的花园清新秀丽，如同年少时看到春日晨光下的公园，似乎还要明亮、鲜艳、多情。花园忽隐忽现，渐渐清晰，美感从胸口划过。一时，落叶如同火的热浪翻动烟灰薄片，成群结队遮挡我的脸面，嚓啦嚓啦，花园幻影般飘走。我重新拨开枯叶寻找花园，腿被毒针刺入，激起脊椎间冰凉的电流，猛然哆嗦。凶狠的蚊子让我返回院子，逃进房间。

我按开盥洗室的电灯，湿漉漉的地面，小黑点蹦蹦跳跳，三四只灶马，驼背、腿细长，露出几处嫩嫩的红肉芽，模样十足地下流。我拿杀虫剂狂喷。这样恶心的灶马从什么地方来，遗留的虫卵在哪里？

时间真是难熬，什么事都觉得无味。天下攘攘、吃喝玩乐，或者几个话不投机的人长时间闲聊。有什么招数？只有外界的事物给予我明确的目标和动力，才有权力掀被子、拉耳朵、训斥我，让我颠颠痴痴走几步。是不是越忙越好？甩浪头甩得越高越好？时间终于变得滑溜，黄鳝摇摆，千年已逝。

这些天，花园不断诱惑我，似乎隐藏在枯叶的深处，被猪的尸体看守，保安也不能这样找呀。我想靠近花园，走了和爬了许多路。在哪里，在哪里？远在天边，近在眼前。我转悠，深入，枯叶有时如同霉变的茶砖砌的墙，又像闷热的茶砖仓库。我一次次退出。

懵懵懂懂去上班，办公室暖洋洋，我忍不住打盹，猪群奔跑，枯叶又开始飘飞。枯叶渐渐发白，白雾弥漫。枯叶又像干瘪小人打转，是历世历代微不足道的魂灵开始集聚？一张张小口起伏开合要与我谈谈往事，谈谈出息的儿女，谈谈百忍图，谈谈我的不是。有人敲门，我惊恐地回身赶路，看到桌子、茶杯、文件夹才松一口气。他们只是问："啊哟，你怎么出了这么多汗？"没有察觉我浑身上下披挂枯叶，一股死猪的腐烂气味，百口难辩又非要争吵不休的一张嘴巴。

想起上司交代要复印案卷，然后献给一个个脑袋，必须让他们快速吸收，心花怒放。纸张，苍白的枯叶，用彩色复印机描绘喷染，枯叶棕色、红色、黄色，没有叶脉，我复印一大堆，遮挡住窗口，向外一推，纷纷飞向街道。人人都说我的态度好，大有创意。我知道这些家伙的坏路子，他们可以多坐些时间喝喝枸杞茶，偷偷含一片人参。

夜深人静，我蜷缩被子里，拨开了层层枯叶，沐浴天光，大地起伏，各种颜色的花朵一大片、一大片，星星点点的池塘清澈，远山层峦叠嶂如同半透明的清淡的云朵，浩荡的暖风吹过，花朵摇晃，我吸入香气，浑身芳香。我的观望与花朵的回望、凝视，亲切妩媚的眼神要告诉我什么?

凉风,热风,微风,风越刮越急,坚硬的土块,干燥的灰尘与奔跑的猪群,猪的尸体怎么还会发疯?农民运来病死的猪给条条小河扑通扑通下汤料,流啊流,大河大江里集会,你死我活地搏斗。团团枯叶嚓啦嚓啦,纷飞旋转,花园被遮蔽、埋没。枯叶把我裹挟而出,好像告诉我,你该看看外面了。

是的,半夜十二点多,房间乌黑,我该出来闭上眼睛睡去。看见过的东西,比如,枯叶中的花园身影可以随想随到,站立眼前。什么样的花园?用回想和想象营造花园是除去枯叶,突破猪群的捷径。我想象,不断想象,突然心灰意懒,觉得自己是陈年的与任何年代一样的枯叶,满脸褶皱里镶嵌污垢,不再鲜嫩,也不会生长,偶尔兴奋一下,发觉已经失血过多。趁早看到一副副白牙不觉得残忍、无奈和陌生的时候,看到一张张脸不会黯然神伤的时候,听到那些笑声不感到傻帽和空洞的时候,尽情地享受所有的鲜美、深刻又浮光掠影般的快意、快感、快慰。今日有酒今日就喝成泥头车撞烂的小轿车。

最近我的性格发生了些变化,藏在透明的墙面里,他人觉得我不可捉摸。他们和我打交道总感到被什么挡在外面。与我亲近的人急冲过来被撞疼,惊慌失措,困惑、忧虑地抚摩血肿。大风呼啸,猪群奔跑,枯叶遮天蔽日。我躲躲闪闪,走出玻璃墙,又扑入玻璃墙。多想,我就会心凉和害怕,小叔叔死后在饭店大厅的玻璃房间里独自打牌,与他生前交往过的人才能看到他,听他说话。难道我也……不过与他不同,我在玻璃房可以进进出出。

枯叶摩擦声起先心静时才能听到,后来与街头的嘈杂声此起彼伏,或者齐声喧嚣、对喊。因此,我总觉得内心晦暗不明,情理不分,真假混乱。盛夏又来了,室外闷热的潮气白蒙蒙。太阳一出,随着知了结伙流里流气吆喝，街面熔化的白银流淌。新的街道边树木瘦小，天上的电炉，地面的热锅，我汗水淋漓，好像烤箱里的一只香酥鸭，滋滋滴油，冒着青烟。我从外到内不干不净。拥挤的细胞和细胞，观念和观念，死猪和死猪，枯叶和枯叶，流出黏液，白血球围攻一圈脓血，我怎么能忍受，怎么能坦然舒适地生存？还有，还有，杂七杂八的食物被牙咬，唾液搅拌，吞到胃里，立即变得腥酸，再通过一挂肥肠。梦到巨大的厕所。哪怕走到清香扑鼻的荷塘，凉风吹拂，还是能闻到臭味，脏东西充塞脑沟，脑神经开始像冻烂的嫩韭菜，招来苍蝇和蟑螂。

二、朋友极与金黄色相伴

我遇到极的时候觉得身心会干净一点。怎样认识极的？好像那天我去找歪嘴笑。我遇见歪嘴笑的二十来岁的弟弟极，他正在看一本厚厚的有关星体的书。他抬头眨动眨动干净的眼睛，说歪嘴笑出去玩，让我坐下来等一会儿。我们刚刚谈几句，他就发表评论整个宇宙的长篇大论，好像面前有成千上万个观众。他与我不同，他对万物充满兴趣和热情。他谈到与人交往的欢笑，亲近大自然得到的恩赐，探索万物的快乐与趣味。他说，那些遥远和变幻的地方，那些我们一无所知闪着彩光的地方，可以尽情挥洒奔放的热情，不会落入滑稽可笑的下场。我们仿佛很久以前就相识，他的模样和神态像是天文台里梦幻般的浅红衣。

我们也可能是这样相识的，我白天躲藏家中，夜里出去散步，穿过熟悉的商店和陌生的人流。一天走得很远，夜深了，偏僻的街道，灯光越来越稀少，听见我的脚步回声。我抬头看到星空中跳下一个人，他就是极。不过我不能确信他就是一颗亮星，也不能确信他和夜空一样清澈。我后来见他脸上几个粉刺圆鼓鼓，他不断用手挤出脓头。那夜我和他一路谈了很久，他认为生命最终也许一无所获，但可以真实地活着，一定会遇到美好的事物让人怦然心动，以及发现痛苦难熬和垃圾堆里打滚的经历也具有价值。不去说这些，反正城里我只与他心灵契合，他一来，天空就变成金黄色。

最近我走火入魔去寻找传说中的清泉，觉得这样的想法滑稽可笑还要想。清泉有时封存在神仙的宝瓶里，有时隐藏于深山的悬崖下，喝下去神清气爽，面容就像娇嫩的花瓣。如果无法改变和消除杂念，身体和心灵上下翻腾，活着仿佛被剥去表皮，毛细血管渗血，喝点麻醉药般的忘忧汤也可以。或者寻找女人吮吸甜汁蜜意，瞬间意念变得单一和纯净。

我心里烦躁，吸烟、喝酒，不停地吞吃一大堆塑料袋、PM2.5、牙膏、卷纸、蚊烟香、杀虫药粉，然后离家远走高飞。走到灰色肮脏的小镇中心，道路上西瓜皮、中药渣、废包装纸，一摊摊积水油乎乎的七彩花纹，车流乱糟糟和面容呆滞的农民、小店主。好不容易走到郊外，田埂上湿润的野草碧绿，山坡流淌清亮的溪水涨满田野的渠道。我向山坡走去，捧起溪水喝几口，瞥见溪底白乎乎的死蛇，身体膨胀，腐烂的丝丝肉条飘舞。几十年后我想起这件事还会恶心，怎么就不先看看清楚？我把这件事告诉他人，他们都笑话我太敏感，装苦药粉的胶囊是旧皮鞋做的，病死的猪熬制皮蛋瘦肉粥，黄鳝喂食避孕药而肥大，照样鲜美，葡萄酒可以用酒精和香精巧妙地勾兑出来，哪一条河流不是排骨汤、粪便池？蛆虫就是蛆虫，为什么非要变成苍蝇呢？

记得古城里，一日清晨上班，我的眼睛莫名其妙流泪，我为什么哭？满街行人都是眼泪汪汪，擦抹着眼泪。多好呵，我们很少动感情。我突然意识到附近的化工厂毒气泄漏。化工厂互相缠绕的高大管道，黏糊糊的蚯蚓一团，还是肥蛇一群，平日喷吐淡黄色废气哧哧、哧哧。当时我想，这里，男女手牵手、对视，也都是残缺、肮脏的。绝望和忧郁那么冰凉、可怕，喉咙里一股血腥味。

天渐渐暖和时，化工厂旁边的荒地，垃圾四散，长出稀稀拉拉的菜秧，几场细雨后开放嫩黄的小花。如果注视花朵，越来越近，花朵就越来越大，直到满眼一尘不染的嫩黄色。道路和楼寓都是嫩黄色，我、行人和汽车都是嫩黄色，湖面也是嫩黄色……我是被极带进金黄色的空间的吗？极问过我："你做过彩色的梦吗？我做过许多次，一次站立船头向前驶去，天空和大海耀眼的金黄。"

回忆起极带我到他的高层新家，可以看到楼下前前后后几条河流白亮亮的，河间大片农田金黄的菜花开放，遥远处墨玉般的层层山脉。窗外吹来的风清香，我们喝绿茶，谈论造木头筏子，想象顺河漂游，高高的蓝空，暖和的阳光，大地芳香，一路嫩麦、菜花，满山遍野的梅花，荒山上马尾松，白色蔷薇花，红色石蒜花。几天后极的门口堆放捡来的长木块，他还给朋友寄信询问怎么得到汽车的旧轮胎。那些日子，我觉得城里所有的建筑都漂浮起来，摇晃起来，感到城里所有的女子都值得与她们谈情说爱。

几年后，半夜里遇到极，他说他最近一直在营造花园。带围墙的深院，编织云一般起伏的竹篱笆，里面种满碧绿色的菊花；开阔的敞亮的院子，选择白色的湖石，排成一长条、一长条，当中栽种芍药花，花朵如同晚霞的倒影，当风吹来，绿叶摇晃，条条白石如同层层波浪奔涌；还有一个不大的院子，墙边两棵四季常青的桂花树遮盖天空，上面喷洒清水时急时缓，天天雨水纷飞，点点滴滴，地面的花岗岩石板总是湿漉漉的，两边槽道溪流汩汩不断。

沿翠竹走廊出门是辽阔的荒野，远处丘陵起伏，可以布置大地花园。极驾驶履带式拖拉机翻地，新鲜的土香浩荡。极驾驶气吸式播种机播撒花种，天空不断显现虹的幻影。

冬天，遍地枯黄的枝枝叶叶被霜染白，极做了通红的太阳如同圆形的剧场，交响乐响彻云天，轰隆隆从眼前滚下去，岩石、沙泥都在燃烧、翻滚，当太阳落下，地平线塌陷一大块，出现一个大缺口。

十几年过去，长木块还堆在那里，汽车轮胎的询问杳无消息。木筏漂游到白茫茫的天堂。

天渐渐昏暗，我走街串巷找个取暖的场所。对街旅馆金碧辉煌，原来是洗浴按摩的健康城，零点后还可以过夜。家里寒冷，街道空荡荡，废水结着冰。我需要温暖，哪怕是混合着沐浴露、肥皂水和污垢气味的温暖。宽大的浴室摆放几丛假葵花和假棕榈树，浴池像个游泳池，周围间间桑拿室、针刺室、药浴室、玫瑰花室。

动物园里的脏黑熊推开桑拿浴室的木门。蒸汽渐渐浓密，视力模糊。我们经常活煮螃蟹，螃蟹在锅里稀里哗啦，安静下来时打开锅盖，螃蟹肚子朝天，半浸水中，白眼珠直挺，腿还在不停地抽搐讨饶。赤裸的浴者三三两两，下水道边淡淡的沐浴露的反胃的芳香，头皮、毛发、泥垢的臭味蒙鼻。池里的水太烫我不敢下去，蒸汽使我脸色通红。

匆匆冲洗后，我到录像放映大厅休息，男女穿上短裤汗衫从不同的浴池来到这里，躺在小床上。女服务员，不断打扰我，问要不要按摩、果盘、洋酒。我说什么都不要。女服务员有点沮丧，捏了我一把，笑眯眯说，你就不玩玩火，男人到这里都是来玩的，火烧火燎的。我听到这样文绉绉的词嘴巴一歪。女服务员继续说，不玩，你来干什么？她与我耳语，你摸摸我吧。许多顾客和女服务员偷偷探讨唇唇欲动、水蛇缠腰、水乳交融、排山倒海、蜻蜓点水、香妃之吻、沙漠风暴……然后成双结对走进小包厢，交换身上特殊的凹凸与气味。突然一阵凄厉的尖叫，录像片上，几个黑社会打手把拼命挣扎的女子甩上桌子，这样刚烈的事件濒临灭绝，让人少见多怪。

半夜醒来，暖气好像停放，浴巾冰凉，我的鼻子堵塞，赶快穿衣上街。纷纷扬扬的雨点划过路灯的红光，落到身上一看是雪花。原来下雪啦，草地已铺上一层白色。我有点兴奋，往路灯稀疏的昏暗街道走。浩茫的雪花围绕我飞舞，无休无止飘落我的脸上。飘到眼里、头颈里，很凉，不禁一颤。我的身体暖和，内心也温暖。孤独的我被触动。无数雪花人影般神秘飘忽，带着人的柔软和优美。今夜我要冒雪游荡，我要与飞雪缠绵。我到达奇异的不太可能会存在的世界，雪白的路面、草地、香樟、塔松，世界瞬间成为整体，非常宽敞。我慢慢走，一会儿衣服湿淋淋，感到寒冷，脚冻得发痛，站在桥头遥望似乎缩小变得更为温暖的住宅。想回去，家在很远的地方，不知道在什么地方。抬头望着高高旋转而下的雪花，又迎着聚集雪雾的寒风走去。

三、黄泥澡堂，弄脏和洗不干净的洗

早晨天蒙蒙亮的时候下雨，道路、建筑上的积雪瞬间斑斑点点，如同女子的浓脂腻粉被汗水冲刷，出现哭丧的黄脸盘、黑脸盘、花脸盘。

小弄堂里，我看到一座老式澡堂，我住过的几个城市推倒旧房，建筑高楼遮天蔽日。我回到往昔，还是遇到“没牌照、山寨”澡堂。最近古风流行，不知隆重、热烈地开张多少老茶馆、老酒店、老天真、老把戏、老帮头、老蜈蚣。与过去不同，澡堂门前没有排列整齐的自行车，长长的弄堂深处也是人影难觅。澡堂仓库般的高大平房，灰黄油漆木门写着楷书红字：“男宾”，边上擦得亮亮的玻璃门写着楷书绿字：“女宾”。我不知“女宾”的内部结构，曾经见过洗完澡出门的年轻女子，步履轻盈，干净的脸颊由于一度春风而白里透红。后来听说女宾处不建大池子，是一个个单间。我推开男宾木门，撩起散发霉味的油乎乎的蓝布棉门帘，柜台上堆放着不同价钱的竹牌，红头竹牌（三角）、黄头竹牌（一角）、绿头竹牌（五分），没有人买卖。大厅吹来冷风。

往昔，这里白雾浑浊，吸进去肺都会发烫。送热毛巾、开水的服务员，赤条条的顾客来回奔走。边门里的池子挤满白乎乎、红扑扑的天体如一群河马。小孩叫喊，啪嗒啪嗒学游泳；有来头的肥头大耳们四平八稳躺在水里闭目养神；老头两肋突出，腿细似棍，肚子包着个篮球；略为发胖的壮年人，跳到池中，拨开漂浮水面的污秽油花，像头海狮一次次猛扎水中。封闭的浴室，几小块天窗慢慢滴下大颗凉凉的水珠，水声稀稀啦啦哗哗，话声沉闷，空空洞洞，不似人间。

而今，无人的冷冰冰的大厅静悄悄，大厅顶上悬挂彩球灯旋转，五颜六色的影子满墙满地乱走，一个肮脏的被警察突袭过的地下舞厅，人们仿造老茶馆、老澡堂，是否真的能与往昔的比美，是否真的能使人恍惚间回到过去？

穿过客厅和狭窄的通道，我来到宽大的更衣室，几十张床全部占满，洗浴者用暗红色的毛巾被蒙头沉睡。我到边上的小更衣室看看，也是一样。有位顾客长得瘦小，才占用床面三分之一，我坐床边等他起身。我昨晚刚洗过澡，又懒得出去，一会儿觉得我是在耐心等待洗澡。高高的深凹的小窗口透进几束白光，青蓝色烟雾里细长的灰尘摇头晃脑，翻滚沉浮，落下来全都安安静静。

白光渐渐暗淡，房间黑暗也没人开灯。我等得心焦，这些人占个位子，死尸一般无声无息。也许真是些硬挺的死尸，枯叶翻卷，猪群奔跑，我好像闻到消毒水和腐肉的气味。把毛巾被拉开，我不敢。身边矮小的顾客，毛巾被下的轮廓如浅坑，腐烂了？对床的人硕大的轮廓，肚子高高鼓胀，发酵了？墙面被沉香熏得乌黑，这里是古庙吗？阎王、判官列队出庭审判，他们全都爬起，站立，下跪。

不知不觉更衣室越来越闷热，我一脸汗水，后背发痒，身体的角角落落腌臜散发臭味，决定先洗再找位。我脱光衣服，三扇门外都吹来凉风，我颤抖，浑身鸡皮疙瘩探出小脑袋。洗头间里，没有人，哗哗流水，水龙头全部开足，热水冒白气从瓷盆溢出，滑落布满裂纹的水泥地面。我提毛巾试试水温，水好烫。无法调节水温，也无法关上。用热毛巾敷贴发痒的胸口，闭上眼睛，好舒服啊。水温又开始变凉，双脚湿冷。

我走进浴室。浴池不知何时挖成，十几米深，如同峡谷，四周笼罩着白蒙蒙的蒸汽热腾腾。池水放空了，还是枯竭了？两面台阶千万级，一直到底。我沿台阶往下走，台阶积满黑黑的泥垢，滑溜溜的毛发，五颜六色的泡沫。沿途高大的圆石上雕刻篆体字，涂抹红漆，像浴者低头，转脸微笑，长发好似瀑布。这些字我不认识。洗干净身体，是个平常的念头和行为，古人蜂拥而至。污垢深的地方，脚踩下去，没过膝盖。多少人冲洗揉搓？开阔平坦的池底几汪积水，蓝色幽幽，好似沮丧的内心还存有几个莫名的希望，好似孤独的老年人突然想起童年春天时放风筝，飘摇的风筝飞到高高的蓝空。

池底长着几棵枯死的黑树，一棵比一棵粗大，龟裂的污泥地看不到小草，毒蛇见人飞快躲避。几位年轻男女围绕积水散步，扬臂伸腰，都没有走到水里。

穿黑色长裙的女子站立枯树下唱歌，歌声缭绕，欲使人一吐衷肠。她的眼睛深不可测如同台风眼一般晴朗、平静，周边云雾奔涌，我被吸引进去，旋涡里高速飞行，一瞬间飞入茫茫的白光里，我也向远处散发光芒。我一离开她的眼睛，又回到池底。人们见我面对女子发呆、发痴，围上来看戏。其实那不是真实的女子，而是风吹来的破年历画，悬挂枝头。其实那是个男人。其实他们不是来找我的麻烦，而是来偷看女子。其实，他们挤眉弄眼瞟瞟我，他们的眼睛不偏左右，黑黑的眼瞳偷偷转向眼角，扩大扫描范围，他们的眼睛不正不斜。

歌声里，雪山流下亮闪闪的溪水，溪边矮小的花草异常明丽。溪水流到平地，汇集成浅浅的河流几十米宽，哗啦啦、哗啦啦地奔流，河底铺满五颜六色的圆石。我是婴儿平躺微凉的水流里，我是否又一次出生？河水从身上不断滑过，洁净的天空，我闻到花香。我翻身，翻来覆去，小小的身体，莲藕般的手臂、腿脚，寻找更为温暖、惬意的抚慰，满眼彩石的花纹耀闪。

音调高升，一团团白云上有人挥手告别，长长的衣带飘飞。

我要去洗，像幸运的古人，他们站立白云，头顶的天空高远洁净。我找到长方形的水坑，冷肥皂水浑浊不清。我找到圆形水坑，污水热臭。我找到有台阶的水坑，一堆用过的针筒。我找到多边形的水坑，遗弃的考卷、塑料袋和面巾纸。我在黄泥大池里东奔西走，又找到清水一汪。我望清水，清水也望我，云朵在水底飘过，天有多高，水有多深，我临近深渊，晕眩。云朵全飘去，天空一片蓝色，深渊也是湛蓝湛蓝。我下水，凉凉的水浅得只没过脚背，一层薄薄的稀泥下面硬邦邦的底，脚底的气流搅起浑浊的泥沙。

高空用我们不可知而称之为“虚无”做成，水，你知道是什么状况的水吗？编织前景甚至连光的微粒都不能用。光是这个空间的光，光是物体燃烧毁灭时发出的光，这个空间的任何事物必将带来这个空间的绝望。他们站立云朵向上飞去。他们能进入枯叶围绕、死猪看守的花园吗？

梦里遇到黑影般的人对我说过，总有位冷冷的人盯着他，一会儿跟随身后，一会儿站立对面楼房的窗口，一会儿躲藏一个角落，一会儿和他并肩走，掐掉他身体上开始冒芽的东西，好像挖掉马铃薯的红色嫩芽。当然，欲望和期盼都是些形象，圆眼的小狗，奔腾的马，欢笑的火，炮打直升机，滑翔的翠鸟，远方的伊人……最后他和任何人的交往都是暧昧不清。我也有点恐惧，也有人冷冷盯着我，一群又一群，一个钻到我的体内。他贴墙布又像蜘蛛结网，睡在网上，眼睛又亮又大，昼夜不闭。我冷不防跳上一匹烈马。他用麻绳套勒马头，把马掩倒在沙地，马腿乱蹬，他用刀切开马的喉咙，马仿佛被利剑刺中心脏，立即僵硬，石头流着血。他还经常抓住飞来飞去的小鸟，把羽毛拔光，让我看丑陋的秃脑袋和细小的内脏，然后把小鸟丢到污水沟里。

一丝歌声。有人拉住从空中垂下的绳子，越爬越高，消失。

如果邀请到过黄泥澡堂的人，浩浩荡荡望不到边。他们和我们洗澡把水弄脏，留下又臭又黏的污垢毛发？水曾经清澈见底吗？他们把江河湖泊的水用尽，留下污水，我又把浅浅的几汪清水弄脏。大家都一样，必须洗干净又搅浑水，往身上泼脏水冲洗。污垢毛发怎么会这么多？一脸污泥，喷吐臭气，风景也不再秀丽动人。最后的几汪清水也许不能再触碰，用来当神灵崇拜，人们采摘鲜花放在水边。人根本就洗不干净。人期盼清水得到拯救和逍遥。我不干不净，我还想去洗，我不能总是生活在期待与幻想里。

一位身穿黄色绸衣的女子，就像刚掉落的色彩斑驳的秋叶。她也在枯树下唱歌，但愿不是播放视频。我干吗这样愉快？好事推不开，还是服下致幻剂？我不知道听到呜呜的歌声应该高兴，还是应该难过。一次梦里我骑车到野外，头顶云朵浓黑，原地我转个圈就变成红霞。一次我醒来，看什么、想什么都厌烦，外面转一圈就觉得街树多情，行人温柔。我们根据什么理由必须哭，必须笑？呜呜的歌声不绝，白云飘过，一朵比一朵白。

我面对一汪蓝幽幽的清水犹豫，不下去，下去；不下去，下去。我再次沉迷，遥望深深的水底大团白云飘过，跳下去，长久地滑翔。五位悠闲散步的人迎面走来，他们身穿鲜艳的羽绒服，红色、黄色和蓝色。三位女子看见我，不知为什么尖叫，扭头就跑，走到远处还愤怒地指天捶地。

歌声时断时续。女子带领一对年轻男女，走过繁花编织的桥面，毒龙口淌鲜血，黑色的浪涛渐渐平息，返清。

两位男子挤眉弄眼吃吃笑，又冷冷地看我几眼，问我水深不深。他们下水搅拌、打滚，浑身污泥和肥皂水，又对我挤眉弄眼哧哧笑。我打量自己，发觉，只有我赤身露体，他们都穿着冬衣，又涂上厚厚的污泥。想起刚才遇到的人全穿着衣服。我一时掩盖不及，捂住私处，还露出臀部，这些野草般疯长的禁忌、禁忌、禁忌的密集、茂密的羞耻部位。我的脸发涨发烧，浑身流汗。我真是出奇、出奇地天真无邪地傻里傻气，竟然赤身露体在他人面前奔来跑去。这是澡堂吗？还是骗局，羞辱我们的希望？

女子从来没有唱歌，是我的心里发出的声音。哪有什么雪山清流，多情的女魂，人们站立白云上与大地告别。是影子，是幻觉，是想象。如果有，也说不定瞬间成为笑料。这里只是古老澡堂的污迹斑斑的黄泥浴池：黄泥坑，皇陵一样深几十米，千万级台阶上积满层层叠叠的毛发污垢，笼罩着热气腾腾带臭味的浓云迷雾。我孤零零的。两位男子洗完澡后态度好些，放下架子说这里是著名的旅游景点，让我讲点文明。

歌声里。大道上，女子撩开花轿的绣帘，羞涩地一瞥荷塘边偶然相遇的男子。女子死后，她的鬼魂还会站在朽坏的窗口，审视来来往往的行人。

又有人走来，我赶快跳进水坑，发烫的脏肥皂水，臭味浓浓，我直打恶心，呕出绿水。我和着苦泪、喜泪、无泪，沐浴，打滚、跳跃，把那些洗得洁净的虚无幻想戳破，你天生没有那样的命运、品性。突然感到极乐世界也不过如此。当人觉得自己有点味道的时候应该快乐，吞吃臭豆腐、臭鲑鱼、臭鸭蛋、醋大蒜，跳到更脏的泥塘里以脏守脏，以毒守毒，以丑守丑，以贱守贱，以贪守贪，以死守死，而且要穿上大衣下水，等到水搅浑后偷偷解开裤裆、小便、放火、贪污、交配等等。

为什么有个花园？奔跑的猪群、翻卷的枯叶、灰蚂蚱和干瘪矮小的人影的后面有个花园。与我们有什么关系呢？

稀泥，咸猪手，污垢，擦边球，吃豆腐，花园，撒手不管，远方，忘记，忘记，忘记，忘记，忘记。我咯吱咯吱洗得让众人心安和微笑，像穿一件青灰色大衣，点缀彩色的肥皂泡。八位红脸斜眼农民，戴白蓝色海军大盖帽，穿白色海军军官服，佩金黄色绥带。可惜帽子歪戴，衣服有的紧绷绷，有的松松垮垮，而且太旧、太皱，以致他们有点像一群大小不同的家禽。绥带上的黑油光亮，什么都抗拒不了时间的打磨、锈蚀。他们吹响铜管乐器，粗短的手指在洞口蹦跳，再怎样跑调，还是满满得意，保证让听到的人们惊讶，是《结婚进行曲》！哆哆、哆哆，哆哆、哆哆，哆哆哆，叭啦叭啦叭啦叭啦，叭啦叭啦叭啦叭，哆哆、哆哆，唆唆咪哆，哆哆、哆哆……过去，我见他们捞外快临时组团为丧礼鼓吹，当着悲悲戚戚哭哭啼啼的亲友也是吹这首曲子，真是大彻大悟啊。高度的敬业情操让他们使出吃奶的力气，又不断输送前辈做爱的马力来弥补技艺的拙劣，哆哆、哆哆，哇哩哇啦，唆啦发咪，叭啦叭啦，哆哆、哆哆。腮帮子打气像鸣叫的青蛙的气囊，脸涨得紫红，由于缺氧走路东倒西歪。

游人潮水般涌来像被激怒的蜂群，树和树连接红线，悬挂的彩灯一明一暗，游人争抢高位观望。我，一个时装模特儿走上露天天桥，步子沉稳，一会儿转个圈，一会儿扭扭屁股，一会儿叉腰抬腿，甩甩脖子，回头嫣然一笑。我用讨好的表情询问，我怎么样？美吗？嗲吗？帅气吗？钻到我体内的那个冷冷的人也跳出来表白，似乎他负有推卸不掉的责任，彼此具有裙带鞋带领带海带敏感带带带关系。他大约疯了，说什么脱衣服洗澡是为了探索生命，是正义的，是创新，有什么不好？我开口，木头木脑，讲不出话。我走来走去，好像一只掉粉的蝴蝶，一只抹口红的蝴蝶。我又疲惫又伤心，让我睡一会儿吧，或者在没人的地方干号和呻吟一夜。我还要走，还要去洗澡。大群观众咧嘴，流口水，傻笑，交头接耳，按亮闪光灯，全如幻影。我迷迷糊糊走到更衣室，烟气浓得呛人，床上没有人，死尸全都悄悄溜走了？我满身的稀泥被体温烘干，衣服太小，很难穿上去。我试着剥掉泥块，剥不掉。为什么要去剥呢？没有任何理由。等我的身体用衣服里三层、外三层精包装，谁知道隐藏着什么？

地面湿漉漉刚下过阵雨，太阳当头，弥漫闷热的白蒙蒙潮气，如同澡堂里的蒸汽。行人、树木、花草，街道上有几处腋窝，厨房窗口霉烂的油腻味，排水管里腥臭的污垢味，汽车喷出刺鼻的废气味。世界就是一个巨大的公共澡堂。

歌声还在继续。淡绿、冰凉的海面摇晃，白色的马群奔腾。

四、五通神庙的鬼卒；电视播放魔术表演；第三次婚姻

我还在浴池里。浴池里建有大大小小的健康城、娱乐澡堂成千上万，还有烟馆、花心翠柳馆、秘宝馆、私塾馆。五通神庙，破旧得惨惨凄凄。一位刚从泥塘里冒出头的小伙子与我攀谈。他的生活大约很寂寞，说话殷勤和琐碎："你知道吗？我这一身打扮可以追逐女

人了，说不定马上就能结婚，我还想多品味几个。要不要我陪你走一圈？五通神可是瘟神，是驴、马变的，力气非常大，到处淫人妻女，整个浴池人心惶惶，一品良民期盼杜绝家丑就捐款建庙，烧香下拜，香火延续好几代人；二品良民听天由命；三品良民的我混得不错，月薪不低，还能顺便玩玩。”

三品良民身穿长袍，沾着脏肥皂水搅和的污泥，散发湿润的臭味。我尽量离他远些，他不断贴近我，我恶心又不好多说。我不知怎么谈起有许多不同的空间，不小心就滑落进去，而且一个个空间都会消失。他非常惊讶，打量我，哪几根神经接错啦？他说大家都活得好好的，像你是吃饱了没事做。出生，他只有一次，生活的世界也只有一个。他说眼前的世界最牢固，起码配置大量的钢筋，混凝土里水泥用量也超标准，有什么多想的。他有一摊子好亲戚、柔情蜜友，他与他们共度温情香辣快意岁月。

我不与任何人谈我的经历，我以为大家的命运都相似，全都一样是理所当然的。此时，我不敢再讲自己如何东奔西走，以及我所珍爱的和厌恶的空间怎样瞬间丢失。我仔细听他讲，觉得我跟他们的命运真的不同。他们是活人，我也许是个魂灵，潦倒到无家可归。特殊的情况，人会遇到鬼魂，比如虚弱的人，黄昏和黑夜即将转换的瞬间，半夜，云雾浓重的阴天。

他唠唠叨叨，突然停步仔细看我，说我好像是他三楼的邻居，说有天从窗口看到我家黄色的烛光摇晃，还有人烧纸冒出火光与黑烟。后来房子一直空关。我告诉他，我是个外地游客。他说他认错了。

远处白灿灿的高楼大厦。他要去五通庙打工，装扮一个鬼卒。我向城市走，走了一会儿我回头看他，他也回头看我，瞬间他栽倒地上。我跑过去，他的鼻子和嘴巴里流淌鲜血，晴天霹雳，死啦？古书记载，鬼和人相会后，鬼会反复告诫：分别后不要回头看！我怎么忘记告诉他。也许回头互相观望不痛不痒，是他心脏病突发猝死。他的牢固世界看来也是个豆腐渣工程。他会不会飘到其他空间去？我离开某个空间会不会也留下这样的躯体，歪嘴、吐血、瞪白眼珠？

我离开他，离开澡堂旅游区古色古香的建筑群。天黑了，城市里排排商店豪华明亮，霓虹灯的光影起伏流动。宽大的街道没有铺砖，也没有浇水泥，黄泥地面一摊摊积水五光十色。行人熙熙攘攘，头发衣服水淋淋。前面，小百货商店一片嘈杂，店员东奔西窜叫卖内衣、洗发露和香肥皂。几十家水族馆，大大小小的玻璃缸中金鱼、热带鱼如漂浮的花朵。洗吧，洗吧，像一生不离开水的金鱼、热带鱼一样的美丽。

蓝车伴随警笛停靠，一位大汉肩挂两排子弹，握枪逼我走。我说："五通神的鬼卒是自己跌倒的。"大汉说："你是干净的人，可以领取男、女同城免费中奖彩票。"我犹豫，他拖我走过几条街，把我推进空套房，嘭地关门。住户大约几年未返，角角落落垂挂十几张蜘蛛网，白色的家具上灰尘黑厚，电视机睁大眼睛，有点亲切。就是我？

我知道自己是什么货色，也不怕灰尘，坐黑色破皮沙发先看电视，有没有本地新闻？啪地一响，飘出节奏强烈的音乐，彩色画面流动，一位老头戴黑高帽，穿黑西装，手里转动黑漆拐杖，他从虚空中拉出位高个红衣女子，女子身材高挑，大胸脯，笑容可掬。老头把女子推进木盒。女子绿眼睛，绿嘴唇，绿蛇般从木盒伸出头，吐吐紫舌。老头拿长刀割下女子的头，女子还在微笑、眨眼、吹口哨。老头打开木盒顶把头丢进去，又拿几把长刀插入木盒。打开木盒女子完好无损，女子左旋右转献给观众一个个飞吻。头被割下，两个肩膀还扛着头，人还活蹦乱跳？这叫魔术，设计巧妙的机关让观众产生错觉，而我对于真假都缺乏兴趣。表演杀人和有滋有味地观赏，无聊、麻木得有点令人伤心。寻找金色光芒的船队十多年全无音信，巫师割下少女的头，放在祭台，人群站立山头遥望大海。舞台上，女子的眼睛紧闭，头颈开始流血，脑袋掉落。老头慌乱地安装头颅，最后用红布条把头绑在女子的手臂上。主持人说，老头的做法受过专业训练，大家不要模仿。

男子欢唱，塑料花和绸布花突然绽放，背景大紫大红。气盛的富商胡侃自己的人生过山车，煞有介事炫耀爬雪山的感悟：石破天惊啊！城管和卖假烟的小贩扭打成一团好像发情作爱。通过考试的学生一脸严肃谈论出题者的喜好与偏头痛。他们不断闪过，我忧郁，胃部发闷。我可以立即和一棵树融洽无间，感受到树的生命的美妙，却无法走近他们有滋有味地交流。我哈欠不断。画面突然改变，风景迷人。

五、演员青说：全错了，水洗不干净，要用火

土路两边秋林红艳，黑牛拉木轮车嘎嘎远去，黄绿相间的圆形丘陵绵延不绝。咩咩咩、咩咩咩……一牧童，衣衫破烂，脸蛋黑红发亮，挥树枝赶大群脏兮兮的绵羊，咩咩咩、咩咩咩……

麦田边矮房一座，草顶，石片垒墙，细长的烟囱冒出灰烟，遇风颤抖四散。女孩推开破木门，收拾摊晒的谷物。她，体瘦，蓝花土布包头，短小的旧长裙墨绿色，赤着脚。她抬头向电视屏幕外凝神张望，黝黑的面容透露秀美又坚毅的神情。她仿佛看到我，好奇地打量，想跨出屏幕。我问："你是谁？"

广告像醉汉，乌龟王八蛋一样闯入。两位苍白的城市少女，纸一样轻薄，挤眉弄眼围住旋转的淡绿色瓶子，她们双手擦抹润肤露，闭眼做出享受的样子，然后一边摆动裙子，一边哼哼：玉白露增白霜，祛痘防晒消皱纹。举手尖叫仿佛腐女拦截和追赶流氓歌星。

脸庞松松垮垮的老头拿钱眯眼谄媚，说道：我过去抽筋骨头痛，以为犯了大毛病，天天晚上出冷汗。自从咀嚼龙骨粉，都好啦。他跷起大拇指，龙骨粉，赛仙丹！

大喊，御皇豪苑，总统巢穴，下金蛋人士的欢乐窝点。歌唱，这里日日荡春心，这里你香他臭我扮靓。一对年轻男女迫不及待跑进客厅，四脚朝天摔入红牛皮、老虎脚沙发，又拉手跑到宽大的阳台。女子张开双臂，拥抱她的心满意足。楼下叶片相似的细密草坪，人工开挖的逗号形池塘。满则损，损则满。

各式明星名人挤眉弄眼，豪情满怀地轮流上台推销商品。千百件相同类型的商品，比如汽车，比如牙膏，人们不知道哪种好。明星名人，假设他们本身就是王牌好货，而且有大把金钱引导时代新潮流，他们选择的东西当然是好货。有点能力的人寻找机会不断与明星名人合影，算是光荣的半个或组合明星名人，或者是光荣的明星名人身边可靠的汽车、牙膏。不走运的人用明星名人推荐的牙膏，这样贴近明星名人既经济又实惠。

其实，汽车、牙膏和明星名人根本不能等同，有的明星名人戏演得不错却满口假牙，开车罚款账单一大叠。汽车、牙膏大多数差不多吧，买哪种利弊复杂又相等，非专家也不具备汽车、牙膏的丰富的专业知识。只是偷工减料和弄虚作假的艺术百花齐放，百舸争流，任何选择都会令人不安，逃离选择时的焦虑是首要的。明星名人用什么就用什么，这样就不会有烦躁、焦虑和后悔，安抚情绪比被心理咨询师翻来覆去询问最近做了哪些梦还要好。同时也多了份荣耀和自信，觉得自己与明星名人有共同点，也许已经是个明星名人啦。

明星名人与汽车、牙膏亲近，渐渐明星名人与他们的舞台形象，以及丰功伟绩相脱离，越来越像光滑寒冷的汽车和刺鼻的牙膏。小孩看到明星名人就叫什么什么汽车来啦，什么什么牙膏来啦。明星名人演过警察、音乐家，小孩会困惑，警察、音乐家为什么极力推销汽车和牙膏？他们去商店看到卖牙膏的售货员肃然起敬或躲到父母的身后。你想告诉小孩那里的道道讲不清楚。

明星名人想拿广告费，又怕误导观众而被责骂，先要问问产品是否过关，有的还到广场当众表白自己从来不宣传伪劣产品。如果明星名人要靠汽车、牙膏的质量来获得信誉、荣誉，明星名人倒是个值得怀疑的产品。比如，葵花子纸包装上印有演员照片，我吃到葵花子还算新鲜就笑眯眯多看照片几眼，吃到霉味苦味的就想可怜啊，竟然堕落到和奸商、黄曲霉素勾结的地步。我的思绪七上八下，明星名人一会儿在天堂，一会儿在牢房。

有些明星名人早就想通了，既然判定是汽车、牙膏啦，还要管是什么样的汽车、牙膏，这不是既然换了角色又要亮出性劳动者处女证吗？

平原，河流，火光——电视连续剧标题：《铁血岁月》。

天空飞舞晚霞的彩带、繁花，万物通红通红。女子放下满筐猪草，低头坐小山坡下的圆石，注视几丛蓝色雏菊的光晕转成紫色。驼背老太太出门叫唤："枝荷，快来。"枝荷艰难地起身，弯腰进门。

我选台，另一部电视连续剧《五月天兵》。梳两条小辫的女孩，翻衣箱，穿上父亲的米黄色老军装，手臂戴上红袖章。街道，绿色大卡车，一辆接一辆呼啸而过，车厢里挤满拿长刀的学生和年轻工人。广场和大街，人群激昂，高呼口号，放声歌唱如春潮泛滥，又一次次举起手臂的莽莽丛林。枪声噼里啪啦，机枪点射，哒哒、哒哒，哒哒、哒哒。

宁静的早晨，高高的城墙，长长的竹竿，一面白丝绸大旗，旗面四个鲜红的草书大字：五月天兵。旗帜在蓝空中悠然舒卷。啊，自由的大旗，啊，豪情满怀的大字。

一位女子头靠我的肩膀，随手关上电视。她说她是我的妻子，带我来的武装人员是“国家不许也可以城市房屋细胞等等管理局”的公务员。我发现家具和地板打扫得很干净。她招呼吸食牛奶的女孩，让女孩叫我爸爸。女孩不肯叫，肩膀被妻子拍打，呜呜地哭。我又拥有干净可靠的人才会配给的家。妻女进卧室，我独自玩弄遥控器，觉得全都莫名其妙，不过时间一久就会习惯。

电话随心所欲地烦扰人，喜出望外，是极的声音，说他回来想见我。我快步出门。条条黄泥大街，积水一摊又一摊，我想到洗澡，是否马上脱光衣服？说话应该现代些，是否是“飞机上”裸体与“梦幻里”潮湿浴帘小云雾？穿过两条街，一条走过无数次又久违的煤渣小道，路旁杂草一人高。极住在普通的长方形居民楼，间距狭窄。眼前是夜色里的荒野，茂密的树林间轻声轻气出现一座红瓦顶三层小楼，样子自傲又孤寂。我从未见过这座小楼，又觉得熟悉和亲切。人就是如此，由于每个人散发出的气息有明亮、阴暗；幽香、酸臭；温暖、寒冷、不冷不热，他们的住所就会跟随他们的个性变幻，大众澡堂某一刻都会变成“喜泣套房”。极的住房就这样改变。

小楼的进口就是楼梯，我上二楼，敲敲楼上宽大的殷红油漆门。开门的是位面目清秀的女子。有点面熟。我连忙抱歉，说找错地方。

“你找谁？”

“极。”

“极？这里没有这个人。”

我转身离开。她说她看到过我，她叫青。

“哦，记不得。城里我只有一位朋友，极，有时会约我出门。我找他走错路了，过去从来没错过。”

青说："我是枝荷，八点钟我在电视里看到你。开始你无精打采，后来盯住我，晚霞突然映红你的脸。没等我从屋里出来你就关上电视，我演得不好吗？"

"电视剧《铁血岁月》，你演那位村姑？"

"是的。"

我想城市女子，丰润白皙，像尾巴比身体长两倍的金鱼。"我看电视剧没耐心，十几分钟就迷糊，昏昏欲睡。我也不喜欢时髦的胡编乱造，自以为能拿捏观众。故事能麻痹劳累的人，让人超脱，忘记真实的处境。"

"我也感到厌倦，但不是故事，故事给予我曲折浪漫的经历。我讨厌广告，广告和电视剧搅拌，就像拌冷盘，用了黄瓜、奶油、生鱼片、咳嗽药水、蜂蜜、酸醋、可乐、洗涤剂、黄酒。我在其中行动、抒情，情感与动作不再如江水般流畅和奔放。你到客厅坐一会儿？"

我想，什么都是不干不净，不伦不类。青的客厅宽敞、昏暗，乌红色地板，墙壁淡蓝，棕黄色家具，沙发茶几上一大盆洁白的西洋杜鹃花。我不知道自己交了什么好运能和她谈话，她的美貌让目光躲闪。

她告诉我她常常做白日梦，树后闪现，地下冒出，天空掉下许多人影，小山般的太空船灌木茂盛，她可以飞到空旷的草地和天空，当思绪风一般自由自在，不禁手舞足蹈。每到黄昏她被孤独感揪紧，走上街头期盼与一个人相遇，但是她不看黑色的人流起伏，久久观望黄玉色的月亮，似乎那里才有她喜欢的人。她佩服九十多年前的一位女子，喜爱骑马飞奔，但年轻时就被周围的人推下悬崖。为什么要发生这样的事？她感到生活失去所有的希望。生动的女子总是被折磨、毒害、宰杀或者自杀，最后世界只能产生和留下些什么人？她希望我继续看完她主演的电视片《铁血岁月》。她说她们知道世界上什么最为美妙，也敢于不顾得失去追求。你可以回避她们，你可以自以为是，但你无法与她们相比。

我一时茫然，什么值得我激动和追求？同时，我又无法口甜腹苦嬉皮笑脸融入人间的花花绿绿热热闹闹温温润润。我告诉她这个城市的楼房商店表面光亮洁净，可是到处都是黄泥街道和黄泥地，到处都是浑浊的积水。这个空间里，所有的城市和乡村澡堂星罗棋布，有的热腾腾，有的冷冰冰，以及组合成澡堂国际统一市场，弥漫闷热的浊雾，铺天盖地。

“我早就知道，你和许多人浑身脏得坐立不安，都想洗洗干净，澡堂越来越多，越来越大。清澈、清凉的水充满江湖时，人们沐浴后仿佛再生，真的是这样吗？”

“我觉得各路器官都来凑热闹，脑化学手忙脚乱，恐慌、忧虑、心烦。”

“人洗不干净。总是洗，是不是会患上洁癖？连江河湖海也是污浊的波浪滔滔。”

“我和你的想法差不多。不过洗的时候，我看到一个遥远的花园。”

“找不到干净的水，人们用脏水洗。几片清水是人们崇拜的神灵。但有些人根本不相信神灵。人们洗或者不洗，卫生或者不卫生罢了。有的人知道自己做梦，有的人不理会什么梦不梦。”

“可是，那个花园是诱惑我的一道光芒。”

“对，对的，有的人觉得活着根本没有意思，得过且过；有的人一样不缺，活得兴高采烈。内心的毒素与生俱来，如今麻烦的事越来越多，心里的褶皱、死角，心理霉菌、病毒也如黑乎乎臭烘烘的猪群奔走，就像……一般说来，他们心生幻想，不可能实现。也许有极端的方式，但是用水无法洗干净。人们全都错了，不是用水而是要用火。”

“用火？”

“对，用火。”

青点燃蜡烛，黄红色的火苗升腾摇摆，她的脸上红光游移。她点着蓝色纸张折成的舞蹈女子，鲜红的火苗和黑烟，女子弯曲，瞬间断裂，几片发白的薄灰。

“要用火？要用火？”

青把手放到火上烧，她的手渐渐通红、透明，像晚霞似的一片光芒。她叫我过来，火辣的热气撩拨我的脸。她让我把手放在火上烧，我吃惊地看着她，往后退缩。

她说：“就这么样的一小团火，你看，火多么美丽。”

我把手心伸向火苗，刺啦，疼痛剧烈钻心，立即缩回。皮肤冒烟，焦味，火辣辣刺痛。我把发烫的手贴在脸上。青摇摇头。我的注意力集中在烧伤处，其他的肮脏感觉瞬间消失。疼痛像更为难忍的肮脏，是所有肮脏的汇集，用什么也不能把它洗干净。青为什么不怕火烧？她的手被火烧后渐渐透明。

她说：“应该说与这个空间的任何事物死命纠缠也不会有彻底的变化。但，火是人通向另一空间的门和通道，火越大就越容易走过。”

她的想法我也想到过。我的天性容易激动，又觉得青的话如同呓语。我也回避这样疯狂的选择。一阵沉默。我忍受伤痛。青送我出门。我说会继续看《铁血岁月》。路上我弄不清她们在追求什么，而且真的有价值吗？拿平庸、拿世俗打诨，必将倒霉受辱无疑。把快速朽烂的东西想象得无比光辉、美妙，然后宣告，呼唤，吸引大群人献身死去。实在是滑稽可笑，无非能够满足一些欲望和虚荣。青说话的样子太古板，太强势，太一本正经。以后看电视，我大约不敢仔细观望她。戴上墨镜，她会笑话我。

街上细雨凉丝丝，肥皂水、沐浴露的气味也变得冰冷和紧密，不像一张疙瘩脸张大臭嘴巴吹热气，吻你。我又去寻找极的住所，发现这个城市的建筑和遇到极的城市差不多，但是相距千里。仿佛这条街的尽头有一条小弄堂，一直通到麦浪园，我曾住在28幢2单元。走过去却是一条大街，霓虹灯光彩夺目。那个电话肯定不是极打来的，打错电话的人也叫极，是怎样的一个人？

回到家，妻子熟睡，我暗中摸索上床，不小心碰到妻子，她不吭声，转身缩进床角。我也疲倦，很快就睡着。深夜，我的头顶稀里哗啦，很大的呼喊声："洗澡啦！"大水冲下来，房间被绿蒙蒙的积水淹没，我们都在水下憋气，挣扎。等到开窗，水哗哗流出去，我们的头才露出。开门，白亮的水呼地往外冲，我们翻滚着被卷出去。可怕的硕大的空间和强光。一位巨人提铁皮桶往乱砖堆上浇水，他又掀开烂砖，下面纵横交错的黏湿虫道热乎乎的。我看到妻子、女儿混入一大群蟋蟀、油葫芦、西瓜虫、蜈蚣，或蹦跳，或逃窜，又钻进乱砖缝。我们昨天唧唧唧叫得欢快，虫子逃离厄运，一会儿再次唧唧唧叫得欢快。天高空旷，光线强烈，我茫然失措，头钻进泥地，松松软软，霉味。

我好像醒来了，窗外天色淡白。走上街头，拥挤的楼房平房，悬铃木叶片返绿如轻云，暖风吹得朵朵白绒飘飞，铺在街道一层半虚幻半真实的白色。行人陶醉于美妙的昏沉，内心滋生出似有非有的希望。

乍暖还寒，第二天中午下起细雨。泥泞的道路上汇积汪汪清水，没有人离开黑压压的行人去洗澡。他们的脸冷漠、麻木，昨天的喜悦像梦一般消失和不真实。

晚上圆月皎洁，极来看我，说他没给我打过电话，他也没有搬家。我告诉他本地电视台播放《铁血岁月》。极说，听到故作凶残血腥的名字就厌恶。我说拍得还不错。他说他很久不看电视。极到夜空滑行，我紧紧跟随他，望到下面的落日，我们缓缓前行，在云朵环绕的紫红色花园散步，我们是一黄一黑的两条鱼，一会儿花园长满树木，或者说散发树木形状的光芒。

圆球朝我们飞来，气泡般把我们包容。眼前的景象瞬息变化。街道上密集的腿脚无声无息行走。游人赤裸光滑的身体躺卧沙滩，前面深蓝的大海，大海原来是巨大的翅膀，驮载着山峦以及沙滩慢悠悠飞升。

十米跳台下一个大泥塘，人们排队往跳台上涌，呼啸着扎入泥塘，又像飞鱼飞起，再次掉入泥塘又飞起……泥人砌的墙越来越高，他们的脑袋都歪斜着吐出口中的稀泥。

刮大风，满地塑料薄膜纸袋翻卷，飞起，飞扬。一会儿天空乌蓝，月亮升到我们的头顶。我们交谈，直到拂晓时分，睡意渐浓，飘落，分手回家。

六、是魂灵吗？郊外爬山，没有激情的激情，流不出眼泪

你好！

这里喧哗骚动如一股股烈风、沙尘、潮水和证券市场的牛熊，我感到不安。据我观察数量最多的是身体上长着四根棍子的活物，他们用两根棍子支在地上一前一后移动，有时他们坐在两个圆圈的东西上滑行。还有安装更大的四个圆圈，带动干死后挖空的大甲虫，里面挤满四条棍的活物。今天，不知何处，也不知为什么掉下容易碎裂的冰凉珠子，那些活物都披上薄薄的宽大叶片，有红色、蓝色、绿色、黄色。你知道我喜欢色彩，我停下来观看很久。他们浩浩荡荡前行，非常壮观，一定是在举行什么仪式或者是远征。他们的

脸上没有什么表情，似乎隐忍着苦楚，或者就是麻木。因此，你还是不要过来，你也许受不了。他们住在群山中，山都被削成正方形、长方形，里面有空洞，外面排列小黑口。我进去看看，四棍活物坐软绵绵的长方形物品，喝绿色或褐色溶液，又点着一根白色的短棍，吸食青蓝色气体。看多看惯了，我怀疑这个活物群是否真的正在远征，举行有目的仪式，随着他们前行和倒流，我感到迷茫。

一直想我们的天空靠云，我很快就回来，那时一起去花园小道好好谈谈。

我是外星人给他的女友写信，丢到天空。

潮水般的人群车流在我身边喧腾，我突然发觉城市枯燥和肮脏，头顶灰色的电线纵横交错，黄泥大街上水塘发臭，商店的门面破旧脱落，悬铃木被锯掉头，扭曲着心脏病发作时候痉挛的手。楼群边上呆板、死气沉沉的古老小巷，病恹恹的低矮房屋如同出土遗址沾着干黄泥，我何处安身？

雨越下越急，我披雨衣骑车冲入“枪林弹雨”。雨水在脸面流淌，眼前朦朦胧胧的白色、绿色、灰色。冲啊、冲啊、冲啊，瞬间我离开城市，飞驰于郊外的荒山野岭。风又冷又湿。身边几位男女穿黄色、红色的运动服，眼熟却不认识。他们也想穿过痛苦、懊恼吗？也想穿过枯叶、灰影、猪群，找到花园吗？他们个个面容红润，黑眼睛里闪烁干净的亮光。

我走到他们中间说道，天高得吓人，光明亮得吓人，青，火的洁净，吓人。你们看过那里的住房和澡堂，烂砖头和水泥渣，亮光突然把美丽的人、自信的人、天天唱歌的人击成土灰色。我要寻找，我要洗澡，就像雨后山林里的空气和草木。寻找花园的人像魂灵，不知自己是死是活。可是水很脏。他们似乎听不见我说什么。我又提高嗓门喷发一样喊叫，他们像电视人物跟随固定的情节展开。我像个傻瓜般天真，其实我在演戏。回到习惯的地方就好，就快乐吗？身体腌臜就腌臜，水肮脏就肮脏，大群死猪漂浮就漂浮，灰霾、核污染就污染，发生了就必须接受。火烧火烤，那太疼，我的身体触电般猛然震颤，想逃走。这样的冲击后还是耷拉着脑袋。内心空空荡荡。

他们爬山，我不想爬，又怕孤零零留下。攀爬一会儿，望山谷，深渊黑黝黝。山上布满圆鼓鼓的褐色岩石，条条黑灰色的蝮蛇游动。草丛里一堆又一堆蛇，吐出颤抖的红舌，腥味。我告诉他们，小心，有蛇！他们说说笑笑往上走。一条蛇缠住我的腿，狠狠咬我一口，他们一点也不关心。我唱歌大步走，不要让人认为我故意受伤想换来同情和关怀。我踩蛇，抓蛇，蛇咬我后都颤抖着缩成一团，中毒了吗？蛇都是幻影。我紧跑几步，继续爬山。

抬头望到尖锐的山顶直入高深的蓝天。我们举手欢呼蹦跳，我蹦跳得最高，但情感平静如水。瞬间我感到荒唐、懊恼，但是还在不停地欢呼蹦跳，大声唱歌。这是让精神咬牙切齿的铺天盖地的欲望的残花？都不是，没有任何哪怕是微弱的诱惑、强制和难受。

我无法控制自己，我根本不属于自己，也许就像编好的程序流动展开，像种子发芽渐渐长成大树。我们也改良物种，开辟我们的花园，我们装饰某某、某某的房间，或者像流浪的宠物狗一身疮疤？我的器官、神经对眼前的种种影像做出反应，选择自以为喜欢的人和风景。

梦幻告诉我，一、你是从无到有；二、见到喜欢的风景和故人，来源于你的意愿；三、从源头上说一切又都不是来自你的想望和决定。你曾经在他们当中，仔细想想和梦幻一样。蹦跳与不蹦跳没有差别，你去蹦跳欢呼就蹦跳欢呼，然后乏味到沉寂。各种经历的背后的背后的背后的……隐含什么，要带你到什么地方？

我们爬到山顶，勉强站立丛丛尖牙般的黑色岩石。遥远的山下树林摇曳，茂盛的叶子银光流动，呼啸声与广阔的涛声往上涌来，一阵大风扑面，我们被刮得东摇西晃，险些落入深渊。我应该恐惧地叫喊。大脑呆滞、麻木，不当回事。人群无声无息。

对面的石山黑森森，比我们站立的山高大几倍，尖尖的山头围一团宽脸含笑的白云。石山慢慢膨胀，碎裂，岩石满山滚动，慢慢倒塌。我为什么好像有点伤感？

我的内心还算平静，却恐惧般地竭力嘶喊，往山下跑。一些人像一群猴子抓住一根又一根青藤飞速下滑。一些人慌张地喊叫，沿小路往山下跑。跑到一块突出的大岩石上，山底蓝蒙蒙的平静的深潭，我们一个接一个像跳水运动员纵身一跃，一块块绸布飘落潭边。山下平坦，大家脸色苍白，身穿不知从哪儿来的鲜黄色救生衣。

深潭开阔，当中长长的九曲桥。十几位男女不时欢叫、欢笑、追赶打闹。我走过去问："这是什么地方？"一位漂亮的少女眼神妖里妖气，她拿照片给我，说："看，那是你。"我好奇，照片里一群人在摇晃，二十多个脑袋摇晃，讲话像录音机快速放音般叽里呱啦，叽里咕噜。队列里确实有痴呆呆的我。集体照在膨胀，里面的人是山峰，碎石纷纷滚落，慢慢倒塌。我好像有点心酸。我流不出眼泪，我揉眼睛，怎么也流不出眼泪。我翘嘴眯眼想用表情来摇撼内心，没有眼泪。

我把照片放下，告诉新伙伴："我刚才梦到爬山。"

他们一字一顿齐声朗诵："我们都梦到爬山啦。"

我一惊，他们能听见我说话，我问："是刚才吗？"

他们一起点头。

我说："大家写下经历看看是不是一个样？"

我们转身写，我的笔在纸上滑动没有字迹。有什么好写，我们的经历怎么会不一样呢？潮湿、温暖的虫道里住满人，天天街道上来回走动，那是气势浩大的远征，或者是在澡堂里搅拌。不过都是给予和赠予的东西，不是自己的选择，为什么不能偏离现成的空间、物质、道理、路途？我用力写，连白印子也没有。我拿给他们看，他们摇头。他们给我看的也是一张张白纸。我觉得眼角凉凉的，摸一摸，干的。

我还是在街上，乱哄哄的思绪如灰色的手，大脑像毛巾般被绞紧。滴沥答啦，滴沥答啦，答答答，沙……雨越下越大。我披上雨衣骑车冲入“枪林弹雨”。雨水在脸上流淌，眼前腐蚀打磨过的白色、绿色、灰色。冲啊、冲啊、冲啊……我撞倒前面的骑车人，他艰难地爬起，衣裤沾上黑色泥水，一看是极，两人相视哈哈大笑，然后并排跟随人流慢慢骑车。一位瘦长的年轻人摇摇晃晃把车骑得飞快，不断扭出S形，绕过吓得尖叫的行人、骑车人。年轻人迎面冲向一辆公共汽车，公共汽车突然加快速度，就在要相撞的刹那间，年轻人身子一歪从公共汽车车头转弯，优雅地贴车身滑过。

极告诉我：“这就是城市里的冲浪运动。”

我说：“他也许去上班，也许是回家，这样玩命不值得。”

“当然，当然，上班是上班，体育玩命是体育。真的去冲浪，真的去冒险或者甩手辞职，老婆会哭得死去活来，父母会叫骂拼老命。他们迫不得已用这样的方式享受自由的乐趣，冒险的乐趣。公共汽车司机，特别是重型卡车司机也很配合，他们知道玩命者和自己的癖好，就猛踩油门互相成全。冲浪者遇到恶浪的速度越疯狂越是卵大，司机遇到冲浪者越是技艺高超，越是敢于玩命，直玩到惊心动魄就越是疯疯癫癫，即从日日的孤独求败到了心满意足的热闹求胜的总爆发。司机呸地喷一口吐沫，恶狠狠骂道：草泥马的！踩紧油门，心里乐得忍不住呢喃呻吟：压死这个畜生，压死这个大卵，草泥马的！”

雨停了，极转进另一条街，我看到远处的云层被阳光映照，一片金黄。我想，城市的冲浪者是否想证明人的生命还是自由的，还是活生生的？当然这样的冒险也是模糊不清，不干不净。

七、《铁血岁月》在广告中冲突；《五月天兵》燃起烈焰

晚上回家，《铁血岁月》正在播放。干瘪矮小的人影奔袭村庄，麦子被猪群践踏。远望蚂蚱的云雾蔓延，升到高空像通红的狰狞鬼怪。谁触碰到干瘪矮小的人影就会变成干瘪矮小的人影，谁触碰到群猪就有腐烂的气味，就应该独自隐藏。枝荷的母亲是干瘪矮小的人影。枝荷母亲跟随枝荷，枝荷握铁铲转身厉声叫道："不要过来！"干瘪矮小的人影说："我是你的母亲。"枝荷望着母亲后退。大多数村民变成干瘪矮小的人影散发阵阵腐烂的气味，满天枯叶纷纷落下。

一对年轻男女拉手奔跑，女子嚼泡泡糖，嚅动嘴皮吐个白色大泡泡。花体字幕："天星旅游，斜雨馆红。"那对男女雀跃前行。当然啦，做广告演员，享受最好的服务。他们跑进六八星饭店加油充电，满桌子海鲜红通通的醉脸。他们在装饰得金灿灿、沉甸甸的商店抢购奢侈品：手表、皮包……又开名车到人造景点游泳，戴墨镜喝啤酒。

我按遥控器换掉不想观看的电台：俗称枪毙！

另一部电视剧《五月天兵》，军装女孩的母亲去菜场买菜，顾客熙熙攘攘。谁放个炮仗？顾客吼叫四散。军装女孩的母亲在一摊血里挣扎。人们交谈：死掉的人还是个大肚子。

广谱抗菌西西豆，能进入细菌的内部，一枚枚炮弹飞进窗口，房间被炸得粉碎。枪毙！

枝荷咬紧牙关磨长刀，眼露凶光，又涌出泪水。她狠狠割下她的长发，划破头皮和脸，冒血。

梳短辫子的影视红星带一群小小皇帝、公主边跳舞边叫，喜欢蓬蓬乐饮料。报纸上说，她嫁给超级富商，还要去哇啦国拍写真集。买一本看看乳沟、肚皮眼、肥腿、大屁股，但她现在得意的疯样叫我想冲过去把她掐死。

瘦长的枝荷骑白色的马，表情庄严，头戴和披挂白色藤甲，大队农民手握锄头、棍棒跟随其后，武斗拉开序幕。

军人坐长途汽车带回家一瓶河马牌花生油，河马是最肥的动物，他的妻子喜笑颜开，街道两边瞬间鲜花怒放。妻子炒好菜，夫妻俩和小胖儿子唱我们真幸福啊，我们真幸福啊。枪毙！

宁静的早晨，高高的城墙，长长的竹竿，一面白丝绸大旗，旗面四个鲜红的草书大字：五月天兵。旗帜在蓝空中悠然舒卷。啊，自由的大旗，啊，豪情满怀的大字。

《五月天兵》第三集。云间掉下一个人平息动乱，然后建立歌萌会。云间掉下的人像木偶吊在树上左摇右晃，人们跟随他跳广场舞。大家听从楼房高层发出的命令。楼房高层上面的人常常沉默寡言。人们只好由着自己的性子选择，杨花性格的人说歌萌会帅，煤气性格的人说帅个鸟，泥浆性格的人说鸟和帅。帅鸟两派开始攀爬楼梯打架——阶级争斗。同时，两派的人群不停地往楼房高层上面瞭望，眼珠长达几米像细木棍直指青天。他们都惴惴不安等待楼房高层的人决定：歌萌会到底是帅，还是帅个鸟，还是鸟和帅？楼房高层的人说，各队人马都可以动手动脚，歌萌会帅还是帅个鸟人群的眼睛是雪亮的。如今要干惊天动地的大事，浑浑噩噩的人终于浑身骚热，一时领悟请客吃饭、男女追逐、夫妻恩爱本是低级趣味，渺小灰暗。鸟派不知从哪里拖来一门大炮，把帅派的河边棉花仓库炸出十几个缺口。半个月，白天黑夜枪声大作。枪毙！

从120台翻看到1台。全都那么乏味。枪毙！立即回到宁静中。枝荷新的生活是悲剧还是喜剧？我的现状是无聊和焦躁。不知道做什么好，又不想让时光白白流逝。奋力与强大的敌人砍砍杀杀就能解救自己？杀敌啊，杀啊杀，前面出现光芒。

半夜门铃响起，极进来拉我到方桌前就座。他说想听听我的意见。我还睡眼惺忪，看到他的表情沉重，睁大眼，糊里糊涂听他说，谁在等他，谁低沉。情欲难熬时的世界和情感隐藏的世界。走过情欲的世界，突然看到更美的风景在招手，发现自己无精打采或者被重门围困。无法避免伤害他们和隐忍痛苦。瞬间转换的快乐和厌倦，心脏好像被十几根牛皮筋牵扯，晃荡。无可奈何吗？我们的生活和精神还是负数，离零还有遥远的距离，甚至零像一道地平线。他的遭遇是个小小的例子，其实我们所有生活都那样。自由自在的路上，等候我们的是一座座沉重的墓碑，就算大胆拼死一一跨过，也得全部背起，那么多的墓碑扛得动吗？另外，自由选择，人就不断毁灭这个地，毁灭那个城，看似随心所欲，实际上如同被驱赶，或者迷失方向，永远不会有可以安息的家。他做的事以后被人指手画脚、被人诅咒也许算不了什么，人们都在放开腿脚扩大死亡的地盘。可是难道不会从一个湿漉漉的动物园落到另一个热腾腾的屠宰场？追求与被驱赶是两头蛇，共用一个心脏，一个身体，追求就是被驱赶，被驱赶就是追求。不过他情愿要新的东西，管他落入什么地方，他还缺少体验，他现在感受到的是压在心头的痛苦和焦虑。他怎么办？一个女子的笑容和泪水让他心碎。

我觉得照极的说法，走完情欲的路，觉得情感更为美丽，但地上满目荒草、污迹。如果可以继续前行，走完情感的路？与过去一样，极来时高处呈现金黄色的光芒，过去是船舶深入大海时出现的雄浑的金黄，现在是深入风萧萧的北方时，遍野让人伤感的极其凄艳的枯黄。一个出现在早晨、春日，一个出现在黄昏、秋天。金黄色的饱满、丰富与实在空间形成反差，我们的实在空间无边的寒冷、贫瘠、荒凉。

早晨，我想胡乱行走。平整的块块麦田，一条条河流，群山起伏。我走到枝荷的村庄，到处残砖断瓦，残花败柳。村外泥路悠长，几匹毛色不同的烈马卷起火焰般的尘土嗒塔、嗒嗒奔腾，枝荷骑在最前面的白色的马上。我叫喊："枝荷！枝荷！枝荷！"她们跑远。

我沿泥路走到深夜，田野有团团扎营的火光。五六个强壮的武士架起山羊烧烤。见我大叫："你是谁？"

我和他们相比苍白瘦弱，穿一件格子化纤衬衫，还戴条半新不旧的领带像只袜子。我说："我是枝荷的朋友，想和你们在一起。"

突然，一片杀声，干瘪矮小的人影来偷袭，他们又如奔腾的猪群，我膨胀成高大的英雄，拿粗木棍和武士一起噼里啪啦乱打，我发现我是那样野蛮、狂暴，竟然觉得集体杀戮如此壮观，如此过瘾。必须找个理由，复仇和正义，你不杀，他们就把你变成干瘪矮小的人影，四处散播腐烂的气味，必须杀。杀家禽也一样，家禽不死，你馋死，饿死，烦死，愁死，傻死。天亮时漫山遍野的死猪，如果他们活着，变成干瘪矮小的人影，变成人。这么多人，需要提供多少肉块、谷物、男女、按摩男女、小三、警察、座位、老师、房子、风景区……需要打发多少搬弄口舌和百无聊赖的时间。如今他们成了狼大叔、狼外婆、狼弟兄的汉堡包、麦乐鸡。一群群野狼撕咬抢夺，大啃大嚼，快乐吟唱。野狼突然把我团团围住。

我确确实实坐在客厅里，无所事事。打开电视，五月天兵是鸟派的队伍，这些十四五岁的学生一拥而上占领城门和一大段城墙。

宁静的早晨，高高的城墙，长长的竹竿，一面白丝绸大旗，旗面四个鲜红的草书大字：五月天兵。旗帜在蓝空中悠然舒卷。啊，自由的大旗，啊，豪情满怀的大字。

我关上电视，我想找青谈谈。只有和青去拍电视剧才能体验枝荷跌宕起伏，充满血腥的武斗。我缺乏自信，我依然觉得我只不过是个魂灵，或者是幻影，最多是个清醒的排斥空心的空心人，什么都难以感动我。

会不会有如此的情况，一个人死去，他不知道，在与过去相同的影子般的世界里他像往常一样醒来，长长吐一口气，穿好衣服，洗脸刷牙，和老婆孩子斗斗嘴，汇入喧哗的滚滚人流、车流、地铁车厢。我难道也是这样？我写下许多字，纸还是白白的，我流不出眼泪。

记得我在某个空间四岁时，我突然身处荒野，大地如波浪摇晃，雾气越来越浓，我站不住，摔倒。我仰卧救护车上，嘚铃铃，嘚铃铃，救护车飞驰，穿过灰蒙蒙的建筑群，嘚铃铃，嘚铃铃……我恐惧，心快跳出喉咙，失去知觉。后来，弄不清到底是不是做梦？当时，我用沉重和麻木的手去拉亮电灯，灯明亮，一个陌生的男子看着我笑。母亲告诉我，他是我的小叔叔。

我确认我身在醒来的世界，感受真切，梦中看不到这么清晰稳重的景物，触觉也没有这样丰富和实在。推开院门，一片阳光贴在对面楼房的水泥墙，新的一天又开始。什么地方？如同我四岁时候那样拉开电灯却回不到"救护车"的天与地，回不到睡觉的小床，回不到幼儿园的教室……大团灰云飘过，沉下压在头顶，滴滴答答的雨点散发怪味，洗涤后的悬铃木新叶翠绿耀眼。枯叶在我脑子里啪嗒啪嗒，干瘪矮小的人影奔跑，腐烂的气味。我在街上徘徊，霓虹灯的彩光又开始流动。起风啦，枯叶嚓啦嚓啦旋转，渐渐无声无息。寂静的深处好像有个花园，幻影似的我又向那里缓缓走去。

八、青的住宅残墙焦黑；幻想卡住剧情延续

孤独难忍。我想找人诉说，渴求得到些开导、安慰。我也会听青的诉说，为青的忧虑和期待叹息。这个城市里，青是我唯一的可以交谈的女子。白天我找过青的住处，几堵乌黑断墙可以确认发生过火灾。今晚我又去树林，红瓦小楼已不见，看到类似极住过的多层楼房，一时迷失在长方体灰色楼群。楼房、楼房、楼房，呆傻奴性的巨人群，心灵丰富的极和青怎么会住在这里？住在这里的人会无聊气闷，坐立不安，一天患上重度痴呆症。天渐渐变暗，块块蓝灰色，楼房是座座黑色纪念碑。迷路的焦虑开始消失，我想回家，好不容易从一条泥泞的新路走到大街。

炎热的深夜空气湿漉漉的，大河岸边摆放一个个小吃摊，油灯黄光点点，行人稀疏。我俯身高烧不退的石栏杆，河面飘来沐浴露、消毒水的气味。转头见一位女子像青，她坐石条凳面对河景。我微微惆怅。一条白色的游船驶过，重叠的窗口灯光明亮，阵阵游客的说笑声，过后，又听到河水潺潺流淌。女子转脸，是青。她起身说道："原来是你。"我既高兴又慌乱。青平静地看我，我也平静下来。

青说："我睡不着。"

"我也是。想遇到的人难以遇到。想说很多话，可是吐不出来，回落到喉咙的深渊。说话，要是雨点落到湖面，许许多多圆圈；风吹过树枝，摇晃。"

"是呀，交谈如果成为合奏和双人舞蹈。我们谈过肮脏、澡堂和火。活着，没有一个观念能让人的头脑清晰。眼睛看到的实物、人物又迅速变得单调，或者杂乱、混乱。"

"我真的无法忍受，什么能够给予我热情？我的不洁、懒散、怪

癖……懊恼、自责、悔恨都没有支点，但是又懊恼、自责、悔恨。最真实的感触是不舒服，不干不净。”

“我曾经有过相似的感受。我现在好像独自一人，和他人没有关系。我过去常对自己说，一天天熬下去真的不如不活。”

“你说过，火的熬炼，清洁？”

“我也怕狂暴的痛苦，叫喊和挣扎。可是人们被惨烈的事件提升到极致，如同高音的极致，突然世界的整体被你审视，以及细枝末节，如同千刀万剐后刺向心脏的最后的一刀。爱还是恨？刹那间魂灵一跳八丈高，不知去了何处，接着身体仿佛从云霄飞速滑落，松弛。魂灵永远的平静和洁净？如果陷入一场火灾，怕也没有用。”

“还是不要那样想，魂灵还是原样，肮脏和空虚。”

“你怎么知道？”

“我不敢说。”

“我想听。不想说也就不说吧。”

“我现在没有做梦，觉得我是个魂灵，或者是个影子。我流不出眼泪，说话与行动都如幻影。这证明，抛离身体的魂灵还是老样子，依然不知道做什么才好。你不要乱想，活下去，不要像我，一个油油腻腻的无聊又不甘心的魂灵。”

“你为什么找不到我的住处？”

“确实找不到。”

“你走错路。最好白天去，树林里烧毁的小楼还留下几堵残墙。有人猜测是出自意外，也有人猜测是我点火自焚。”

“我看到过那几堵黑色的残墙。不过，我不相信那是你的住房。”

“不是我的吗？我现在也不清楚，就像你不断犹疑自己是不是死去了，是不是一个魂灵。如果，你知道我对你有情感，你会觉得这个夜晚非常美好。”

我与她仿佛离开地面缓缓飞升，实在的空间和他人留在深处。

青说：“我要和你告别，你身边的事物就会隐身。哪天，你回到这里，你会再次发现情景已经改变或者消失。回去不要忘记看电视剧《铁血岁月》。”

青起身才走几步，我说：“以后怎么和你联系？”她继续走。我赶到她的前面，那女子翻个白眼，不是青。

我察看四周，夜深了，江水黑黝黝，路灯白光里尘土乱糟糟飞舞，洒落在条条黄泥街道。我独自回家，周围商店紧闭。小报厅的主人还在收拾杂志，我买份《电视周报》，细读报纸。《铁血岁月》共二十一集，一个洗澡、人影和猪群的故事。人们触碰到干瘪矮小的人影就会变成干瘪矮小的人影，不洁的猪群传播疾病。下礼拜，枝荷带领众人远征沙漠，攻入水塘花园边的饲养场。继续攻击，狂风掀翻枯叶尘土，猪群奔腾。枝荷被猪蹄践踏，腿部流血，化脓，发烧。有人密谋替换枝荷，盗走她的数量庞大的粉丝，然后逃跑或割地，开办网店，与广告商密谈，建立六毛水军。反抗，复仇和理想陷入阴谋诡计和争权夺利的火并。如果沙漠干旱结束，干瘪矮小的人影和猪群平息。粉丝、水军骨子里全都渴望众人瞩目的衣锦还乡，吃到死，弄到死。

电视报的二版介绍《五月天兵》。我瞄了几眼。这位男学生英俊纯洁胆子大，他是五月天兵的司令，身边围绕的小女兵英姿勃发，一律穿绿衣服，挎半自动步枪。有人嘀咕，她们全都和司令睡过。城市夜空一颗颗子弹呼啸飞过，一条条红光。楼房高层的人还是没有下命令：哪一派帅和哪一派帅个鸟。帅派与鸟派冲击正规军的武器仓库，抢走大量步枪、手榴弹和小钢炮。无数高音喇叭掀起吐沫的暴风雨，军歌豪壮，正规军顾问指导广场握枪的人群排成列列整齐的方阵。

读报后几天没看电视。电视片里的枝荷太刚毅、太冷酷，我知道那是武斗，正义的武斗不理会死亡、血腥，但对于个人来说死亡是夺去他们的整个现实世界。我愿意回想卸妆后的青，一位秀丽的女子，她心怀忧愁的溪流淌向天际，有时还会显露阴天的树林凄楚的神情。不过《铁血岁月》带给我充满激情的行为和精神的向往，我和武士举着火把、刀枪骑马奔腾，似乎不是去清理干瘪矮小的人影、枯叶和猪群，而是摆脱自身的不干不净，那些东西彻底支配和改变了我，直到我深深的失望，一味的消沉。

我忍不住打开电视，跟随枝荷在广告中拼杀，杀出一条血路，冲到无边的草地，墨绿的丛林，险峻的群山，花香，瓢虫、蜜蜂飞舞，没有遮挡的苍天绽开霞光的熠熠光彩。我们向那里骑马奔去，飞起，融化，消失。

星期日我又买一份《电视周报》。这星期《铁血岁月》播放完，以后我要遇见青更难。孤独，我的内心雾霭翻滚的茫茫空虚。城市杂七杂八的事物如同升腾的潮水把安慰我的女子偷走。继续看报，大吃一惊。有人告密，枝荷被抓，捆绑树上，活活烧死。

这星期的《五月天兵》也在玩火，四处烟火升腾，鸟派的大队人马进攻古老的学府，那是帅派在城里最后的水泥砖块和人肉堡垒。鸟派向主楼浇汽油，安置雷管、氧气瓶，点火焚烧。烧死、炸死无法撤离的伤兵三十八人，其中就有军装女孩儿。母女两个人前后排队死去。

我记住极的楼号，上次去极的家却遇到青。青说她的房子失火烧毁。很容易就找到极的家，敲半天门没人开，手上沾满灰尘，脸上沾着蛛网，鼻子干燥，痒痒的。我依稀记起，我们交往是在另外一个城市。

我去电视周报社，向忙着改稿的中年记者索取青的电话。他抬起浓浓络腮胡子脸庞看我一会儿，“她是名人？你们认识？”

“是的。”

“能告诉我，怎么认识的？”

“以后再讲吧，我有急事想和她联系。”

“你不知道？她三年前就自杀了。”

“不可能，最近我还遇到她。”

记者冷笑，丢给我旧报纸。

报纸上有照片，青斜身微笑，左面黑色大标题《青某某魂断欢楼，好影迷花潮泪海》。地面平坦，我一脚高、一脚低往外走，走几步，又转身问：“有没有这样的可能，如果观众不希望某个人死去，能不能满足他们的要求？”

记者说：“有啊，电视剧《爆笑狂情俊盗》的主角从高山落到万丈深渊，阎罗王把他皮也剥了，筋也抽了，油也炸了。几位观众却给导演打电话，说你杀人也太容易，你不让他活，我们就让你死。导演和摄制组成员贪生怕死只好再编一集，再拍一次。山谷里堆积五万年五百米厚的枯叶，他掉下去又被弹上山顶，弹上山顶大约十天，山谷太深有什么办法。后来他改邪归正，进大公司做精算师，收入丰厚，钞票贴墙铺地，找个女人姿色鬼魅，超计划做上葫芦娃他爹，八十多岁平平安安不再吐出二氧化碳给床边的马蹄莲。可是，刚播出，导演的窗户就被卵石击碎。又有观众愤怒吼叫，该死的人为什么不死？我们第一集就在等他死，为什么非要拖到最后？所以，现在拍电视剧，人物的死活必须做民意调查，搞“公投”。少数服从多数嘛。新法颁布后，你的问题不存在。”

“她好像飞蛾脱壳。可是，她没有离开。”

“什么意思？”

"许许多多空间，我们不断地游荡，无数次的出生、长大和告别。青还在城里，我要找她。"

"你……"

"前几天我遇见她。还有，她是不是住三层小楼？"

记者说出去放松放松，他带来保安。保安一声不吭架我走。记者叫停出租车，他靠近司机耳朵嘀咕。

九、神经兮兮病院；我与极的"冲浪"

我和保安上车，离开市区，过一座小桥，葱绿的小山间我看到大门的牌子："青峰山神经兮兮疗养总院"。我有点不安，再一想，没病怕什么。保安带我挂号，医生是位面容白净的瘦老头，脸庞不断绽放长期剪枝、捉虫、浇灌的职业笑容之树。保安上前靠近医生耳语，老头频频点头。老头问我住处、电话和妻子的名字。我想，他的从容是依靠身后两个大汉，而且他们还握着黑色电警棍，缺失了大汉他马上会两腿发软，冒汗。他叫两位大汉带我洗澡换衣服。

我回头问："我真是神经兮兮吗？"

老头喜不自禁："你很正常，真的，怎么会有那个病呢？嚯嚯、嚯嚯。"

两位大汉带我左转右拐，推我到宽敞的浴室，指示我脱个精光，他们嘿嘿笑。两位穿短裤汗衫的肥胖女人扑过来，一桶又一桶冷水浇到我的头上，又让我趴地面，她们用长柄毛刷蘸洗涤精刷洗我的身体，好像刷洗水泥地面。她们把我翻过来，翻过去。皮肤都渗血了。我叫疼，哎哟疼。她们说，疼并快乐着。几桶冷水连着哗哗浇下，她们说我白白净净可以当个新郎啦，问我愿意选她们中哪一位结百年之好。我说："都不要。"她们拼命踢我，呵斥："去死吧！

你这个神经兮兮！”

我回到更衣室，两位大汉还在等候，给我长条纹睡衣。大汉把我领到一间闷热的病室。四张床，只有我一个病人，我静静坐床边。一会儿听到妻子的呜咽声，瘦老头医生劝说道：“不要紧，他很安静，也懂规矩，这样的文兮兮不是武兮兮。随你的便，你要领回去也可以。”

妻子抽泣：“他要找死了好几年的电影明星，我怎么办？我没有她漂亮。”

医生说：“你不仅要你丈夫讲卫生多洗澡，还要经常清洗清洗里面。我特配十几瓶扫脑灵，要按时服药。就是有个副作用，他也会忘记你。”

妻子说：“能忘记电影明星就好，其他的我才不管。”

我耷拉脑袋跟随妻子回家。妻子给我喂药，三颗黄色的糖衣药片，好像是复方黄连素。她吆喝：张大嘴！张大嘴！刚把药放到我的嘴里，我就假装难受得瞪眼睛，伸舌头，喉咙噜噜噜，一口吐出来，说：“这是什么药？副作用好大呀，一舔触电一样。舌头发麻，麻死啦，而且反胃。”

她冷笑：“你不吃，我吃！”

她倒出一把药，我抢都来不及，骨碌咽下去。妻子天天坐窗口晒太阳，谁都不相识，瘦长的脸呼啦啦发胖发圆。她到是达到最高等级的境界。我后悔，后悔什么？我要看护呆滞的大半个植物人无法脱身，还要远远避开吃剩的扫脑灵，这简直就是作孽天罚啊。

我的眼前事情又多得烦心，想发火。电视剧不会停止，我怎么阻止枝荷被杀？要想个办法，我去电视台，把发射设备打烂，真的神经兮兮吗？我去骑车，拼命骑，能得到时间倒退的感觉。街上拥挤的自行车车流，很难超越他人。冲浪，海太平静，一道铁栏隔开汽车，就像海堤隔开大浪。

我默默跟随自行车车流，身边有人小声叫我："乱头发！"是极。他说，他去乡村，城外路上人稀少，然后骑到草色青青的小路。离城市越来越远。土地、山脉、凉风、香气，麦子和草木洁净、秀丽、芳香。他沿小道穿过大片竹林，清澈见底的湖泊和天空一样蓝，圈圈油绿的野菱角开着小黄花。他观望很久。

我说："我也会去的。枝荷要被烧死，我怎么办？"

"《铁血岁月》吗？那是电视剧，演戏。"

"不是，你根本不知道。青、枝荷都是真实的人。"

"电视剧都拍好，就是说，真实的演员表演一遍，剪辑者安排好顺序，接下来碰鼻子也不会转弯。事件发生过，怎么改变，怎么能变到从未发生？"

"为什么不可以？为什么？我不能让她们死去，我离不开她们。"

"你不是孩子。"

"我不管我是不是孩子，我要奔走，要去挽救。"

"我知道，对于很多事我们无能为力，可是我们的心还在往前冲，往前冲……冲浪吧，冲浪！我发现只有冲浪时我才感到我是活的，感觉到内心远处的清澈天空和花园。"

极说起冲浪，我发现拥挤的黑压压的自行车车流，小汽车车流。我们的脸渐渐开始松弛，这样的人应该有一副四平八稳的尊容，应该慢悠悠踱方步，走正路，在众人面前装大爷，显得有点来头。我仿佛是在做最后的挣扎，我喊道冲，冲。我们拼命按铃，飙车。有人回头见到我们慌忙让道，有人继续不紧不慢地骑，他们一不偷，二不抢，三不赌，四不嫖，还坚持吃素，最多洗脚妹无意靠近，蹭到胸部想入非非。看我们拿他们怎样？我们就冲进两车很小的间隙，他们感到我们简直是不要命，惊慌失措，连忙刹车，然后在背后放出叫骂声扑过来。

我们在车流中扭来扭去向前冲，极念叨着："冲浪，冲，冲，冲。"我感到电视剧《铁血岁月》的剧情向后倒退，退到了枝荷骑上白马，退到枝荷望着蓝色的雏菊出神。接下来全是我的过去，我仿佛刚刚出生。我在心里喊道："我要热烈的生活，我要热烈的生活。"青说得很对，水洗是没有用的，要用火烧，我感到我在燃烧，像一辆高速列车起火，还在飞驰。青死了，枝荷也快死了，极也会伤心诉说？"冲、冲、冲、冲，我要热烈的生活，我要热烈的生活……"

极比我强壮，冲到前面，摇摇晃晃看不见。我开始胸闷、喘气，腿蹬踏板没有感觉，脸发涨，发烧，浑身虚汗。我咬紧牙，身体向前伸俯，继续冲，脚板又有阻力。拼命按铃，一路狂奔，呼啸。人们不解地让路或者停车看我，是抓小偷，还是有什么急事？我一下子把他们甩在身后。好几次险些把人撞倒，我和他们都在慌乱躲避，我的车冲上人行道蹦跳，擦过花坛，转弯回到慢车道。我随时会伤害他人，可是我无法抑制自己，说不定会撞向街树，我渴求沉闷或者锐利的疼痛，剧烈的疼痛中忘却所有经历。我没有目标，往前冲仿佛就有目标，非常明确的目标，值得我为之而死去，还是我不想活了。

远方的天空又是一片金黄。冲、冲、冲、冲、冲，这不是冲浪，人群的海洋只涌动轻微的波涛，我们也不借助宽阔的风的力量，是被自己的疯狂的精神刮走，不知到达何处。几乎冲过半座城市，我的身体歪歪扭扭骑不动车，在一个高坡停下，拖着软绵绵的腿走几步，心脏扑咚、扑咚，心惊肉跳地跳，跳得我晕眩，恶心，眼前发黑，车子哐啷摔倒，我扶住一棵树大口、大口呕吐。《铁血岁月》又在推进，枝荷要被烧死。不能这样，不能，我一口口呕出酸酸的黄水和清水。

十、枝荷与谁搏斗，死于谁手

我等不到极，看到附近有公园，进去休息。中午阳光强烈，地面热气蒸腾，不见游人，绿荫、鲜花宁静，水塘白亮。我躺在大树边的草地，拿出《电视周报》。电影明星青毕业于传媒学院，拍过五部电影和两部电视连续剧，她死于住房失火，传说与三角绯闻有关。我不想再看下去，通过报纸我永远也无法了解她。我和她交谈过，我明白是怎么一会儿事。原来青早已死去，而我一直活着。我以为自己是游荡的油腻腻的魂灵，还劝她不要想什么火烧，告诉她什么死也摆脱不了空虚和肮脏。

公园的草地，枝荷战马奔驰，大多数观众认为该死的枝荷手握钢刀从马背翻身而下。

我走到她身旁喊道："枝荷。"

她吃惊地问："你是人还是鬼？"分明像青在说话。

我说："青，枝荷将被烧死，有没有办法不让这样的事发生？"

"你怎么知道我要被烧死？胡说！全部拍完了，只有剪掉后半部……也没有用。我一演，枝荷的事件就曾经存在，重拍或剪掉的结果只能产生另一部电视剧。作者可以写续集，比如烧死的不是真的枝荷。但为什么要别人代替她死？还有，谁愿意出钱继续改拍？如果枝荷不死，观众不满怎么办？作者、投资者、导演和观众对枝荷的生死从来就是漠不关心的。我最怕触摸到干瘪矮小的人影、广告、枯叶和猪群，我会不知不觉地死去。"

"还是想想办法吧。"

"你就别看最后一集。电视剧的故事情节都是假的。"

"是的，谁能阻止你的真实的死亡呢？但枝荷的不死仿佛就是你没有死。"

“你在念什么咒语？你说我将被烧死，你怎么知道。蛊惑人心的神汉要处火刑，快说！看轻些，生死寻常事。”

“我还活着，你为我想想。你要快点离开，千万千万不要相信任何人！你会遇到埋伏。明天你走到半路，迎面会扑来旋转的枯叶，干瘪矮小的人影。”

“埋伏？”她笑一笑，“什么肮里肮脏的死尸把你弄得不干不净？什么花里胡哨的埋伏把你的时间和生命像抽血般抽光？”枝荷眉头紧皱，唰地拔出长刀，“你怎么会知道？你对我有真情，还是想依赖我，想把我当成香烟、小电影和奢侈品消费。我也是人，不能抱过高的希望。我会来看你，我们还会有许多次聚会。”

“千万不要相信身边的人！《电视周刊》上说的，不可能是假的。我知道青死了，我们在幻觉里聚会。唯有枝荷目前还活着。”

“什么《电视周刊》？”

“不要装傻嘛，难道你不相信我？”

“你去吧，我知道。来人，这个古怪的外面人语无伦次，也许是个奸细。先关押，明天再审讯。”

我被押到漆黑的地牢。我能看到帐幕里烛光摇曳，杯里的水结成冰。枝荷浑身颤抖，独自害怕。两种生活一直放在枝荷面前，一种是农妇的生活，贫穷劳累，总是在污泥、烂草、牛羊粪便中挣扎，忍受粗野的男人打骂，猪狗般生孩子，天天忍气吞声，筋疲力尽，慢慢衰老病死；另一种是想改变当下而剑拔弩张，一路狂热地欢呼，充满激情。不知不觉陷入荒唐的笑话，所有的争斗冠以美名，但仅仅是为了息事宁人，恢复过去安定的生活。她厌倦，还好你撕我咬的行动里她随时可能死去。干瘪矮小的人影铺天盖地，烧死的人也越来越多，可是轮到她自己，又觉得凶恶。她冒冷汗，一次次浑身流淌。几个人进来，火光照亮他们奸诈的脸，枝荷一无所知。半夜，一声长长的号叫声如防空警报，是野狼，还是枝荷？

我打开电视，枝荷率领粉丝大军进发，千百万个电视机屏幕，千百万个枝荷领着千百万支粉丝大军进发，剧情不可阻挡地推进。人们观看枝荷在烈火中惨叫、惨死，而没有任何疑义。转台。

《五月天兵》。学生开枪，举长刀冲出掩体砍杀。枪毙！

瘦长的枝荷换骑紫色马匹，表情庄严，头戴和身披紫色藤甲。那是反抗和复仇的生活，向往着清除污泥浊水和彻底的改变，不管多么血腥，但具有目标、道义，可以为之献身。也许枝荷在自找另一种毁灭，她的死和青的死是否相似？干瘪矮小的人影其实都是些普通人，平日里谨小慎微，窝里斗，偶尔偷偷乐子。

古往今来的烈女一生反抗，反抗使她们的生命变得真实、耀眼。无数粗壮的手要把喜欢骑马的烈女拖回泥塘，烈女被粗暴地拉出来示众，刻缕精美花纹的大刀寒光一闪，喷出一大摊血。头在翻滚，嘴巴啃咬泥地。有人说道：你总算服帖了吧。青的死仿佛太普通，傻瓜式的人物，被嘲笑的角色。公家不会立牌坊，也不会有诗人去凭吊。可是我为什么会独自翻飞在奇异的天地？

青在广告中冲杀，领带、牙膏、美容霜；青用手推开，小汽车、西瓜子、蜂王浆；她卡住流动的画面，她喊出与台词完全不同的声音：亮一些、温暖一些……青人疲马乏，金黄的假发、白酒、晚礼服；青茫然失措，豪宅、老板花园、富禄大厦。转台。

古老学府的主楼，火光熊熊，黑烟举向天空一只巨大的拳头。枪毙！

枯叶、猪群、干瘪矮小的人影，利箭嗖嗖，长刀当当，呐喊隆隆。我无法忍受，关掉电视机让故事中断。我内心焦虑，不断叹气。又打开电视机看一眼，凉茶广告，枪毙！

《五月天兵》，战斗结束。古老学府门口，一具黑乎乎的尸体挂在水泥围栏，死者是躲在水塔边点射的帅派机枪手。尸体的头颈、手臂、腿部都被砍断，是被他的大义凛然的鸟派女朋友提大刀猛砍成这样。死者垂下的断手还连着皮，在风中慢悠悠摇摆，讨饶，召唤。转台。

一场殊死武斗过去，枝荷受伤被俘。枝荷被捆绑在大树，枯叶纷飞，猪群奔腾。他们泼油，点火，越烧越旺，像花园春日，花树烂漫，浑身着火的枝荷声嘶力竭地尖叫，不知是在控告谁。大火烧断绳子，枝荷如同火人，挥动双臂，跌跌撞撞地奔走。相比做个农妇，做个公务员，做个小贩，做个啃老族，就算无所事事也是多么太平，多么幸福。

烈女明白了吗，服帖吗？火焰不断扩大，高高升腾如同一扇门，金黄发亮，门外有个花园，枝荷的身体弯曲。干瘪矮小的人影狂呼乱叫丢石头，一块石头击中枝荷的头，她散架似的啪啦啦倒下，一股黑烟和通红的火苗。青曾经说过，水洗不干净，必须用火，然而火是这样的凶狠、凶残、凶恶。转台。

《五月天兵》。火烧过的古老的学府静悄悄，谁都可以进去。有的大人出来，手臂戴五六只手表。有的孩子出来抱一双溜冰鞋，或者几本画册：封面印着各种动物都有彩色花纹。进去的人越来越多，疯狂抢夺。主楼里的过道，楼梯处，几堵掩体用麻袋装大米垒叠，墙壁烟熏火燎，一幅幅粗狂的炭笔画。楼上大厅，走廊，办公室，十几具烧焦的尸体，他们最终被驯服，老老实实，安安静静，遵纪守法。几具尸体脑袋肿胀，上身发黑，下身遮盖草包。可恨偷东西的人偷得如此深入，衣服也被剥掉，一具尸体一丝不挂，露出的焦黑的阴囊圆鼓鼓，极品柚子般的饱满。军装女孩仰面躺在水泥地板，口角渗出一摊殷红色污血，焦黑的面容狰狞得如同想象的鬼魅。集体偷抢东西的人小声交谈，还有手表、钱包吗？

《五月天兵》剩下最后的两集，我想看完。楼房高层的人深夜十二点做出指示：从凌晨一点开始，二十四小时内必须停战。瞬间枪声大作，以及间隙的炮击声，火光染红了天空。二十四小时内人人可以尽情释放激情，豪情，快感。第三天，楼房高层的人凌晨两点做出指示：帅派是歌萌派，鸟派是翻桶派。鸟派敲锣打鼓欢庆喜讯传来，清晨帅派浩浩荡荡开进城，鸟派挥舞小旗夹道欢迎。

五月天兵的旗帜被帅派撕裂烧毁。

宁静的早晨，高高的城墙，长长的竹竿，一面白丝绸大旗，旗面四个鲜红的草书大字：五月天兵。旗帜在蓝空中悠然舒卷。啊，自由的大旗，啊，豪情满怀的大字。

鸟派的烈士陵园里，帅派与鸟派联合，砸倒纪念碑，挖开坟墓，毁尸，一地单薄的残破的军用黄球鞋。帅派出入机关大院，鸟派响应号召，继续当排头兵，坐上大卡车旅游：滚一身泥巴，吃环保鸡蛋。

十一、汇入现实的人群

天空几位白衣男子手握莲蓬头飞，一会儿满天都是白衣人飞来飞去，他们手中的莲蓬头聚拢分开，最后合成一只巨大的莲蓬头，清亮的水滴喷洒，刷刷、刷刷。我举起双臂，纷飞的幻影劈头盖脑。我汗流不止，更为焦躁。巨大的莲蓬头爆裂，巨响，无数黑色的残片砸下。惊醒，房内热烘烘，床如沼泽，水鸭和泥鳅的乐园。扑鼻的汗酸味。我环视房间，不见妻子女儿，想起自己一直单身生活。天发亮，窗外哗啦哗啦喧响，大雨倾盆。我冲出门，街道上冒雨疾行，冰凉的雨水满面流淌，双眼模糊，浑身湿透，想起与极前后冲浪，那是不顾一切的畅快的浪漫行为。可惜，雨水有一股化学药水的味道，酸臭在鼻孔里钻进钻出。

路边遇到旧式澡堂，我进去，沐浴，擦干身体。休息室里，排排小床依然空空的，我躺卧小床翻阅顾客丢下的书：《神秘故事与心理治疗》。

故事之一："一天，许多人在花园里跳舞，他独自坐在一边满面愁容。他想到再过一百年这里的人，包括那些年轻的男女都将死去，他看到遍地枯骨和白灿灿的石碑，他觉得自己灰头土脑。一个开朗活泼的女子拉起他，让他看草叶上闪烁红光的晨露。他笑了，与万物一块摇摆闪光。"

故事之二："街道拥挤，他独自哈哈大笑，一会儿又忍不住嘻嘻、嘻嘻。行人面容呆滞如同周围的墙面。他看到草叶上闪烁红光的晨露，但是，他活不长了。"

故事之三："他唱歌，大笑又跳舞。然后再也没有人听见他的声音，包括他自己。"

编者说，只要病者对故事有所领悟，病就会痊愈。

街面铺好瓷砖、石块、水泥，看不到黄泥水塘和积水。我大约走出澡堂。我不知为什么依恋、怀念黄泥街道和霓虹灯映红的积水。实在的街道与往日一样拥挤，乱哄哄，行人黑压压，成千上万辆汽车、自行车来来回回，我也在其中行走，或者骑着自行车，或者开着一辆汽车，脸色有点苍白，有点黄。纵横交错的大街小巷，天蓝如洗，细雨霏霏，雪花纷纷，全是黑压压的行人、汽车、自行车。他们流呵，流呵，睁大眼睛却对面前的事物毫无兴趣。他们木然地向前流呵，流呵，街树、房子、五颜六色的商店向后退去。我感觉不到有什么不干不净，实在的空间就是实在的空间。

哒哒哒，烧坏一堆点钞机也看不到希望，活到万万岁也看不到希望。枝荷操劳一生也看不到希望，干瘪矮小的人影事件是她的救护车，枯叶、猪群和死猪是她的强心针。青也感到生活的平庸、空虚，她沉溺于五光十色的幻想里，却无法一路流畅、奔放地尽情奔跑。青和杂七杂八的广告搏斗，让她的幻想发亮和珍贵。我要去一个花园，我要建造一个花园，我感到肮脏，我身在澡堂，就像肥鹅，关笼子里，吃人工饲料养大，想扑扑起飞。

枝荷的代价是惨死，青仿佛越过死亡的铁栏，我的感受混乱不堪。我想这么多，又怎么能想得清楚？我听不到脑袋里有枯叶翻动嚓啦嚓啦，猪群奔跑；看不见干瘪矮小的人影后有个洁净的花园；也不再觉得自己肮脏，洁癖是一种病。巨大黄泥澡堂枯干，被掩埋。实在的空间就是实实在在的空间。

我每天都会遇到很多人，总要观察他们的眼神，我怕他们知道我在澡堂里的事，心里常会涌起一阵不安，其实他们不知道已经知道了不知道，这个毛病一年半载会好起来。许多人都有自己的泥塑，只有一个共同的泥塑。洗澡有许多方式，常常只有洗洗干净弄弄脏。不管人们的面容多么秀丽动人，不管天空多么辽阔，我会走过去扭头走开。这个毛病一年半载会好起来。无边无际的人群像大海一样动荡喧哗，抓不住，没味道，也不热。无边无际的枯叶、干瘪矮小的人影像猪群般涌过来，奔腾，死猪在江河中漂浮，散发腐烂的气味，让容易激动的人呼喊。你受得了吗？心爱的，你受得了吗？难闻的气味，脚下一摊摊冷冰冰的污水，阶梯上全是层层叠叠的污垢，像落叶，层层叠叠，叠叠层层。当中安置着一个花园。

第八章
明暗之间

一、两位模糊的人：同紫，预示画丝将要到来

他走到城市绿地，花树茂密。一会儿急雨白色蒙蒙，广阔的沙沙声。雨水冰冷，扑面倾泻，衣服湿透。他没有哭，抹脸总是能抹下一把水，眼眶和鼻角积水满溢。哭的形式感染他，莫名地伤心。“水是洗不干净的。”青多次说过的话。他看到脚下污泥浊水奔流，落入下水道，沙土中的石粒被冲洗白净。脸庞的雨水遮眼，贴身的衣服湿凉，他不再多想青所说的火焰。这样，会让内心远离城市虚拟和真实的色香烂臭：一是阅历已多已深，餍足，对什么都能一眼看透；二是确信看到远方的美景。一棵树就像青或者紫霞的风姿，她们的神态从摇曳的枝叶，也就是从绿色的长发中飘出。树干火烧过一样乌黑。遇见青以后，他一直被火的幻影围绕，仿佛他也在燃烧，就像他仿佛在雨中哭泣。

他看叶片飘落池塘，枯叶层叠的澡堂和坐船漂流。青的秀丽、坚毅的脸……攀爬倒挂楼板上的树，枝干雪白，霞，投胎的云雾，枝

荷的死……他们也许和他在同一座城市里游荡，也许就在他身边，大家不断换上各式各样的嘴脸，重新认识与交往。

要用火，太残酷。火焰看似一扇摇晃的门。青在火焰，她东奔西走无法逃脱。

画丝说：青与画丝？我们两个真实的人。她是谁？她说她的意识在无尽的时间流淌中醒来。

我们好像身在豪华的酒店大厅。磨光红枫石地面，黑色大理石墙面挂厚重的油画：裸女和瓶花。柜台前年轻的女服务员白皙、挺拔、服装整洁，台后墙壁上一排挂钟。大厅中央的天花板垂下千百块紫晶做成的巨大吊灯，照亮白色的钢琴，淡红色绣花丝绸沙发和一盆盆安静的花朵。旅客身穿鲜丽的休闲服，进进出出。

我是年轻的女子，同伴也是年轻的女子。我感到我们既不是旅客，也不是服务员。回想过去水至清而无鱼。为什么会突然到了这里？昏昏沉沉毫无目的，被旅客掀起的一股股风带来带去。我可以感受周围的事物，分得清男女老少，能洞察人的内心。这些能力和见识又从何来？是我的眼睛近视，还是同伴的面容如梦似幻？她的脸仿佛很长、苍白，模糊的微笑动人。她穿与酒店领班相似的笔挺黑西装，我也穿黑西装。她的衬衫橘红色，我的浅黄色。没人理会我们，也许他人看不到我们，或许无视我们的存在。我们在空气中轻轻飘动，没有需求和期待。有位中年男子跟随我们，走到隐蔽的地方悄悄说："你们两个长得一模一样，大家都分不清，可以留下一人。"说完，转身走进自助餐厅，靠窗坐下。高大的落地窗外夜色浓郁，花园里一丛丛盛开的黄色月季花，锦鲤游动，一排泉眼喷吐绿色的喇叭形水柱。

大家指的是谁？为什么要分清我们？我们冒犯谁？我的内心迷迷糊糊，意识不到什么征兆。中年男子的话还是让我有些不安，就像测度无法把握的未来而恐慌。也像看到一片树林，突然疑惑树为什么会存在以及被我看到？脑袋眩晕。过去雾蒙蒙幻景般的时光消失，生活如同空空的地下车库突然堆满杂货，件件物品色彩鲜艳笑脸相迎。我随口叫同伴为同紫，她也叫我同紫。我拉她到一面巨大的镜子前，镜子边一圈漆画，精致的绿叶和红花蕾、花冠，如同池水中的倒影。镜子里我们的脸一模一样，我害怕。

旅客走过，带起的风吹得我们直摇晃。如果有谁把门推开，我们会被室外的气流卷出去。那位中年男子竟然说："可以留下一人。"长廊起风，吹向大厅，盆花抖动，吊灯的一串串紫晶玎玲玎玲甩得高高。我们躲到自助餐厅，要让中年男子收回刚才说的话。那里人少，安静。风在窗外摇动花草和我们打招呼。我们惶恐地坐在中年男子的桌前，他的目光朝我们一瞥。我仿佛知道他的意识，他觉得我们很漂亮，因此有点多情和惧怕。他变得拘谨，躲闪的眼睛盯住茶杯。

我说："我们长得一样，都叫同紫。完全是两个人，我知道的事，她不知道。"

男子："谁是外科医生，谁是分析内心的学者？证据有什么用。你们想申诉会遇到种种困难。你们也许是相貌一样的不相同的人，可是不相同的人为什么不会被相同的经历困扰，相同的人为什么不会遇到不相同的境遇。你们两个，我分不清，如果我想……"

同紫说："一个人的手臂上纹一朵小花。"

男子："另一个人也可以自己纹一朵小花啊。'留下一人'包含着深意，不是我的想法，你们别把我看得太厉害，那是黑漆漆的地方出现的想法，那想法还是更黑的影子，因此我说的话非常光明。世界就是如此，有什么好抱怨的。你们只能留下一人。"

大厅的门被打开，我们摇摇晃晃被风吹来吹去，走进三楼的客房。这间标准双人房我非常熟悉，以前曾经住过一星期，又记不起具体的往事。我望望窗外黑沉沉的海面，渺小的几点灯光，看看墙上镜框里的水粉蓝菊花，闻闻红色绣花毛毯，依然不能唤回更多的记忆。

同紫问："留下一人是什么意思？"

我回答："我们必须分开。"

"但，是一个人离开，还是一个人死去？我知道一些过去的事，看来，第二种可能性大一些。"

"你知道什么？"

"我们曾经换过头，你的身体是我的，我的身体是你的。如果我们只死去一个，就要先把头换过来，换好头一个人才完整。"

"你胡说什么？想吓我吗。"

"你看我的头。"

同紫的头向右转了三四圈。我的头一甩也飞快转动，长发盘在额头、眼睛、鼻子，快得控制不住，许多意识被甩出大脑，用手抱住头才停下。我的后背直冒冷汗："你到底是什么人，你为什么不早点告诉我这些事，你还知道些什么？"

同紫说："你不知道的也许就是这件事，我不知道我们何时换头，为什么换头。你先拧下我的头。"

同紫像拧螺丝一样拧同紫的头，转了好多圈，拧不下来，是不是滑牙了？仔细看头颈，也找不到缝。我说你的想法不对，中年男子讲，一个人离开这里，不是另一人去死。

同紫说："也许我们不必换头。"

我说："我不想让你死，我也不想死。你不知道我会飞，我背你飞到很远的地方，你在那里生活。"

同紫点头。她勾住我的头颈，我背起她，轻盈，几乎感觉不到重量，我伸开双臂从窗户飞出去，风把我们吹到高空，我们看到满城的灯火像火山涌动的熔岩向黑沉沉的海中倾泻。夜清凉，我朝没有灯光的地方飞去。月亮被云团捕获，我也钻入云雾，湿漉漉，寒冷，淡淡的酒精味。飞出云雾，月亮高远、宁静，散发清辉。飞过城市，微弱的灯光不再和月亮争辉，河流、湖泊银光闪闪。山脉、树林、田野、村庄皎白。

同紫舍不得这里的景色，问我好几次，你为什么还不往下飞？我说，月亮渐渐偏斜，等落到山后再说。月亮终于在一片树林隐没，大地漆黑。我记起，我和同紫幼时曾在小院子里奔跑……再思索，还是空白，空白，那点记忆立刻变得真假难辨。黑色茫茫的大地有一盏黄色的灯，我想飞下去，敲开草房的门。东方，地平线上的天空好像巨人裹挟白被单睡觉，上面层层黑云和乌蓝的高空。不久，天空转为淡蓝色，光芒四射，云层金黄、通红。秋天宁静的枫林也像这样的云朵。同紫一定要下去，情愿受苦也要去，我把她放在地面。

过了许多年，看门人告诉我："女子同紫找你，留下纸条。"上面写：我就是你，你不是我。

二、画丝的脸曾经被灼伤；雷雨时，画丝超市里遇见茫眼

半夜，乱头发心生幻觉，事情过去，眼前的人物还在散发银光飘来飘去。清醒后全都忘记。乱头发最近相交了新朋友红帽子，谈到同紫的怪事。

红帽子告诉我，晚上她总要戴上红帽子出门，她讨厌人们对她指指点点，白天不再出去。红帽子一脸严重烫伤后的鲜嫩疤痕，眉毛粗细不匀和胡乱断开，小黄眼，塌鼻，厚厚的嘴唇。夏日一棵大树被锯掉头，半人高的笨重深黑的树桩疯长轻盈茂密的细枝嫩叶，周围正常生长的笔直大树，叶片是深灰色，等待白亮的寒风来临摇

晃飘落。伤残让树变得丑陋不堪而又具有了少年般的娇嫩、优美和冲劲。碧绿的喷泉的歌声随心所欲，源源不断，仿佛整个城市只有伤残的树才真正活着，真正超凡脱俗。她脸上的疤痕可以把人吓得半死，新生的皮肤醒目地白嫩、红润，带着一股妖气，就像大树桩上的细枝嫩叶肆意欢歌和生辉，让无意看见的人内心糜烂。美女的皮肤其实极其粗糙、暗淡。难道非同寻常的美妙的事物都是创伤的再生，根本无法和平常的景色谐调？我们似乎总是在那些发亮、伤感、难忘的日日夜夜中失落、变形、烫掉皮，很久以后痛苦的煎熬好像平息，可是脸上似乎还是有什么东西丢人现眼，内心依然会莫名其妙地隐痛和焦虑。正常的生活以下的存在才有追求美景的距离，正是低才有高度可攀，到了正常又陷入不知如何是好的茫然和空虚。但有时通过低，发现比正常的高更高的境界，鬼斧神工，天堂仙境。

红帽子还告诉我，五年前某个夏日。她拉紧客厅前的厚窗帘，又撩开北面的百叶窗向外张望，正午淡白的天空非常炎热，大片平房反光刺目和树木干巴巴，城市高楼的背后缓慢升腾镶嵌红边的乌云。她一会儿翻阅报纸，一会儿看看电视，一会儿靠沙发昏昏欲睡，突然醒来想到往事心如刀绞，捏拳，涌出泪水。当阳台里黄光明亮，她知道夕阳西下。拉开窗帘，干净的大块窗玻璃，万物扑到她的面前，让她选择、认领。起风了，刮飞地面的纸团、塑料袋、树叶、灰尘，天色立即模糊、昏暗。彩色玻璃墙幕，室内家具，打开的书都有一层古老的黄蒙蒙的光，好似刚刚出土的物品，仿佛天地衰老。越来越密的灰黑色云丝、云雾快速划过高空，越来越浓，浑然一体，重峦叠嶂怒涛般翻卷起伏。她想象拥挤的行人四散，草原暮色里斑马群忽然受惊逃窜。一会儿天地漆黑，什么也看不见，会发生什么异变？路灯闪烁，白光一跳，晕红，发亮，花花绿绿的商店唰唰唰灯火通明。她看到天暗下去，戴好长舌红帽、墨镜、口罩。刚下楼，迎面一阵湿冷的大风，她低头挣扎，耳边呼呼，仿佛腾云驾雾。

街道口都有股凉风，冷不防裹挟一团灰尘窜出来。闪电嚓啦啦不时甩动由于赤裸而疼痛的枝叉。雷霆震动，大地颤抖像只恐惧的猫。树木不知是喜是悲，起伏摇晃，不断合拢又张开，扬起发丝，撩开衣襟，飞出无数半黄的叶片。红帽子在无人的街头奔跑，高楼间的强风摘掉红帽，红帽与红塑料袋结伴飘飞，她的想象的头发像烈马的长鬃，像河底摇晃的柔软水草。她仰望红帽子和红塑料袋如黑点，飞过布满绿莹莹窗口的摩天楼，进入黑雾弥漫的高空。她伸开双臂转圈子，念念叨叨：“飞得好，飞得好。”想象的长发如同盘旋的风。一位行人走过也转起圈子，两只蝙蝠飞来飞去。红帽子的长发缠住了脸，她脱口说：“画丝。”

雨点噼里啪啦的奔跑声越来越近，画丝无奈走向灯光耀眼的超市。拥挤的行人站立门口，呆呆观看开始泛白的天空和越下越大的雨，地面冒着灰色寒气。他们的头发、衣服、破伞不断滴水，瓷砖地滑溜溜，摊摊污迹。许多嘴巴突然合不拢，幽深恐怖会咯咯叫的隧道里，扁道腺似钟乳、小绿瓶、守门员、橡皮头。画丝连忙低下头。

天瞬间再次漆黑一团，雷声啪啦半空炸响，轰隆隆滚过，灯光全都熄灭，街道乌黑，冷雨淅淅、沙沙，空旷，遥远。画丝拉掉湿口罩，进店避雨。谁的手臂碰到她的肩膀，久违的触动，她微微一颤。灯光忽闪，耀眼。她面前一位三十来岁的男子，瘦高个，面容端庄，满头乱发。男子眼睛瞬间从瞪大闪亮到昏暗忧郁，头垂下，好像看到被拍打的蟑螂喷出一摊汁液，伤残的身体还在伸缩细腿。他是否在询问，生命怎么会有许多等级？他的样子似乎和画丝同样落魄。画丝的目光躲闪犹豫，心里出现一个名字：茫眼。茫眼连忙道歉，转身走出门。

哎呀呀，超级市场商品五颜六色五花八门应有尽有，排排、堆堆干货、炒货、蜜饯、饼干、饮料、速冻馒头、饺子……顾客像饼干盒里挨挨挤挤的花斑甲虫。快速食品？发动机喝的饮料？往红色柳叶标记的黑孔里一倒，胃肠蠕动，肢体充血，大脑旋转，捞钱、写诗、奔波、打仗、云雨。空泛茫然的眼睛，那种想看什么又耷拉下眼皮的眼睛。我又被自己曾经具有的美貌吸引？美貌被众人、被公司、被大军的铁流争夺、议论和买卖，意淫积聚就像小便气味熏人的墙角。看到他的伤感表情。一个谁也不喜欢的忽然出现的风景。货架上商品琳琅满目，找不到茫眼的复制品，将来会有的，我把他带回家去，别人也带回去？我还算幸运，现在世界上还只有一个茫眼。他去了什么地方？顾客交头接耳，好几个顾客撞倒货架上的东西，啪啦啦落下，咕噜噜滚动。

画丝快速离开商场。雨过去，空气清新，天空深蓝，飘过大团大团白云。树木、建筑洗刷一新，街道两旁的花草间溪水流淌。画丝被白天的景色打动，愉悦、感叹和沉迷。起伏的行人熙熙攘攘，目光麻木、挑剔、势利，画丝又想躲避。

三、让人难忘的眼神；海边林立黑色的火把

画丝的套房有昼夜黑暗的房间。深夜她打开窗户，让浓浓的黑夜飘进来。下雨时黑夜沉重，低语哀怨；风大时黑夜不管谁都要急切地触动，好像寻找到失散的伙伴，好像四海之内皆兄弟；寂静晴朗时的黑夜满天璀璨的星星，没有一颗像人的眼睛会伤害她。浩瀚无边的夜空拥抱着她和万物。当房间装满了黑夜，她会关上窗户，感到自己和黑夜一样清新和静谧。

画丝回家，躲进黑房间，立即体验到夜的清凉、空旷、寂静和亲切。画丝靠墙坐地板。那位男子茫然的眼神有层暗淡的翳膜，他回到什么地方？到处是乏味的人，算计，吹嘘，动粗，炫耀，自以为

是。我亲近空茫、怯懦的眼睛。那样的人平时做些什么梦？也许梦太多，人间的变化大约也同样多。茫眼在黑暗里也许感受到女子的气息，在灯光下却看到一副疙里疙瘩的面容。画丝突然推开窗户，日光刺伤她的眼睛和她的心，黑夜无影无踪。她第一次疏忽，连忙关窗户。四壁荧光如蒙蒙余晖，照出房间仅有的黑乎乎的木靠凳。我在变化，眼睛细长，皮肤失去了白癜，嘴巴轮廓精致、红润……遇到茫眼，他被我的美色吸引，又怕暴露自己犹豫不定。接着茫眼随波逐流的欲望会埋葬自身、天地，一丝伤感的眼神瞬间混入青灰色的雾霾。他看到秀气的容貌才会抒情，才会患上恋情的病痛。我早就厌恶像一个吸血鬼把茫眼吸引到身边。

我为什么惦记茫眼？为一丝伤感的眼神，那个表情让我看到遥远的辽阔风景，我想随时看到那个风景。画丝糊里糊涂走到嘈杂的街上，迎着人流寻找茫眼。街树、云朵似乎受到茫眼神情的感染，散发出神秘的秀美光泽、气息。她根本不是去寻找具体的茫眼，而是寻找曾经存在，瞬间消失，又觉得永远存在的景色，走进已经稀释、暗淡、忽隐忽现的那个茫眼的他乡。

无数张轮廓分明的脸向她涌来，身体碰撞她。她把白天和黑夜置之度外，她根本看不到行人皱眉、惊讶，忍不住冷嘲、讥笑。

落日巨大、红圆，在两座摩天大楼中间下落，开阔的淡蓝色天空片片紫红色的云朵飘飞。霓虹灯又开始跳跃、流动：拼音字、大酒瓶、鲜花、飞机、大龙虾。行人的五官轮廓分明，但没有了粉刺、皱纹、扁平疣、带毛的黑痣、斑驳的白粉。超市里灯光如同白昼，顾客拥挤，进进出出，画丝在门外的暗处站了一会儿，她又把茫眼的眼神和茫眼等同，自言自语，我在黑暗中隐藏形象，茫眼来了，如何让他认出我？

画丝曾经告诉过茫眼这些话，也许是茫眼想象画丝说了这些话。茫眼猜测过画丝隐藏内心的往事和想法。画丝开始对他就非常亲切，就像他的朋友。画丝与茫眼也许早年相识，但是茫眼无法在画丝伤残的脸庞和发哑的嗓音中辨别出画丝是谁。画丝闭口不谈烫伤或者烧伤的经历。

茫眼联想到青，想到青为了彻底地改变生命不惜投入烈焰。如果，青在大火中挣扎惨叫，最后却依然留在和原来差不多的空间里，重复过去的生活。茫眼忍不住叹息。很快意识到这样的想法没有根据。青与画丝的区别是，一个被烧死，一个被救活。画丝过去是什么样子？

夜深人静，商店拉下帷幕，建筑群黑乎乎，灯火稀稀拉拉。画丝走向黑色最浓的边缘街区，走出城市，走到海边。夜空满天星光，沙滩漆黑，海水灰白蒙蒙，微波泛起点点哆哆嗦嗦的夜光。一只白色的大鸟哇哇叫两声，快速从空中闪过。远远走来一队人，全举着火把，摇晃的火苗漆黑。火把划过，有点光亮的地方立即变成乌黑的条纹和空洞，月亮和星星也被熏黑。丛林般的火把上乌黑的火苗跳跃摇晃，如同光明的烈火无法抑制地释放能量，叫喊呻吟，魂飞魄散，扑向终极的欢乐和灰烬。

画丝走到火把前，乌黑，股股寒冷的气浪。她害怕，又极力想看清什么，被乌黑围困。男子的声音："他们要回到自己的世界。"女子的声音："出奇的人是罕见的。平常的人，面对我们要么目光躲闪，要么目光放肆，我们不与他们为伍。你看到海边的大船了吗？你跟我们走。"黑暗里有双手往画丝的头发里插几朵花，一丝丝白兰花的香气。他们要到什么地方去？画丝说："我还要寻找一个人的眼神，我想知道他心里想什么。"画丝听到脚步声和说话声渐渐消失，硕大的黑影向海的远处飞驰。乌黑的夜，什么也看不到，海浪的波动声。她闭眼享受黑夜的深情厚意，她可以尽情想象和创造，可以宣泄她的任何种类的情感。

一个蓝色、一个紫红的光点蝴蝶般缓缓扇动翅膀转圈，慢慢飞到了她的眼前。蝴蝶像窗户，她看到五彩的花园，看到了远处的小山上蓝色的天文台，看到一群红鸟如同一大朵傍晚的云飘来……蝴蝶又忽悠忽悠飞走，她急跨几步把蝴蝶合在手中，蝴蝶穿过手心飞舞。夜空的黑气渐渐消散，蝴蝶也越来越淡，月亮蒙蒙的晕光下，山脉又显露出黑黝黝的轮廓。起风了，画丝宽松的衣服被风鼓足，辽阔的雪白的海浪冲上沙滩，哗——哈，哈，嘭，沙……

四、商业高峰女人；茫眼超市里遇见画丝

茫眼昏沉沉想不出做什么事有趣，懒得起身。尽管城市里的事物让他眼花缭乱，很快就知道任由形象、色彩如魔术般翻新，但还是原来的一条变色龙。过去的孤单和现在的孤独，原因是人与人非要去沟通，看不到希望，死亡蹲守街巷的角落，没有永恒。亲人、朋友远行，独自多情。他遇到过的女子大多数只剩下模模糊糊不会让他激动的影子。他想到紫霞。紫霞曾经使他的杂乱的思维滑落到酒瓶里，盖上盖。他对许多事物视而不见，听而不闻，被他人伤害也懵懵懂懂。当他不再遇到紫霞，他又试着寻找其他几位女子，不是在泥沙中跋涉就是畏惧而躲避开，不想再次沉入水底。人匮乏，有哪些人，思绪的雪地里会出现海市蜃楼？

能够大量复制、剪切、粘贴、上传的女人就是梦幻女人。屏幕上排满黄绿色的眼睛，茫眼点击一只只眼睛，俏丽的女人就赤裸裸地站立面前。他如同手握皇权，她们服服帖帖。对于他来说，女人的肉体、笑容和心灵都有深意，神经被撩拨的感受，畅快的体验，来自与自然美景相同的光影的诱惑。不过，人体和人的表情的魅力更

迷人，乐声广阔，无边无际。不时地刺激人们，让欲望勃发，刹那间越过时空，没有物质，没有杂念、忧虑。

茫眼急切地点开裸体图片，放大后细细观察认识。他的情欲被唤醒，看到女子秀丽干净的眼睛，心胸瞬间澄清，清风一划而过，大型音乐喷泉即将演奏。女人分开腿，女人撅屁股，轰，脑袋好像被炸开，恰好击中茫眼的十几个套盒中最小的盒子。黑暗中的虎胆牛劲，虽然强烈、顽固，千百年来被经验与理念四面围堵，刀砍枪杀。此时，开始一浪接一浪地起伏、冲撞。他自问："我在做什么？反正没人看见。"

他感受到那些女人的痛苦，也许是他的猜想。她们遇到诱惑和逼迫，她们隐隐作痛的羞耻，或者是骄傲和无所谓。披衣戴帽，人人相似。操办者给她们一叠纸币，这是商业活动。茫眼的欲望，贪婪得吸血鬼般欲壑难填。归根结底是茫眼这样的人让她们脱光，张开。茫眼的欲望，生下来就挂着那个手雷，一个最好的设置。茫眼无法抵抗诱惑，暂时也不想抵抗。沉溺在欲望里，他浮出无聊焦虑的深海，躲进洋溢温暖的石屋，窗外狂风暴雨。也许，不过是换种方式继续沉沦和死去，泥土埋到胸前，大脑缺氧，脑神经一根根迅速萎缩，一个个白痴。茫眼顾不了那么多，向终点奔跑，点开只只眼睛，看了又看那些女人暴露身体，弄姿作态。茫眼遇到脸庞清秀，笑容迷人的女子，百思不解，她也会这样做？最清纯的放荡，绿茶淫荡、翠竹激荡、水晶淫荡、美玉淫荡，到处脸盘变形，一片呻吟。我们应该欢呼、感谢、下跪，垂眼失望。不能说人们被什么打败，我们都做着这个世界上平常的事情。茫眼过去没有体验，也无法弄清这个人间。他再次感觉到心跳、呼吸急促，凑近屏幕，放大照片，把亮度提升，无意识想让照片逼真再逼真，直到真实的人走出来。他意识到，只剩下这个可以点燃他心里的一撮虚火。

明眸皓齿，软玉温香的裹挟，缠绵，自古以来的最为昂贵的奢侈交易，你有金银可以散尽。大马力柴油机突突推动人间这架零件散乱的车子颠簸，让生命延续，或者对着他们说，你们还有活的乐趣。也使茫眼觉得他还活着，其他的事物被他看透，像岩石、灰尘、水泥渣、立业、功名……没有热气和微笑。他竟然得不到真正的价值。当你扭头离开喧嚣的大红、大金的天地，离开光洁、起伏的肉浪互相缠绕呻吟，你到底是傻子还是智者，你到底是活过来还是从半死到彻底死去？还是终于明白自身是彻彻底底的虚无？他感到自己一无是处，他不打量街上的女子，他是行尸走肉。一想起改变，一丝冷笑，内心又沉闷和黯淡得令他窒息和忧郁。

茫眼喜欢强光，希望各类事物、事件丝毫毕现。他拒绝任何欺骗和掩饰，他要确认真实，确认值不值得活下去。过去他认为，尽管光芒中更多地浮现贪婪与残酷，但是只要美景存在，他就可以沉醉其中。如果天堂里万物皆美，永恒，那么瞬间闪现的美就在告诉人们天堂犹存。也许从天堂来的光影才有最为痛苦和丑陋，荒凉山村的粗石女神光着脚在雪地里走。那时，漂亮、俊俏的脑袋正巧饱暖思淫欲。如今茫眼终于承认人的感官灵活又迟钝，思维高超又蠢笨，这导致所有的事物、事件模糊暧昧。他有时恨不得放弃他的所有的虚假智慧，不再做出决定，只是祈祷和跟从。他发现眼角渐渐裂开树叶似的细纹，他对着不可抗拒，充满遗憾的命运苦笑。

他的意识流淌，这是另一种方式的表达，橡胶团青虫玩具一样扭动，自由扭动。荒地快速冒出草的红色尖芽，疯长到半人高。远处的山峦上山洪奔泻，淹没了草地，滚滚浑浊的水面漂浮死狗、死猪、木头片。橡胶团玩具像心脏跳动，慢慢消失，在消失的地方走出位庄重的男子。

茫眼观看照片，不知不觉天黑了，他感到自己真是无聊、龌龊，去洗澡，换衣服。又走上街头的建筑群、灯光里。天闷热，几棵梧桐树上知了阵阵急切尖叫。半路遇到大风扬起满街灰尘，瞬间乌云翻滚，大雨倾盆。他快步跑进超市避雨，断电时黑咕隆咚撞到他人柔软的身体，那人一声不吭。再次灯火通明，茫眼面前的女子脸上布满鲜嫩的白癍，一时间灯光都昏暗了。他不知如何对应。偷看尤物照片大胆放肆，一瞥貌美的女子羞怯、畏惧，与相貌平平的女子相处大方得体，此刻他十分害怕。女子疤痕中一点小眼珠，目光锐利又瞬间暗淡，躲避。俗气的女人，拿身体换钱的女人，寂寞酸楚的淑女和这个丑陋的妖形怪状的嘴脸，以及人面桃花衰败为薄薄的皱皮遮盖颅骨，黄痣上长根弯曲的粗毛，嘴巴布满沟壑，排泄孔一样嚅动，长长的烂牙黑黄，流着口水黏糊糊、臭烘烘。你还认为，如果有让人激奋的事物，一定是女神吗？茫眼可怜她们，唉，不忍心，心疼，他被这样的结果吓坏了，想要紧紧拥抱和不断地安抚她们。茫眼道歉转身走开。

把女子当成女神的年华早已埋葬，不过许多女子看上去依然和谐、光彩夺目，充满温情，他又感受到遥远的虚空里尽善尽美的风景。超市里的遭遇，美反而显得极其平庸和无聊，丑到极点的光芒四射。邪光？真光？几星期他的脑子里总是出现丑女的嘴脸。茫眼避开看了不舒服的东西，那些事物不能给予他快乐和希望，他期盼干净的光芒里出现无数美景，一直看到物质的细微处，那是怎样的炫目的彩色结晶？他如同天文学家观望宇宙，整夜整夜用高倍望远镜探视星云，积累大量数据，不断提出新的假设，一不小心就落入万劫不复的黑洞。一个寻找美景的人，目光必然会迷迷茫茫，茫眼啊茫眼！

五、画丝舞蹈，她像迷恋火焰的青

茫眼做了个梦。他高挂舞厅厅顶修彩灯，当一束束各色光柱像探照灯扫射、绕圈，音乐痛苦吼叫般响起。茫眼朝下望去，椭圆形的狭小舞池，舞者好像两队蚂蚁会合征战。灯光向后退缩，只能照到空间的一半，舞池回到黑暗。灯光不愿意钻进热汗气味、香水味混杂的舞群？茫眼放绳下滑，好久才着地。灯光一盏盏在头顶发亮。舞池还留下一位女子，她身穿红色宽大的古装。茫眼走到她身边，她回过头，茫眼一惊，是超市里遇到的伤残女子。

女子说：“我像秋日的树木一样。”然后扬臂起舞，她的表情深沉，哀怨的音乐如泣如诉。她轻轻移步曼舞，像大鸟刚刚随风飞起，羽毛闪烁。一会儿她又踏着急切的步子，长袖伸缩啪啦啦如同闪电，厅顶的一盏盏灯先后被击碎。她如海浪起伏翻腾，像星云一样旋转。风平浪静，她曲腿伏地凝固成一朵睡莲。她慢慢抬起头，脸庞清秀、坚毅。茫眼叫了一声：“啊！”最后的一盏灯爆裂，漆黑。

茫眼激动，一个模糊的念头。他说：“我去修灯吧。”他想看清舞蹈者，看清她如何翩翩起舞。他想和舞者谈谈她想望什么，又为什么失望。没人声音。舞池的角落一扇小门透出亮光，他进去看到哀愁的女子，脸上有刀痕，血痂还在渗血。丑女穿白色绸衣坐桌前低头想什么。茫眼拉起裤腿让丑女看，说道：“我幼时生过小儿麻痹。”他为什么要这样做，觉得好笑，他无法控制自己，一次次拉起裤腿。台灯暗了，打开；又暗了，打开；又暗了，打开；又暗了。他感到沮丧，丑女看不清他的细腿皮包骨头。丑女说，外面有繁星。他跟丑女出去，天黑得谁也看不见谁。丑女叫声，嘿！星星瞬间闪烁。丑女说，只能一次。清凉的空气里丝丝橘子花的芳香。茫眼站立，旷野里几个土堆黑黝黝的轮廓起伏，十几团蓝色的火团慢慢飘动，聚拢，散开。

画丝带茫眼坐在发亮的积水边，像两个鬼魂谈论往事？

画丝：“你的腿有病吗？”

茫眼：“没有。我也不知为什么非要拉裤腿。”

“就像你看到我的脸。我的脸原来隐藏黑夜，一天给你看清楚。我想，你和我的距离遥远。你想用残腿靠近我。”

“可以这样说，也可以那样说。”

“我回避这些事，比如见美生情。我处于明暗之间，不是逃避他人。黑暗中想看到光亮的事物，大多数时间我都非常平静。”

“我能不能问？”

“你说吧。”

“你的脸？”

“不是。开始我想望与任何风景都不同的风景，后来我被烧伤。我曾经划伤我的脸，就像有人为了唱歌、弹琴刺瞎双眼。如今这是胡闹。”

“烧伤、毁容？不，你只是想隐藏。能激起我的活力的是秀丽的美景，大约和你过去的想望相似。我的绝望是，许多奇丽、文雅、秀美、时髦都是假的、死的。我不断想象遥远的美景，那是我的唯一希望。”

“我和你确实相似，不过我的美景在黑暗里。给你黑暗中的自由和给你亮光中的自由差别很大。当我年少的时候，我费时打扮，喜欢逛街和交朋友，身边，影子忽隐忽现。当我的模样吓人，正像疲惫不堪的富人终于破了产，他无事可做，他走出家，刚想到自己一无所有，突然发现清凉的夜晚，星空，他又重新拥有了什么。”

“我以为让你痛苦的是他人的疏远、歧视和你的孤独。原来不是这样。”

“你讲的也有道理，人如果没有经历他人的痛苦，也不会试着去感受和理解他人。如果想象自己被枪毙、生了绝症、冒烈日挖土、失业、出丑、痛失亲人、贫穷如洗。我想这样才能跳出自我明白他人的命运，才会同情与自己无关的人，而不会像个傻瓜，说我们真幸福，永远阳光普照。不过这和我的处境不是一回事儿。”

“是呀，不过，他们为什么要被同情？我们为什么要败坏自己的快乐和幸福？喜悦也是存在的。”

“对，火是一种强烈的爱，成全了无法医治的损伤，无法化解的痛苦。烧伤后的皮肤冒出黏液，不要说相拥，最轻微的触碰都如同刀割、火烙，所有的温情都会变得极其可怕。焚烧的丑样子，把丑升高到耀眼的强度，丑样子成为丑的精金。”

“烧伤后，疼痛的身体也有被抚慰的欲望。夜里的凉风，凉风又是你的，吹凉发烫的皮肤。下大雨时我就走出去，在这个空间唯有风雨还在触动我。我认识一位女子，她在大火里声嘶力竭地挣扎。能彻底安慰人的美还没有被我们感受到。”

“自杀？逃离浅薄的泥塘，热烘烘的肉堆包围圈。”

“你好像是青。枝荷被烧死了。”

“你说什么？青，青是谁？发生了什么事？”

“她纵火自焚，她说，彻底烧干净。”

“我也想，你说道‘能彻底安慰人的美景’，难道不在我们生活的空间里？”

旷野、画丝和茫眼都在摇晃。画丝变成了青的容貌向他微笑，青不断地往后退，越来越远，消失。梦被撕裂成碎片，灰蒙蒙的云雾翻卷。

茫眼醒来感叹几声，一会儿就淡漠，清醒的世界与梦相比过于坚硬、锋利和冷漠。梦里那个模糊的念头似乎让他对清醒和睡梦做出选择。他更愿意隐藏梦里。他笑自己，做梦算什么？就算做梦可以远离清醒时的天地，就算梦境可以使人愉悦、感叹，不过梦里没有清醒时的实实在在。梦里我说自己的腿又细又软，清醒时知道我没生过那种病，我有必要为梦里的事牵肠挂肚吗？

影子从门后轻手轻脚闪出，天地越来越空旷，越来越丰富多彩。

竹篱围绕草地，茫眼躺卧晒太阳，他闭眼看到半透明的红玛瑙。玛瑙可真大呀，红玛瑙山，红玛瑙天空。温暖的微风中秋日树叶干香，他迷迷糊糊快要惬意入睡。蜜蜂嗡嗡、嗡嗡在头上盘旋，落到鼻子尖，挥手，睁眼见面前一轮玉黄色的圆盘，盘面描绘白花。一惊，是丑女的脸。丑女没有理睬他，走到一边脱衣赤裸上身，她吊起一桶桶井水冲洗身体。茫眼怕她着凉，一想她是苦惯的。丑女的皮肤光洁，没有疤痕，她转过头一张清秀的脸，眼睛黑亮，嘴唇微红。那是丑女的影子。丑女不断吊水冲洗，嫩白皮肤凹凸，长着嫩红的肉芽，伤疤跟随她弯腰、起身合拢、绽放。用火焚烧的人还会用水洗吗？青的冒险是彻彻底底的悲剧。丑女不是青，两位同紫想区分开，要看她们选择水还是火。

丑女说，泥土湿冷，睡草地不好，她要搭个床。丑女拿长长的青黄色的毛竹深插泥地，茫眼也帮忙干活，搭好三米多高、五十多平方米的大床，好像一个露台。他们躺下休息。四周出现一座又一座黑瓦房，紧紧围住他们，每个小窗口都有人探出黑色的脑袋东张西望。丑女说，我喂鸽子把食物撒向天空。大床，拥挤昏暗的房子，窥视的居民瞬间消失。茫眼和丑女坐在草地望着晴空。丑女起身，手臂一挥，大群银箔般闪亮的白鸽从手中飞出，围成一个精美的大圆圈。茫眼惊讶，如同他年少时望着白色的云朵飘飞，他的心都跟随鸽子飞去，茫眼与鸽群飞向高空，转圈。

茫眼仰卧微笑，想了好一会儿。世界为什么非要有痛苦，为什么非要充满了缺憾、苦役、压迫、监狱、集中营、屠杀、癌疼、车祸、孤独？思想家为什么非要找出痛苦的重要意义？而不敢说出，自己在遮掩和回避痛苦、虚无。不如诗人真诚吧，诗人有感而发吟唱着凄凉、忧郁、绝望……想象的天地。

清醒时遇到丑女恐慌和难受，恍恍惚惚时看到丑女优美，丑女舞蹈。又看到青的脸和神情。茫眼的期望吗?

痛苦的血液、河水在软管里奔流。青和画丝撞得头破血流,识时务的人最后也庸庸碌碌咽气。都死了,哈哈、哈哈,都死了,都死了。实际为什么这样,又不那样,我不知道。反正我们大叫,山不会倒塌,天不会下雪。为什么就不倒塌和下雪?

白天人们看到画丝是丑女,夜晚她望着闪亮的星星,内心平静如水。星空给人赠送无法测度的关怀。画丝一时离开丑样子和伤残的疼痛,是短暂感受,是错觉?那样的无缘无故的深情厚谊,给人慰藉,不必叹息、哀怨。

画丝就是丑女吗?我一次次又看到画丝舞蹈,画丝一挥手白亮的鸽群飞舞,还有画丝发上的花香。要是我们不用眼睛辨别美丑,我们在黑夜里自由自在,画丝沉迷不醒。

那又怎么样?一切都回到混沌。需要这样的超越,时光流逝,人渐渐衰老,我们靠什么活下去?这也许不完全是幻想,可能是超越我们命运的唯一希望。

画丝真的去改变面貌?抬到美容手术室就有了转机吗?一模一样的高鼻梁、大眼睛。画丝如果失去丑,独特的她就会消失。我与她交谈,是另外一个人。她隐藏黑夜,不会顾虑自己的怪与丑,不用希冀他人接受。如果面容改变,讨人喜欢,甩掉的丑样子依然孤独,依然被冷落,在过去的时空悲哀落泪。还有,就像我们的不幸年华,我们要改变吗?一改变我们就会失踪。画丝的哀怨谱成夜歌被人们聆听和传唱。

六、画丝说,她会飞;女子睡不着,酒店门缓缓打开

画丝希望遇到茫眼。每当夜色来临,楼群佩带五颜六色的霓

虹灯，她汇入摩肩接踵的黑黝黝的行人。夜晚幸福广场三个歹徒持枪抢劫，他们牵扯人质，对着乱哄哄的人群挥枪叫喊。画丝转身奔逃，耳边一颗子弹呼啸滑过。她被花岗岩高楼挡住去路，石阶宽大得令人心慌，她一步步跨上去，跑进敞开的黑洞洞的大门，在空旷的大厅奔逃，突然飞起。

我会飞？我竟然会飞？画丝幻影般飞升，穿过层层楼板。开始飞得很快，房间里的家具拉长了，如同彩色的根根细线。后来心情平静就慢慢飞，有时还停下来。一男子坐乌黑色沙发看电视，屏幕里人们兴高采烈又蹦又跳，妻子在厨房洗菜，自来水唰唰，碗碟嗒嗒。一女子光脚轻轻走来走去，去阳台边看一眼楼下的草坪，仰脸眯细眼睛感受微风拂面，收起干香的衣服，折好。稀里哗啦四个脸色灰黄的人斜叼卷烟洗麻将牌，烟雾呛得画丝直咳嗽。温暖的房间，药水、药片的味道，一女孩斜靠枕头，脸通红，嘴含体温表。一中年男子脱衣洗澡，捏捏肚子上肥肥的油。啪！碗摔碎，夫妻俩互相指鼻破口大骂。空房，油画菊花的叠皱中布满灰尘，画丝吹灰尘，露出黄亮的花瓣。油锅嚓啦啦，散发焦油味、辛辣味。赤裸的男女浑身是汗翻滚喘息。一女子低头呜呜抽泣。他们看电视，电视彩色的画面摇晃。他们看电视，画面摇晃。他们看电视，看电视，画丝飞快地穿过层层楼板，只见一台台电视像积木歪歪扭扭叠得高高。

画丝想起茫眼，我会不会遇到他？这个念头刚一出现，她破楼而出，夜空无边，银河滔滔，波光闪烁。画丝的家就在楼顶，她走进暗房打开窗户，凉爽幽香的夜晚涌进房间。

画丝仿佛明白了什么。夜晚像许多人，一个接一个拜访画丝的房间，来回走动，无声无息。画丝觉得愉快，她关窗含笑睡下，闭眼化为夜色飘摇。黑暗里几只蓝光蝴蝶慢悠悠飞，又是飞动的窗户吗？从那一片蓝光中可以看到屋外的光芒，花园、行人和动物。蝴蝶飞来飞去，画丝去抓，蝴蝶穿过手心。她为什么不跟随高举黑色火把的人们乘船离开？茫眼迷人，似乎又不能带给她什么。

画丝醒来发觉躺在陌生的地方，她应该产生疑惑，却不当一回事儿。她不知道自己躺在床上？空中？地上？昏暗的房间空空荡荡。她失眠了，翻来覆去。起身，推开门，月色满庭，是古老的东方家苑。对面遥远处一排黑瓦房，一扇扇朱红雕花落地门。有扇门迎接她似的慢慢打开。她走出去，没有走出去，她看到美丽的自己走出去。

走到平整的花岗岩石板砌成的庭院当中，月光无边，夜空清亮寒冷，跟随她的只有短短的身影。她不知为什么要回避打开的门，推开另一扇紧关的门。房间里一位面容灰暗的男子说道："你也睡不着啊？"

画丝心头一暖，她想倾诉。她依稀觉得自己是死后来到这里，昂贵的代价换来什么？

男子默不作声，收拾他的东西，不理睬画丝。

画丝出门，又回到自己的房间，没有回到自己的房间。相貌丑陋的她挤进人群，没有人看见她。她说几句话，也没有人听见。刚才遇到的男子说："好色女人晚上来，不讲分寸就搂住我，被人瞥见多不好。"男子离去，人群喋喋不休：那女人长得怎么样？笨人、丑八怪也有性感的。第一次嘛。画丝难受，想用刀片划脸和手腕。身边都是血。大火燃烧，她毁掉美丽的身躯和面容。

画丝离开人群，回到房间，美丽的她已不见。睡不着，出门，月色满庭，对面那扇门又迎接她似的缓慢打开。她怀着愁怨，到处都是乏味的人，伤害人的事。她再次穿过庭院，走进那扇打开的门。灯坏了，一个黑影爬上梯子忙着修理。渐渐看到更黑的一张方桌子和几只破方凳。胖老板用木杯给她倒酒。

画丝问："我开门，你的门为什么也跟着打开？"

“女人晚上睡不着都会这样进来喝酒。”

画丝睁开眼，胖老板的余音还在缭绕，那是哀婉而又充满温暖和同情的声音。

她走出装满夜色的房间，拉开客厅的窗帘，刺目的阳光令她晕眩。她用榔头敲碎一个茶杯，白天的世界有了几道裂缝，这几道裂缝也许会嘎嘎、嘎嘎扩大，导致整个白天呼啦啦倒塌。她又敲碎几个瓷盘，白天纹丝不动。世界广阔，虽然百孔千疮却依然牢固。

画丝知道自己会飞以后，每天夜晚从窗户飞出去，飞到漆黑的夜空，掠过闹市。飞入高楼，他人的房间，人们对她视而不见。她曾遇见样子很像茫眼的人，那人呆坐挖鼻孔，抓抓捏捏蜡黄的脚底心。她有时想到茫眼竟然会失望，那人不是茫眼，不是茫眼！可是这样想没有用，谁知道茫眼会做些什么？

七、茫眼与画丝，夜黑茫茫

茫眼靠床回味遇到丑女的经历，夜晚走上街头，茫茫黑色里胡思乱想。此时，他走出城市，乌云密布，黑得什么也看不见。开始他还小心翼翼向前跨步，后来只管大步走，没遇到任何阻碍。

他面前也许是广阔的农田。夜空湿润，非常清新、凉爽。一路香气变换，麦穗、蔷薇花、梅花、茉莉花或者油菜花。无数蓝色的光团飞舞，从远处靠近他。大群蓝光飞鸟，走来悠闲的蓝光女子，头上插花，身边几棵丰美的蓝光大树。

茫眼穿过蓝光树丛，地上流动微红发亮的江水，人如黑影在捆扎木排……渐渐蓝光天地变为一只蓝色蝴蝶消失于黑暗，画丝说的举着黑色火把远去的人。他也变成蓝色的大鸟向高空飞去，身边全是灰色的云朵。茫眼离开城市越来越远。

几日后的半夜里，画丝偶尔遇到茫眼，画丝站在树影下，谁也看不到她，也不知道茫眼慢慢走过，她离开没有。

街头清风徐徐，行人来来往往，汽车渐渐稀少，一位五十来岁的男子吹萨克斯管，响亮圆滑的音符滚动，只只红色的小鸟从街树起飞，飞满夜空，又远走高飞。接着又响起萨克斯管悠长明亮的旋律，带人返回谈情说爱的时日，如同温暖的美景展开。茫眼停步观看，那人的眼睛怯生生，放下萨克斯管。茫眼继续往前走，乐声又从身后传来，不断地抚慰他的伤感的心。

背后有人叫："满园！"他回头，一位女子朝他微笑。这是音乐声中出现的女子，让他恍惚身处梦境。

女子："你叫'满园'吗？"

茫眼："满园？不，我叫……？"

女子："迷茫、茫茫然的茫，眼睛的眼。我叫你：茫眼。我们半夜还在游荡，一定是想寻找什么。也许是你找我，我找你吧。我们结伴走走好吗？"

茫眼："名字比乱头发好。我叫你什么？"

女子："画丝，就是像画一样的发丝。"

茫眼闻到熟悉的芳香，是白兰花的香气，就问："有位女子的发香怎么和你散发的香气相同？"

女子说："乘船远行的一位女子曾经在我头发里插上花，我就总是有一丝丝白兰花的芳香。他们很神秘，用黑色的火把让亮光逃遁，他们好像乘船移居到他乡，据说他们和我们不同，可以随意变成一朵花，一只鸟，一条河，一片晚霞……"

茫眼看看女子清瘦的脸，光洁的皮肤，一双漆黑的眼睛。他笑自己弄错人了。茫眼一不注意，女子已不见。四周静悄悄，两排路灯指引人进入无数霓虹灯闪烁的闹市，远处夜黑茫茫。

第九章
晰——遥远的尽善尽美的地方

一、晰的由来；晰是什么

失去青和画丝就像城里的公园失去我幼时就熟悉的两棵树，两棵树曾经在昼夜和四季里嬗变。我们说，我是某某城市的人，无非那里有我们想起会感到可亲的几个人，以及庇护过我们和给予我们欢乐与哀伤的一些场所、人物，其他的一些建筑和市民陌生、冷漠，与我们有什么关系？城里存在让人可亲的事物如同沙漠里独自开花的树木。沙子会把树木推倒、掩埋，或者等待树木枯萎就像等待伤口的弥合，让人动情，倾心的事物往往也让人疼痛、发烧。

青和画丝在这座城市，我只注意她们，城市非常模糊，堆积的建筑和面容可有可无。当她们消失，城市的面貌就突然清晰，显露巨大、错综复杂的形象，坚硬、林立、阴影和喧嚣，仿佛带着一股蛮横的力量冲撞过来。面容模糊的朋友说过，一切如风、如影，伤感中体会到美是温暖的风或清凉的风，落红无数。靓影不再消失，由于出自你的想望，那就是晰在寻找我们。你会遇到晰，那时你也许满脸皱纹；你必定会遇到晰，那时你也许只剩下颗干枯、空洞的心。他见我瞪眼发愣就张开嘴巴，岩壁参错，黑咕隆咚的洞穴钻出股湿冷的风，声音回荡："你似是而非，你忙忙碌碌。"从此我的朋友就自我涂抹、营造成草木茂盛有座洞穴的深山，我还爬上去过，小心翼翼避开洞穴，不敢走近，也不敢看。

我想起朋友的话就会莫名激动，翻来覆去，彻夜难眠。小车贴身滑过，吓了我一跳，如同老虎靠近没有声音。我走进商业区，凌晨两点，街道冷清，稀疏的霓虹灯疲倦地忽闪。街角的黑灯酒吧里几个垂下头的人影。舞厅依然传出啲啲啲的低音和铃铃铃的金属声。宾馆门前的黄灯群还是星星点点，房间都拉紧红窗帘。强风刺骨，我打了个寒战，污水冻结，塑料袋瑟瑟发抖，一只流浪猫嫩鼻子带着血块，满身细毛脱套衫般翻了过来，慌慌张张溜走。

我拐进沉睡的窄巷，座座黑瓦平房，昏暗的路灯上面遥远的薄如宣纸的月亮。这里隐藏了许多日日悠闲度日的古老花园。寒冷的冬夜，我在回忆，走进安静的厅堂，青方砖地，红木桌椅上镶嵌大理石面，花纹吞云吐雾，草兰细微的幽香，窗外的院子盛满午日黄蒙蒙的暖和阳光。等到被秋天白亮的寒流沐浴过后，天空清澈高深，一回暖，我就邀请面容模糊的朋友去花园走走，告诉他，我一直琢磨晰是什么。晰是知己吗？是望断的伊人？是清风明月？还是我们盼望遇见让人内心明敞的书和写书的人？

我指点眼前的万物，回想打量过的事物，连续说上几年晰不是什么，不是什么，才能感觉到晰的身影：带有碧色和粉红色的茫茫虚空和注视我的平静慈爱的目光。不过，那也不是晰，晰似乎隐藏于色彩纯净虚空的其中或背后，通过这样的虚空可以依稀感觉到晰。要遇到晰的身影，就要先迷恋这样的景致吗？如果远处色彩淡雅的云雾的其中的其中，背后的背后根本没有晰。晰不存在？不能问，也不能应答，晰的存在无法判断和说清楚。当晰没有名字的时候，我想给晰选个名字，比如：空遥、颂歌、狮子、晚霞、蚂蚁、碎砖、跳蚤、泪滴……我发现自己又想把握住晰，即说晰是什么，给予晰一个形象，好像给剥光鸡蛋般的脸上点脂粉。这样的比喻也不太确切。我就选择一些无意义的字：已、互、及、卡、之、也……后来选择了你告诉我的："你会遇到'晰'，那时你也许只剩下颗干枯、空洞的心。"不知道我为什么喜欢晰字，如果这个字让谁联想起别的什么，那是自己的错。我早就说过，尽管晰似乎是一切价值意义的根源，却根本无法确定有什么价值，也无法确定有什么体形、气味和色彩，但那似乎是美的极致。

会不会是这样？晰和我们处于不同的空间。平面的狗，跑入立体的世界看不到完整的立体的狗，立体的狗只能穿过而挤不进平面的世界。当然，平面的狗，永远看不见和感受到头上插根时间羽毛的狗渐渐衰老、死亡，永远看不到晰，哪怕晰存在，正像看不到反面的城市、荒野和人群，走不进他人的失去的世界。唉，唉，晰呀晰，我们为晰快乐和痛苦。你说对不对，对不对？

我喃喃自语，我们会交谈很久，不时，碧绿的池塘里有红鲤鱼的身影来去。青绿色布满白点的石笋高低起伏，在直立的细竹边上下划动，响起噔噔噔的木琴声。几棵瘦树恍如俊美的男女，一身玉黄色的叶子渐渐转红。我问模糊的朋友："你为什么要变成深山沉睡？"

画丝悄然离去，到底去了什么地方？那里的人真的可以随意变化吗？还有，很久以前的梦一般的雾气人。我喃喃自语，我们交谈，又独自徘徊了一夜，冻得脑袋迟钝、舌头僵硬。天缓缓发白，碧空一抹红云，悬铃木光滑的树皮和冰凉的空气都是那么清新，就是人流起伏的嘈杂街头，清晨也会让我觉得自己再次出生。我把这个希望揣入怀中，不敢去想那是什么，感到希望不见踪影。我处于明暗之间，黑暗深广难以揣测，并不是由于缺少光的照耀，就是夏日正午万物白亮刺目，我还是身处无边的黑暗，有时黑得什么也看不见。另一面，我也不想逃避，没有兴趣与来回走动的人交谈，他们的任何想法对我都没用。也不想遇到某位女子，带来什么纠葛，扰乱我的心境，或者受情感和肉体欲望的麻痹和欺骗，偏离自己该走的路。竟然还有不该偏离的路？

非常奇怪，晰的名字是我取的，我没有告诉任何人，报纸、电台和百姓都在讲晰、晰、晰、晰。也许毕竟我们都是人，思绪都是随风东摇西摆。我真想给晰换个名字，可是又懒得换，我的晰，嘿嘿，还有我的晰？和他们的晰，嘿嘿，还有他们的晰？各种晰常常相混淆。城里失去公众晰的事件我亲眼所见，晰与著名台的节目一起不见，也许不是晰不见了，那是我们有限的智慧的半吊子推理的产物，人们喜欢依照自己的感受不断给晰命名，说晰是什么，不是什么。不过我们确实不知道这类事的真假：他在梦中从山崖失落，由于他的一位远祖追捕野山羊踩空坠入悬崖；阴气把阳气压得过分，阳气一翻身就地震；遥远的海边有两架抽水车轮，一抽水就退潮或涨潮；她和自己的男人吵架是命里注定的，她的男人要还过去借的债；他生了颈椎病，是因为他喜欢吃甲鱼，亲自割过许多甲鱼的头颈。当著名台出事后，大家都认为晰不见了。

著名台总是播放些跳跃旋转的彩色线条和团团雾气，发出喇叭短路般的呼呼噜噜声，好像世界上失去昨日的风光，人们只能看录像，看褪色的、模糊的、假造的图片。老百姓常常举手空中比画，说：“很久很久以前著名台的节目今天没法比。”但他们无法说得具体些，我就不知到底什么样子。冬天老人靠古殿堂的黄墙壁晒太阳，闭眼露出回忆的笑容，嘴角一歪，流出口水，嘶地一吸，又开始微笑。我被他们的笑容感染，希望看见他们回忆到的事物。每日夜深人静我偷偷起床仔细观看著名台，等待清晰的画面，琢磨从哪根线条，哪团雾气可以依稀辨认出面容、色彩和山水。

那天，著名台啪嚓一声，剩下光溜溜的黑屏幕，我好像面对神秘的山洞或阻断了与外界联系的黑墙，等了一会儿也不亮。再看看其他节目，客厅里的家具、墙面上忽闪屏幕的彩光，原来正在报道客机栽到机场的硬地，带着大火浓烟翻跟头。

女明星说："晚上住旅馆，半夜有人撩窗帘，我过去就不晃动，拉开看，窗户关得很好。哎哟，吓死我啦。"

男主持人说："我也遇到过类似的事，也是单独住旅馆，半夜床底有猫叫，喵呜，喵呜，垂下头看，什么也没有。"

女明星笑，用手捂嘴。

树木、汽车、房屋都浸泡在滔滔浑水，直升机的螺旋桨嗒嗒嗒、嗒嗒嗒。

女明星说："我的好几位朋友说他们遇到过鬼，夜里鬼是白色的。"

男主持说："是吗？我幼时就想知道鬼的样子，如今鬼发也没见到一根，不知道是红的还是绿的。"

回到著名台，光溜溜黑屏幕，客厅跟着也被抹黑。再看其他的节目，飘飞的红绸布里面一瓶白酒，故作豪迈的精瘦男子，肩头披松松垮垮的白衣，挥手高唱："好酒出东方，一口心发狂……"返回著名台，光溜溜黑屏幕。

我每天观看几次著名台，次次乌黑，真想爬进去看看到底出了什么问题，然后敲敲打打修修补补。不要进去后人变得像纸一样薄，落入深渊，心被撕裂却叫不出声。过了一年，我猜测频道取消了。可是清除著名台时会使另外一个节目变黑，也就是说，清除到最后，只剩下一个乌黑的屏幕。

隔壁的老头告诉我：“百姓们都关心，也就是毁灭期望等待。”

著名台的电视波不由本地电视台发出，谁也不知何处发出以及为何不发。还是真的电视机像一条好狗、好猫忠实于主人？天长日久，百姓渐渐忘记了著名台，偏偏电视机还在眼巴巴等待，极力想给百姓带来乐趣，套套热乎，顺便引导引导。当然，这是电视机的责任和存在的价值。后来一位律师唤醒百姓，他猜测、推论是那些穿戴白帽、白口罩、白衣的工人搞的。输送带转动，他们嚓啦嚓啦插进了多少廉价的光阴和无名的怨恨、敌意？退货，官司打个不停。在没有微信、互联网又缺失电视机的漫长的时光里，百姓整天无所事事，手脚不知道放到何处好，患上轻度忧郁症。几位少年跳进电视屏幕般方正的池塘里溺死，那里有摇动的荷花，游玩的小鱼。整天笑眯眯的一位中年女子跳楼，莫非窗外飘过几朵轻盈的白云？

咚咚，咚个咚咚，咚咚咚；咚咚，咚个咚咚，咚咚咚……闲暇的大妈老头上街扭秧歌，不是臀部扭得过火，不是清晨吊树枝摇来晃去，下来后又啪嗒啪嗒猛拍老大腿、老屁股，不是街头跳广场舞的大爷老脸放光向路过的女郎招手，我倒愿意赞美他们追求生命的活力。大群公益广告飞满天，人潮汹涌，百姓兴高采烈啵啵、啵啵亲吻电视机，嘴巴肿得像苹果鸭梨，又像得到失踪的儿女一样浑身发抖把电视机抱回家。多情的女士也不顾脸面了，当街呜呜呜满面泪水，鼻涕流速过快来不及擦，两根面条随呼吸嘶啦嘶啦拔河。教授从中获得了他们哲学的新论据：有彩色就必然有黑洞，千古不移。黑洞会使人们更渴望晰，如长毛的雨水就淅沥沥，沥淅淅；满地枯叶窸窸窣窣，窣窣窸窸；天空的云毕竟清晰了好多，晰是你中有我，我中有你；男女关系，奇乐融融融乐奇奇；吸水的蟋蟀也稀里里，里稀稀哀啼；咚咚，咚个咚咚，咚咚咚；咚咚，咚个咚咚，咚咚咚。

不再想看著名台的百姓不小心按到黑屏幕，先是一阵空虚，接着又非常难受，好像看到碧潭油污、黑痣翘根长毛、云霞浓烟、整容嘴歪。偶尔百姓面对黑屏幕有朦胧睡醒的感觉，一块黑色中似乎隐藏着无法捉摸的令人害怕的东西。

不同的分析者有不同的角度，归纳为九大观点：一、百姓幻影般的生命和世界；二、百姓的被忘却的回忆和经验世界，如幼时抓蟋蟀，童年时思念一起玩了片刻的异性朋友；三、极端的感受，如遇不到恋人恐慌、焦虑，眼前直发黑；四、看不到而感到美，感到内涵无穷的潜在的乏味世界，百姓依此不断犯花痴；五、是外星人或鬼魂或晰离开时留下的空洞；六、拿有限和无限相比，拿自己和另一类人相比，失落和黯淡；七、一个无法辩驳的明证，百姓的祖先是煤矿工人，或者是几匹瘦骡子，滞留矿井几百米深处拉煤见不到天光；八、想到了死和虚无；九、百姓有回到妈妈肚子里的幼稚的倾向。我觉得应该再凑一个，凑成十全大补。

事件继续发展使百姓终于明白：晰不见了。著名台发黑其实只是局部的预兆。更显著的现象是万事万物瞬间失魂落魄，蒙上被忽视的与生俱来的致死的灰尘。树木花草继续伸展嫩叶，花朵含苞、怒放，可是看上去就是不鲜艳。政府组织消防车，无数粗大的水龙头喷出白花花的水柱冲洗，男女老少也提桶淋洒，气候反常连绵暴雨，城市汪洋，小孩手舞足蹈，折纸船，光脚奔跑，浑身湿淋淋，树木花草还是灰蒙蒙。有人用水晶漆涂抹院子里的树，空气中弥漫烂香蕉的气味，亮是亮了，但一看就知道不是生命的光泽。我们全都是枉费心机。

城市重新规划，将会建造许多新的大厦街道和长桥，百姓内心热乎乎急切等待，如痴似醉地想象新的美景，万物又有了光彩。终于，市中心十五栋彩色涂膜玻璃大厦开始动工。色彩纷繁，花纹细腻的大理石。上好的紫檀木、檀香木、香樟木、银杏木、楠木、冷杉木。各色水晶、绿宝石、夜明珠……堆满了广场。运来了许多奇花异草，还没种植就满城清香。叮叮当当、吱吱轰轰、呼哧呼哧，大厦造好后，鲜花芳草环抱，蓝天下发出崭新的亮光。我走进其中的一座，大厦顶部挂满钻石灯，照亮光滑洁净的大理石地面，石纹飘飞红云绿雾，九九金楼梯扶手，白皙、瘦高个女售货员，橱窗陈设颜色纯净的奇装异服。我走进另一座大厦，顶部安装了许多红木灯笼吊灯，地面铺咖啡色橡木板，酸枣木雕梅花图案窗户，大红色的丝绒窗帘，翘屁股的女服务员穿梭于殷红的大圆桌，领班的高叉旗袍间白色一闪一闪，桌上热气腾腾的汤，白酒火辣辣香味和野味斑斑红点、黄点。我又去了另一座大厦，里面整齐排放软靠背座位，前面有座天蓝色背景的小舞台，几人穿黑西装、白衬衫，一老人着黑色燕尾服，腰杆笔直指挥协奏，竖琴好像南瓜花间的夏虫唧铃铃、叮叮叮，大提琴声如宽阔的河水缓慢流淌，小提琴好像一个人惊醒过来，想起失去的年华，又一惊，发出尖锐的叫声，继而哭泣，冥想。还有几栋大厦不穿鞋子的不得入内。据说两个孩子看到白色的晰曾经骑黄色的自行车经过这些大厦，没有人围观，晰就溜走了。让我又想来想去，晰不是什么，还是什么？

不久，十五栋大厦的窗玻璃沾满灰尘，清洗的工人吊在半空，一个个橘黄色的小点。每年不断地清洗、打扫，可是不染灰尘的事物不属于人，淡灰色的看不清的粒粒尘土、蚂蚁、苍蝇、蝗虫铺天盖地，一会儿天昏地暗。最后，人们也懒得清洗、打扫，色彩斑驳、肮脏的大厦渐渐像衣衫破旧的白痴，遭遇打击侮辱又没有能力申述。我偶尔走进一座大厦看看，红窗帘破破烂烂发白，桌椅也都是些摇桌摇椅，地面油迹乌黑，到处是蛛网、死蟑螂和厚厚的灰尘。据说医生开刀，从心脏里倒出一盆干沙。

二、黑褂人和他们的晰

我不知道她为什么说："这个故事会流传下去。"深夜我和一男一女田野里走夜路，互相不认识，也不讲一句话。走到一座山前，松树林中一条开阔的上山路，我们往上走。突然呼啸的红色、黄色的火焰从天降落，路两旁的松树噼里啪啦燃烧，风起呼呼响，大火往上蹿，火苗不断跳跃，腾空摇晃。我们往上走，头顶火焰飞舞，周身火焰翻滚，掉下来的死人全都烧得通红，横陈山坡，遍地火光啪啪啦啦，带有烟火焦味的烤肉香气扑鼻。

山顶的房子也被烧毁，只留下地基，一个深深的大坑。我们爬到坑中，三面都是粗糙的岩壁，一面是缺口，不用抬头就可以看到夜空。深坑的中间独自留下很大的岩石，上面镶嵌一块正方形的镜片，射出一道明亮的光束，我一看光束就想飞。

男子抓住我，又上前想把镜片扒拉下来。不知什么地方传出低沉的不紧不慢的说话声："不能动，我在这里看守。"一面岩壁当中一条浅浅的石缝，石缝里躺着脸皮白乎乎，身穿黑褂的人。女子望望四周，举手说："这个故事会流传下去。"不知道是什么意思？

几天以后，一个穿黑褂的人竟然走上街头，越来越多。我常常看见他们。他们和平庸又自大的百姓完全不同，冷雨中湿透毛的乌鸦那样可怜巴巴垂头丧气地穿行，一看就知道是来路不明的不靠谱的三无小民。他们个个脸庞苍白虚胖，表情呆滞好像是成批生产的涂抹白漆的泥人。他们穿的黑长褂比煤炭还要黑，只有污迹冒着油光，腰里全都系条山草编织的带子，无意编进一朵粉红的石竹花，给充满热闹的僵死事物和乌烟瘴气的城市带来山野的气味和光影。平时黑褂人隐居深山，除了喜欢种植些散发怪味的香椿树外，住处如同小镇民宅乱倒垃圾的房后一样阴暗污秽。我看到他们就感到怪异和恶心。百姓和黑褂人从来不交谈，也不发生任何摩擦。黑褂人胆怯地指指货物，给什么就买什么，买好了又耷拉浮肿的眼皮，急匆匆回山，如同老鼠过街那样警觉，一会儿就溜进下水道里的住宅，寒冷的早晨阳光也会透过铁网盖。

他们回到山里散布迷雾干扰百姓的生活，百姓反而感到与他们贴近和亲切。据说黑褂人知道晰是存在的，甚至和他们住在一起，他们嘲笑城里的百姓欲壑难填，平均两分钟就想到花天酒地、丰乳肥臀又苦难深重，动不动就肝肠寸断。百姓渐渐相信他们。黑褂人捣鼓一个湿泥堆，说那就是晰，又用麻秆当香烧，门窗涌出滚滚浓烟，浓烟里飞出黑褂人，老黑褂人用麻布在新来的黑褂人乌黑的脑门一抹，立即显露出一张苍白虚胖的脸。我去山里玩，见过他们几次，他们总是低头回避我，悄声走开，一群黑褂人聚会时，也不发出任何声音。

我莫名其妙身处山里，快爬到山顶，头上吹过一条宽宽的黄色大风，天空立即昏暗不清。风沙过后，山峰顶开阔平整，两边整齐地排列了数千个黑褂人。当中留出遥遥相望的通道。黑褂人在祭奠什么？三个黑褂人各举一条通红的布龙奔跑，布龙十几米长的身体和尾巴一会儿被风吹直，一会儿蛇一样游动。乱哄哄的黑褂人有的敲打黄皮鼓，有的举着各种颜色的布鸟走过。布鸟尾巴像孔雀，散发炫目的彩光，嘴巴是磨得亮闪闪的弯刀。过道中燃起了一团团大火，黑褂人齐声喊叫海浪般喧哗。

一位高大的黑褂人骑匹灰色的马，从黑雾中走出来，他戴黑色方帽，头颈里系条金黄的宽带，面色灰白，神情冷漠、麻木，九只比牛还大的癞蛤蟆环绕他慢慢爬。他走过大火，突然转身，用手掌向火一推，一团团火噗啦噗啦熄灭连灰也看不见。广场死寂。四位黑褂人抬出两具白乎乎的躯体让马踩，吱啪、吱啪爆裂。又抬出两只没上釉的黄泥大缸，缸里喷射两眼血泉，血从缸沿流淌出，到处是血。

两排黑褂人交叉奔跑，又整齐地排成两队。太阳落入远处的海面，天空四周雾气与云朵缭绕，红色、黑色、黄色。一团团火又被点着，风卷沙土呼啸，火苗、浓烟左右摇摆，展臂贴地蔓延，黑褂人的一张张脸上火光忽明忽暗。

高大的黑褂人遥望远处飘动的几朵黑云，双手于风沙里来回比画，念念叨叨，呼风唤雨。风的黑气从灰白色的茫茫海面朝这里迅飞，天空暗红，飞沙走石，大树被连根拔起，在云朵一般在天空中掠过，排列整齐的黑褂人全部匍匐地面。高大的黑褂人举手挡住狂风，推来推去，呼啦一声，狂风被一条强劲的火龙冲散，海中间山脉般的黑云通红，熊熊燃烧，景象怪异得怕人。海边的城市也烧着了，十五栋大厦被烧得明亮刺眼。

山顶广场的黑褂人散去，留下原来的一幢幢阴暗污秽的房屋。我走过去，他们的脸和过去一样苍白虚胖，看到我一声不吭。我想知道刚才发生过什么事，和扫地的黑褂人攀谈。他叽里呱啦说个不停。我问刚才的事件。他很惊讶，说我胡说八道。又说我是不是饿了，要不要吃石蒜球，喝四脚蛇汤。接着他让我看他头顶的一条长长的光溜溜的疤痕，说本来他早就该死了。他从悬崖上掉下去，竟然没事，只留下这样小的伤疤。一定要我摸摸，说没伤到骨头。他那张不会笑的脸翻起白眼，你知道为什么吗？你要相信晰还活着，你只要天天说，这是晰，那是晰，都是晰……什么灾难都远离你。你再摸摸伤疤，奇怪吧。我转身连忙逃走，他跟随我飞，我跑到松林里绕圈子，摆脱他。

城里还是满目尘土飞扬，偶尔天空湛蓝如洗，但再也不是过去的充满各种梦想的天空，已和人的情感以及最终的归宿无关，已是与人的愿望相冲突的虚无，已是给人巨大压力和使人焦虑恐怖的虚空。观望天空的人不断预告像人的痛苦面容的小行星将撞击我们居住的行星，有人说更像人间最高的智者的安详的面容。脸蛋红润，眼睛漆黑发亮的可爱孩子，像山间朵朵随风摇摆的野花，仔细看也充满了悲哀，他们出生，寒风沙尘中大树飘落片片秋叶，只残留一丝夏日的余温。爬上高楼向下望去，看到灰尘从大街扬起。灰尘裹挟座座大厦：蓝玻璃、金黄玻璃、银白玻璃；遮盖一道道街树，纵横交错的水泥道路，来来往往的汽车，黑压压的行人。那是智慧者说的尘土？那是觉悟者所说的尘土？那是一颗曾经是蓝色，如今炎热的红色行星扬起的尘土？观望黑沉沉的冷漠、木然的宇宙，人们渐渐清楚燃烧烈火的星星相距遥远，虚空飞速膨胀，星星距离越来越远，某日又会悄悄地冷却，星星反过来塌缩，阴森森巨大的岩石撞击、摩擦，人群像虫子被碾成污迹。

百姓对于风沙和宇宙的缓慢的变化都能接受，过去的已过去，未来不可知，有什么能比当下享有快感更重要？有学者说："没有被晰感染的东西做对照就说不清好坏。"他们接着咄咄逼人地问："你说什么是好？什么是坏？你说，说呀。"百姓渐渐麻木，但他们就是不能接受电视机上乌黑的著名台，世界的不完美全出于此。那黑色吞吃百姓的快乐的灵魂和他们引为骄傲的家具和摆设，害得他们赌气不看电视；害得他们整夜打牌；害得他们一会儿咬核桃，一会儿嚼饼干，一会儿舔黄油；害得他们整天昏昏欲睡；害得他们坐着发呆，唉声叹气；害得他们一会儿摸摸肚子，一会儿捏捏脚底；害得他们上街胡乱地走；害得他们把时间当成残废发臭的乞丐赶走；害得他们抓活的蚊子，拔掉一根根腿，用放大镜看蚊子变大的红肚子一起一伏；害得他们举行吃蛋糕比赛；害得他们围坐一起高声闲聊，又交头接耳叽叽喳喳；害得他们疯狂地工作，突飞猛进直达生命的终点；害得他们纵欲、放火、踢球，飞到空中丢炸弹。

我和百姓过着同样的乏味难熬的日子。孩子不喜欢大人整天愁眉苦脸，打开乌黑的著名台，画上五花八门的画，我的女儿画了小房子、草地、太阳和一条通向远方的小路。说她还要哭，我去擦洗干净。过了几天她又画了一头黄色的肥猪，猪身捆绑着长长的红色火箭，我再擦洗干净，她就画一具白骷髅吓我。其他的家庭也是这样，大人毫无办法，也就听之任之。有时大人看到色彩鲜艳的怪里怪气的画，忍不住哈哈大笑。

电视节目成为孩子的画，百姓慢慢忘记晰不见的事，或模模糊糊感到似有非有。他们中间存在两种观点：一是，没有那回事；一是，有那回事。我当时认为没那回事。多事的考古学家翻古书，图书馆满地纸片纸团，他们还在城市和乡村挖了星罗密布的坑，行人掉下去摔伤的就有好几千，至今还有几百个躺在坑里的大腿抽筋呻吟。终于出土了一幅古画，据说是晰存在的重大发现，但我看到画上斑斓的色彩如云似雾，我能相信什么？

后来他们又收集到许多传说，最著名的有：晰的眼睛长在后脑勺，因此我们不认识他。就像如果把老式电视机翻个身，我们就看不到屏幕和画面，不懂的人还以为电视机穿黑丝袜撅着臀部，或者是从非洲买回来的性感工艺品。新式电视机反过来看，一张黑脸上胡子拉碴，一排排红红黄黄白白的眼球。

不过，原先晰的眼睛长在前额下，人人都可以看到。我们以为晰长得像人，可是晰偏偏像一只蜻蜓，我们就没有发现。就好像电视机如一只波斯猫被抱在摩登女郎的怀里，我们就没有发现电视机。

不过，原先晰像一个人，谁也不会认错。但晰是个“丑八怪”，我们的眼睛只搜寻俊男美女。不可能盯住“丑八怪”发呆，我们又怎么会看见晰呢？就如买东西非要看大价钱的名牌，对质地优良的便宜货瞥一眼都会脸红，充满了“丑八怪”警惕性。

不过，原先晰像雪山群中的最高峰，最庄严的一峰，也像草原遍地燃烧的野黄花，也像傍晚泛起银光的弯曲开阔的大河，也像夜空的繁星，可是我们总是低头在城里抢钱，混日子，认为除此之外都是胡扯、做作，都是低智商导致的行为！

黑褂人不再进城，城里经常遇到暴风袭击，积满灰尘的十五栋大厦在红云和闪电中发亮，让我想起黑褂人的祭奠。

那天我和过去一样，内心隐隐约约感到空虚、忧郁，女儿又新画了电视节目：大熊猫骑着肚皮朝天，白眼珠鼓起的死鱼。孩子怎么会变成这样？我的心瞬间冰凉。五彩的电视节目关在色块和线条里，挤眉弄眼爬起跌倒想让我搀扶她们。三年不见的老朋友来了电话。这位朋友从来不回忆往事，他告诉我晰还活着，他发觉路上的行人、街树充满了诗意，他说他幸福。我的另一位面容模糊的朋友曾说我一定会遇到晰，我有什么理由可以相信他，他自己都变成了沉睡的山脉。

三、世上有没有晰？不知道；来客：先知与秃头女子

我不知道朋友说的晰是什么？他的体验也许我并不陌生，瞬间我也会有那样的喜悦。我难道靠这些体验认为晰还活着？岂不过于乐观？短暂易逝的美妙光影往往只向你招招手，定神一看又被虚空收回，未来的时日继续变成过去，无数次地去回想，沉浸于伤感。啊！感谢苍天、神、上天，赐给我们天空大地、高山大川、飞禽走兽，有了男女，有了心灵。这是恩惠吗？他凝视情人美丽的面容说，遇到你我说不出有多么幸福，我感谢上天啊。猪也会说，当我咳嗽时，主人请兽医给我打针，熬大米粥给我喝，我愿为主人赴汤蹈热油。连微不足道的小鸡，未来的炸鸡翅、蒜子鸡、白斩鸡，出壳时都非常

漂亮，黄茸茸的毛，黑亮的眼睛，天真可爱让人怜悯。是呀，萌发一棵青草，展开一片树叶都是那么纯洁清新，仿佛万物都在微笑着哼歌，确信幸福存在。如果幸运能够扩大、丰富，公鸡有一大群母鸡，交配的快感，观望大群子孙的快感。可是，有资格得意扬扬的人，得意扬扬的家禽没有人渣、烤乳猪一生被关在铁笼里长肉、下蛋、被杀的三黄鸡的体验。可是最终会有相同的命运，哪怕你的生命的所谓等级最高，运气最好，具有高智慧，情商高，天上落下大堆金币，也会莫名其妙飘荡于各种各样的空间，或者滞留于一个固定的空间，必须忍受随之而来的懊恼、恐怖、苦难，生命和万物必然会衰老、变质、被死亡击毁。我们对家禽的爱和关怀，是真实的吗？它们幸福吗？我们最后要变脸向它们动刀，吞噬吸收它们。最后我们也会死去，草木也需要营养吗？土地是最大的嘴巴，是食物链的最后一链？百思不解。晰会来吗？

我活着，接受生命和世界塞给我的喜欢或者厌恶的事物。我高飞，行走，在大地、天空和梦境，最后回到心灵里跳跃，说，这不是晰，那不是晰。自然的美妙光影，世界万物和内心深处的底色使我感觉到安慰我的色彩纯净的虚空。那是不是晰的隐晦地显露，是不是透亮的理念，还是朦胧抑或清晰的风景？那样的虚空使我感觉美妙，内心平静，我沉浸其中，相信那里可能存有希望。因为生命的闪烁翻滚都是短暂易逝，希望处于生命之外，处于永恒的他乡。我掠过了人间眺望和体会遥远处的色彩纯净的虚空，很少收敛视线观望城市灰蒙蒙的建筑和黑压压的行人。当我遇到挫折的时候，别人告诉我你不懂时务。生命的感受和遥远的想望总是错的，时务永远对！但为什么不是时务错？可是，我们最高的渴望如果只存在于似是而非的感受中而不能真实地踏入，我们最终还是会绝望。我到处寻找晰的踪迹。默念，晰不是太阳，不是天空，不是嫩叶，不是湖泊，不是爱情，不是强壮……

独自呆坐书房不再思考和等待什么，我陷入惬意美妙的昏沉中，迷离的眼睛看一束黄昏的光芒照亮一排排黑得像深夜的书。书名金字耀眼，仿佛黄昏夕阳下刺目的水波跳跃，水波里走出一位瘦瘦的异国男子，好像在哪儿见过？是那位忧郁孤独的沉思者？我无法看清他放射紫光的面容，他说，你经常阅读这些书，书极力阐明你难以相信但又是你非常渴望的结论，呕心沥血的话语不能说服你。你快要说，书像一具具死尸，我在死尸里憋久了心灰意懒。告诉你，我们这一类人写的书，没有说错，晰还活着。你可以等待，不要再极力地思索，只是等下去，直到回到宁静中。他从书架抽出一本本书丢给我，落花在我面前流过，流向天际，我岸边奔走，找船去追赶。

门铃叮叮当当，又来了一位穿碧色衣服的人，那人站立旷野遥远的地平线。她也许是女性吧，脸是淡红色大团雾气，衣服是晨光中的天空，有着绿宝石的光泽和深度，散发着雨后花园里的香气。她的眉毛是深秋的树，露着细细的萧条的枝干，任透明的天空奔泻没有阻挡。眼眶里布满枯叶，身体一动，枯叶开合，枯叶下的目光如深潭清亮的水。光头上蹲五只大大的灰蚂蚱，不时绕天穹飞一圈，又飞回头顶。蚂蚱飞时露出粉红的翅膀，一瞬间使我产生错觉，以为身处洁净的山坡，茂盛的草丛中点点野花，清风浩荡，松涛声渐渐腾起。她似乎没有我熟悉的女性完整，容易把握，可是她散发出的气息和光影最具女性的魅力。

我发觉我身处幼年居住的黑沉沉的大屋顶古宅，我尾随两位来客登楼梯向上走，古宅是平房，我从来不知道房顶还有房间。真的有，白蒙蒙的房间朝南的墙上垂挂水帘，顺弯曲的水道流入镶着粗糙卵石的水泥池。推开窗户我看到明净的夜空，高远的弯月。路灯下，大树清新的春叶，行人容貌姣好。我想，还有楼梯可以走上去吗？男子回头说，你连你的家都不熟悉，你家有数不清的楼层。

我又上一层楼，房间乌黑，阳台刚刚亮起，外面小块翠绿松软的草地。再上楼，房间里两个人在大床上睡觉，他们负责看守天窗？再上楼，还有房间，见扎两根小辫子的女孩，我未来的妻子？我又攀登了几层楼，看到明亮的房间，黑沉沉的书桌放着一本红色的厚厚的书，觉得如果我以后能读到这本书，立即会身处顶楼花园。书没有书页，我翻不开。我走到栏杆处向外张望，楼下白云密布，往上看，古宅沿青黑色的险峻山坡一层层向上，非常陡峭，与山峰一同伸入浓云密雾。

女子不在我的身边，遥远处淡红色的天空非常像她。她的脸和身体浩浩茫茫，我能感觉到她的形象和她注视我的目光，她俯身拥住我，轻盈、柔软、温暖。没有拥抱过女子的时候，不知道她们的身体有多重。她如同想象般的女子怀抱我。我非常疲乏，闭眼安睡。

爱是否丰富，是否能使人真正满足，和爱的发散物的体积有关。天空那样庞大的淡红色才会使我满足，我不能想象她如真人一样大小，细细的胳膊缠绕，小小的脑袋摇晃，以及有限的容易变质的情感。一般的人和她仿佛没有什么相似的地方。人是否能承受她们还与爱的发散物的硬度、重量有关。如果有像山脉般的巨人，只要拥有肌肤，举手投足之间就会让我窒息、破碎。淡红色的天空茫无涯际，轻轻触动我与精神感应相似，多了些似乎能觉察到又似乎觉察不到的实感虚感。

我问瘦瘦的忧郁孤独的沉思者，可不可以把晰带到我的世界？他点点头。

书房的墙壁、家具、书籍在渐渐平息的波涛中清晰。幼时住过的古宅，老式灶间有条幽深的据说被封死的走廊，那里长年黑漆漆。当时我经常想，那里有没有暗房？想探察的冒险冲动让我恐惧得流汗，最终还是怕老虎、狼和僵尸而不敢进去。暗房里也许还有很多暗房，许多人家挤在那里。传说中，一口井底隐藏着比我们的空间更广阔的土地。

我住过的古宅，大块大块凉滑的青砖地，高高的房梁柱，房间阴暗得让人害怕，平房上面是无边边际的天空，不可能有走不完的楼道、楼层。我现在攀登一层又一层楼房，仿佛高得我没有时间再回到地面。期望什么？我往上攀爬。

一本本书又排列眼前，许多书温暖过我的心，可是没有一本能解开我的疑惑，即无法得知晰是否存在，是否活着，而我为此莫名地恐慌，六神无主。因此，哪怕是我最佩服的伟大著作，也懒得去翻开。荒唐可笑，为一个到底有还是没有的晰弄成神经兮兮？刚才遇到的光头女子我不是瞬间就爱上她，觉得她就是晰。我念叨：这不是晰，那不是晰，念叨一分钟左右后，心里体会到色彩纯净的虚空。她就是从那样的虚空里走出来的女子。

我望窗外，相同的一栋栋楼房，相同的凸阳台、防盗网，无数相同的分体空调圆形的风扇黑洞洞，天际线像被剪坏的大三角，天空灰蒙蒙。北面草地间的一条路，我沿路想下去，出新村的黑铁门，隔开两个新村不宽的水泥路，种着小脑袋香樟树，建筑工地，墙面赤露红砖钢筋，呜——嗒嗒，呜——嗒嗒的噪音，进入大道，熙熙攘攘的行人，商店霓虹灯，金字店牌，挂满大降价的喷图，拥挤的汽车，难闻的尾气，杂乱的鸣笛声，哇啦、哇啦开足音量的大喇叭。粗短黑脸的洗脚妹。游荡到半路的意识说，还是回家吧。我定神见电视机上女儿又画上三块石头和五条小鱼，小鱼摇摆着逆流而上。著名台还是黑的，也没有声音。瘦瘦的异国沉思者刚才点头，意思是那个奇怪的女子就是晰，意思是我可以带走晰。他会欺骗我吗？

四、寻找晰;晰的细枝末节

我离开城市徒步远行。灰白温暖的夜色中沿石板路爬山，遇到几位年轻人，谈到独自去雪山居住的棕长脸，说起许多他的不谙世故的笑话。棕长脸是我过去的朋友，七年未见面。我的眼皮很重，不时打哈欠，靠松树睡着。早晨，空气燥热。我独自滞留半山腰，磕磕碰碰下山。田地间，摸摸麦穗，都是沙子。地平线后茫茫的天空，一抹红晕。想起曾到我家做客的女子，天空注视我，靠近我，怀抱我，又慢慢发白，离开。空中苍白的太阳，摇摇晃晃好像随时会被风刮走。出来寻找晰吗？我叹息，眼睛如同小型飞机低空飞行，荡漾微波的宽广海面快速从眼前滑过，滑过，快要失控，随其自然惬意地飞行。

我和年轻人站立帆船船头，平静的大海闪烁金光，红圆太阳喷薄欲出。这不是我的朋友极做过的梦吗？一切都非常简单，不讲一句话的我和他，船，大海，天空。场景变化，海是金黄色的色块，色块时间般单调地向后不断移动，忘却目的，随波逐流的生活都是如此。我有点伤感，沉默。黄色的色块向后移动，向后移动。

夜降临，海乌黑，凝固成陆地，我们上岸。地面雕刻细细花纹如同玻璃花纹，没有任何建筑和灯光。当云散尽，天空团团明亮的星星高低错落开始聚会，突然发觉我身在空中，低头、抬头全是星星。我被抛到何处？暗淡的小行星无声无息地转动，哪一颗星星是我居住的地方？

过去我翻阅星云壮丽又可怕的图片，猎户座星云像淋巴结，蟹状星云像青面鬼，环状星云像一段肚肠的切面，马头星座像剥掉皮的猪头，玫瑰星云像一颗血淋淋的心。星云的高温和庞大的空间也令我难以把握，恐慌。当时我想象离开亿万星云，回到某个星云，回到某个星系，回到自己的星球，回到自己的城市，回到自己熟悉的住宅，回到自己的房间关上门，回到床上被窝，回到梦山幻海。黑洞洞的庞大空间，星云妖魔鬼怪全与我无关。天亮又开始享受琐琐碎碎的事务的纠缠。

此时，我走近星云，星云原来是一棵棵大树，红花怒放，花瓣飘落瞬间转为洁白色。雪片，纷飞的雪片。

我回到帆船，甲板摇摇晃晃，海水又开始涌动，波浪啪啪拍打船身。没有太阳，大海依然金光闪烁，我身在发散金光的星球上吗？船舱是我幼年住过的古宅，褪色的红漆木高窗上雕刻松树、吃草马匹、长胡子老人。推开窗，小院子里，五彩的卵石铺地，墙脚一层浅浅的绿苔，一棵独立的树，树皮淡绿细腻光滑，一树洁白的玉兰花，满目耀眼的花朵花瓣。我被玉兰花的光芒罩住。我激动，立即要离开眼前的世界。我忍住，万物又慢慢平静。我走到北房，窗外茫茫的海面，层层波浪黑沉沉。

我喜欢望海，以前和游人坐海边，人们大多会静静远眺，翡翠色的海湾对面乌蓝色的山峦起伏，山顶淡蓝色的天空飘动轻盈的彩云，出海口渺渺茫茫。此时，往事清晰如在眼前。又好像离开了现实，感受到期盼的事物不可言说的气息。海岸边漂浮五色斑斓的油花、空塑料瓶、白饭盒。一只发胀的死猫，灰毛水草一样摇晃。

我不知道我清醒时的失望对不对，也不知道迷迷糊糊时的期待对不对，即我该不该到处去寻找弄不清到底有没有的晰？我现在去寻找的不是晰，而是色彩洁净的虚空。深沉的不可见的精神洪流不理会我清醒时的伤心和失望，以及疑惑和麻木，一次次带我去寻找。

我背个红色的旅行包行走几个月。正午，树林后的湖边有片开山留下的白色碎石滩，湖水显得更加清澈。碎石间冒出许多瘦瘦的蒲公英、狗尾巴草，贫瘠土地的植物虽然细瘦，但比肥沃田地长出的植物硬朗、秀气、干净。夏日强烈阳光下的含苞欲放的白色、黄色小花朵，草茎的红色像少年脸上的红晕。我抬头望着白茫茫的湖面，湖边一位身着碧色衣衫的白皙女子，她高挽裤腿和衣袖涉水，两道轻摇的水波，闪烁纷繁的亮光。她用手捧小鱼小虾，捧到了笑嘻嘻，又放掉。又去采绿油油野菱的金黄小花。她回头看到我，凝固了一般。我好像认识她，也呆呆地回想。她转身在水面走，没有波纹，到我身边整了整我的衣领。她说她到我家做过客，她是那位女子的碧色衣服。我看到湖水和天空都转为碧色，我意识到自己的身躯，永远也无法与之融合。

我在湖水边发现一小块花石，一只黑色的知了。知了的身上有蓝色的阴阳纹和无数夜里的亮星，头上两颗红宝石。如果知了是一扇奇异的门，我没有办法打开门。一离开就幻想，里面会有什么？带有青涩味的肉汁，门的背面是会磨擦的干枯的响板。穿过去还是我身处的地方。除了门面描绘了奇异的花纹和光芒，全是模糊血肉。我迷失于这扇门的图案，觉得深不可测。

自从那位女子到我家做客以后，我一直觉得人的躯体太小了，精神在他们周身围上一团，各种毛毛虫散开的针刺：浊光、金光、白光、青光、紫光。此时，只有远处色彩纯净的浩茫虚空才能给我安慰。我总是离开城市，走到荒凉的野地瞭望一无遮拦的远方。

离开湖泊几天，我到达缺水的闷热的山峦。

我经常回忆，白润的浩渺湖水，岸边采石场留下的碎石间瘦小的蒲公英和狗尾巴草，他们是一些仙子，吸食清露，没有排泄物，不产生污水，土地干干净净。仙人是古人的理想，肉体和灵魂和解。灵魂太虚无缥缈，但灵魂的清澈时时厌恶肉体的浑浊和欲望，因此，肉体被灵魂折磨得苦，灵魂被肉体折磨得苦。

我有一个高高抬起的大脑袋，还有一个垂挂的小脑袋。过去小脑袋想抬抬头，大脑袋就说，你不能这样，不害臊吗？大脑袋压制小脑袋，最后又受小脑袋的折磨。小脑袋不服气，不管是否被大脑袋看管，都会不讲情理，不合时宜地倔强抬头。有时在公众场合都不收敛，害得我好几次假装蹲下去系鞋带。大脑袋经常被小脑袋搅得心神不宁，视其为洪水猛兽，最后又为小脑袋唉声叹气，仿佛小脑袋没有充分使用，一生就是白白度过。

眼前光秃秃的被太阳晒得发烫的石山群，我头昏舌燥，皮肤通红，火辣辣疼。我在大石头的阴凉处避开烈日，遇到皮肤黝黑的老人，他给我喝葫芦里的凉水，关注地望着我，我也觉得他的瘦削的脸很熟悉。他告诉我，他曾经到我家做过客，他是那位女子的眉毛。我说，我不停地寻找她。老人说，你寻找她，你就属于她。对面白灿灿的圆鼓鼓的石山上几棵细高的树姿态优美，叶落尽，无数纤细的秀美枝条。我无法和你一样，可是我属于你。

啪啪啪、啪啪啪，油绿的大蚂蚱飞舞，强健轻盈的翅膀闪动紫红色的光。天空布满间隔很小的一朵朵云，如同五彩缤纷的鲜花，弥漫夏日花园的扑鼻的香气。云朵突然变得乌黑，扭曲着好像狰狞的怪物，只显露一小潭神秘的深蓝色的海。大约要下大雨了。

五、编彩绳：女子冻醒，古花园，山寨版现实

也许我的生物钟当当敲响，我醒来，房间里垂挂一盏昏黄的灯，窗外漆黑。我的两位朋友褐色衣和浅红衣坐老式八仙桌前交谈，听不到他们的声音。我起身很轻盈，舒适地看他们比手画脚谈兴正浓。

这里是我幼时住过的古宅，知道了自己还没有脱离梦境，我独自睡在水泥砖头公寓的另一张床。我想醒来，一时我的处境与醒时相同，无法驱除和改变梦境就像无法驱赶和改变清醒时的人流车流。

褐色衣起身与浅红衣告别，浅红衣连忙站起，送褐色衣到门口。浅红衣返回坐好，低头想什么事，一会儿抬头朝我这里张望。我用力想睁开沉重的眼皮，依稀看到微弱的晨光。我爬起，颤抖地抬起沉重麻木的手，摸到门，推开。高高的院墙披挂微红的爬山虎，白云一般的假山垒起的花坛上面蓝色的蝴蝶花合翅落下，枇杷树树冠被朝阳染成紫红。隔壁的老先生弯腰，水龙头处刷牙，喳喳喳、喳喳喳。我跨过门槛，一脚踏空，大叫，落入深渊。

我醒了，满头大汗。我回到新式的水泥砖头公寓。满床白色的阳光，墙壁挂的花边镜框里一张我的照片，弯曲纷乱的头发，睁圆的眼睛似乎由于体验感受或沉思冥想而对外界视而不见，又似乎向外凝神关注什么，忧伤的神情不禁使我一愣。我起身推开门觉得喉咙涌出苦味。大街上，高楼的颜色有些异样，好像会发出深海鱼类的蓝光，一会儿又摇摇晃晃，吱吱嘎嘎响，白云从天空快速划过。

我躲进石砌墙基的商店，深深的昏暗通道，前面有扇门，推开门，前面有扇门，一扇又一扇门走也走不完。我推开门的时候，总觉得我可以出去，一看前面又有扇门。有些心烦了。推开门，推开门……走进一民居，藤椅上的老头吃热山芋，炉口一圈红光，水壶冒白气。从后门又走进一民居，客厅的灰墙挂许多照片和破旧的奖状，大多是集体合影，照片里的人白乎乎的脸，看到我就张大嘴傻笑。走过无数粉墙青瓦民居，来到一条小巷，两边发黑剥落的高墙，我问穿紫色上衣的行人，这条路走得通吗？天空轰隆隆响，一架紫色的飞机缓慢飞过。

我在什么地方？要到什么地方去？我寻找带有纯净色彩的虚空，很久以前我体会到，好像就在内心，却离我非常遥远，甚至有着永恒的距离，不可能属于我。那样的虚空又似乎在地平线的后面。我不知道我到达什么地方。我不会迷路，也不知道走什么路。反正我就是带着不用眼观的美妙虚空东奔西走。

我来到街市，阴暗、狭窄，石板路高低不平。店铺货品摆放杂乱，工匠作坊垃圾满地，抬头看到两边房檐相距约半米，一条弯弯曲曲的白光游走远处。黄猫、白猫、黑猫、花猫在房檐跳过来，跳过去。几只猫的喉咙深处发出恐吓的呜噜、呜噜，撕打时狂叫，一团团灰尘，沙土、砖粒落下。戴红袖章的老太太不时高举竹扫把冲出来，愤怒地叫喊："杀了你们不懂规矩的偎灶猫，用两把大菜刀剁成肉酱喂瘟猪，你们十八代都要下地狱！"群猫嗒嗒嗒全部逃走。老太刚进屋，它们又打架、叫喊、翻滚，跳过来，跳过去。老太又跑出来叫骂。这是一个发条、齿轮组合的台钟。

我仔细观察那些作坊里的工匠，也许他们能带我找到色彩纯净的虚空。比如，开锁的老头，细眉细眼，尖下巴，几根粗长的硬胡子，活像只老鼠。他见人来不动声色，却仿佛瞬间就能打开人的胸膛把五脏六腑都掏空。他见我是个外乡人，垂下眼皮，锉刀锉钥匙，吱嘎，吱嘎。

斜对面有一个木雕作坊，那位年轻的工匠戴着修理手表用的长筒放大镜低头雕刻，为什么要雕刻这样细致的花纹？"杀了你们不懂规矩的偎灶猫，用两把大菜刀剁成肉酱喂瘟猪，你们十八代都要下地狱！"我扫了几眼胡乱钉挂墙头和堆放墙角的木雕，雕刻的都是相同的画面，叶片宽厚的柳树，小河蜿蜒，拄拐杖的老头，脑门凸出像个葫芦球。年轻的工匠在树梢的空白处刻了几朵云，原来他戴长筒放大镜是在雕刻天空，他是通过雕刻天空找到色彩纯净的虚空。"杀了你们不懂规矩的偎灶猫，用两把大菜刀剁成肉酱喂瘟猪，你们十八代都要下地狱！"

我忍不住问他，能不能跟他学雕刻？又觉得自己在开玩笑。他抬头，一个眼眶带血的黑洞，瞎的！长筒镜里一只遥远微小的亮眼睛。我想，他用瞎眼看世界，用好眼看雕刻的事物。他说，能雕刻风景不算什么本事，你到那里去学，不过要抓紧时间。他指指对门，作坊里有位大圆脑袋的中年人，秃了的头顶炫耀着快乐的油光。

中年人满脸堆笑，向我招手，眼睛不断眨巴，浓黑的眉毛好像两只跳跃的大松鼠。“杀了你们不懂规矩的偎灶猫，用两把大菜刀剁成肉酱喂瘟猪，你们十八代都要下地狱！”我过去，看到他的身后一大团彩绳，如同结满种子的巨大花团。他是编织彩绳的工匠。他笑眯眯搬只小木凳让我坐，告诉我，他编织的彩绳不是一般的编织彩绳，彩绳编织得怎样长，人就能走多远的路，运气好的话，你会遇到你想要的东西。

他教我编织彩绳，用短短的彩带插到三股绳中，然后像女子掰辫子那样编。我的眼里彩绳是条条晚霞，编织的彩绳越长，我离色彩纯净的虚空越近。我编织一米长，仿佛走出小镇，沿踩平的白色干燥的泥路往前继续走，田里大片清香的绿麦随着暖风摇摆，农民的小院子飘来牲口粪便的气味，猪和鸡的叫声，不远处有条河，河对岸也是麦田，一抹青蓝色的远山。我的手掌被彩绳的细毛弄得很痒，食指还磨出水泡，我刚放掉彩绳就回到作坊，呆坐着面对笑眯眯的师傅。他说我正在梦境里，手伸出蚊帐，几只蚊子围住叮咬。他说他是醒的，他把我的手放进蚊帐。我确实感到手舒服了。他问我，要不要继续编织彩绳上路，试试能不能找到我想找的东西？

永远背离醒来的空间，往梦的深处走去，经历一个个梦境。这样的经历与醒时的经历哪个更可靠些？我到底选择什么，只有我的师傅知道我的两个处境。我觉得从来没有人这样探过险、犯过傻。如果找到色彩纯净的虚空，那是真的吗？能够彻底改变我醒时的命运吗？一旦我毫无结果地醒来，我会不会后悔？我又这样想，如果往梦的深处走下去，我再也不会和清醒的世界有什么关系，我在色彩纯净的虚空里变淡，变得透明。色彩纯净的虚空抚慰着我，我的内心清澄、平静，失去了所有的矛盾、冲突、悔恨、敌意、烦恼、不平、冤屈、焦虑、害怕、恐怖。

我继续和师傅一起编彩绳，走过麦田、乡村，到达一座城市郊外的枫树林，已是秋末，高大的棵棵三角枫飘落最后的惨红的叶片，无数的黑色的枝枝杈杈弯弯曲曲，最终充满激情地伸向绿色蒙蒙的天空，树顶纤细密集的枝条当中挂着巨大通红的夕阳。凉风刮起，枝杈萧萧，翻卷的枯叶沙沙。我加快步子，想早点赶到城里找个暖和的旅馆。沙路边的汽车站一位穿红衣的女子，她打招呼，对我说："也许末班车已开走，你能不能和我一起回城？"我点点头。我们行走不久天就黑暗。星星一颗一颗闪亮，田野里不时传来秋虫的长鸣。

她说她冷，想搂着我走。

我的心头一热，又想起很久以前，我和绿衣女子紧紧拥抱，飞到空中，可是立即就清醒。我说："我们身处梦境，我还要留在梦中，我不想醒。"

她笑笑："我们真的在做梦吗？你为什么不想醒？"

"我想冒个险，也不能说是冒险。你想，醒来度过一生和梦里度过一生有什么两样？如果我从梦里找到我渴望的色彩纯净的虚空，并且投入那里，不是比醒来不相信存在那样的虚空，忍受长久的失望、空虚和恐惧会更幸福一些？"

"我真的很冷。你喜欢你的梦吗？我们还是在一阵极乐中离开昏暗不清的梦吧。唉，如果再有一股冷风吹过来，我也许会被冻醒。"她靠近我，我犹豫。一阵好大的风，冷得我浑身发抖，缩紧，弯腰，她突然不见。我知道她醒了，她住什么地方？为什么晚上睡觉时房间那么冷？师傅说我睡在蚊帐里，怎么夏天也这样冷？她住的地方，大约是冬天，早晨出门，太阳惨白，冰冷的水泥路面灰蒙蒙。

我知道梦里的人互相温存并不能使身体暖和，可是能够温暖内心，以后只要想起她心里就会有一股暖流淌过。我为什么不给获得片刻自由的她一些温存？我无法顾及他人，我的心全部放到也许是虚幻的色彩纯净的虚空，这又让我内疚。

我独自向城里走去，看到灯光的密点。城里不会有她，这是一座巨大的虚幻的城市。我拿清醒和睡梦里的生存做对比，我熟悉梦里的生活，醒来面对冷冷的坚硬的世界，大约一时会非常迷茫。梦里的事物的质地像清醒时天地里回忆的内容，略微清晰些，好像真的看到了，把握住了。梦境的变化也许隐藏着意愿走向和梦境走向的冲突，我想沿一条路找我忘拿的毛衣，却南辕北辙到广场看他人放风筝。此时，我想去寻找色彩纯净的虚空，却来到庞大的城市。是什么支配我，梦要把我带到什么地方去？我感到有点悲哀，梦境里我同样没有自由，梦只是伪装和变形的现实吗？我能不能在梦境中找到色彩纯净的虚空？我是自己选择了行走的路线，还是被我无法察觉的一股暗流操纵，好像是我支配着一切，实际上在兜圈子，最后到达的是早就确定的出口？

我进城，这座城市与我清醒时住的城市一个容貌，看上去景物清楚，熟悉的楼群街树，住宅边的小饭店飘出辛辣的油烟。我回到家里，电视机屏幕上女儿又画上一片草地，天空几条弯曲的彩线，大约算是晚霞吧。著名台还是乌黑，没有声音。女儿开房门大叫爸爸，扑过来，搂住我的脖子，说爸爸出去也不告诉妈妈，她们都急死了。妈妈又出去找你。女儿的手臂、脸蛋、衣服都和清醒的时候一样真实。我原来不在梦境里，城外遇到的那些景物和像模像样的人才是梦影。一惊，手里的彩绳掉落，又回到作坊，师傅笑眯眯看着我。

我告诉师傅：“师傅是醒过来的人，能不能把我推醒？”

师傅没有回答，依然笑眯眯看我。

我说："我感到奇怪，师傅曾说把我的手放进蚊帐。看来师傅是我的家人，或者我住进了医院，师傅是护士？"

师傅笑眯眯说："我是你的妻子。"

我看到这个男子油光光的秃脑门非常不快："你说什么？"

师傅还是笑眯眯说："我真的是你的妻子，你又说胡话了，你看不到我哽咽、抹泪。"

"那你把我推醒。"

"我也在做梦。"

"你把我推醒。你骗我，说自己是清醒的。"

"那是你的梦说我是清醒的。"

"反正你要把我推醒。"

我和师傅争吵的时候，我不知不觉来到春末散发热乎乎清香的蚕豆田，胸内的沉闷随着舒畅的呼吸消失。蚕豆蓝色花瓣上有两个小黑圈，像小动物的眼睛温顺地望着我。一座横亘的山，山头蒙蒙红色。我冷淡地望了望，那些红色好像是从山后发出，这么近，不会是人们苦苦期待的事物。我要到没有遮挡的荒漠，看遥远的天空。

院子磨光的大石板铺地，我看看房子，又是我童年住的古宅，屋顶的青瓦被翻得底朝天，还长一棵大树，没有人敢把树搬走，我想树根底下一定有蛇。

我的脚底很凉，低头看到忘记穿鞋，路上行人转过头看我。怎么掩盖？我想快点回家，可是腿沉重麻胀得迈不动步，我只好弯腰慢慢爬。

她咬牙切齿杀死河边钓鱼的小孩。她东躲西藏，有几人拼命追赶。她跑到我的面前，急得流泪。我说，你往海边跑，往海边跑，快跑吧。

太阳烤得石头发烫，我的喉咙疼痛。漆黑的深夜，我奔跑着去追赶一团翻滚跳跃的火焰。

梦像海浪，一浪接着一浪扑来，拍打我的眼睛，我没有自由，不能选择想去的地方。许多梦和我的喜恶无关，有时好像古典音乐演奏时闯进几个人大吵大闹，开始弹唱他们的爵士乐。

仔细想想乱哄哄的梦也许和我非常密切，那是我的丰富的生命被掩盖、被忽视的内容。谁不断暗暗启示我。我不是经常看到类似的现象，一棵好好的大树突然会摔倒，而一棵枯树里飞出一连串黄色蝴蝶般的灵魂。我不可能展示出生命的每一部分，那样我会被人责骂，甚至被殴打，或者精疲力竭地倒下。我想知道生命的哪一部分最有价值？一个个的梦就像许多孩子的一张张脸，恳求、哭泣、苍白、笑嘻嘻、英俊、痴呆、瞎眼。他们百口齐开争着要告诉我什么。身体强壮的一个大孩子从他的兄弟姐妹中挤出来。他张嘴，厚厚的舌头特别红。

他是一座古老的园林尝试改办动物园，大门暂时关闭。不过可以隔河观望，河岸边小摊摆放出租望远镜，十块钱一小时。摊主挑最大的望远镜给我。

我看到一头象慢悠悠走，长鼻卷住木凉亭的柱子，一下子把亭子轰然拉倒。走进雕花木窗大厅卷起一只红木凳子，放到院子里坐上去，凳把啪啦啦飞掉，它用鼻子吸池水，舒舒服服往肚子上喷洒。

猴子排成行骑着黄杨树，树冠垂地，树叶全部被摘光。猴子都拿着彩色的小风轮，嗡嗡嗡转。

关在笼子里的一群猴子，看到饲养员进来，立即排得整整齐齐。饲养员喊口令：一二一！一二一！猴群精神抖擞地原地踏步，踏到高兴的时候，互相张望，嬉皮笑脸，喊道：一二一！一二三！嘿嘿！五六七八九！嘿嘿！饲养员咧嘴笑，往长方形的猪食槽里倒下冒热气的米糠烧胡萝卜。群猴哄上推拉争抢，吱吱尖叫，吐口水，用长牙咬同伴，挤不进去的猴子用脚猛踢撅起的红屁股。

大树间一条条绷紧的不锈钢钢丝，挂个座位，穿黑衣的老人疲沓沓坐上面腾空滑翔，他合眼，呜呜呜哼小调，声音阴沉恐怖，呜呜呜，呜呜呜。他边滑边哼。

这位强壮的孩子，又被其他的孩子挤开。刚才的梦要告诉我什么？疑问一闪而过。

她是一座乌黑的塔楼，从街树后斜身探头，小窗户一层红光。我去观赏，许多灰色的影子飞进飞出，哭泣与欢笑。塔前的泥地上一排水果摊，屠夫剁肉，结婚和送葬的长队，军队践踏起股股灰尘。刮起大风，呼啸声堵住我的耳朵。一粒蚕豆膨胀，像条船，像夜空，我被惊涛骇浪裹挟，尖叫，想刹车，想抓住固定的东西，想被人拉住。枯叶翻飞旋转，瞬间掉入红光映照的江面。我害怕，急流中沉浮，漂流到一座城市。街景、事件如录像画面，一集又一集。大街人群拥挤，行色匆匆。中年人十几只眼睛堆积额头，火牛蹦跳，浓烟火光。女子走近与我告别，泪水淋漓，为什么伤感？某个生存谋略。下雨了，女子跳入白蒙蒙的护城河，颗颗雨滴点弹河面，一圈圈水纹好像张口呼叫。女子沉浮，无数白色的浪和一朵黑色的花，鬼魂披头散发呜咽，急雨浩大，江面沸腾，天空碧绿。

他是天边的云层白色蒙蒙睁开眼，一扇大门，乌黑的圆球上升，高大的黑影从云遮雾绕的门中走出，在寸草不生的黄土群山徘徊。山顶开阔平坦，洼洼清亮的水潭，每个水潭里都有半圆的金黄月亮。抬头望望，天色乌蓝，空无一物。有人叫喊："洪水……"棕红色马群从地平线下涌起，奔腾压来。浩荡的激流冲上高地，月亮和石块翻滚。我去搬运沾满泥浆的月亮，青瓷碗盛水放置彩色卵石，石面一幅幅淡雅或艳丽的画。骨肉被碾碎，沉闷的声音，翻滚殷红的泥石流巨人。山坡垂挂宽大的瀑布，轰鸣，白浪沸腾。瀑布渐渐凝固。黑影缩小成矮个子，长脸像尖头蚱蜢，他在露出水面的一块块草地上跳来跳去。嫩绿的根根细草，许多尖头蚱蜢怀抱草茎，开合两片微红的大牙，吐出滴滴苦涩的棕色唾液。我问道："你是谁？"他的脸模糊不清，又似相识。他的眼睛是复眼？他控制不住奔跑、跳跃。他吹一声口哨，又吹一声，不断回头想让我看清他，越跑越远。

某一时刻我是清醒的，清醒不一定就离开了梦。由于陷入梦中太深，梦在我头顶不知有多少层，我向上浮，在一层层梦里醒来。不知何时才能回到现实，也不知到哪里是现实。如果醒过了头，现实的荷包蛋夹在梦的面包当中。也可能我向下沉，以为从一层层梦里醒来，却是沉入一层层更深的梦。有没有什么方法，或找到一条通向清醒的通道？早就知道似醒非醒时我具有特殊的能力，想什么，什么就会来到身边，这样的能力过去常用来与女子交往。陌生的女子躲躲闪闪，害羞地一瞥，我会大胆地搂抱她。有时，无数女子的脸从我眼前划过，我的心被一张美丽的脸打动，立即就可以拥住她。现在我要把睡觉前的天地想回来。我仰卧，黄色面子的纯棉被，半新不旧。桃花木大床，白墙，蓝色吸顶灯，大厅，二十平方米，绿色沙发，一栋栋五层楼的住宅，小道，建筑工地，嘈杂的商业街，我没想多久就开始厌烦，开始脱离记忆仓库。我的阳台前碧绿的海湾，海滨的沙滩火辣辣的阳光，房后黄橙色的草地和枝叶丰美的高大古树，不远处几座高山，山前是春天，如云似雾的桃花、梅花、野蔷薇花，山后雪片纷飞，我和朋友打雪仗，朗朗大笑。这样不行，我要回到清醒时的天地就不能加进任何自己的想象。

为了回去我想了几天几夜，把整个天空星星大地和我生活的城市，郊外的河流山脉和我去过的城市都想遍。我没见过的地方也许会留下一大块空白。我感觉不到身处梦境。接下来开始想人，我的父母，我的妻子和女儿，又出现几个亲切的模模糊糊的面容，我认识他们，但看不清楚。来到我身边的人都是陌生人，我离不开梦的主见？家、道路、建筑没有破绽，不熟悉的人可以去熟悉，我像过去一样生活。我不知道这样做是不是太危险，如果我长睡不醒，就丢开了现实，我醒来又丢开和现实差不多的梦境。两个世界都有我的妻子、女儿、朋友和生活，我和他们相处还能忍耐，感情也不错。如果一天我真的醒来，但在现实中又如何找回梦境？再营造相同的梦境，没有可能。告别一个梦境就是永别。我感到左右都是难堪和痛苦。

六、三个层次：迷人尤物，必备笼子，不可理喻

我认为回到了清醒时的天地，眼前的景物非常稳定。房间里透进清晨蒙蒙亮光，妻子还靠着我的身边沉睡。我轻手轻脚起床，出门看看。天地发生了变化没有？不太可能，难道做梦的几天，闪过十几年？要是我回想清醒时的天地无意改变了一些事物。我还处于梦境，有这样结结实实的梦境吗？春雨后大片的高楼，河流架起新桥，车辆行人，让人快要发怒的拥挤拥堵。如果我处于清醒时的天地，就离开城市，去荒野，去沙漠，瞭望远处的天空；如果我身处梦境，就趁我还有自我意识的片刻召唤色彩纯净的天空。

我边走边想，许多楼房和街树模模糊糊，其中一小块、一小块白纸似的空白，仔细看全都立即补全。我瞥到巨大的空白，停步观望，迅速得难以察觉，立即填满道路楼房天空云朵。我不必忧虑在什么地方。

我走到荒野，黄沙地反射湿润的光泽，一圈一圈的草地，开放紫红的花、金黄的花、洁白的花，硕大的碧绿虚空，远处泛起纯净的粉红色。黑点移动，有人一瘸一拐走来，是书房里遇到过的瘦瘦

的忧郁孤独的沉思者，他更瘦了，眼眶深陷，嘴巴止不住颤抖，目光依然那样淡蓝、闪亮。

他说："你要寻找的虚空终于来到你的眼前，可以消除你所有的缺失。"

我说："我把你带来的女子当成晰，你说我可以带走晰，我一醒来就失去她。"

"她也想看到你。如果你遇到她，你还敢再遇到她？"

"你的话让我糊涂。"

"是呀，这在于你怎么看。你知道我吗？每时每刻我都摆脱不了恐慌、焦虑。我衰弱到了极点。"

"为什么？"

"你会知道的。我先走，我还要向色彩纯净的虚空走去。"

"与我一样？"

他走远，移动的黑点消失。

我观望远处的天空，面容柔和温和。我似乎听到叮叮咚咚的实在的钢琴声，还有小提琴风吹云飘的声音。我不禁伤感，钢琴声是沉稳的岩石，是奔腾不息的泉流。提琴声来了又去，飞速地再现和消逝，是探望泉流的树叶、蝴蝶、寒秋、暖风、云朵、雪花、游人。我看着远处的虚空，向那里走去。几朵浓厚的白云舒展开，留下几潭深蓝的虚空。大约朝阳升起，薄云透出湿润的淡红色。大群飞翔的小鸟，细碎的金箔般颤抖闪光。

我发现远处的虚空转为灰色，朵朵黑云呆滞。我遇到她，有点惶恐。她站立我的面前，面色白里透红，大得出奇的深蓝色双眼几乎占据额头的大半，静美好似仙境，却是冷冷地注视。她竟然朝我一笑，说道："你找我找了很久。"她的美貌让我低下头，自惭形秽，想立即走开。大约只有独自一人时我才敢正视她的照片，如果她真的有照片，不会有……她说：“不要这样，我是爱你的。我曾经到你家做过客，我是那位女子枯叶下的目光。”

我害怕，紧张地抬头，她已不见。

我的魂魄全部投向她。许多事物一转就闪现出精神性的光彩，开放的一朵小花，行人笑颜，湖面闪烁的银光，晚霞，飘飞的雪花都使我联想起色彩纯净的虚空。面容模糊的朋友说我一定会遇到晰，是不是色彩纯净的虚空里有着晰的光影？我还是不断怀疑，不过是再次发生情感危机，不过是心底的某种信念散发温暖的光辉。

大团白云划过蓝天，告诉我要相信，不要失望。朵朵娇嫩的花朵说自己会凋谢、腐烂，但是不要失望，又说我通过花瓣会感受到打动内心的风景，由此确信那个天地真的存在。内心跟随着流淌乐声，神秘的、哭泣的、诉说的、壮丽的都挽着手臂向那里走去。我说，我相信，我确信。

我走进很大的村庄。初看是乱糟糟的青瓦粉墙平房，细看平房围绕着池塘，水面漂浮油光、鸡肠、菜皮。一扇扇小方窗探出许多脑袋。池塘边一位老人说，你该回去了。我问，你是谁，为什么叫我回去？他说他曾经到我家做过客，他是那位女子眼眶里的枯叶。色彩纯净的虚空，那里每一个细节都超越我的理智，他让我回去，也有深意。

天下起大雨，栋栋高楼从沙土冒出长高，周身密集的高楼大厦，我浑身湿透回到家里。妻子刚起床，脸色红扑扑，她的眼睛也有点蓝，我瞬间感到自己非常疼爱她。她给我换了干净的衣服，热上杯牛奶，煎两个鸡蛋，穿上运动服下楼跑步。电视机上没有女儿画的怪异的画，打开电视机也没有什么乌黑的著名台。女儿从背后用双手捂住我的眼睛，装作一位男子的声音，让我猜她是谁。我说是海盗。她大笑，咚的一声坐到地板。我走进书房，关上门，安坐，享受辽阔无边的宁静，摊开稿纸开始随意书写。

成片成片楼房一起长高，鳞集的窗口亮起灯，其中一套是我的，微不足道的盒子与盒子，享受水、电、气的舒适。如果切除些贪欲，劳作与生活一半病态，还有一半健康。让人略略仰视的身份，时光按部就班，内心平静如杯子里的水，凉爽的夜晚恩爱的夫妇挽臂牵条娃娃狗散步，或从超级市场往私家车搬放大包小包，业余学些舞蹈、美声唱法、健美操，子女又白又软的身体肥肥胖胖，总是傻笑，一年几次旅行社安排的外出换换心情。我被生活诱惑、迷惑，从来没有什么疑问。一日发现我失去了活力，自以为知道很多实际上什么也不懂。

我不理解摆小摊的中年男子忧虑的目光；年轻人街头穿破西装声嘶力竭吹萨克斯管；公园里浓妆艳抹暴露大腿的女孩拉客；病人躺在床上等待死亡；疯狂相爱导致自杀的男女；冒险者被困于山林奄奄一息。不管我感到生活如何荒唐和乏味，可是最后还是踱回敞开的几室几厅，服从所有的气味、光线、墙壁、鞋袜、大床、服装、妻女、金钱、奶瓶、阳台、小车、吊灯、抽烟机、陶瓷马桶、手机微信、液体蚊香、南瓜子……

对于我生活是悬崖上的一小块平地，像我这样无知的人看看周围觉得佳树香花彩云缭绕，但走前一步都会害怕落入山谷而颤抖，采摘一片树叶都怕枯萎而失望，我滞留平地无非因为那样可以苟且偷生，无非因为那样周围的景物继续保持原有的姿色。厌倦、失望和孤独又会纠缠我。我又要像过去那样等待，不是等待女子，很久以前我曾经焦虑地纠缠过一位。她想来，我想去，难以忍受的别扭和紧张，她突然爆发，她说她最怕感情。我们不再交往。我厌恶，信号时断时续的应答和复杂的前戏。

还有，极他们都去了远方，如果他们回来，我知道他们立即会来找我。一个月里，傍晚我就到汽车站眼巴巴看一辆辆公共汽车走下的人，直到空荡荡的末班车开走。然后，胡乱地游荡，回忆不断流淌，渐渐大脑发涨，胃部收紧难受，一个个场景不可抑制地成为过去。我为什么只能属于这个套房和身边的人，属于整个城市的贪婪、乏味、琐碎的日日夜夜？真的永远地失去揪紧全部身心的远景、邂逅，永远失去眼泪、喜悦、震撼和焦虑，给热情的火焰添加潮湿的枯叶并不能蹿出火苗，一堆堆冰冷的残渣和死灰。最后两腿打战，老眼昏花，僵硬。用什么来忘却这样的悲哀？盯住红红绿绿的视频赌博，或者不断地换房，不断地装修。玩弄异性，说些废话，搓麻将，打纸牌……

窗外，看不到高楼。开阔的旷野，远处落尽叶的黑色树林，交织的细枝后天空喷发火黄的光芒。我抑制不了冲动，想大步走过去。那是停留瞬间的幻影，立即又换上高楼和窗洞。旷野里遇到那位女子遮盖眼眶、目光的枯叶，枯叶为什么叫我回家？是不是让我连想望都要放弃。美景还会出现，那是唯一让我自愿接近的事物。美景让我内心不死，也让我发狂。

我刚回家就写下这些话。为什么不写温暖、舒适、安全、亲切、关怀、相爱？人渴望这些，动不动就撕毁。人突然发现什么，还是更有魔力的迷梦在诱惑我们？我从内心可以感受到她，我也能在任何形状的天空看到她。高楼群中，我抬起头，广阔的蓝天，云慢悠悠地飘飞。暖风里火苗般跳跃的嫩叶，花朵的一阵阵香气，沙沙的细雨声……我不知道晰是什么，我希望通过她可以望到晰的动人的光影。我现在有点明白，晰似乎与我经历过的天地，将要经历的无数天地都不同。那里，会改变最终的命运，我永远无法到达。可是那里包含我的所有的希望，想也想不到的恩惠。询问？得不到回答。让我忘掉家吧，忘掉重复和琐碎的天地，再回到痛苦和疯狂的路上。

偏西的小小的白日，旷野乌黑，弯弯曲曲的淡黑色的江面泛起点点的银光。不一会儿，太阳变大、变黄，黑黝黝的江面闪烁金光，她从金光里走出。

我知道她是拜访过我的女子，那是她的枯叶下的目光。她说：“你去，跳到冰冷的江中淹死。几天尸体膨胀发臭横躺污泥滩。”

太阳沉没，江面奔腾黑沉沉的急流，岸边浪花喧腾，雪白。我尴尬地朝她笑。

“我叫你跳到江中！”

我慢慢走到凸出的岩石边回头看她。

她的眼睛，云霞里的湛蓝天空一般深远、平静。她说：“你不是知道你永远也无法理解我的设计？”

我闭眼跳下岩石，声嘶力竭地叫喊。重重摔倒沙地，江水原来是寒冷的黑色雾气，我的头发和衣服立即湿淋淋。

她不动声色，高高站立岩石上，丢给我一把腐蚀得如同根瘤的铜匕首：“你扎自己一下。”

我拿起绿锈斑斑的匕首，想，又是假的。我狠狠往手臂猛扎，扎入骨中，痛得蹿起，倒地，咬紧牙，浑身发抖，呕呵、呕呵呻吟。

我到底属于谁？我早就知道那些标榜自我的人根本不属于自己，我有铁证，人不可能属于自己。非要强说，自己是清除掉各种因袭，以及感染上的观念，那个与远古清晨相似的宁静、纯洁的开始。悲哀吗？我为什么还要夸口，说什么我就是我，做一个我，我的奋斗，一个匮乏、贪婪、混乱、脆弱、迷茫、胆小的所谓的自己。我感到无能为力，疲惫不堪，该不该像无可救药的人那样期盼不可能会发生的事情？他们的心难道属于一筹莫展的假自己和袖手旁观的现实而不属于奇迹？奇迹是有的！奇迹是没有的！她当然不是晰，借助她似乎可以感受到晰的光影？我明白我的最后的结局，我的精神把自己安生和获取快乐的场所炸毁，我无处可去。不行，我要回去。

她又说："你背弃你家里的人，那些爱你，给你带来许多温暖和喜悦的人。你让那些胆小善良的人心碎。杀了她们。"一弯月亮升起，她的蓝色眼睛变淡，五月暖风吹拂时，天空就是那样淡蓝。

"你说什么？你说什么啊？我不能那样做，可是我不能不服从你，我不能不做。我知道，我是风刮过来，水流过去。她们算不了什么，我不杀她们，她们也会衰老死去，她们活得多么贪婪、无聊。我可怜她们，我怎么能让她们经历剧痛和惊悚，我又怎么舍得失去她们？过去发生过许多这样疯狂的事，我听说：他属于某一位女子，又痴迷另一位女子，他无法摆脱前一位女子，就和她一起郊游，悠闲地散步，走到桥中央，猛地推女子，她落入激流。还有，少女爱上发低烧的男孩。母亲骂她，父亲说要打她，她就服毒自杀，冰冷僵直的尸体陈列彩色的纸花中，乌黑的长发，苍白的面容，母亲跪地号啕，用前额撞击铁床，谁也拉不住，满脸是血。我们能把握世界吗？我明白你远远超过他们为之死去的人，这又有什么关系？他们就是那样死去，他们从微不足道的人身上看到了你的光辉？难道非要我发疯，毁灭她们，毁灭我所居住的城市，包围我的砖墙，我的还可以继续享乐的生命？我相信你，不过这是什么样的相信？我爱她们，我的心脏冒到喉咙里蹦跳，我不能这样做。你为什么让我这样做？你必须告诉我为什么，为什么？"

掀不起蓝色眼睛里的一丝波澜，她的意志坚深，不可动摇。我还是无法理解她，我过去的想法非常浅薄：她无关美色，无关温暖，无关希望……她有关美色，有关温暖，有关希望……什么都是不确定的和不可知的。可知的东西只有一种样式：麻痹自己，忘记命运，城市乐曲的高潮是夜晚寻欢作乐，五颜六色的灯光呼啦啦，哗啦啦的海啸涌向天空。她想让我处于另外一种极端和疯狂中，这样我才能真正地属于她，那个人根本不知道她是什么。还有可笑的什么晰啊晰，晰啊晰。这是我和妻子、女儿和……唯一的希望吗？

月亮隐没，天漆黑。我摸索走到流动的浓雾，一条冰冷的江水，凉得骨头痛，然后发烫，火流从双脚涌向头顶。整个夜空在燃烧，就像无边无际的秋林，枯叶色彩斑斓的大火正在燃烧，耀眼的光辉中，我感到城市和自己黯然失色，丑陋污秽。

什么声音？“你要相信我，你跟我走！”我像一股晃荡的透明热浪，直冲到家里。我握着匕首跪在妻女的床前哭泣呻吟，大汗淋漓。燃烧的火光透进窗户，楼房的顶层瞬间消失，我的套房在露天，孤零零高耸在残楼上。四周硕大的层层树林的大火噼噼啪啪燃烧，我从来没有看到过这样壮丽的景色，我兴奋得快要发狂。我跳起，用铜匕首往床上的被子乱扎，妻子和孩子哭喊、呻吟，鲜血流淌。我感到恐惧和懊恼，树林还在四周燃烧呼啸，纯净和壮丽的风景，血淋淋的恐怖。我无法忍受，逃出门，街道上黑压压的人向我涌来，我奔跑，撞击人群，跑出城，在漆黑的农田里慌慌张张奔逃。天亮了，大喇叭通缉我：乱头发、杀人犯，乱头发、杀人犯……我逃进一间废弃的房屋，里面竟然坐着我的第一位母亲，我下跪哭诉：“我杀了人，我杀了人，我要死了，我要死了。”母亲也失声痛哭。

我突然清醒一些，内心还在挣扎，时时恐惧得想喊叫。书房遇到的瘦瘦的忧郁孤独的沉思者，他影子一样飘来，面色白得如纸，瘦得快成骷髅。

他走到我身边的时候说：“你知道不知道，我的一生都摆脱不了焦虑和恐惧？”

“是你让我体验了这样可怕的事。”

“你遇到了她，还敢遇到她？”他叹息一声，偏偏独自向那片色彩纯净的天空走去。

七、“晰还活着”，天地终于变得清澈明亮

我看天地间依旧尘土飞扬，但百姓们看上去明亮干净，很快我也会改变的。百姓们靠黑褂人冥想出来的想法，确信晰还活着。

我发现黑褂人搬家具住进城里，建造几座高大的殿堂，里面还是与山里的住宅一样黑暗、肮脏，进门就吹来股股阴冷的霉气，墙角还有尖尖的尿味。黑褂人崇拜的土堆，用真金、真银铸造坟丛般的波浪。他们不用黑烟繁殖后人，殿堂的黑暗中会自动走出新的黑褂人。有时他们的黑乎乎列队在街头涌动，捕捉一位男子说他是晰，然后与三四个随从带领晰登上船，船开到大河、湖泊或者海中。百姓在岸边遥望木船沉没，一直确信晰被淹死才离开。磐石、钢筋般牢固的逻辑：只有晰的死才能证明晰曾经活过，只有晰还会死才能证明晰依然活着。

那天在草地散步的老头告诉我：开始晰十年死一次，后来一年死一次，现在分分钟钟会死去。我猜想是百姓越来越没有耐性，还是越来越缺乏安全感，还是不让天空出现片刻的暗淡？晰一死，百姓又急切地寻找晰，他们的世界恒常的明亮。

午觉时，我被吵醒，牛角呜呜哭泣、大皮鼓咚咚心跳和百姓哇哇呼喊。晰还活着的事件比高速公路开过的汽车还要多。污秽宽广的河边挤满大小百姓，他们手持鲜花、彩带，晰再次死去。晰是位驼背的白胡须老人，黑帽顶插一根孔雀毛，脑袋倔强地抬起，鼓出惊恐的眼球快要爆裂。百姓叫喊：“晰还活着，没有灰尘，没有灰尘。”有人往晰的头上披块花布，掀开，晰是年轻的小伙子，小伙子赤裸上身，踢腿挥臂跳舞。百姓喊叫：“晰还活着，永远年轻，永远

年轻。”又有人往晰的头上披块黄布，掀开，晰是细皮嫩肉的姑娘，垂下眼皮，羞得满面通红。百姓喊叫：“晰还活着，永远美丽，永远美丽。”鼓越击越响，无数百姓拿手提电喇叭扭动身体呜呜唱歌，欢呼的巨浪呼啦啦闪烁。

炎热的太阳下河水焦急，晰，这位驼背老人——小伙子——姑娘：姑娘和三位壮年黑褂人爬上破旧的彩绘雕花木船向河心划去。离岸约二十几米，木船突然沉没，晰在水面挣扎，冒出头就哦地急叫一声。三位黑褂人用木桨猛击晰的头，晰沉没。岸边的百姓几声干号：晰啊晰！夺命奔逃，被践踏的小孩、妇女尖叫哭喊。我被人的冲力猛地撞翻，脸上又被踩上一脚，硬硬的鞋底，激情地抚摸。我费劲地爬起，脸皮火辣辣疼，一摸一手血。

高大的黑褂人骑灰色的马来临，他还是原来的打扮，戴黑色的方帽，头颈里系一条金黄的宽带，脸色灰白，神色冷峻，九只比牛还大的癞蛤蟆环绕他跳。河边农田里的一群群黑褂人给他让开路，红色的布龙和各色的布鸟飞舞，眼花缭乱。高大的黑褂人目光喷出两条火龙，城市在他的目光里散发出耀眼的金光。

八、画丝、茫眼、黑脸去体验寻找晰的过程

夜里我偷偷出来查看动静，大街小巷只有路灯亮着，冷冷清清。建筑群鬼影重重，弄堂里走出说说笑笑的二男一女，女子身材挺拔面容高贵，我独自一人很羡慕他们。女子问我：“你就是那位成天想入非非的人吧？”

我说：“你认识我？”

她说：“我们都认识你，我是画丝，他是茫眼，他是黑脸。”

我说：“你是画丝？你不像青和画丝。我就是茫眼，也叫乱头

发，你、我、他。”

她说：“你不是茫眼，不是乱头发。也不是你、我、他。你和我们到这个份上都不能让对方的想法改道。乱头发在睡觉，窗外下起大雪，女子从门后闪出。”

我说：“雪人？”

她说：“你是这桌菜的厨师。”

我握握茫眼的手：“我如果什么也不想，你们永远是虚无。”

黑脸肩宽头大，双目绿光莹莹，说：“你的几个朋友心里，只有我们的一只眼、一句话。在你心里我们没有失去一块鳞片。你还会遇到我们，我们也会想到你。”

我想，他们确实伴随我度过许多白天与夜晚。“我也是你们的想象人物？你们开始独自生活了？我们总算有些老交情。”

茫眼说：“你还要去寻找什么晰吗？你又在想什么，你要把自己带到什么地方？”

我说：“我是清醒的，是你们带着我走。”

画丝说：“没什么可怕，我们不是将死、将活的晰，是想游览晰的旅游路线，举办大型“晰还活着”的娱乐晚会。到海里，我们不想回返就一路自由自在地漂流，说不定能漂到一座小岛，甜果噼里啪啦砸头。”

我们走到城外，店铺关闭，住宅沉睡，白色的小虫围绕路灯飞，银光忽闪。画丝说大家都会飞，我们张开手臂就向高空飞去。黑沉沉的城市，几处大楼通体明亮好像复眼快乐转动，远方黑色的山峰高耸，一层又一层，山坳一片白光的海面，耳边疾风嘶嘶。

清晨我们走进翡翠通道。两山之间，一条长长红漆的木制走廊，脚踩过去吱吱响。昏暗的角落安置一尊黑石像，青烟袅袅，松木燃烧的焦香。画丝若有所思。黑脸把石像推下走廊，石佛掉到山溪间，水流到石像前翻个滚，咕嘟咕嘟。

挡在面前的山渐渐分离，茫茫的大海中一排翡翠石山如同绘画屏风，山脉越来越近，我看到山岩细微的凹凸、纹路，石内的云雾，好像拿放大镜观看手中的石头。如此美景让我内心干净，生出无法言说的喜悦。翡翠石山峦又回到遥远的海中。

想不到我们会乘坐这样高级的大船，船身雪白，深蓝色桅杆笔直，橘黄色的多重船帆鼓足了风，碧色的浪花哗哗飞舞，前方是淡红色的天空。

茫眼轻声告诉我，他要代替晰沉没。

我说："不是讲好出来玩玩？"

茫眼说："翡翠石山让我相信晰还活着。"

我说："你相信晰还活着，为什么还要沉入海底？"

茫眼说："对待晰有两种态度，一种人会去寻找；一种人会等待晰死去才会醒悟。"

"不要吓我，不要瞎开什么玩笑。"

画丝面目变得狰狞："你就是晰。"

我的脑袋轰然巨响，要我去死？我说："我是普通人，怎么会是晰？"

画丝说："我们找晰几十年了。"

我说："画丝你心地善良。"

画丝说："平时我们都很善良。你的脑袋里画丝是画里的发丝，一会儿是丑女，一会儿又变得俊俏，躲在黑暗里，神秘兮兮，荒诞无比。"

海浪啪啪、啪啪撞击船身，我眼前发黑，汗流不止。我要好好看看这个天地。我说："我们应该去美好绝妙的远方，而不是沉溺。"

画丝说："晰不死去，晰就没有活过。"

我说："我不是晰。"

茫眼说："我心情平静了。你沉没还算有个去处，我活着不知做些什么？"

黑脸笑哈哈走来："我们开始娱乐吧。来点音乐！"

我叫道："你还要骗人！你们串通好想要谋杀我！"

黑脸说："什么？太好啦，我来做晰。如果有个晰，活着与死掉心口都会暖洋洋。我独特，却从来没有独立过。你多么偏激，想怎样就怎样。"

漂亮的船褪色、缩小，好像巨型墨鱼骨头。船摇晃，我们快要滑落海里。黑脸命令我把他捆绑船身，然后凿沉船，淹死他。大家一起动手用长长的麻绳在他的头颈绕圈，然后在船身绕圈。我们乐得合不拢嘴，躺着的黑脸也乐得合不拢嘴。

瞬间我感到这件事不可思议和可怕。高深的天空凝固着一层层灰云，海面寒风刺骨，脚下污泥浊水。我观看他们嘻嘻哈哈，欢快地娱乐，失魂落魄。我拿起绳头和大家保持一致。黑脸吐舌头、傻笑，笑得流泪。这事件是现实，还是我的想象？为什么这样去想象？

画丝说："山头站满人，摄像机正对准我们，百姓都在观看著名台直播节目：《晰还活着》。我们不可以这样胡闹下去。"

大家都止住笑，黑脸背负巨大的墨鱼骨就像古代殉道的圣徒。船缓缓下沉，层层波浪涌来舔食黑脸。我们慌乱，觉得还是逃走好，急忙给黑脸松绑。

第十章
生活在电视、电脑、手机里

一、沉入海底城市；不断逃跑；当下的事件变为考古事件

他在下沉，越来越深，海水冰凉，身体紧缩成团，憋气很久，忍不住猛喝一口水。慢慢觉得吸入凉爽的空气，海水也越来越温暖，他没有鳃也忘记了呼吸。头顶高远的海滩、草木和楼群，好像云翻雾卷，瞬间亮起五彩的繁星。他独自缓慢下沉，琢磨画丝的形象和语调，画丝的踪迹，这可以破解他的灵魂的秘密。他站立在坚硬的海底，身边楼群，抬头依稀可见遥远的海滩、山峦和灯光。

海底夏日的阳光耀眼，沙滩烫脚，烘干的衣服上斑斑点点的白色盐迹。他觉得危险，警察会来抓他，那些吵吵闹闹寻找晰的百姓也要抓他。海滨浴场，鲜艳的太阳伞群落，满目皮肉和小布头。他还穿着深蓝色长裤，墨黑的两用衫，立即脱掉。黄色的三角短裤很像游泳裤。他混入人群，人声喧哗如潮。逃避追捕首先需要整容，切出双眼皮，拉大嘴巴，多种一点胡子，耳朵也要剪小些。他看看陌生的环境，这里谁也不认识他，为什么会心神不定，不断冒出逃跑和

隐藏的念头？他找空闲的大太阳伞躲避烈日，海面吹来一股股懒洋洋、热烘烘的风，卷起白浪向沙滩涌动。太累了，他平躺沙地睡觉。晰是什么？心头又涌来茫然和痛苦。

他起身，群山灰蒙蒙。武装人员要抓极，极逃进群山，躲入山洞，又隐藏大树后，又潜伏小山茂密的苦竹林，最后还是被包围，威武的极站立山头大石块上张望。武装人员于山脚梆梆、梆梆打了一圈木桩，绑上铁丝网。间隔两步就放条大狼狗，大狼狗哮喘般吐出长舌喘息，抬头齐声对着山顶狂吠。

极和他的朋友有透视功能，看到墙面外的麦田和天空。他们需要强烈的感受，喜爱野外的风景，也喜欢在城里冒险。他们愤怒时在墙底放个炮仗，半夜涌出清泉，顺墙角流到一潭污水池。

黑影不断跟踪极，极靠树身，黑影隐藏极的背后。极到旅馆睡觉，门轻轻打开，黑影睡另外一张床。我看到极的梦不断飘出房间，他站立船头，两岸芳香的青翠山峦开放耀眼的粉红色野花。黑影和极吵架，撕打，又和好。黑影看极在盆景树上悬挂头朝下的木头人，树上的电灯串亮了。清晨二十八层的旅馆大厦顶端吊着两个头朝下的人。极和他们弄死的？旅馆服务生开窗解绳，两具尸体突然掉落，像纱巾一样摇晃着飘飞。服务生也跌落，重重摔死。后来人们说，服务生是自杀，也有极的罪证。

夜深了，月光明亮。极牵两条狼狗，极放狗出去，狗沿山脚快速转了一圈，武装人员的狗大乱。极再叫狗去咬武装人员的狗，咬一口就逃走。武装人员的狗自相残杀，嗷嗷、嗷嗷乱咬。极趁乱逃走。

狗呜咽和厮打了一夜。清晨武装人员挖坑埋狗骨头，粗壮的骨头运来一大堆，又运来一大堆，山坳里像个木材堆积场。他走上前去问，极呢？他们说，当场被抓获。他们的脸呆板、严厉，他不敢再问下去。

男子开一辆红色的吉普车带他逃跑，一辆黑色的吉普车从他们后面呼啸超车，飞驰，遥远处一个黑点。男子加快了速度去追赶。他说，我们在逃跑，怎么去追赶捉拿我们的车辆？男子说，这就是逃。刚下过雨，空气清凉，湿淋淋的铁红色的公路，两边稀疏的树木连成绿墙，车子快要失控，一下子开进没有路的荒野。隐隐约约看到阴森可怕的群山的黑影，不断聚拢，越来越清晰。

他恐慌。男子脸苍白，转弯向回开，说，城里有楼房、墙面挡住就看不见。城墙边门很小，身后黑乎乎的山峰还在显现，惊慌中车子冲进小门，门和墙倒塌，房子也跟随呼啦啦扬起尘土。几位住户从断砖碎瓦中爬出，看到无数黑色的山峰惊叫着逃走。乱头发和男子丢下车，走进古老花园，穿过大厅、厢房、走廊和茂密的树木。又下雨了，院子的水塘积满了碧绿的水，乱头发走上石桥，水面红鲤鱼游动。男子领来一群调查人员。

乱头发拔腿就逃，调查人员紧紧追赶，他逃进一间客厅，有位女子正在弹钢琴，调查人员听到琴声都不敢进来。他们在门口咬牙切齿转圈子。

女子手臂轻盈起落，手指灵活滑动，音乐如鸟鸣，岁月如轻风，调查的人员和女子都在风化，飘散。

江水滔滔，一条帆船逆流向远处驶去，极挺胸站立船头，没有任何沮丧，似乎不是被抓获，而是获得了自由。

他举了举埋狗骨头的十字镐和极告别，仿佛身处考古的边缘，满天白色云朵瞬间熠熠散发金辉。他和一群人挖掘巨大的泥坑，挖出许多粗壮的狗骨头化石。众人一脸困惑，他知道发生过什么事，还知道众人不会知道的一些细节。

琴声还在空中叮叮咚咚。他睁开眼，一对男女挤到他的太阳伞底下，男子弹吉他，女子咯咯笑。吉他的声音像几只跳蚤蹦蹦跳跳。

男子吵醒他，帮助他逃离追捕，应该多多感谢。他想乘车回城。他刚走，吉他嘭地丢弃沙滩，男女急切地搂抱。

二、回到旧地大城；记忆在脑中抽丝，不断旋转

这座大城的深处，街道密布，车流人潮嘈杂汹涌，乌烟瘴气。古老的高楼由发黑的长条石块砌成，尖尖的红顶、绿顶伸向灰白色高空。我的心被似曾相识的感觉触动。以前小叔叔住在这里，他带我上街，交谈。眼前，民居的铁艺窗栏花纹优美，一直到开阔的广场。

一座公园的大门，草坪、塔松，片片鲜艳的月季和玫瑰。记起小伙伴偷偷下池塘戏水，女孩带我去捡玉兰花，公园管理人员误认为我们随意折花，叫到屋内训斥。

神秘的红墙绿顶小楼。面向苍穹高歌的百货商场。老电影院还在，水泥墙面破旧发黄，拥挤的散场人群如水闸打开，浪涛滚滚。海报画面是珊瑚丛边依偎的男女，原来还在播放旧电影《海底来客》。

大城变了，狭窄的街道被拓宽，一眼望去成千上万座高楼。抬头看天，四面八方的高楼以我为中心歪斜，要把我埋没。还好一些老态龙钟的建筑还在，我不至于感到完全的隔阂与陌生。

寻找过去我经常走过的旧街巷，房子大多数被拆除，修建红墙饭店。一根根绳子挂满推销商品的小旗。几棵古树大约枯死，被砍除。

我再去寻找多层砖混楼房小区，楼群还在，看到住过的套房，往事清晰、贴近，呼之欲出，可以触摸。走廊里邻居的杂物堆到门口。推开门，家具全都搬空。天气闷热，我躺在掉漆的木地板，望着楼板上的吊扇，楼板垂下一棵大树，剥光树皮的枝干散发耀眼的白光。难受，让我如同吞下怪药。

门自开，探进一脑袋，目光躲闪、慌乱，他大约猜测旧主人来访，马上溜走。我害怕门再次消失，上街。沿街越走越远，高架桥、立交桥，灰色水泥荒地，汽车尾气刺鼻。繁华的商业街充斥的事物：坚硬、松软、香甜、发臭、发酸、色彩凌乱，汽油机维持着心跳。

大城，被黑乎乎的水泥路纠缠，汽车浩浩荡荡。被新来的高楼军团占领，玻璃制服水泥脸。披着尘土的草木让我想起过去经常往返于大城与小城。安静的小城里破旧的青色墙瓦、雕花门窗。走走就到了乡村，黄绿色的水稻，夜里有黄色的圆月。长长的河堤上树身乌黑，河水白亮，寒风里芦苇摇摆，雀鸟翻飞，夕阳落下。那时我就觉得大城是水泥路面的荒漠，穿过街道，又开始另一条街道，到处是坚硬的死物，永远也走不完的街道让我感到疲倦失望。

此时我又陷入困境，近四十摄氏度的高温，人，黑压压的生命一道道洪流在纵横交错的大街那条条深邃干枯的河床奔涌，呼啦啦汇合，继续奔流。热浪抚摸张张脸颊，干枯死神的拥抱。透不过气，不断抹去流入眼睛的汗水。面对无数灰白墙壁的平面，烤饼、烘山芋、油煎蹦跳的活虾。此时，人们才意识到外在事物的蛮横和人的无能，必须屈服。头昏昏沉沉，嗜睡。精神，梦幻一般的花，在炎热的尘土中枯萎、凋零。躲进空调间像条潜伏的泥鳅喘息，不久又病恹恹浑身酸痛。狭窄无聊的空间，放入沸水中的潜艇，外壳燃烧的航天器。

我盼望夜晚到来。深夜坐地铁去广场。地洞，湿霉的凉气，清晰明亮的广告牌：微笑的靓女斜靠汽车推销汽车，张大嘴的疯女一跃半空推销牛仔短裤，腼腆的淑女露出腰身推销内衣。跨哒哒，呼——呼——狭长的房间，灯光，地下永久的夜。沉默的中年男子，细皮嫩肉的年轻女子，目光相遇，无心之美的邂逅？急匆匆走散。广场笼罩天空庞大的黑暗。楼群：尖顶、塔顶、圆顶、方顶，顶端星一般遥远的绿灯、黄灯、红灯。眼前流动霓虹灯。夜使世界隐隐约约再次回到神秘。眼前的灯光与过去的灯光相似，往日朋友的身影，女子的身影，全部走远、走失。

早已忘记她，我又看到一个消逝的场面，夜里我们对坐长谈，把房前嘈杂、坚硬的街道想象成浅浅的河水碧色，荷花盛开，荷叶芳香。盼望回信，苦等。读古老曲折的传书故事，心酸。大雪中焦虑地徘徊，抬头发现条条树枝雪白，弥漫柔和的光芒，是未来的心情吗？时光回返，往事完好无缺。她还是过去的她，我仿佛又陷入迷茫、焦虑。厌倦和乏味像肮脏难闻的泡沫翻腾，怎么也无法淹没过去的我，那个失去的我，以及他的感受在远处微笑。

还有古董般的记忆，大客厅里叫我小狮子的外婆，后来我探访她的坟墓，石碑被人偷走，坟头塌陷，杂草丛生。她掩埋地下，呼吸困难吗？外婆最疼爱我。背着我买冰棍的女孩也去世了。说你是孩子搂住你走不要紧的女子也死去。给我讲，大学毕业做技术员，然后做工程师，然后做副总工程师，然后做总工程师的小叔叔半夜跳江自杀。又换一大批过客在这里生活。七八位小孩跳进喷水池奔跑。水柱、水线保持原来的形状，一朵不变的花，一位不变的舞蹈者，但又不是由原来的水组成。你是谁啊？抓不住，最终不属于我们的事物为何要去留恋？

头顶火光熊熊，水泥地掀起热浪，汗水遮住眼睛。我想回到故居，怎么也找不到。巨大的城市，只要改变一点方向，就会走上岔道，不断走上岔道。走完一条长长的街，又一条长长的街，大群大群汽车喧嚣着游来，鲤鱼孤独，鲫鱼成群，钓了一条又一条，嘴流血，很快鳞被晒干。

我情愿迷失于深深的夜晚。对我来说，头昏脑涨时，我不再去想象。夜晚中，我才会被回忆包围，思绪微弱的烛光翩翩起舞，我才能感受到神出鬼没和看到内心奇异的风景。我无法摆脱满街的喧嚣。后来我想为什么不乘出租车？为什么不买点饮料？也许我被热浪冲击，四处乱窜。也许我更怕回去。废气中全是眉头皱紧的陌生面容，柔软的人群挤在楼房的钢筋、水泥、玻璃和铁壳汽车的夹缝里，在坚硬的热辣辣的水泥地、沥青地流动、翻炒。

三、观望街头液晶屏幕，时空扭曲，异化

街头路口悬挂巨大的液晶屏幕，一群女人扬臂抬腿跳舞，女演员拿话筒唱歌，她的脸突然占据整个屏幕，嘴巴张圆，黏膜和湿漉漉的舌头。车流喧嚣，听不到声音。画面又转换成山水风景，我觉得自己的脚轻飘飘离开地面，乡村的茅草房，房后茂密的翠竹如同碧雨沙沙。宽敞的客厅里摆放水果：黄柠檬、红山楂、青梨和几串紫葡萄。我进去，波浪翻腾把我卷走，我惊叫几声。两岸的山峦、房屋、树木飞速后退，觉得自己离大城非常遥远。离开大城竟然这么容易？

亮光一闪，我停止不动。粉红色的房间，我感到不再饥渴，也不受高温的煎熬。我面前一位年轻女子，五官端正，神态庄重，身穿浅灰色西装。好像有点面熟？她念书般地说话。不管我怎样看，她的目光始终笔直。

亮光一闪，我站立街头，天空寒光，汽车、人流和灰黑色的路面。穿工装服的人去杂货店买烟："哈城风多少钱？"几十年前才有这个牌子的香烟呀。我问问路，工装服不理我，还是耳朵不好？景物像水波摇摇晃晃，模模糊糊。走来位女子，她的身体一晃分成七八条，几个脑袋，几张嘴对着我讲话，我听不清她在说什么。几个纸板做的彩色小人，蹦跳、唱歌，高举刀剑去打仗。

亮光一闪，我到海滩边，蓝蓝的透明海水下粉红的珊瑚礁，柔软的海草，一条花斑海鳗往上游。男女两人背氧气筒潜泳。我也去，脚还没碰到海水，水波摇晃，天地搅拌成一锅粥。我不动，周边的风景慢慢平静。我靠近碧绿的江面，我下河，脚没有感觉到湿凉，河水已经穿过我的身体。我静静观看人们一一走过，不在意他们高兴或苦恼，土气或时髦，以及说了些什么。风景变幻，我不在意青山绿水或遍地碎石、沙土，也不在意身处猪棚羊圈或金屋银房。我木呆呆地随时间流逝。

亮光一闪，卧室装饰考究，一位俊俏的女子对我说："你终于回来了，我多么想你。"我一愣，刚缓过神，露出微笑，发现卧室里还有一位男子，他们紧紧相拥。茫茫天空光线塌缩为刺目的一点，啪！消失，天黑暗，夜来得如此突然。不像蓝屋，蓝屋里经常有人交谈。

我被抛到黑房间睡觉，空气寒冷，没有一点声音。我像水一样在开阔的天地快速流淌，仿佛做梦。我荡漾，瞬间划过千千万万个昼昼夜夜，战争，家族争斗，结婚，死亡，探险，地震，留下不知多少个世代的记忆。啪嗒！强光。天亮了，昼来得也如此突然。夜短得大约只有半个小时？

清早我就被关在会议厅，一个胖子讲完，又一个胖子继续讲，黑脸医生好像也坐在前排。我不耐烦地摸鼻子、揉脸，不停地换坐姿。我想悄悄从后门溜走，水波摇晃现场全部消失。我不动，会议厅又从水波中摇晃着出现，平息。我叫道："让我出去！"我也与波浪剧烈摇动，一股灼热的火焰。啪！天突然黑暗。

我睡觉，像水一样流动。也像高速列车，有形的时光一闪一闪。我爬出窗户跳向昼，却落入夜间。我闭眼，水一样流淌，我又跳向昼的大门。风飕飕，雪地与光溜溜的冰河，树林摇晃优美的纤细树枝。我躲进室内泳池避寒，圆柱、拱门上雕塑着枝叶花朵。闷热，空空洞洞的说话声，稀里哗啦的水声。

头颈系红围巾的女子走过。我望着她的背影，她回头一笑。蒸汽越来越浓，什么也看不见。走出大门，天放晴，我靠坐绿色的木凳晒太阳。红围巾捧一本书，惊喜地说：“你怎么占了我的位置？我天天来看书。”女子笑眯眯，柳树扬起鹅黄色嫩叶。

她坐下，我发现身边还坐着位中年男子。他们隔着我交谈，目中根本没有我。我没有动，也不觉得尴尬。我深藏她的音容笑貌。她起身挥手，男子开车远去。我看见她手里的书《草地》：“秋风吹黄的草地，出现在我们的未来。”我问：“这是什么书？”她继续低头看书。我站在她的面前，呆呆看她。她抬头，看我，还是看远方？顺着她的目光望去，雪地辽阔，棵棵大树枝干黑色，枝条间的天空是朵朦胧的蓝花。我说：“景色真是奇异和壮观，你的书说些什么？”她还是望着前方，慢慢起身离开，一摇一摆充满了活力。她留下脚印一串，我行走没有脚印。红头巾看不到我，我也无法与她交流。为什么让我看到她？

啪嗒！眼前漆黑；啪嗒！我醒了。异国的街道，教堂高大，拱门装饰白色的人体、花朵。我坐车般转进去，彩绘玻璃，墙壁镶嵌宝石，我看到穹顶中云雾缭绕，肌肉强劲的人物的手指尖爆发一声霹雳。我想上前看个仔细，退出教堂，广场大群鸽子走动。我又回到空荡荡的教堂，谁在按响巨大的管风琴，庄严浑厚的乐声充满整个空间。吊灯闪光，教堂温暖、明亮。我没迈步，是景物在我周围旋转。我向后退，我不想出去，拉住凳子的靠背，拉了个空。我退到门边，我想紧紧拉住门框，也没有拉住，我退到门外。

有人甩红绸舞推销止泻药片。直升机发射两颗导弹。一座医院着火，有人从十七层楼跳下。我呼喊救人，纷纷掉落的手脚、脑袋砸到我的头上，穿过我的身体，在我脚底摔烂，血肉横飞。我的身上找不到血迹，我清白无罪。我上楼看脸皮白一块黑一块的旅客，他们被浓烟呛死。我又走到远处观看饭店的大火。过一会儿又上前挤进围观的人群中听他们交谈，火光冲天时大家都兴奋无比。我对此不痛不痒，也深知无能为力。

我还在大城中吗？这个地方稀奇古怪不可思议。大城里浩浩荡荡的泥头车狂奔乱叫，一刻就面貌全非。让我最不能理解的是时间，昼夜的长短没有规律。我们栖居的圆球快转慢转，转转停停。而且，我没有走动，我身边的景象也会变幻，颠三倒四，节外生枝。我对人抱有希望，脑袋的想象、设计只有通过人与人拉手、交谈和依偎，肢体之间的抚慰，以及共同前行才能得以满足和实现。

行人黑压压涌动，浮现天光水色，女子林丛云霞，男子岩石激流。我想认识他们。我怀着热情参与赛马、交游、坐氢气球、聚会喝酒、警察抓绑匪……只要有机会我就走入陌生人的家，疯狂时片刻就几十家。年轻男人结结巴巴说话，客厅角落大堆西瓜，交谈中他不时插话：西瓜还没熟。进门灯光中，女子含笑看我，讲些考试的事情，而我一肚子诗意和奇异的风景。我对她说，我很想她。她训斥我："我最怕感情，我不要情感。"与我交往过几次的男子开门，一见我就假装着皱眉捂肚子说："难受死了，改天吧。"我看到里面女人躲闪，痰盂里的黄尿一股骚味。他们画画、唱歌，窗外阴雨连绵，情感的河床枯竭、干燥。我乏味地穿行，离开还是不离开？

时间一长，经历繁多，我发现这个空间只是被我观望、聆听的空间，事物的变动和人们的行为早就布下程序、规则。我的热情，我的希望，我的行动仿佛一路通畅，有着绝对的自由，但是万物却不给我任何真实的反馈、应答，就算我狂暴地敲打他们也不会叫喊、还手。也许是我孤傲，不管什么，哪怕是盛典、战争、真理都进入不了我的内心。假设他们讨好我，给我贵重的箴言，那是他们的宝贝，他们没有我所渴望的风景。到底谁可怜？我扭开头，单独时又想望交往，黑色的人流，我的半声叹息。

眼前的空间像另类的黑脸医生的楼房吗？万物，包括自身都不由我们选择，给什么就适应什么。过去想象自己突然高速飞起，从耀眼的恒星当中穿过，或撞向厚冰，或迎着猛扑过来的星群，或触碰到高压线，或落入黑洞被拉成细丝。起初一定怕得要命，号叫，挣扎。呼呼、呼呼一一穿过，毫发未伤，渐渐就适应和坦然。婴儿刚出生，吓得大哭，一会儿全身舒展，开始微笑。婴儿该不该微笑？最后，会满意的，他们说，顾客就是上帝。首先要踏准节奏，入乡随俗，就像电脑铺天盖地安坐人的位置上，做会计、诗人，画家，与人面对面交往。电脑的世界里，首先要学会开机、关机和其他程序操作。渐渐你会发觉世界是为你而设制，为你而生死，你的身心就会渐入佳境。一天阎罗王——伟大的病毒让你回去，焦虑、恐怖、痛哭流涕，犟着不肯离开呢。

四、气球症，游移于三个空间：“小也”“锡女士”“太空船”

我边走边想，街道上一大群人衣着鲜艳，红色、蓝色、黄色，日光般刺眼，裹挟我前行。他们是拥挤的气球，开始上升。满目气球，我在气球堆里爬来爬去，一股橡胶气味。我也是一只气球，飘到半空。莫非又是什么新病毒感染人群、游戏、楼房和云朵？下面锣鼓喧天，喜气扬扬的唢呐声。我的呼吸不畅，在气球群里挣扎，想飞到最上面。气球不断往上涌，我叫喊：“我不是气球。”可是我怎么才能和气球区分开来？我从难堪到一阵兴奋，化身为气球说明这个空间开始接纳我，我与他们一起上演一台戏。当周围的气球飞得无影无踪，我独自划过瞬间显现的大城。

幼时我就知道，千年前人们在河流冲积的污泥堆上建造了大城。通过运来各色石料、木材、油漆、砖瓦，涂涂抹抹遮遮盖盖修修补补，如今市容的特色是水泥、石块铺地，建筑宏伟、豪华，汽车如河水流淌。小姐、绅士个个温文尔雅，讲卫生。要不是工程需要掘地，大家都忘掉地底下为拌着死蛤蟆、死鱼虾、死虫蛇、死男女、死牛羊、死猪狗的黑臭泥巴和每年勃发的春天。只有到夜晚人们才会昏说乱话：深深的黑泥巴下有好多通道和房间，灯光暗淡，影子般的人低头批改公文，面容混沌的人跑进跑出。每个行走地面的人最终都会去那里。

大城是我家，我们都爱她。徘徊于闹市，看看楼群高耸以及五光十色的商店，自豪感、优越感油然而生。

大群气球一次次轰然从地面涌起，一次次悄然飞散。当万物明亮的时候，我就到处观望，一会儿飘到古老的小镇。砖泥木头建的房子间街道狭窄，两只小黑猪咕咕拱地皮。

黑瘦的女孩小也，她父亲开风筝店，昏暗的房内的只只风筝色彩斑斓，女孩的花裙也如风筝般艳丽。她对父亲说："我要进大城找哥哥。"

父亲说："八年没消息，找得到吗？再说，大城远在天外。"

我说："我带你去大城。"我大约嘴巴张开，鼻子鼓起，眼睛有轮廓了。

小也说："我不愿在家里变老，等死。你看天空有一只会说话的黄气球。看来我出门会交好运。"

父亲说："一朵云吧。我扎的风筝？小也，钱你全带上。"

离开小镇，群山绵延。小也沿弯曲的山路走。

我是黄气球飘向大城，小也跟着我走。夜晚火堆，清晨寒雾。几个月后进入大城。行人的衣衫光鲜时髦，小也的花裙褪色，破破烂烂。她的耳后一层污油泥；手黑，皮肤粗糙，指甲破裂；隐隐约约散发臭味，摩登小姐走过，令人窒息的浓郁香水气味。小也还有动人之处，脸色黝黑发红，单眼皮大眼睛，略厚的暗红嘴唇。我飘到她身边，见她鞋子掉底，饿得像个厌食俱乐部的高级会员。她手里还有两个镍币，我引领她向一条破巷走，其实不领她她也会向破巷走。我领，她就是在听我的话，我也融入生活。

如果熟悉生活的走向，并且踏准节拍，人就如鱼得水。当我知道一场战斗即将开始，我举手吼叫："打！"枪炮听从我，风雨般呼啸。街头黄灯灭红灯亮，我挥手说："走！"绿灯马上会亮，停顿的汽车开始流动。我被暖风吹晕就说："春天来吧。"瞬间山花烂漫。当一女子讲："我思念你。"我马上出现在她面前，接过这句话："我也是。"我的身后确实还有一位男子，但我最先听到女子的话，最先做出回应。我的生命延续，哪样东西不是刚刚还在，一会儿就逃脱？刚刚还纯净，瞬间就变质？眼睛一眨，老母鸡变鸭，老螃蟹变虾。我领小也到烧饼店，她买个烧饼狼吞虎咽，卡住喉咙，脸色发紫。来个老太，头插鲜花，脸涂白粉，描细眉，涂口红，老太买一碗茶，三个烧饼给小也。老太说要收养小也。我忙说："小也，不要去，这样的人不像好人。"万物像水波摇晃。我知道我的行动又和现实错位，现实永远比我重要。当场面平静，我听见几个老头说老太是活观音。

画面变换，我经历另一种方式的生活。夜空闪烁星光，中年男子靠坐公园的木椅，仰头伸直腿。我跟随他有五天。他的儿子，穿白蓝色小学校服，告诉我他父亲的话："人不会爬出来，而是飞出来，要有九个翅膀，不能对称。游遍头顶风景的风景，有边的无边。"我想，这个有什么意思？我对有边无边都不感兴趣，当然有边我会更加厌恶我们的天地。事实证明真的事物看不清、摸不着，风驰电掣地被抛弃。幻影般变幻的事物，美化和想象的事物才是可靠的事物。他的儿子长大，在一个大棚制造喷火的翅膀。他说我是氢气球，他也要用药水制造氢气体。大棚里火光像烟花飞舞。

小也被油光光的老太领到张灯结彩的雕花木楼，大厅里热闹和嘈杂，人们弹唱、哄笑、推骨牌。身穿绫罗绸缎的男人如同鱼群。小也转身出门，但被人挡住。小也被领进一间小巧的东厢房，她刚坐下，我就掉入方桌上的玻璃鱼缸，我是一条身体白亮，长长尾巴带点红色的金鱼。小也洗完澡，换上干净的细花布衣服，她好奇地观看金鱼。

我与事物的关系比拿气球做比喻时又靠近一步，也就是说，从自说自话，跑跑龙套到成为重要的角色。不过我还是没有选择的自由，我被弄不清楚的东西操纵，莫名其妙地变化。以后说不定，我一会儿是树上的乌鸦，一会儿是中年人到高楼顶放风筝，一会儿又成为一扇不断遥望远山的窗户。把我搞糊涂啦，我不知道自己到底是什么。不管怎样，画面不停闪动和变换还是画面。

最近我见到董事长锡女士。她不喜欢坐下来交谈，总是喜欢手舞足蹈表达她的看法，讲述她的经历，最后静默几分钟留下悬念。我就像上瘾者不断看着她来消磨时间。从微微伤感到不动心的微微一笑的无聊到不知为什么看与不看的观看的无聊。

锡女士四十来岁，西装革履，短发光亮，她原来是名潜伏在纺织工人中的取款机，十年前去零城做生意发了财，如今是超级天下钱霸富婆王。后来，我跟随她到处溜达。比如她把大城的要人请到了皇帝饭店，大家皮笑肉不笑玩耍，吞吐。渐渐我找准节奏，可以和她交谈。她驾驶鲜红的比三辆车相加都长的轿车，还恨不得有人制造一列火车轿车。我的目光跟在后面跑，她给秘书打电话。秘书轻声告诉她，她的儿子参与吸毒被抓。她脸一沉，说：“我马上回来。”

油光光老太是杏花楼的头儿，油头用不可见的暖风掌握、支配许多男人。杏花楼有三个部分，样品台阶，在杏花楼前边；水泵库，在杏花楼内；蓝天沙地，在杏花楼后边，是个谁也没去过的场所。据我的观察发现，杏花楼的水泵库最重要，表面看只用来调节甜酒的浓淡、温度、流量，发出的声音扑哧扑哧，但水泵库的黑铁管的腥味能够催化激流，向上腾出一股美好的景色，哪天花香飘溢肯定是下水道损坏，或者有人造假。就像很多东西确实不好看，但如果某个人身上的凹凸物与他人的长得不同，某个人就会痛苦万分，惶惶不可终日。这足够让我们思考半天：快感与美丑确实是个复复杂杂的问题。

小也不肯见人，被大汉吊起来。油头在边上指手画脚痛骂："什么好东西，男男女女都像婊子，都是婊子，这里能有什么好东西？"我上浮下沉，毫无办法。一条焦急的金鱼可以让鱼缸破碎，一桌子水，流到地面，一道水蓝蒙蒙的，流到院子里，我回头看不到小也。大风呼呼，水面白花花的波涛。一架五颜六色的风筝挣扎着飞扬，越飞越高。油头她们十来个人手里握紧粗麻绳般的风筝线，用足力气想拉下风筝。我被人捡起丢进新的鱼缸，呼吸又开始通畅。

锡女士边吼边呜咽，铁牢里二十岁的儿子背对她。我安慰她，一位男子前来抚摸她的背。锡女士开车回家，我继续跟随汽车跑。一栋环境安静的海滨别墅，客厅宽大，顶挂一盏金光闪烁的灯具，油亮的金象牙地板，法式橡木红皮沙发，墙挂古代名人的风景画，画边有两幅现代书法，一幅写道：奋斗，成功在于努力奋斗；另幅写道：收获，价值在于自我高峰。她摘下珠宝，放进厚木珠宝盒，眼花缭乱的光。洗手间里火黄色玛瑙浴缸，金黄的进口水龙头。她脱掉外衣，白白胖胖，真丝短裤、胸罩都显得太小。浴室门关上，哗啦哗啦，她出来时换上红丝绒睡衣，坐在沙发上随手拿起《还要》杂志，翻了两翻就丢开。我叫她吸烟，她点起烟深深地吸。黑衣人偷偷翻窗进来，用手枪对准锡女士。

锡女士不动声色，我让她说话："是不是老番叫你来的？不就是要多赚几个钱吗。老番明天带合同，我签。"

我让黑衣说："明天不要耍滑头。"

"能这样和我说话吗？走吧。"

黑衣溜走。传来枪声。

一位男子，被拉长，又摇摇晃晃，我看不清他的脸。他更像会说话的黑云，口齿也不清不楚："大大谈，虚拟，生命，自然程序。欲望，松，耸，松。那种，嘿嘿，咕噜。我们一直被啊！老，你的意愿？富富婆人的愿？来来命的。加人的选它，惑迷。空虚，到空砍湖的大母哥人大过上各个深可客台特立伴别验吧。人的选。周形也虚溺，一吼哈，单防饿饿额。"景物摇摇晃晃消失，我，一条金鱼被困在清水摇晃的玻璃缸。

我和人群走入巨大的飞船，我在船舱内外游移，看到飞船喷火飞向繁星。我返回船舱，船上的人个个身上青筋如藤条，满脸横肉，他们是在押的犯人，被众人称之为人渣。四平八稳的人不会冒如同自杀的风险？人渣没有任何恐惧、伤感，他们都在玩手机游戏，噼里啪啦玩得高兴。我一直盯着窗口，黑暗中划过红色的流星。口吃男子说的话我仿佛有些明白，人渣以为航行是玩电子游戏，如同做梦随心所欲而不承担任何后果。真的是电子游戏吗？窗外飞来许多星云的彩色花朵。

油头把金鱼缸放到小也面前，谈起金鱼的悠闲快乐，她出于好心给小也一个伴。我对小也吐了几个气泡："哎哎。有机会再逃走。哎哎。"小也一声不吭。几天后，进来位强壮的男子，一到小也的身边惊得张大嘴，扭头就走。强壮男子对油头说："我买下她，随便你要多少银两。我叫人马上带走。"油头叫人放下小也，说小也走红运啦。

锡女士的悲伤渐渐被忙碌和危险冲淡。她的心在白光闪闪的争斗中发凉，跟随波动的曲线上蹿下跳，这可以使人忘掉一切：心灵、生死、坐牢的儿子、轻风、河流。他们这一类人感到自己力量强大：高速公路，楼群，大片的工厂，豪华的游艇，挥金如土。其他人在他们眼里微不足道，其他人又总是酸溜溜拜倒在他们脚下。锡女士叫小肥管理公司的红绿钱屏，我先听到这个命令，我总是抢先盯着红绿钱屏，一天看到晚。

海滨别墅里的客厅，锡女士扑进门，黑影大得占满整个客厅。我感觉不到任何压力，她的身体像带颜色的空气，我看得到她衣服里面的皮肤，皮肤里五色的内脏，巨大的心脏如同张开大口的粗短火龙蹦跳。她知道人逃不脱闭眼睁不开的结局，她走神时看见工匠为她建造的方圆几千米的地宫，通道全贴上月季花瓷砖，内室悬挂繁星般的宝石。不要其他死男人陪她，死人再帅气也让人害怕。她将睡九九九金棺材，了不起吧！半夜里锡女士干枯的手推开棺材盖，伸出骷髅头，稀疏的头发上都是发亮的饰物。“不！”她又说，“我享受过，我有钱，有公馆，有飞机……我没有白活。我要翻阅我的账本算钱。”

飞船剧烈抖动，人渣摇头晃脑，挤眉弄眼像坐上高架游乐车。飞船的窗口像巨大的屏幕。飞了五天，飞船的喷火口被堵，随时可能发生爆炸。人渣认为游戏到达最惊险的部分，都想出去排除故障。他们打架，赢者推开众人爬出飞船，用钢钎捅喷火口，黄色的烈火呼啸，几个人迅速被吞没。人渣这才惊恐地醒悟，这哪里是玩游戏？驾驶员想掉转方向，窗外旋转着乌黑的云，飞船不可抗拒地被吸进去。我叫道：“黑洞！”飞船被拉长成细丝，不过，我没有受到任何影响。

好事者痴迷黑洞，说与黑洞相比，尤物算不了吸睛之物，连光芒都愿意藏匿在黑洞的保险箱里。他们还说，那里没有空间，没有时间，没有物质，没有规律，好像失去尊严的父亲，说什么都是白说。从另一角度看，黑洞的吸引力在于黑，黑中隐藏着无穷的秘密。也就是说，我们被黑洞的秘密诱惑。飞船穿过黑色浓雾，地面灯光如万颗水晶闪烁。黑洞里也有人类苟延残喘，他们天生头颈上长有墨囊，每人都有责任一星期高飞一次，把天空上层染黑。这种强大的精神力量使经过的光线弯曲，好事者所预想的黑洞完全错误，飞船是精神原因被拉长成细丝，当他们的观念被纠正时，飞船瞬间恢复原样。

强壮男子是小也的哥哥，他让手下化装成商人把小也领走。我跟着他们穿过几条小巷，两边平房墙面残破，木门红漆剥落，木窗、青瓦。他们走进一石库门，里面阴暗的四方小天井，几盆瘦弱的黄色月季花。两层小楼，楼下客厅，正南放一红木天然茶几，摆放花瓶、果盘等。墙面有幅画，苍劲的松树上蹲一只黑松鼠，松鼠的眼睛炯炯有神。画两边有新写的红纸黑字对联：命非天定，事在人为。厅中放有红木八仙桌和靠椅。

“姐姐回来啦！”内房走出四十来岁白白净净的女仆捧一杯香茶。我不是金鱼，像个人坐小也身边。

强壮男子以后从未出现。小也无忧无虑，略感寂寞，看到念书的孩子，她也去上学。一晃小也二十五岁，肩挎照相器材到处奔走。她身穿棉衣裤鼓鼓囊囊，头颈围黑白麻点围巾，红扑扑的脸上总是带着坚定的微笑。我跟随她到贫困的农家，火灾肇事的地方，子弹呼啸的战场。我们渐渐可以交谈。

山路中。小也说：“还要翻几座山。”

“腿很酸。”

“你觉得我们做这样的事好吗？”

“我像位演员，细微的动作都努力模仿某个虚幻的人物。”

“你怎么讲自己想说的话。应该说：‘值得，多么火热、崇高、来钱的工作。’怎么？我也在讲自己的话。”

画面摇晃，消失。我和人渣登上黑洞。黑洞人的生活方式是尽量隐藏自身，当我们出现时他们毫无反抗能力。我们把他们头颈上的墨囊切除，然后用消防水龙头往天上冲，下了一场又一场黑雨，天空一块又一块变蓝，六角太阳照亮破旧的砖瓦建筑群，墨囊人的面容苍白如纸。他们书写和收藏了许多幻想之书。彩色插图：光线人，落叶说话，生长楼房，眼神变鸟疾飞。人渣燃放大火把书全部烧毁。几十年过后，墨囊人的生活和我们一模一样。

回到战场，看到小也，我松口气。战斗安静的间隙，小也和我斜靠战壕，阳光温暖。小也：“只要觉得有意义，我不在乎被支配。你想些什么？”

“山顶的天文台和周围的草木、溪流和云霞。红鸟一出现整个天空都变得非常美妙。那些微弱的但无时无刻都会显现的幽灵，都会指向同一个的风景，眼睛看不见，却能在心里观望到，让人陶醉。”

“我不能离开，不能逃避。”

“我们缺的不是推销惨剧、笑话和怪事，而是希望。那风景清泉般滋润我们的内心。”

“我也去看看。”

“你的心里没有，你从来没有看到过？”

“不要想那么多。只要我们这样做下去，就会得到应有的荣誉和报偿。你说的东西让我不踏实，我们离开他人和剧情太远。”

“我们自说自话，你看，到处都在摇晃，我们如站立翻腾的海面。我要离开，你走吗？”

“好，试试。你说的是真的吗？”

我们想握住对方的手，身体的距离越来越远，手臂仿佛有几百米长。远处，海面上一条条白浪前伏后涌。她受到惊吓，站立山峰像一块黑岩石，我是山脚下的海面白浪喧嚣。

画面渐渐平静，举目荒野，小也正在拍摄战场上烧焦腐烂的军人和百姓。她那样地坚毅、专注。看吧，报纸和画刊里将出现她拍的照片，龇牙咧嘴的尸体杰作。我走上前去，不太愿意说什么。又想和她谈谈，我与她有什么好谈？也许是我孤僻到无人愿意和我说些什么。我们毕竟一起谈论过遥远的风景。我走上前去，静静看她。她也看我，表情犹豫。她走来，从我身边走过，走到一具头被炸烂的尸体前，闪光灯频频照亮尸体乌黑的尊容。我喊她。她头也不抬。回到纯粹的现实，我对于她来说是虚无，她对于我来说是幻影。

我有能力适应任何生活，活下去，体面、愉悦、麻木、变态，但我放弃我的能力，我无法接受必须服从某种程序生命才能事事顺利。我站立或安坐万物边，任沙漠上各类动物厮杀，盛大的节日人群欢腾，洪水滔天，男欢女悦，警匪激烈追逐，闹市中炸弹响起。我不再去模仿。不再和外在的事件保持同步，过去还可笑地觉得自己属于他们。我再次走进黑暗，不看变幻的色彩和笑容可掬的招手呼喊。我幻想，心里想望的美景渐渐出现。我的期待在遥远处，我短暂生命中命运早已安排好。我失去翅膀和穿透力，无限的渴望被烂泥似的有限力量黏住。我在苦熬，挣扎。我隐藏在黑暗里才能专注于想象。

我听到唱歌声，清冷的街头，中年人胡子拉碴边走边唱：“不是黑暗而是黑白两色的宁静空间。我像毛毛虫在条条文字上爬行。灰黑色的身影和风景，忙忙碌碌，目光向远方。他们喜欢摇动一万面旗帜。当空间啪啦绿树，红白相间的面容，红绿黄灯，摆脱了模仿程序运行的动作和舞蹈，仿佛获得了无限的自由。我带上我的被压抑的欲望在千万条街上穿行，那些省略体味、衰老、打扮和衣物的女人，她们光溜溜的形象，任你选择。此时，她们好像最为纯洁，其实有着最为彻底的色情，等待她们开口一直到厌倦。人和人不知道隐藏哪里，我在海边看海底冒上来的气泡，气泡噗噗中出现魂灵般的男子或女子，他们坐在海边和我交谈，有时单独，有时聚会。他们的形象是我想望的形象，我的身边没有人。我看到气泡，就丢块干燥的珊瑚，也把一串气泡带到海底。她来到，她说：'我们用心灵的语言交谈。'我说：'仿佛可以得到我期望的广度和色彩的绚丽，其实最后还是失望，不是对从海底漂浮上来带着伪装的交往时的失望，也不是对我们的相貌的美丑失望，不是不给我们自由，是我们自身残缺、虚弱和空无。最后是心灵的空洞、自由袒露的情感与自由想象的风景都逃不脱猥琐和微小，带着难闻的气味。'我叫喊，绝望时奔跑，那时我看到海面上白浪翻滚，气泡不见了。而白浪的上面是否会出现我们的身影？"

他的歌词我似懂非懂。走到路口又是人群拥挤，突然大乱。一朵黑云落到地面扭动着吞吃行人。行人逃不脱，我也逃不走。我被关进玻璃缸，一看自己是条银白身体，淡红尾巴的金鱼。黑云飘走。我走到郊外黑白两色的树林，我一遇到人，他们就立即摔倒，原来他们薄如片纸。一个个平躺地面，风翻动他们的庄重与微笑。

五、是兄弟才会说：你钻进电视屏幕里跑龙套

我出门不久又回到房间，花匠告诉我这里是著名的风景区，我还是不想出门，到处一样的隔膜与乏味。我独坐沙发，似等非等场景变换，小也、飞船、锡女士会不会来？滴答三个小时过去，太阳落

入茂密的树林，归鸟叽叽喳喳。我试着再次走出大门，察觉我回到稳定的世界。小楼建在半山腰，弯弯曲曲的石阶路下一条洁净的溪流。我来到溪边，溪水汩汩响，透明的溪水在卵石上滑过，几条银色的柳条鱼逆流闪过。溪流冰凉，我的脚一缩。我捧起溪水，景物没有摇晃。我可以改变面前的事物。摇动树干，叶片纷纷落下。伐木，打制小船；翻泥，种植麦子。

一位陌生人来做客，长发、衣服乱糟糟，眉宇间还存留着读书人的秀气。他说他是我的朋友。我说："我想不起你是谁。"

"你是乱头发吗？"

"我还有其他名字。"

"我在黑脸医生的楼房见过你。"

"真的有那座楼房？"

"我知道就行了。你有三位朋友。女的叫霞。"

他带我走进餐厅找靠窗的位子坐。餐厅灯光明亮，坐满食客，举筷笑谈。穿锈花红衣的服务员来回穿梭。"

他问："你知道这是什么地方吗？"

我说："风景区的饭店。我怎么会到这里？"

他说："我很难讲清楚。你失踪了。这样吧，看到房间里的电视机了吗？你走到了电视机里面，全世界的电视机、电脑、手机是网状相连的。"

我说："房间都放置电视，电脑、手机可以上网看电视，这算什么？你的意思是……"

他说："当然，人可能或不可能钻到电视机、电脑、手机里，也许我用比喻或假设。比喻和假设能让你意会你去了什么地方。你在街头，屏幕像个吸盘，刺啦你被吸进去。最近把电视机搬到你的房间是给你疗伤。"

我说："疗伤？人们看电视，学电视人物微笑、走路，渐渐像电视人一样讲话，一样思考，一样发怒，一样打扮，一样扎针服药，一样喷香水、抹化妆品……这样的人比较适应门外的环境。"

他说："有点对路，你也承认有电视、电脑、手机改造过的优秀人才。确实电视、电脑、手机人物的画面背后的背后就是真人。开始不太适应，还会抵触，说，和虚拟的影子玩有什么意思。玩久了后知道人物画面和他们的语言比背后的真人，甚至比你的孩子还要亲切。你怎么会钻进电视机、电脑、手机？不要脸色不好看，我再次声明，这不过是个比喻或者假设。钻进电视机、电脑、手机，方式很多，最常见的是拍照，摄像后再播放，不要多想。"

我说："我曾在炎热的大街走，广场上电视屏幕正在播放舞蹈节目，地下乐手唱歌，敲打乐器，扭动腰肢，手舞足蹈。我好像被屏幕吸进去，你觉得……"

他说："难道你没感到你周围的天地和人物有些反常？"

我说："可以这样说，外界和电视、电脑和手机里面差不多。新玩意越来越多，我们就加倍感到越来越贫乏、狭隘、空无。我们到了现实的天地也不过是看看电视节目，玩玩电脑游戏，转发微信文件。对待突然站立面前的事物、规律和要求，给什么就适应什么，不正常正常不正常正常不正常。我不会关心、乞求、幻想什么正常不正常和努力就不会徒劳或徒劳。如果有一天我选择和得到内心出现的风景，现实突然发生变化，那才是真正不正常和正常的咄咄怪事。我钻进电视、电脑和手机是个比喻，或者假设。你看到什么？"

他说："唉唉。你的家人说，你钻到电视里声嘶力竭喊救命。"

我说："我的家人？大城里哪里还有我的家人？还喊过什么救命？我好像走进客厅，桌上放置水果，接着我被河流卷走。"

他说："你家人和你是否做梦？也可能是个比喻或假设。喊救命也许是一个固定的程序，也许又是一个比喻或假设。这样说吧，我想我进去也会叫喊，谁进去都会叫喊，我也听到你叫喊着：救命！救命！我去得太晚，你的喊叫声有气无力。我确实看到浑浊的滔滔河水。后来你还做下许多无聊荒唐的事情，直到医生按了遥控器的特殊按键才稳定。"

我说："医生？"

他说："你在现实的天地里失踪或消失。你怎么能看到我和医生？哪有电视主持人或电视人钻入摄像机，化为电波，化身千百万，飞到千家万户，从一个个屏幕上看到观众嗑瓜子、打哈欠，或双目盈盈，或看到肮脏的黑房间里瘦弱的抢劫犯扎针吸毒？如果真能看到也不过是个比喻或假设。"

我说："在现实中失踪或消失？"

他说："我看到电视屏幕里你的身影，非常模糊，亲友、朋友大约都认不出来。你的胃口不错，任何节目你都要去凑热闹：街头、海边、异乡、商场、民居、战地、事故现场……我看到你想和他人交谈，没人理你。你捧不起雪，赶不走苍蝇和蚊子，得不到女人的关心。你为摘不下一片树叶眉头紧皱。"

我说："难道你说的不是什么比喻和假设？当时我简直要发疯，我想拳打脚踢擦肩而过的行人，想抓起燃烧的木头放火，甚至想举起小摊上的匕首，一个血淋淋的人他们总会看一眼吧？但我什么也没做。"

他说："太可怕，太可怕。还好你不过是团身影，就像电脑浑浊的蓝屏阻挡所有的景色，就像旧电视机的屏幕中雪花飘落，不算雪灾。"

我说："唉……"

他说："后来你完全转变，医生捂着嘴笑。你跑到他人的房间，对着别人的妻子说：'我爱你。'"

我说："你要嘲笑我？"

他说："不是。我们活得都很滑稽和尴尬。你抢将军风头喊'打'。我有时想，我也糊涂，到底那些女人是他人的妻子，还是你的妻子？到底他是个将军，还是你才是真正的将军？"

我说："不要说，不要说，不要说了。"

他说："我偷偷带来一本书。红头巾看的那本《草地》：'秋风吹黄的草地，出现在我们的未来。'借给你看看。一定要还，几天后我必须放回原处。"

我说："一本只能翻开一页的假书。当时她像模像样地看了很久。她活泼可爱的表情让人一见难忘。"

他说："不要过分失望，电视画面的背后的背后是真人。她们百分之九十九点九不会理你，咱们平民百姓要有讨喜的扮相。"

我说："我去找她，像在远处张望伟大领袖。荒唐。全都太离奇。"

他说："你忘记我前面说的话，这也许又是比喻或假设。你的真实情况我也不清楚。只要我用比喻或假设你就应该默认，再体会体会这是不是接近真实感受的最好方法。当然还有许多比喻或假设，确实就像你酣睡后微风带来一个个梦。反正你家人打了电话，中心医院特派三名医生来抢救。一位电视科的老小姐希医生。一位电灯科的大胡子完医生。一位电感科的干瘪老头云医生。

"云医生医龄三十八年，看了半天电视哭笑不得，然后当仁不让，当机立断，按下当按的遥控器，你就是一只会说话的黄气球，接着好像节日的盛景，气球像大群气泡啵啵、啵啵冒出，飘飞。

"希医生学历博士后，忍不住说：'云医生你还没有分析病情就用奇妙的药。病情恶化，病人满脑子气球，有点像严重的医疗事故。'

“云医生的心脏快炸开，你想和我比试高朋多少和捏过几次脚？依然和颜悦色，说：‘我们来时病人痛苦大叫，家属和我们的神经都抵抗不住，这是严重的噪声污染。如果他的声音恶化成微波大炮，天下要有多少人死伤？我手到病除，把痛苦的喊叫化为欢天喜地的节日，唉，你们竟然不拍手称奇，竟暗暗刮些冷飕飕的风。难怪人们说，现在博士比萝卜还多。其实，这个话是也是不对的，还是萝卜多吗。唉唉，如果冒犯谁深感歉意。’

“完医生是电灯科的电工，说：‘云医生医术高明，见识非凡，妙手回夏，药不到病除，活马当死马医。我看现在病人脱离吱吱、吱吱让我们牙酸的尖叫。气球不断涌现，节日气氛不减，今天下午一定应该放假，明天也放，天天都放。我们快点回家带孩子到广场放气球。’

“希医生听了气上加气，又会心一笑，‘妙手回夏，活马当死马医’是借自己是个大老粗偷骂云医生，这叫两面不得罪。那个云笨蛋还听不出来。说：‘你们去过节吧，我再观察一下。’希医生独自看电视，数气球，数了一千五百只，头昏眼花。通过这样的治疗，她不再莫名其妙地焦虑。她和我谈天说地，介绍数大楼的窗户、数路灯、数汽车、数节日气球治病的案例。还要我要坚持下去，一定要反复数清。她干巴巴笑，满脸皱皮。她还说：‘了不起！尽管病人与其他气球完全相同，当气球群体被吹散，只剩孤零零的病人气球。病人气球飘到乡村，飘到小镇，飘到楼群。’我看到病人气球上仿佛还有五官凹凸的轮廓。”

我问：“气球在挣扎吗？”

他说：“后来希医生说，是她改变你的处境，当病人气球开始说话，成为合格的电视人，那个风筝店的小也可以听到。她和你说话，她跟你走。

“希医生临走时告诉我们千万不能关电视，不然病人可能会有生命危险。你家人不怕辐射，拥抱电视机一夜，也痛哭一夜。第二天，你家人告诉我电视机还在冒气球。电视不可关，气球不断冒，病情没有一点好转。后来他们找关系，电视机就住院。病房共有八个床位，只有你的病床躺着该死的电视机。病友非常高兴，可以天天看电视。他们看到气球带领小也长途跋涉去大城，看到气球和小也交谈，一个个笑得前仰后翻，不断抹下鼻涕眼泪。

“那部电视片病友早就看过，原来的情节是小也的父亲托付商人把小也带到大城。病友知道你生病，而且病情有所好转，不然看到这些情节或者更荒唐的情节，他们反而会认为自己的病情加重。画面经常冒出大群气球，他们终于满腹牢骚，电视机晚上发出的红光摇来晃去像鬼怪的目光，吓得他们怎么也睡不着。他们天天早晨来咒骂你，说：‘还没黑掉，还没黑掉。’但又不敢剪电线，等到七人以上可以宣判死掉了才能乱来。我送了好几次鲜花，可惜你看也不看。观察几天，节目大体稳定，你才出院。

“希医生负责家庭护理，一定要在电视节目里找到你。她的手颤颤抖抖地按下几百次遥控器。你变成一条鹤头红金鱼，头上肥厚的红肉，水汪汪的圆眼，银白的小身体，带红圈的轻如白纱似的大尾巴，活像悠闲自在的贵夫人。她让你陪伴落难的小也，就是说让你演一条金鱼。小也孤独时会和你说说话，你也吐吐气泡。希医生说：‘原来病人在电视节目里白影晃荡，这样的硬跑龙套谁都不会理睬。演金鱼，可以吞馒头渣，摇动水和水草，运气好时还能吃个落水苍蝇。对，还可以观察他人的隐私。应该满足啦，该满足啦。’

“可是你这个家伙非要破坏剧情，或许都是如此，人呀人，个个自以为是，无药可救，金鱼注定要弄破玻璃缸。破就破吧，你还要刮大风，流淌成汹涌的大河。整个剧情随你改变，小也竟然变成大风筝飞到高空。乱糟糟的场面，电视观众会怎样想？众多电视人都暂时放弃自己的杰出的角色，一起揪绳子想把小也拉下来。

“希医生医治你争分夺秒。她再次按动好几下遥控器，河流干枯了，风筝变成小也。

“你又在捣鬼，屏幕里有三张图：一、两棵老树枝干扭曲纠缠，蹲一只乌鸦；二、一个人在城市最高的摩天大楼放飞红色塑料纸；三、下水道的出口是一片蓝蓝的海。

“她开始认为你是乌鸦，叫你家人买了几包肉浆想把你引出来，你蹲在老树枝头不像个鸟，倒像个窝。接着她装扮成狐狸赞美你的歌喉无比美妙，但你像个木瓜。后来她转到其他画面，认为你是大风筝，拿电风扇猛吹，想把风筝线扯断，但还是无效。她还想在电视机上浇水，风筝被雨淋湿会掉下来。她说这是唯一的办法。可惜电视机会短路，病人生命难保。最后她认为你是流淌到海里就会成为蓝色的污水，叫人把套房内的下水道全堵上。

“希医生做的事件件符合科学，条条符合逻辑，但电视机屏幕里的下水道依然汩汩流污水。突然，图画越来越多，越来越小，人物全都看不清楚。希医生认为这来源于人的智慧，你不肯出来还在胡思乱想。她用生动的比喻说：‘如果放头公猪进去，画面只有胡萝卜和母猪屁股。’

“当画面平静，希医生把几十个频道变成最少的三个。为了满足种种欲望让你扮演三个角色。你不要动脑筋自然而然就能完成使命，如同随波逐流那样安详惬意。放飞理想、勇掏金光和流水爱情你样样都可以得到。小也长大做摄影记者，你扮演她的保护人。本来你们会相爱，最后赤身纠缠。可是你非要引诱小也乱讲台词，你非要离开画面去寻找内心看到的风景。小也可不是你，她做电视人基本上还是规规矩矩的，寻欢作乐早先就安排好了，急什么急？”

我说："希医生能改变我的处境，三个剧情不能再改编得好一些？"

他说："你要明白，这是电视节目，视频还要上传互联网，会议室、教室，做爱时、交谈时，公交车、地铁列车多少人在低头玩手机，你不要专想到自己而不顾社会效应。况且医学还没有发展到那个高度。你的行动造成画面摇晃、消失。你不要笑，没有人会学你、理你。你孤零零自言自语吧。"

我说："唉……"

他说："我再说一个，你本来可以和锡女士一起发大财，却不断吓唬锡女士。想象什么黄金棺材放到客厅，半夜让浑身珠光宝气的骷髅从中爬出。什么意思？完全出于妒忌。你还看她脱衣服，剧情里根本没有那样的情节。"

我说："不是这回事吧，我无意看到的。她自己那样想。"

他说："给你放飞理想，让你飞向宇宙，开阔眼界。可是你一脸颓废相，说什么只要用泥土和火焰做东西就是重复，毫无意义。

"希医生非常失望。她接通输出端和输入端，用键盘在电视屏幕画一张黑乎乎的图把你想出的乱七八糟的图一个一个吞掉，你的信息全部在这张图的肚子里。也许吃得太饱图中的人物像缩颈驼背的剪纸人物，垂着双臂，兜个大肚子，一动也不能动。再一按遥控器，许多蹦蹦跳跳小黑人出来拉二胡，声音嘈杂，好像皮影戏？一按遥控器，喇叭吱——吱——；一按遥控器，又是鹤头红金鱼。

"希医生干笑，说图翻完了，说你智慧有限，说你逃不掉啦。金鱼吐气泡，希医生叫道：'快点捞！快点捞！'她拿渔网赶紧捞起来，养尊处优的肥胖金鱼有气无力地蹦跶。金鱼呼吸困难，放到水盆，肚子朝天，只好再丢到屏幕里，金鱼又慢慢游动。朋友啊，一个诗人，屏幕里你是多么优雅美丽，到人间吐口水翻肚皮寸步难行。

“希医生开始在电脑上制画，画了毛驴、跳蚤、树叶、黑豆、老鼠、母鸡、螃蟹、蚂蚁、麻雀、大肠杆菌、蛔虫、蜈蚣、塑料袋……又叫你家人拿来你的照片，画下一个又一个你，一一从屏幕捞出，个个是呆头呆脑的白痴。偶尔画得你活灵活现，丢在屏幕里的金鱼缸，你活了。你喊救命！救命！捞出来，一动也不动。放到床上抢救，发觉你只有几根筋，一张薄薄的皮，什么血呀、骨头呀和心脏呀都没有。希医生开始研究你的基因，从你的细胞开始画起，脑细胞、肠细胞、头发细胞、心脏细胞……她干巴巴笑。她可以造一位和你一模一样的人，哪怕你死在电视机里，她造的你会继续你的生活。当她一高兴造出几百个你，那时刻你母亲就拥有了几百个儿子啦。”

我叫道：“你这个胡说八道、吹牛不用交税的家伙！”

他也叫：“你这个听不进真话的偏执狂！你听我说下去。云医生、完医生十天后来探视，大大夸奖希医生一番，开始接替希医生的工作。他们搬来一台黑白屏幕的电脑，开到网络电视黑乎乎的频道，然后对着你躲藏的彩色电视。接着不停地按遥控器，翻动彩色电视机上的一个又一个画面，当翻到一个剪纸人物，剪纸人物抬抬眼皮，又闭上，又睁大眼睛。剪纸人物冲出屏幕，因为速度太快，医生来不及移开电脑，剪纸人物冲到电脑的屏幕里。

“他们又用大彩电引剪纸人物出来，还找来一块木板准备剪纸人物冲出来时挡在中间。大屏幕彩电天天有精彩节目：《天地大好》《阳光啊阳光》《家庭甜蜜》《极乐世界在温泉》……出现了电脑网络视频目录：《酥胸波动、玉腿滑溜（图）》《悲哀总是少的》《长生不老发大财》《旅馆大火死伤二百五》《红红与黄黄》《性异闻让你大吃一惊（图）》《地铁遭炸弹威胁关闭清查部分车站》《金手指取款机》《一个技术官僚的沦落轨迹》《移树与人吻》《真的假牛奶》《失恋男与报复女》《十四岁小盆（朋）友拒绝早恋险被炸死》

《未来光辉》《治疗乙肝再传捷讯》《记者一线暗访网络淫媒“包月情人”开价一万(图)》……真叫我如痴如醉,忘了烦恼,恨不得也钻进屏幕。

“几天下来,电脑屏幕上剪纸人物不见踪影。他们就在那里画一轮光芒四射的白日,什么图片也不放。剪纸人物还是没有出现。他们就把电脑搬到风景区,让屏幕面对大门,门外风景秀丽。剪纸人物冲出来,身上升腾一股黑气,你从黑气中出现。他们邀你出门,你怕得要命。他们说你患了狭窄空间呆滞病,让我来帮助你。”

不知不觉饭店大厅冷冷清清。他说了一大堆话,还要继续滔滔不绝。我好像知道这些事,但要静下来想一想。他先走了,我独自在小镇游荡。路上遇到一位陌生男子跟踪我,不停地说:“明天你回家。明天你回家。”

第十一章
想去天空花园与开挖通天洞

一、深陷坑底的古城，是被山群还是被楼群围绕

我坐一辆破马车走向还能够忍受的地方，傍晚时荒野广阔，身后的大城一群乌黑的方块体，复眼般的灯光。婴儿出生由于陌生和不适而哭泣，起码还拥有父母的抚慰。生命延续结识的人越来越多，积累的情感或怨恨越来越烦杂，以后什么都会失去。熟悉的大城对于我好像是座空城。从需要情感到惧怕、逃避，到再次需要。

我要选择一座不大的古城居住，回到梅花芬芳争艳的山峦，白蒙蒙的湖边，遇到那些朝我微笑的人，叫我：乱头发！乱头发！或者叫我：茫眼！茫眼！马车上我的身体渐渐缩小，一片枯叶，叶坚挺，叶嫩绿，树芽微红，浆涌液动，失去知觉。或许什么都不要，走进沙漠，蓝天和砾石干干净净。落入大海，一朵白浪随风起伏飘荡。马车中的我变成透明的影子，迷迷糊糊飞舞，犹疑于清淡与腥膻。

我滑落到低洼地里的古城，也可以说古城建在大坑，蜘蛛网般的石块路与河道。靠河的小巷，柳树发黑朽烂，萌发的枝叶黄绿、

鲜嫩。古城中心的小巷狭窄，灰色高墙潮湿的墙沿下一层墨绿色青苔，让人感到恹恹缩缩，怀疑是否得了绵绵不尽的低烧症，白乎乎的失眠症？

十几年后我是老古城人。如果我感到气闷、无所事事就朝大木门的缝隙里张望，幽长的备弄边，一块块明亮的天地，静静的绿荫和花影。深深隐藏的幽雅院子与小巷破败的民房仿佛不在一个天地，让我的期望暗暗滋生，但与往日越过高墙看到喧腾的湖泊时的感受无法相比。那些院子我不能进去，也不曾见人进出或在里面走动。有时我更爱小巷，小巷毕竟可以自由闲逛，抬头看到空中一条天河弯弯曲曲。由于低洼和毛毛雨，城市经常弥漫淡淡的霉味，房间内衣物、床被的霉味浓郁。城边一条贯穿东西的大河，每天早晨走过我都要张望，青幽幽的河水流到强烈的银白色阳光中，我又想去遥远的地方。

河中不见船只而像幻觉中的河。房后没窗，把河岸封死。传说一位少年站立桥栏玩跳水，头颈折断，躺在医院几天死去。

十年前我多次爬上城里的唯一的砖木宝塔，城市茫茫的黑色屋顶相连如同翅膀标本大展览，也像风不停地吹，黑色的波浪拍打黑色的波浪，傍晚残阳下又像木炭堆积，红通通的大火呼啸翻卷燃烧。看到这样的景色我会激动，古城的生活谨小慎微死气沉沉，此时我仿佛还有位大度的邻居，开阔激烈奋不顾身。

向城市边缘眺望，四周层峦叠嶂，还是密集的高楼大厦？往日的英雄好汉曾经为此争论不休，但距离太远谁也弄不清楚。晴朗的白天，确定那就是云雾缭绕的青翠群山。深夜人们开始怀疑白天的看法，有时黑色轮廓亮起密集的窗灯，有时是一排排黑黝黝的影子，有时如同浓云飞散遮挡住月亮、星星下起大雨，有时又像巨型鬼怪雕塑群。

地方志写道："居民回乡后就不想走出去。"还记载着古城的来历："三位经商的祖先，也许是流浪的祖先在一处荒野遇到巨人，巨人挖个坑把他们都丢了下去，他们到了下面，越走地面越开阔，坑底是一座砖瓦建筑的城市。有烧饼油条店、杂货铺、酒馆、花园。还有各种各样的官员和市民。"地方志做了一些猜测："巨人挖坑要埋掉三位祖先，也许他们被弄死，我们的城市就是幽灵之城；如果放到大坑里没有埋，三位祖先是活人，其他的官员和居民都是影子，三位祖先与影子媾和生儿育女，居民的后代也有了真人的血脉。也许，巨人挖开的是一座被泥土埋没的古城，三位祖先开始与当地救活的'尸体'一起居住……"

以前生活在深坑里的居民黄昏时都会停下脚步，目光越过围绕城市的黑圈向上空张望，他们的梦想奇异和纷杂。渐渐什么也不多想，对什么都变得熟视无睹。我一个人偷偷摸索，从小就试图走到黑圈边上，可是靠自己转来转去最后都是死巷，我又不敢爬到房顶和翻过高墙笔直走去。小巷的指引不可靠，只会让人迷路或碰壁，最后回到原地。

最近我才知道有条路可以出城，路口设置了围墙和铁丝网。正人君子深深隐瞒这件事。我问过他们，不是勃然大怒，就是翻翻白眼，或者从此远远避开我。禁书的洁本中透露："要出去必须丧失全部的亲情、友情和家当。当个工匠，到青峰山挖通天洞。工匠都是些桀骜不驯、下流无耻、仇视众人、身败名裂的人，他们必将倒足大霉，没有好下场。"这个说法有些根据，从我身处古城以来，远处常常传来敲击岩石的叮咚声。大人叫小孩不要问，或者说："是老虎、毒蛇在叫，再问会吃掉你。"对我来说未尝不是个诱惑，可是我胆小怕事，习惯于安分守己。

半夜来的人太多，一天高大的砖木塔经不起践踏倒塌了。一栋三层旧楼荣登古城建筑高度榜首。旧楼的屋顶耷拉着眼皮遮住大半个窗户。房主，一位沉默寡言的干瘦老头。塔刚倒塌时，老头还允许好奇的人登楼，后来他穿上保安制服像个特警不许任何人进去。还说："楼上养了许多老鼠，老鼠怕人。"我有次感到无聊、沉闷难忍想偷偷登楼，听到二楼和三楼的老鼠如同群鸟叽喳，是错觉，还是真的放养了许多小鸟？这里连老鼠都跃跃欲试想变成小鸟吗？说真的，如果没有敲击岩石的叮咚声，我们早就忘记城里曾经有过一座塔，也会忘掉黑影包围古城。

我最近搬进青瓦古屋。院子里有粉墙的阴影，亮度与黑乎乎的备弄相比如同暗房里打开盏黄灯。我种了一棵玉兰花，我喜欢暖春里，蓝空上几百朵洁白的花。种了几枝粉红的攀墙月季花，不时看到娇嫩的丽人从容光焕发到枯萎凋零。还有三大盆杜鹃花，夏天红花热烈如同燃烧。听朋友说桂树如何高雅，我就种下两棵桂花树。桂树叶片硬挺，叶齿如锯，很难接近，初秋星点般的金黄小花吐出甜甜的迷人香气。夜雨，一地碎花。还种了一棵蜡梅，冬天赤裸的枝条绽放透亮的黄色花朵。可是小院再怎样的姹紫嫣红还是让我觉得狭窄和闷气。爽朗的盛夏院子会变得敞亮些，头顶一方淡蓝的天空不断飘过大团轻盈的白云，那就是我飞向远方的预演。我也回想过去的事，我在曾住过的地方都能望见蓝天中松软的白云缓慢飘过，如梦似幻或者就是梦。可以触摸的事物才真实，真实的事物有着过去的影子和气味。比如眼前的古城就像低洼、深陷的巨大球场、黄泥澡堂。冬天偶尔会下几场大雪。我重复度过少年的时光多次梦到绿衣女子。养育孩子，过去是儿子、女儿，又养了儿子、女儿……当我几次生病仰卧床上，脑袋大得仿佛充满房间，戴红帽子的官员来请安，穿蓝色制服者拉我说："快到机场，飞机要启程。"过去相识的一群男女叽叽呱呱走到我床边聊天，我用力挥手叫他们走，他们根本不理我。

走到院子里能听到敲击岩石的叮咚声，不过院子里还有另外的声音，风吹树叶互相摩擦，野鸟来访，花瓣落地，一只母鸡半闭眼睛鸣叫：“啾啾，叽叽叽；啾啾，叽叽叽……”如同生病的女子低声呻吟，或者像老太太喃喃自语，诉说没人关心，诉说天天看花开花落，转眼自己丑死了。

二、重逢妻女；妻子失踪；第四次婚姻，他乡妻子

妻子回来，我依稀记起被砍掉手的妻子，热病流行时离别的妻子，我仿佛又看到掉落地上痉挛的手。妻子贤惠温顺。一会儿女儿回来，又回想起清亮地板流淌溪水，茂盛的鸡冠花丛里隐藏的儿子，与我一起看青蛙跳动的儿子……我感到一阵惶惑，心里害怕，事情怎么会变成这样？又让自己不要乱想。妻子喜欢狐狸那样眯眼微笑。她眯眼微笑两次，说：“我们出去买点东西，饭也外面吃吧。”

回家时等待很久也不见0路公交车。妻子、女儿提着服装袋张望，古城最宽的灰色水泥路紧挨着披红挂绿的商场，潮涌般的行人喧哗，自行车潮起潮落。新建的几座方正的简易水泥楼立在破旧但依然精美、雅致的古屋群中好像是肉猪饲养场。我等车有点不耐烦，告诉妻子我到附近商店看看。

小花店的楼板、墙壁挂满花草，真花和假花一样夸张：肥大、色彩妖艳、花露水般浓郁刺鼻的香味。我分不清真假。妻子喜欢花又不让我买。我们偶尔会给生病的人买花，花是丰富的：花头、花钱、花光、花痴……算是吉利还是不吉利的东西？我没买花，倒是白白吸进许多花香。店员犹疑的目光不断直射，她当然有十分的道理，如同针扎人就不太好。店员用的眼力很足，我不在乎她就扎不

疼我。转悠很久，花香让我觉得被俗气的女人包围，真实的她们不会理睬我。我走出花店，见女儿独自等车。我问她："妈妈去哪里了？"她表情呆滞，低下头什么也不说。我们又等一会儿，0路车摇摇晃晃到站。车要开走，我四处观望，妻子还没来。我叫女儿不要离开，我去找妻子。

我到妻子常去的"黄豆"商场，我这人成不了气候，因此无法笑纳气度恢弘的原名：皇都。售货员拿出几瓶啤酒让我寻找。我看到里面浸泡一条壁虎，我说："我不是找壁虎。"她就拿出虎骨酒、海蛇酒。我转身想走。她叫住我说："抱歉，抱歉。得罪客人，要扣奖金。你等等。"她领我到堆满纸板箱的仓库，说这里什么都有。我撕开电冰箱包装盒，一只黑猩猩跳出，爬上房柱，从气窗逃走。对面的楼顶长出一棵椰子树，黑猩猩躺在上面睡觉。我听到蟋蟀唧唧、唧唧，声音在台式电风扇包装盒下面，走近悄然止息。那个售货员肯定没弄清楚，她为什么不问问？也许是我神志不清，百货商场可以买妻子？

我回到大街，打量每一位行人。复杂、多变的古城无数交错、弯曲的小巷，我怎么找到妻子？我怨恨，她走开也不交代清楚。圆月般的路灯闪烁红光，瞬间白亮。昏暗中行人如同黑影。我怕女儿离开，连忙往回走，很远就看到女儿独自站立。女儿为什么不肯说话？如果妻子回来见我不在，又去找我。我和女儿一直守下去，0路末班车飞速开来，妻子还没有回来。

我焦急万分，猛然惊醒，浑身是汗。一看妻子就在身边沉睡。我又是一惊，全是梦境。回想我描绘院子的模样和想象古城的来历，后来走出去，远处清晰的敲击岩石的叮咚声。又碰碰妻子确实在身边，松下一口气。觉得自己好笑，梦里那么急，找来找去找不到她。我又迷迷糊糊沉睡，我不能把睡在身边的妻子带到梦中，一到梦里她又失踪。

我牵扯木呆呆的女儿走过条条街道，一个一个商店里查看，不见妻子的人影。某一刻我知道自己在做梦，但无法醒来，慢慢又融入梦境全然不知正在做梦，这与其反面相似，醒时发生的事如同梦魇，恐惧得六神无主。当我知道自己做梦时，就会想如何把妻子带入梦中。瞬间糊涂，我又焦虑地到处寻找妻子。我和女儿既疲乏又懊恼。回到家，女儿一声不响斜靠沙发，我躺床上睡着。

茫茫夜色里，我和两位男子一边交谈，一边沿小路往山顶走去。一位女子跟随我，桂花的香气时浓时淡。她说："我们……"两旁林木通红的大火呼啦燃烧，狂风把我们卷到高空。俯视大火像条黄色鳄鱼在荒野摇头摆尾爬行。月亮带一圈厚厚的红晕，下面层层黑色瓦房，一层白色亮光。是真实的古城，不再如云朵变幻。我进城，被人领进高大黑暗的客厅，东厢房里烛光通明，女子身披片片荷叶，眼睛炯炯有神。

她说："被风吹上天空的女子在哪里？"

"忽然不见。"

"她是桂花的香气。我一样会被吹散，你再也见不到我。和我结婚吧，你抱紧我，我们就结婚了。"

我抱紧她，荷叶光滑凉爽。她的眼睛水波闪烁，我落入花园，她无影无踪。我走进一个个房间去找她。每个房间都有三四位男女，他们看电视，喝茶，走动，全不搭理我。我穿过地砖高低不平的漆黑备弄，天光下大片大片的荷塘，浩荡的风吹来，荷叶俯仰起舞，芳香沁人心脾。我一激动就往上升，靠近清醒的天地。我的妻子所处的城市相对稳定，在梦里失踪。荷叶妻子住在梦里的古城，一条备弄里面。我又融入眼前的天地，不再分辨梦与非梦。我回到家天发亮了，女儿煎六个鸡蛋，分成三份。

妻子还在身边，她背对我，我听到她暗自抽泣。难道她找不到我和女儿，知道我又结婚了？荷叶女子留在古城，荷叶女子突然敲门怎么办？她身穿凉爽芳香的荷叶衣裙，双眼水波流光。

我半睡半醒："你去哪里了？"

她说："什么我去哪里？"

她扭过头，我看到红红的眼睛。"你为什么哭？为什么哭？"

"我遇见我爸爸，我梦到他。"

我轻轻抚摸妻子的头，她依偎我慢慢睡去。

三、夜土说母鸡是孔雀，他给孔雀算命；母鸡想去天空花园

我从闷热的房间向小院望去，围墙挂满爬山虎鳞鳞叶片，青砖铺的地面被积水淹过，一层灰色的浮泥，到处杂草丛生。东西两棵桂花树，树叶墨绿。风吹过，小树、杂草轻摇，我仿佛身处荒野。低低的说话声呻吟一般，墙角圈养多年的母鸡，直立鸡窝厚厚的粪便。靠近傍晚，光线如雾悄悄变深，弥漫浓厚紫色。我走到院子当中，看到太阳是一位穿宽大紫衣的老年人，从高楼倒头摔下去。

谁哐当哐当敲响北房的窗？大声叫："乱头发，乱头发！"老朋友夜土来看我。我们交往十多年，此时见他影子般摇晃，不禁一愣。习惯剪小平头的他长发淡紫，面容苍白，眼黑发绿，身体更为消瘦。他的手里握一把麦秆，说是坐长途车到农田里捡来的。夜土喜欢半夜到街头呜呜呜吹竹管，怎么会像我幼时一样嗡嗡嗡吹麦秆？他的眼睛向上翻，眼白不时多于眼绿。他说："想用麦秆给孔雀算算命。"

我惊讶莫名，仿佛看到，以及进入疯子的表情和内心。我的意识被夜土控制，不得不跟随他的思路走，一同说起疯话："你说的孔雀就是我养的母鸡吗？"

“它不是母鸡，是孔雀，而且是雄孔雀。雌孔雀的毛灰溜溜，很难看。”

夜土只能看到自己的幻觉？母鸡是公的，公鸡是孔雀，灰母鸡长着孔雀的艳丽羽毛，还会开屏。如果夜土看什么都是这样？

我犹犹豫豫地和他辩解：“母鸡，不对……孔雀的命我最清楚。它比别的孔雀幸运，不是来自孵化场，是老母鸡孵出的。它就是天鹅、乌鸦、麻雀……会飞。竹林里长成童子孔雀，会唱民歌，被主人捆住脚背井离乡送给城市朋友。我当时不想吃肉，什么肉都不想吃。她的羽毛可以做烟火，烟火是大脑袋伸到夜空。他们理个颜色各异的爆炸头，你想那些人的身体有多高。他们有好多人，在夜里散步，先蹲下，站起时大脑袋上的发辫在高空爆发光芒。我到建筑工地捞些红砖，在墙角搭建独门住宅。雄孔雀刚来时体瘦肉紧，鸡冠红喷喷，黄色带花的羽毛洁净明亮，黄脚底光滑柔软，煮汤一定异常鲜美。一个月后，我想吃鸡肉的时候，它咯咯嗒、咯咯嗒下个带血的蛋。”

我不断打量夜土，怕他心慌。见他一会儿摇摇头，一会儿张大嘴点点头，口水滴落。我继续说下去。

“我又买了一只小孔雀与它做伴。两只鸡见面就像仇人，扑动翅膀，竖起翎毛，伸长头颈打架，新来的小母鸡把它的鸡冠啄掉一块，小母鸡也满脸是血。小孔雀被打败，伏在地上任大孔雀啄，任它抓踩。以后，食物由大母鸡先来享用，而且动不动就去啄小母鸡。它越来越肥胖，让人看了没有胃口。”

“不对，是雄孔雀，它们都是孔雀。”

“小母鸡反而被杀，毛拔光小得像个鹌鹑，煮的汤有股药味。”

“你连孔雀肉都敢吃，不怕雷打电劈吗？”

“孔雀窝里的粪越积越厚，母鸡的脚底也烂了，胸口的毛也脱光，红红的皮肤上点点黑疙瘩。鸡冠也失去血色，近视眼，一副衰老的模样。我没买过公鸡，它一生没有雌雄嬉戏，它听到人的脚步，会伏下身。居委会主任来我家两次，说城市不能养鸡，如果我不杀，他们会强制性杀掉。”

“你把雄孔雀说成什么样子？”

“它的命还有什么好算的？”

“我们可以问一问它心里想些什么？”

“母鸡心里想什么？嘿嘿。”

“你不知道，我每次来都在留意孔雀的样子。这只孔雀的眼睛长得和人的眼睛一般大小。如果从眼睛看，它和我们平平等等。而且孔雀和人看到的是同一个世界。”

“对的，我们头上都有片天光。我也常常害怕，它的眼睛真大。算命，那命怎样呢？”

“你看，院子里飞来许多眼睛很大的蜻蜓吗？”

“看到了，几乎挤满院子。是人的眼睛，还是母鸡的眼睛？”

“都有，这有点像命。”

“有点像命？”

夜土扩大的绿色瞳孔火一般燃烧，我害怕，带他去看他所说的雄孔雀。一到院子里就听到敲击岩石的叮咚声。母鸡在肮脏的砖舍卧地打瞌睡，梦魇中断断续续嘀咕。夜土呆呆看母鸡。母鸡惊醒，大声啼叫，躲藏在角落发抖。夜土拿麦秆在母鸡面前摇晃，母鸡夜游般走来，从铁丝编成的网门伸出头。

夜土轻轻问：“你寂寞吗？”母鸡横着咬麦秆吱吱、吱吱针式打印机般打字。夜土拿起麦秆，上面有条黑印，字小但非常清楚：“不寂寞。”夜土再问：“想去天空花园吗？”母鸡咬另一根麦秆吱吱、吱吱响。夜土拿麦秆看。“它不想去？”夜土摇摇头，“好像不对，再试一次。”

吱吱、吱吱，吱吱、吱吱……

“你寂寞吗？”

“寂寞。”

“想去天空花园吗？”

“想去。”

想去天空花园？我瞠目结舌。天空花园在古城最好的住宅区的一座二层楼的第三层。也就是说，从外面看房子只有二层，爬到房顶也找不到第三层。十几位保安把守着大门和过道。如果能混入通向天空花园的住宅，某个极其偶然的片刻二层楼的大厅边上没有楼梯却会出现楼梯，接着飘落一张门票，按门票安排的时间可以进入第三层的天空花园。据说，从来没有出现过这样的好运。传说，天空花园的草地长着些高大树木、鲜艳花朵，有很多用白石雕刻的人像和常青藤。也有人这样说，只能想象那里的风景，被看见、被描绘就不是天空花园。进入天空花园的人全都一去不返。

我又问：“母鸡想去天空花园？”夜土冷冷看我一眼。

“帮我算算命。”

“可是你不是孔雀，你的嘴巴不是打印机。”

夜土转身回家。院子里无数眼睛飞舞，忧伤、凄楚、发亮、张大和眯成一条缝。母鸡啾啾，叽叽叽；啾啾，叽叽叽像人一样轻声说话。鸡窝散发出股股霉臭味，蚊子叮咬我的腿如同针刺、电击。

暗淡的天空发出最后的红光，我听到房顶瓦片被咔嗒踩裂，妻子怎么爬到房顶上！她的身影黑乎乎，正向远处张望。望什么？防火墙阻挡着我的视线。我对她喊：“怎么搞的？快下来，危险。”

“不要急，我等到了。”

“你快点下来，别人知道多不好。”

她不理我，把手遮在额前继续张望。我伸出双手，我的手臂脱离肩膀向妻子飞去。我的手上有眼睛看到妻子流淌泪水，看到瓦楞草上开着大大的嫩黄的月季花。我的手抓住妻子的肩，顺着妻子遥望的方向看去，古城变成野地，枯萎的荒草。妻子的父亲灰白色的身影也在眺望我们。妻子喊父亲，父亲挥手叫她下去，说："你们什么也不知道。"父亲是一朵金黄发亮的云，天空什么也没有。我的手臂把妻子抱下来，妻子一落地就消失。我发现我也没有身体，我只有意识，层出不穷地冒出各种景象，越来越多如同迷宫。我到处寻找妻子和我自己。

四、天空花园美轮美奂

清晨哗啦哗啦下雨，阴冷。我去看那只想去天空花园的母鸡。鸡舍门倒地，不见母鸡，我披雨衣到院子里找，找了好久也没找到。雨打在帽子上扑扑震动，抬头看到灰蒙蒙的高空密集的雨线飞快下落，我一脸带酸味的污水，眼睛刺痛模糊。狂风急雨激起我的热情，生命瞬间不再半死不活。等我回到房间又不知怎么打发乏味的时日。洗完澡随手拿起杂志躺在床上翻阅。

"总统许愿。古城里先建造一座古典天空花园，建造方法失传也要建造。接着建造想象的五十八座天空花园。总统会留下美名：天空花园总统。他的头发像柔软的树木和草地传播花粉的蜜意，他的目光如粼粼碧波带来希望，他的呼吸起伏无边的爱和激情，他身上搓下的泥条都是香气浓烈的名贵药丸……"

"乍暖还寒，又刮起冷风，街上穿连衣裙的年轻女子措手不及，抱臂发抖。商人把大衣堆上街头高价出售，女子哄抢，裹住身体像包上稻草过冬的街树，等待一睹总统神采奕奕的面容。"

“总统还在郊外视察核弹车间，被人们簇拥来到巨大的方形深井边。技术人员按电钮，从深井吊起一只小木箱，小木箱上上下下，突然散架，掉出许多白色的粉粒，一小粒钻到总统的鼻子，他当场摔倒。英俊的保镖扶起他，两人摇晃站不稳。”

“大街欢迎的人群如同围墙，总统的敞篷车队出现。春天又回来了，寒冷的街道、窗口和楼顶……五彩塑料花的海洋翻腾。总统尽管面容苍白憔悴，但用力挺挺身体，向人群挥手，人群摇动小旗、叫喊、吹口哨，痛哭流涕。总统回到家，关起门。他的家人怎样敲门和劝说，无声无息。”

风吹开我的卧室门，闪进一道阳光，陌生女子走来。她身裹白色毛皮大衣，头戴高高的红色羊皮帽。她脱下大衣，里面是蓝花白底连衣裙。她含笑对我说：“你好吗？我刚从天空花园回来，我还看到了总统。”她在小包里拿出三个鸡蛋送给我，“这是天空花园里的孔雀蛋。”

我向院子望去，天已晴，母鸡悠闲散步找东西吃。我不想把母鸡关回砖窝，又怕它逃走，用一根长线把它拴在树下。

回房读杂志，“保镖探望总统几次后不再来了，家人也一一无奈离开。建造天空花园的任务交给新总统，新总统不断拖延，后来大家都忘记此事。旧总统的房子长满了草像个坟墓。门一直没有开，几百年也没开过。房子倒塌。天空花园好像蓝天，人们想象在那里散步”。

五、母鸡飞上防火墙；母鸡被居委会宰杀

我发现妻子分不清记忆、想象的形象和真实的形象。妻子的父亲渐渐化为街边的公园。我突然想起几天不见女儿。对，她去了寄

宿学校。

出门散散心，空气清凉。人流迎面而来，全是陌生的脸。也许行人与我一样也想望与人交往，说说自己的发现、感受和苦衷，也想进入他人的秘密天地。我心里涌起愁怨，独自看叶片稀疏的街树和洁净的淡蓝天空。不知不觉走到陌生的城区，许多小石块铺的路，破旧的瓦房顶一丛丛干净的杂草，高大木门里面乱糟糟的旧家具和面容呆滞的老人，闲坐，低头捡菜，走动。

一群干瘦的人穿黑色和深蓝衣服，他们仰头看什么，比手画脚，咋咋呼呼，脸上露出心满意足的笑容。我前去观望，一只黄色羽毛的母鸡站立高高的防火墙，那只母鸡的眼睛很大，像人的眼睛。我觉得是我家的母鸡。三楼的小窗户里探出一人用长竹竿敲打。母鸡一路大声啼叫着奔跑，拍动翅膀勉强腾空，由于太胖立即掉下摔在瓦棱，往下翻滚，爬起叽叽嘎嘎在房顶急奔，失踪。人群里一阵哄笑。老头说："丢钱了吧？还不如买杀好的鸡。"

我到家一看，线被扯断，不见母鸡。我赶回陌生的城区，天乌黑，几盏昏黄的路灯下光溜溜的石块路，寂静的栋栋黑沉沉的民居。我在无人的小巷走，疑虑鬼魂跟踪，不时回头看，快步逃走。商业区灯光通明，五颜六色亮晶晶，行人拥挤，录音机播放软绵绵的情歌。我到西式快餐店，买了一大杯橘子水，鬼魂贴着玻璃观察我。

我回家。进院子踩到柔软的东西，原来母鸡被人宰杀，还在流血，是从围墙外丢进来的。听到呼呼、呼呼喘气声，居委会主任刘老太找上门，她脸庞的皱纹里的两颗黑豆在跳，说："我等你好久，这件事必须告诉你。我们早就想杀你的鸡啦，城市养鸡不卫生。不过，你不要怪我们，今天母鸡跑到居委会办公室。"

我打断她的话："你知道它是什么鸡吗？"

主任被我逗乐了："什么鸡？臭母鸡，我杀了它，洗了五遍手，闻闻还是臭烘烘的。"

我不敢讲下去，再讲会感到自己是疯子，连忙按下笑容开关，说："谢谢，谢谢。"

主任一走，我把母鸡丢桶里，倒开水，冒出难闻的味道，真是一只臭母鸡。退掉毛，看到鸡的脚、翅膀和胸口有几圈溃疡。肚子里厚厚的油，一串带血丝的黄色小蛋。我把光光的母鸡放进冰箱冷冻格。

卧室里妻子熟睡。我睡一会儿发现客厅里的灯亮着，妻子在那里专注地剪照片，茶几上一大堆破损的照片。我翻看，都是她父亲的照片，她把她父亲的身影剪下。妻子抬头对我笑笑说："父亲被天空、树木、假山石、房子粘住走不出来，现在父亲可以自由走动。三十年前的、二十年前的都可以走动。"

我真的看到客厅里有许多人，一位小男孩，一位少年，一位英俊的年轻人，一位笑容古怪的中年人，只要注目其中的一位，就会发现他的身后空无一物。这张照片上，客厅里乌红色的家具雕着葡萄、万年青、棋盘、竹笛，一位父亲把小男孩搂在怀里，抚摩他的头极力安慰他。中年人擦拭眼泪说："我要告别。"妻子慌忙起身。他们下楼。我等了很久，出去看，月光下树木静悄悄，小路空空，不知道他们去了什么地方。我打电话报警，几个月消息全无。

六、朋友大钉子携带母鸡去了天空花园

夜土又来找我，头发油光光，眼睛黑白分明，一脸春风得意。他告诉我他当官了："许多朋友经常托我买东西，我太忙，烦死人啦。"

"我家的母鸡被居委会的主任杀掉了。"

夜土表情困惑。

“你说它是孔雀，你给孔雀算过命，它寂寞，想去天空花园。”

这回轮到夜土害怕，他快要迷失在我这个疯子的诞妄里。他还在挣扎，否认给孔雀算过命：“我常给自己算命，也买《铁板铜板流年神术》。人的命变化多端，孔雀的命有什么好算的？”

我不愿让他觉得我疯了，就说：“我随便讲讲，开开玩笑。”

这使他感到更加怪异。他似笑非笑地说：“开玩笑，啊！我好像给你养的孔雀算过命。”

我立即回避这个话题，告诉他：“我们的老友大钉子得到天空花园的门票，过几天就走。”夜土回过神，略略放松，脸色又瞬间变灰。是不是他羡慕大钉子，也知道自己没有那个能耐。是不是他觉得他当的官和他的体面由此突然贬值，暗淡无光，而且他的生活永远浑浑噩噩没有希望。夜土灰溜溜走人。

我看到花坛里母鸡的根根羽毛像种花一样插入土中。羽毛发芽长得很快，长成一片杂乱的夜繁花，赤裸的手臂、腿脚似的枝干上稀稀落落几朵妖艳的小花。

门吱啦，一股冷风，女子站在我面前，淡黄色皮衣上污迹斑斑，她垂着眼皮说刚从天空花园回来。女子褪色的红帽子揉烂了，脸色发青，不断拍打肩上的霜雪。我看看窗外阳光明媚。女子冻得张不开嘴，呜噜噜又好像说她想去天空花园。

我说：“我们离不开古城，什么地方也去不了。我有什么能耐带你去天空花园？”

“你为什么不行？”

“别说是天空花园，我甚至不知道自己应该到什么地方。”

“骗我。你是我的唯一希望。我连院子里的月季、杜鹃、桂树都不如，它们都那么干净、宁静。”

“告诉你，可以走，我早就走了。我天天感到沉闷、闭塞、无聊、荒唐、傻帽、下作……”

她一脸怨恨地转身出门，我听到冰箱门啪嗒一响。

满面红光笑呵呵的大钉子前来与我告别。我硬要他留下来吃晚饭，说：“这也许是我们最后的聚餐。”主菜当然是母鸡，我用过量的生姜、辣椒、酱油、黄酒精心烧制。大钉子看到红烧鸡浮在厚厚的清油上，眨眨眼，迅速把青菜干掉一半。

为什么留大钉子吃饭的目的渐渐浮出，我觉得大钉子能把母鸡带到天空花园。脑袋是最重要的器官，大钉子不就是靠脑袋聪明才得到天空花园的门票？我夹鸡头给大钉子：“大钉子，你们做医生的禁忌太多，鸡头脂肪不多，鸡脑又可以补脑。这几年你争取奔赴天空花园，脑力像四驱车上的电池被消耗到冒不出火花，老朋友献上大脑发达的鸡头，祝你永葆青春美丽，脑筋前后左右急转弯。”

大钉子狂笑：“好好，好好，我吃，我吃。”

我看大钉子咬开脑壳咽下腰果肉般的脑子暗自高兴，又说：“两只眼睛也吃下去。”

他嘻嘻笑，又惊呼道：“眼睛这么大，我不敢吃。”

依稀有个女子的嗓音在劝他吃，他有点不好意思了，挖下鸡眼睛，皱眉头服苦药一样半呕半咽地吞下，接着喝几大口啤酒杀杀腥。他的脸立即像下蛋的母鸡般通红，看东西也是左一眼右一眼。

“还有耳朵和舌头。”

“算了，别开玩笑了。好好好，我什么都答应。你知道我多么想去天空花园？你你，你不知道！空空空花花花园园园，我为你哭泣。蓝天，温暖的太阳，奇花异草，白石雕像，喷泉，风中的歌谣……”大钉子拿出鲜红的门票，举起甩甩，吻几吻，然后小心翼翼放回口袋。

“到时要想想深院上空的大团白云，郊外田野的嫩黄菜花，你的老朋友乱头发。”

大钉子流泪与我告别，如同想去天空花园的女子那样扭腰走路。我像看我最害怕的癞蛤蟆那样看红烧鸡，然后包好，坐长途车到郊外。整齐的土地上青黄的水稻香气浓郁，田埂上还有几栋夏天的麦垛，我把母鸡埋在一棵大树下，又插了几根麦秆。谁在泥土下摇动麦秆？我惊慌，逃离。

凌晨，房前来了一位面容衰老的女子，她挺直腰就是年轻女子，兴高采烈仿佛跳着舞步进来。她朝我深深鞠躬，说她就是我过去养的孔雀。她的眼睛从大钉子的后脑勺打开，大钉子不会知道，她和大钉子用的不是一个脑子。她的表情又有点愁苦，说她不想成为大钉子的一部分，大钉子和她过去一样浑身热乎乎。她想成为安静的草木，树冠就是一座天空花园。大钉子如果是一棵玉兰花树，春天他们在天空花园，一定会看到奇异的风景。她来谢我，和我告别。她又朝我深深鞠躬，转身闪出墙。

七、妻女、母鸡、花草跟随云朵飘走；青峰山工地

清晨，他碰到睡在身边的妻子，院子里传来母鸡的啼叫。一连下了好几天雨，街道上积水没过小腿。房间里闷热潮湿，他感到自己像生活在脏水中的鱼。夜晚时密集的雨点如同红色的玻璃球，环绕古城的峰峦，敲击岩石的叮咚越来越急促和响亮。

终于天晴。院子好像是个深洞，一块夏日的蓝天，洁净、高远仿佛与古城无关。一团团白云不断飘过，高空里不知吹动着怎样清爽的风。妻子和放学回家的女儿也在抬头张望，母鸡伸长了头颈张望，院子里的草木也在张望。大团白云，无数小朵白云。白云和我们不同，自身洁净和轻如魂灵。他在想，离开，离开，是逃避，也是向往。飘过两朵云像母亲牵扯孩子在天空花园游玩，他转身看妻子和

女儿已不见。

母鸡咯、咯咯咯啼叫，桂树开花，花粒如细小的紫色光粒飞舞，月季花和杜鹃花的花瓣一片片飞起消失。母鸡鼓足了劲真的像一只彩色的孔雀飞走……蓝天不断飘过白云，好像几片青瓦和瓦松也跟随着滑翔。全走了，全走了，院子里空空的，连一根草都找不到。他也是魂飞魄散，不知自己身在何处。当他清醒过来后发现独自一人，身体沉重站不稳，找个凳子嘭地坐下。他觉得，遥远的一天，他八九岁，躺在靠窗的小床，透过古老巨大的银杏树枝叶望到天色碧蓝、碧蓝，一团团白云飘过，那个时候他就跟随白云远走高飞。

恶劣的环境与绝望的感受多么和谐。他思忖着离开古城。两种方式，一是获取天空花园的门票，差不多是幻想；二是去挖掘通天洞。市民认为古城内的生活最为正当和安逸，去挖通天洞的人都是渣滓。渣滓唯一的功绩是冒生命危险为城市铺路建房提供廉价石料。再说，什么通天不通天？不挖通天洞不是照样可以看到天空。他想去通天洞和一段经历有关：顺着阴冷、漆黑的山洞往上爬，看到一位白光女子，他跟随女子走过石厅、窄道、地下河、石阶。路上女子没有转身。当他走出洞口，满眼洁白的茫茫天光。女子站立高高的岩石。瞬间，天光里不见女子。

他给自己理个光头，找到直达通天洞的车站广场。旅客你拥我挤，一辆大客车载满人缓缓开动，送行的老妇们号啕大哭。大客车开进红色雾气。还有一辆空车，他想混上去，司机问他要白卡，他拿不出。司机说："没有白卡想去通天洞是违法的，我会记下你的名字。你住在这里转悠，天天没有白卡又天天想蒙混过关，到达十次，你的罪行就很大，就具有资格获得白卡。"

他感到疲乏，到候车室休息，半夜时人越来越少，他太困，躺倒在长木凳。长木凳子是一条条船，顺狭窄的运河一直漂到宽阔的大河。月光下，两岸麦田和山峦。

清晨他和三个同伴在小村庄上岸，他被告知，翻过面前光秃秃的大山就可以到达另外的天地。山坡上人群密密麻麻往上登攀，他们刚到山脚就被人往下赶，说拿不出白卡就别想通过。同伴说，还有一个办法。他们悄悄溜进村庄，农民的小楼两三层，他们绕来绕去找到沿河的小楼。同伴说，他认识主人。主人让我们上楼坐一会儿。他看到黑长的影子和主人说，他们想逃跑，先不要惊动他们。

他们四个人都从窗口跳到河里，他拼命游，非常轻松，很快到对岸。有两个人失踪。几个穿制服的男子走来，他的同伴说他要回去。他们说不行。同伴说他没有白卡，偷偷溜过来，他的妻子、老母亲都在等他。他们说不行。他们拿出表格给他和同伴登记。说跟他们走，去挖通天洞。

他们翻过小山，看到漆黑的巨大的山峰，山头后面正升起浓黑的云团，快要下大雷雨。这座山让他望而生畏。他再次打量山峰，山脚宽大、坡度平缓，半山腰是圆桶形，再上去高耸着挺拔的山峰如同巨伞。整座青峰山挂满昏黄的灯泡，一片响亮的叮咚叮咚的凿石声。穿制服的人安排他从山脚往上挖，同伴被派去山顶开挖，他望到细黑的长队正往山头移动。他走到枯草中乱石累累的山边，天空深黑，古城建造在深渊般的平原，亮起繁星般的灯光。哪里是他的住房和小院子？

他进入山坡上的大洞口，一位雕塑家兼洞底设计师带他闲逛。他看到山洞里的房顶庞大高深，墙面采用淡黄色的花岗岩石块显得气度不凡。各种房间有的像电影院，有的像展览馆，有的像会议厅。

设计师说："我想如果我设计洞底我将不朽。因此，为了取得设计主管的任命我冥思苦想。最厉害的是我盐腌了一位雕塑模特，我用绳子把她从石箱拉起时，盐粒撒满地板。考察的官员都说：‘不要看，不要再给我们看什么了。’他们相信我对于艺术有绝对的献身精神。我还要用艺术践踏一切，挑选最好的石料，雕刻得妖形怪状，挂满所有的石壁。你看这个休息室里挂上三十匹红色的石头奔马，三十只黑石无头飞鹰。”

他觉得这些作品不过是些工艺品，“想问问，通天洞在什么地方挖？”

“一些人在山顶往下挖，我们叫他们山顶洞人；有些人就在这间休息室里往上挖，我们叫他们山底洞人。挖通天洞的过程是先挖一个几千平方米的石厅，然后选优良、平整的石料隔成许多客厅、会议室和休息室，最后空一间做工地。你仰头看看。”

他看到头顶黑漆漆的大洞，腿有些发软。渐渐能看到许多上下漂浮的手和脑袋，就是看不到身体。他去问设计师是怎么回事。

“就是这样。你还没发现，山底挖掘不出声，只有山顶那里才有凿石热闹的叮咚。不过山底的进度比山顶快多了。好，你应该工作啦。”

他腾空进入山洞，如同思索着渐渐推进捕捉到意象。尽管身边漆黑一团，可是心里感到愉悦。通天洞原来是这样不断扩大、伸展：人群像大群飞鸟，摇摇晃晃汇合飞来飞去，山洞不断升高和扩大。他仿佛看到围绕洞口的花园，这里也有到达天空花园的道路吗？

忽然寒风在山洞呼啸，连回忆、想象中的花草都瞬间凋谢。洞壁上有被手指抓出的痕迹。他发现他的手指也是鲜血淋漓，但感觉不到任何痛苦。他想要出去，他需要温暖，需要看到花朵和草木。他情不自禁，他的双手也在石壁上扣挖、捶打。寒冷、黑暗和希望纠缠成不顾死活的火烧火燎的冲动。瞬间就浑身脱力，昏厥时他掉到地上。

他摸索着走出山洞，外面冰天雪地。人群的黑点在白皑皑的风景中忙碌。他一脚深一脚浅爬山，想爬到山顶。身后有人险些把他推倒，回头一群民工的黄色洪流，耀眼的颜色让他倒退几步。他的妻子、女儿也身穿黄衣往山上走。他跑过去，招手叫喊妻子。妻子停下来。

他问："你们随白云飘走，是来挖通天洞的？"

"我不认识你。"

"我是你丈夫。"

"我没有丈夫。"

妻子转身跟随大群人攀登山坡。白色的青峰山上民工满山遍野。山腰上巨伞形的边缘垂下条条绳子，人们拉绳上山。许多人摔落，躺地呻吟，时不时遥望着山顶。雪开始融化，冰凉的水咚嗬隆咚，咚嗬隆咚滑过一道道山沟。

几天后陆续有人下山，他们神情悠然，把雪做成各种玩具。他的妻子从哪里搬来藤椅，堆积个雪人放置藤椅上。大堆人对着雪人跪拜、烧香。有人说："等雪人化掉，我们也不要忘记这个地点。"苍白消瘦的男子用雪做了长长的筋，在上面贴了许多自己的照片，然后把筋拉长，拉得非常细了还在拉。

天气越来越暖和，雪全部融化，山坡显露一块块黑色和赤红的圆石。人们说："要种些草。"他又看到妻子，上前搭讪，妻子总是说不认识他，渐渐觉得真的不是他的妻子。

半夜一声巨响，灯全熄灭，山地像遇到飓风的船一样摇晃，等到平静，高天繁星闪亮。早晨，一座座山像高楼建有一层层阳台，种着一丛丛花草、小树。山下的洞口里抬出一堆尸体。昨天半夜通天洞终于挖通，山顶的石块一齐砸向山底，死伤无数。他的妻女不知去向。他急得浑身冒汗。山底洞里的房间全被埋没，能够望到上面的洞口微弱的光线。古城里的人不懂才说："挖什么，思念什么？天空不就在头上。"

八、通天洞特色功能史：砸头与接头等；红黑牡丹仪式考

他夜晚偷偷攀爬山洞，在乌黑的空间摸索挣扎。七八小时后，他看到洞顶天空深蓝，看到团团白云匆匆飘飞，他会不会像院子里的花草树木和妻女那样跟随而去？洞壁太陡峭，他总是颤颤抖抖爬几步就往下掉。他遇到几个人也在往上爬，白色的影子往上飘，一些人爬着爬着就跟着飞走，留下几句话："这样亮，这样亮。"他的身体也许比那些人沉重，总是往下滑，更别说飞走。山洞里的天空对于他而言如同向往却无法到达的天堂。

官员一声令下，大批穿制服的人员出动，他们用铁丝网把山脚围得严严实实，海拔一千五百米的青峰山也被人造云雾包围。他的同伙在岩石杂草间生活，脸被干燥的寒风割破，手脚鼓起冻疮。当他们发现深坑边的山峰是新城的高楼大厦，一哄而散到公司去求职，去赚钱，去享受。

新城里的生活明朗、理性、功利、贪婪。户户房间整洁，盥洗室芳香扑鼻，但这样的生活又好像细菌太少，土气、阴气和深度不足，一些人快要发疯了。夜里市民盼望鬼魂出现，如果他们正在读书假装不敢抬头看，鬼魂已经坐在对面凳子。他们难以把握这样的感受，不管是旧事物、新事物都叫他们既害怕又盼望：怕死，就相信有魂灵；怕黑，就朗读《鬼胆子不大的故事》。如果缺失了山阴背后的浊泉和一圈滑溜溜的青苔，电脑上的指南针，废弃的房间，干瘦的癞蛤蟆四处蹦跳，铁皮桶里燃烧的红蜡烛和黄色纸张呢？

时代的风气在变，人们想起了通天洞。老人先编造稀奇古怪的

故事，年轻人盘算能不能成为旅游景点。几年后官员们隆重宣布青峰山重新开放，三架直升机嗒嗒、嗒嗒，射下光柱把山顶照得通明。年轻人看到巨大的山洞，从山脚一直通到山顶，从山顶一直延伸到山脚，发出一阵嚯嚯、嚯嚯声。

青峰山通天洞的洞口新刻上两行涂红漆的大字——“有求不应必应，空手不空满载。”洞内黑漆漆的大厅，进去的客人立即觉得自身如影子摇晃，洞壁悬挂层层白色塑料做的飞天仙女，一线光芒随太阳的移动出现，他们想象从洞底飞到天空。一队队崇拜者从远处赶来，烧香、烧纸、烧蜡烛，浓烟火光仿佛云山雾海，一堆堆香灰和干枯的花朵像起伏的坟墓给予人们无限的希望。

几年后官员把人全部赶走，把神台、烛台统统捣毁。渐渐通天洞被树木、杂草和葛藤遮盖。十几年后，官员领人又把洞口修缮一新。信男信女身穿黑衣，背一式的小黄包，一长队、一长队如同毛毛虫向树叶的方向起伏爬行。通天洞口重新弥漫乌烟瘴气。几年后官员命令民工用水泥把洞口封死，半夜时分偶尔会有个孤老太到洞前烧一堆纸。几十年后官员经过越洋考察开始认识通天洞的价值，为了弘扬古董文化，决定恢复远古惩罚罪人的仪式：一个老人的优美动人的胡言乱语的古老故事。

一位把太阳画成从北面升起的男子将在山顶的洞口被砍头，一位认为自己是王母娘娘下凡的女子被押到山脚的洞里等待砸头从天飞落，被砸死。许多人分析为什么会发生这样的事？砸头如流星划过天空般激情澎湃。被砸者到时猛一抬头如上升的绚丽烟花。

我见黑脸汉子悄声告诉等死的女子：“砍头时，也就是洞中突然发出呼啸声，飞落的头到达你的头上大约需要三十秒钟，你一定要歪头躲避。”

黑脸汉子又爬到山顶告诉将被砍头的男子：“如果刀光在你眼

前的地面闪耀，你就把头一缩，然后往洞口丢下一个南瓜。”

黑脸汉子回家的路上遭到人们的拳打脚踢。

站在半山腰的大白脸开始演讲，周围的人群轰动，他一本正经地说：“头悬在上空危害公共安全。如果头随时会砸下来，你又无法排除，天天惧怕，火冒三丈又不好意思说，那么还不如让他砸到你，那时你就有理由破口大骂。如果你每天满腔怒火，或满肚子坏水威胁他人，一直盼望他人遭殃，又不可以明目张胆，这样憋得难受，那么还不如用狠劲砸，享受毒汁四射以及拖人下水的狂欢。”

大白脸的话立即在淋过玫瑰香水的新式晚报《香报》上刊登，红色大标题写道：《生活出现了激情——记古洞新生》。大体内容如下：“我们的第一官员极力进取，一声令下，市民们乌云压城般掀起抢占通天洞洞口的高潮。他们想象自己的脑袋飞速下落，啪！砸碎另一个头，多快活，多解恨。洞底刚刚还在颤颤抖抖的等死者，突然两手叉腰，挑衅似的昂起头，他们在盼望，他们在呼唤，他们从牙齿缝发出嗞嗞声：‘你砸痛我吧，砸死我吧，你等着被枪毙吧！’他们的面前出现一个影子跪地磕头、求饶，不禁笑得合不拢嘴，又故意拉长脸，破口大骂，捡起一块砖头扔过去。山顶和山底的人们都在等待节日盛宴。”

市民向山顶和山脚的洞口拥去，漫山遍野都是人，仿佛又回到挖掘通天洞的年代。人们你推我，我推你。一队队穿制服的人赶来，人群听从管理排成T字形的队伍。横着的一条长队一头在洞顶，一头在洞底。竖着的一条长队排在当中，有空当就插进去。谁是山顶洞人，谁是山脚洞人要凭运气，就像甲鱼卵，生下来没有雌雄之分，由当日的天气决定，即多云是雌的，少云是公的。市民都很随和，山顶、山脚都不错，一分成山顶洞人和山脚洞人立即势不两立。队伍越排越粗，弄得视觉形象非常糟糕。

也有些市民散布消极的言论，他们说为何要排队？为何要凑热闹？通天洞嘛，住宅里也能摆设。比如，客厅的楼板当中挂一个大铁球。再比如阳台上放置随时会掉下去的盆花。这些不就是“砍落头，砸守头”？房间里的人，楼下经过的男女老少，他们的快乐不是同样会降临？楼上的人就是要制造险境吓人，楼下的人无可奈何听天由命。不过，楼下人的报复机会难道不会喜从天降？就算天下太平，他们也可以随时拿出一个想象尝尝甜甜的滋味：当头被盆花砸中，带领亲朋好友冲上去撕打，用牙咬，要赔偿巨款。让他们求饶，痛哭流涕，恐惧懊悔到撕裂自己。

农民工在剧院、办公室、酒店、住宅的楼板安装电扇、吊灯，谁知道他们是不是山顶洞人挂的“脑袋”。当然山顶洞人的脑袋如果砸下去，立即属于山脚洞人的烈士。人的真实的命运：不管你是哪一类人，大队伍总是首尾相连，贴什么标签也随时会突变。许多人亲眼看到，超市里鸡的身上贴上鸭的防伪标签，猪肉贴着牛肉的防伪标签。

飞机是不是呼啸的“脑袋”？汽车头、火车头是不是“脑袋”？还有，子弹头、导弹头、核弹头……我们不是读过《香报》的新闻：《仙女飞花六楼，好汉凋谢九泉》《剧院电扇掉地，观众一命冲天》《汽车相撞头碰头，妻儿相拥泪垂泪》《火车亲吻，爱火情烟》《飞机大脑袋一个，扫除小脑袋一百》《导弹捣蛋，我们完蛋》……事实逼迫我们，即将飞来一颗巨石小行星。如果我们被砸，该教训谁？去哪里索取赔偿？

两个人在山坡打架，队伍移动缓慢，他们等得不耐烦，狂呼乱叫着要在洞外一决雌雄。一些人不学好样，走出队伍打架……直到对立的人群列出步兵方阵，成立两个王国，战争就此爆发。山顶上还留下石刻，山顶洞首领的出兵誓言：“今天召集你们，是要告诉你们，山脚洞人不崇拜通天洞的光明，蔑视我们和他们所签订的条约，他们还说他们认可洞底的天命，根本不怕我们。现在我们就要把他们灭绝。山顶洞的勇士们，举起你们的标枪，如果有人退缩，跑得不快，把标枪只扎到山脚洞人的小腿和脚跟，我就要惩罚你们，让你们做南瓜丢下通天洞。”

几百年过去，通天洞依然没有发生过落头、砸头事件，山顶洞人和山脚洞人不断讨论准确和信誉问题。

山顶上的谈话记录：

“我们的头掉下去，如果没有砸中怎么办？”

心急的人说：“过程最重要，我们享受飞落的快感，什么事情只要享受过程，结果就算是掉到粪坑里又有什么遗憾？”

“嘻嘻，这样说话可要小心点。如果事先告诉你必定砸个空，那你还有什么兴致？”

“事实是我们从来不知道结果，现在我们只能想象和假设。我们要沉浸在乐观的想象里，那么幸福就一路伴随。”

最后大家一致认为准总比不准好。

山顶洞人中的进取者，尝试往洞下抛南瓜。稳健者研制瞄准器和大炮。消息传来，九个南瓜砸空。下面根本没人在等待，他们怒火中烧准备下山打架。

山脚下的谈话记录：

“我们的头没有接住掉下来的头怎么办？会被认为我们胆小吗？还有，只掉一个头，那也万事太平，但还会继续掉，那么补充到我们队伍的有生力量都是些死人。”

“这就不对了。人数就是人数，掉下来的脑袋就是我们的人数，我们的烈士。没砸到，最倒霉，倒霉的人意见少。”

“不能这么说，我们害怕吗？我们可以失败，但不可让人讥笑。

我们训斥他人要有底气。”

“丢个皮球我都顶不到。再则，仰头跑不快，低头看不到。”

“有没有足球运动员？”

“不许插队！”

“我们一群人在等。”

“我反对！只砸到一个人，他是好汉，我们都是无赖？”

“用网接住头，可以多次使用。”

“谁用旧的？”

“我看还是在地上画些红圈，看哪个圈接头的概率高就站在哪个地方。”

“胆小鬼！”

“我们可以在红圈内写上‘决心’‘勇敢’‘不怕’来表达我们内心的想法。”

一片掌声：“好啊！”

“不值得激动。我们做的事：等待。我们为什么不把头打上去？两个头在空中相撞，啪！中心开花，双方都有快感，都可以破口大骂。先辈早就说过，他们是流星，我们是烟火。”

“责骂权力是我们的，最后的主动权也是我们的。高高在上地训斥他们多么舒服，为什么要分给他们一半？”

他们谈兴正浓，洞顶接二连三掉下几个脑袋，上前一看全是散发甜味的烂南瓜。“山顶洞人在欺骗我们，他们是无赖、胆小鬼。我们要报复。报复可要慎重点，先要数清人数，再除二才能确定他们和我们。”

山顶洞人和山脚洞人都委派特别小组数人，但每次数下来都不同，就一遍遍地数，直到忘记为什么要数。千百年后的一个奇特风俗，那就是每年官员带领市民排成长队，几位少女在队伍的一头给人挂丝绸黑牡丹，另外几位少女在队伍的另一头给人挂丝绸红牡丹。直到每个人都挂上花，然后按花的不同把队伍分成两队，两队人面对面骂粗话，然后进行歌舞表演，最后开办宴席大啃大嚼。

天暗了又渐渐发亮，飘动的白色山雾转红，遥远的太阳在连绵的群山后升起。山顶洞人想到为什么会发生这样的事？但百思不解。这好像去问水牛为什么踩死癞蛤蟆，更好像去问汽车轮胎为何压死人。山顶洞人看到深渊如同遇到难解的深意，渴望跳下去。跳下去就会知道，但如果还是不知道就是白跳。

山脚洞人想为什么掉下的脑袋是烂南瓜。是山顶洞人胆小，开玩笑吗？我们不可以把他们想得太坏。他们的脑袋大约与气体摩擦发生物理、化学变化？看到洞顶遥远微弱的白光，害怕、崇拜得想下跪。

新城里高楼越建越高越多。高楼和山峦一起耸立，考古学家等专业人士之外，市民分不清哪些是楼，哪些是山。市民把高耸的东西一律称为山。只有一点小区分，枯萎山和草木山。爬到山顶可以看到市中心的巨大深坑，底下青色屋顶一片连着一片，仿佛是一座古城。新城与古城完全隔绝，哪怕有人吼叫着跳下去自杀，踩到的还是新城的宽阔的街道、高速公路。

官员请来民工给青峰山做了豪华装修，山体上下修整成一样的粗细，打开窗口，安装涂膜玻璃，岩石表面贴上瓷片。洞内挖宽打磨光滑，用水泥楼板隔成一层层楼房。室内也进行了豪华装修。取名为金帝大厦，作为高级写字楼和名牌零售商店。挡住你、挨紧你、压着你的高楼，以及长不出任何杂草的道路，无法用生命之美给予我们内心亲切、神秘的抚慰。尽管车流喧嚣，人流密集，花天酒地，我们还是觉得内心沙漠、荒城般的凄凉。感到我们都是孤单、可怜和乏味的流浪狗。

每年当阳光渐渐明亮，暖风吹过街头，他路过青峰山就到楼底大厅的沙发坐一会儿，看到美女俊男走进透明的观光电梯上升。他想到漆黑的山洞里弯曲的小道，他跟随着白光女子上行。白光女子站立在山岩顶上，说她看到了天使。

大门仿佛被阳光推开，进来几位顾客，一位身穿雪白的长裙。他觉得白裙和其他顾客都不同，白裙如同影子。他跟过去，白裙隐藏在无数墙面般的化妆品柜台，一会儿又出现。白裙踏上电梯，他跟随。二楼一排排电视机，播放沙滩美女、奇石展览、摇滚乐演出、汽车比赛……白裙又消失在屏幕发出的彩光里。

他找不到白裙，继续踏上电梯，一层层上楼。通天洞改造以后很多楼层他没有去过。他无心去看那些货物，只想往上，往上。大约经过几百层楼，电梯中断，有一个水泥楼梯，他上去转了几圈，四周出现滴水的嶙峋山岩。再上去，感到空气清凉，头顶一大片淡蓝的天空，洞口有野草和野花摇动。他想爬到山顶张望，但山洞的岩壁陡峭。他张望了一会儿下楼回去。电梯缓缓下滑，他想：人们选择在青峰山挖掘通天洞是个错误，要找一座山，高大无比，坚硬无比，永远无法挖通。那么无数的梦想、无数的奇迹就会不断地涌现……

九、重见飞走的妻女；玻璃塔里的梦幻

我不再想象色彩暗淡、调子伤感的经历。我只清楚最近的几天以及望到也许和昨天大同小异的明天、后天。每天傍晚我出门慢慢散步，在洁净的马路上不时遇到大榕树，盘曲的树干几个人抱不过来，长着九头十八臂，垂下气根如同下着暴雨，开阔的树冠间金黄的阳光星星点点地闪烁。我会停步抬头呆呆仰望。

今天我游荡直到夜色朦胧，白色路灯像无数圆月闪亮。一群异国女子说说笑笑走来，其中一位是同胞手足，她穿淡黄色连衫裙，戴一顶高高的红帽子，她对我微微一笑，笑得那么甜美，好像是我亲手种植的月季花。

那群人走远，我继续散步。淡黄裙女子是从天空花园回来？我恐惧，怕自己发疯。这是真的，深坑下的古城里就有天空花园，人们没遇到是因为不敢去想，去找。《香报》昨天报道，异国著名时装表演队要到本市度假。

有人叫我？回头见妻子身穿半新不旧淡红裙子向我招手。

"在青峰山，你说不认识我？"

"我飘出小院后没有再见过你。"

"我看到你和女儿。"

"我和女儿一直在天空飘。"

"你们来表演？"

"不是，她们是小院子里的花瓣和野草……我飘过，我惦念旧情才停下来看你。"

"古宅，院子的上空，幼时我就跟随云朵飘走了。"

"过去你忧虑地见我千方百计去寻找父亲。我不是仅仅寻找父亲，父亲的天地和我们的不同。我也在寻找其他的风景。我一直想帮你。"

"做梦吗，想象吗？"

"想象自由自在。"

我和妻子进入通天洞等待，白色的身影闪过，是外星人。妻子拉住外星人说："你和我们走，通天洞的外面缺少外星人。"

白影说："我不是外星人，居民看到我会惊恐不安。"

我说："人们悬挂许多白色的塑料飞天仙女，我们想办法拿掉。"

妻子："你就跟我们去一次吧。"

白影点头。妻子拉住她，我们走进热闹的商业街。有一个看不到的界限，走过界限白影就不见，回走看到白影朝通天洞飞去。

白影是普通的云朵吧。云朵一朵朵从天空飘过。妻子对我说："你想飘就飘走。"我的眼前是无边的洁净的蓝色，我一身洁白在天空飘飞，地面大片大片黄色、粉红的花朵。我想就这样飘走，再也不回去。妻子说："回去试试。"我们又走过看不见的界限。高楼、路灯、汽车和行人仿佛云朵般轻，生物一般具有水分、目光和呼吸。

我问妻子："我们带走什么？"

妻子说："是带出来。"

我说："我觉得，城市是一片自然的风景，散发生命的光泽。"

我的心里有一种控制不住的喜悦，我狂呼乱叫般唱歌，我感到自己的歌从来没有唱得这么动听。我一路唱到闹市，行人恐慌地看我，有人在逃，有的人捂嘴笑。我又闻到了汽车排出的青烟味，刺耳的喇叭声，音响咚咚猛敲人心，一群孩子大声叫喊，年轻人头也不低吐口痰，踩秃的草地上丢满塑料袋、甘蔗渣、香烟头、橘子皮，楼房几乎贴靠着列队，脏水从天呼啦落下。

我想去远处带回泥土，每天用掌心触摸。用真的干枯的花朵挂在楼房的墙壁。妻子回到原来的生活，继续痴迷于与看不见的人对话、交往。一天我又尝试把梦里的人引到清醒时的天地，妻子的爸爸就会归来，其他的风景也会出现。梦里我的妻子失踪了，实际上她没有进入梦，她正在做另一个梦。如果她和我做相同的梦，依然是各自大脑里的独立的梦。除非我们的灵魂游离肉身，相遇。我和她讲好，我们在新新广场见面，然后同时睡去。

城市几千公里外的红土山后，我建造一座玻璃塔。塔基占地两平方公里，高五百米，只要有一片云，玻璃塔如同进入梦乡。

塔顶开一扇小窗，他人的梦在那里进出。如果想收藏梦，可以用意念把窗关上。塔下放一张床、几瓶水和几份食物。半夜妻子走进玻璃塔，我出去把门关上。塔内空气清澈，我能看到遥远的床。妻子躺床上写了两行大字："仿佛睡在露天，夜空都是星星。"

我向她挥挥手，走进路边粗壮笔直的杉木林，爬到吊床躺下。风一阵阵吹来，骨髓冰凉，但头脑清醒，纯净没有任何杂质。当月亮升起，巨大的玻璃塔散发银光，沙土如同大雪堆积。塔顶缠绕两朵黑山羊般的云，其中仿佛有人哭笑。风越来越大，树叶摩擦，如同众人低声齐唱。

天亮时，我看到真的下了大雪，满地的枯叶白皑皑。玻璃塔里挤满灰色破旧的平房，粉墙黑瓦。院子有口水井，长满杂草。二十岁左右的我坐在石井栏，拔几根带有红晕的狗尾巴草。井口喷出一股清泉，越喷越高，空中出现一道彩虹。黑房子传来鬼魂的呻吟和怒吼。妻子的父亲满面红光在院子里打太极拳，他和我说，他身体很强壮。问我要不要安装吉普车，他的水平一流。他的脸渐渐变成小叔叔的脸。

塔里的景象如雾飘荡，贴到塔壁是一张张水粉画。开阔的河面，细密的波纹，对岸隐约可见黑色群山。怎么妻子做起我经常做的梦？每当梦到这样的山，我会闭上眼睛不敢看。我四处张望，没有妻子，也没有床和她的梦影。

我打开门，塔里一阵风迎面吹来，玻璃塔里瞬间空空荡荡，亮闪闪的玻璃面看不到我的形象。天地融化成浩茫温暖的碧色。

第十二章
等待外星人，期望一道人形的光芒

一、默想和体会心的变化

乱头发独自回忆，想起那些动人的场景和经历，时间流逝，空间变幻让他伤感，什么事物都是点头擦肩，意犹未尽而过。蓝色的兔子，清澈的河流浅而开阔；少年爬上围墙和屋面奔走；寂寞的我迎来礼貌周全的小叔叔；绿衣女子引起惆怅，游荡于温暖的花树的丛林，爱的情谊、忧伤和焦虑；青的美丽面容，画丝的幽暗长夜；面对男孩交谈，处于相同的地方各自眼前的风景完全不同，男孩描述黑色灰尘被阳光照亮原来是玫瑰花，把自己想象成无所畏惧的奔马；围坐一圈揉捏雪团的朋友，脸色红润，放飞鸟群……无休止地回想，品味。

半新不旧的他曾经喜欢人们不太重视的古老诗句，深情吟唱江水、月光、清风、春花、女子、飞鸟、离别、故人、远游、战事……精神在哪里，人就在哪里，当被某种魔力迷惑，或是痴迷于某事物，人就生活在某些事物笼罩的范围内。暂时看不见窗户透进来的光线，也忽视窗外的风景与人声鼎沸的混乱。如同小提琴在演奏者的弓下忧伤地倾诉，演奏者就进入声音的意境，清澈似水，洁净如风景的倒影。宫殿精美，奇花异草，恋人依依不舍地告别，怀念故人的呜咽和啪嗒掉落的泪珠……乐声终止，演奏者木呆呆走神，他必定要返回事物互相对立、冲突的空间，他的心境多愁善感，拥有秀美的风景，那里的光芒洒落在条条街道，洒落在麻木或焦虑或春风得意的脸庞，洒落在证券交易所的玻璃墙幕、股民，洒落在夜晚公园站立昏暗的灯下拉客的流莺，发臭的河道，青烟弥漫的车群……所有事物都在低声吟唱。直到他明白不是那回事。城市里的冲突此消彼长，满地破碎的玻璃、砖块。公众不断嘲笑他、贬低他。告诉他，你的声音只属于你自己。他幻想美妙的声音再次游荡在城市的每一个角落，他的渴望、痴迷变得疯狂。人们终于被他的乐声打动，唯有自然纯净的情感能够抚慰人的隐痛，让人偏离堆积的物品和肉欲的诱惑，情感从心底涌出，流淌。他与那座城市的现实毫无关系，最后竟然被认定是那座城市的灵魂。

乱头发过去的生活也相似，寻找、观望和描绘黄昏变紫的天空，落尽叶的大树如火焰般腾起，少女的红晕、微笑、凝神静思，积水中海棠花的身影，春天柳絮纷飞，绿池被暖风吹皱，大江滚滚，群山连绵，好像没有什么事物让他难堪、厌恶。因此，红圆的夕阳在淡白的天空下落，他没有发现大烟囱喷吐出歪脖子的长条黄烟；黑臭的河面铺满晚霞的花朵，他如临仙境；从山林间回到城市乱哄哄的街道，他却想象街道是河流，开满睡莲；他心目中的女子纯洁、美若天仙，觉察不到女子目光明亮、满脸堆笑是为了达到某种目的，是诱惑，或是想讨人喜欢，掩盖她们经常莫名其妙假想的那些缺陷和自卑；他也忽略自己的含糊不清的欲望。他感受到遥远的一片带红晕的碧色，肯定其存在，他能够，也值得为那样的远景终其一生。

唉，随着时光无尽地流逝，亿万个智者和亿亿万个傻瓜不是同样被死亡漂白？

当长脸朋友给他看混乱地叫嚣的新诗：流着脓血、臭味，走过毒水泛滥的荒原，走过屠宰场，走进癌病房，打量对什么都厌倦的迷茫者，空虚忧郁的颓废者。他也变得什么都不相信，任何事物非要自己去看个透，曾经美妙的事物千疮百孔，让他迷惘、恶心和空虚。热情与冷漠，美妙与丑陋，充盈与虚妄不断较量，热情的火焰容易化为冰凉的残灰，美妙比丑陋更为软弱、无用。可怜的三分饱的慰藉和快乐常常被无边的垃圾和虚妄吞吃。他发现各种事物突然回荡起现代诗的低沉、苦涩、虚无的音调。

街道蠕动黑色毛毛虫
重复吞咽夜晚毒汁
铃声，一万只螳螂敲打长刀
车辆低吼，肢体撕裂伤残
红圆的夕阳堵住了破巷口
终极就是如此火焰
霞光消退，一片乌蓝虚空
凉风徐徐，心灵恢复了知觉
冒出往日优美的枝条
在莫名的伤感中颤抖

二、浪涌，船就浮起；垂下亮星，几位同伴飞去

审视自己，我是多么贫乏、可怜，根本不知道我到底是什么，为什么要存在，又不能不存在。比任何歌声都美妙的声音，期待晰啊

晰活着，雷雨后的浓云里的蓝天，给予我希望，又深深怀疑。遇到晰仿佛只有两条途径，一是一直说下去，晰不是楼房，不是食物，不是光芒，不是树，不是人，不是老虎，不是水仙……不是而是，无中生有，当内心出现颜色纯净的天空就默默面对；还有就是不带任何先见之明，敞开胸怀到处去寻找。但智者认为，我们走上迷途，会让人癫狂。

我什么地方都不想去，却发现自己又站立在陌生的路途。淡白的乡村小路，杂草丛生，残破的荒坟上淡蓝的光团贴靠人，露水很重，寒冷，我的鞋子和裤腿全湿透。头顶，广阔的太空繁星如闪烁的宝石，神秘、璀璨，如同离开现实，一切美得不太真实。

城市空气浑浊，耀眼的灯光和招摇的霓虹灯，群星暗淡、微小、遥远和乏味，乡村里璀璨的星星就在眼前身边，和人们生活在一起。站在城市的楼顶极目远眺一颗星，会经历恐怖的迢迢历程，仿佛脱离地面飞到那个过于高深的惨淡微粒。星星中间和背后的黑暗中隐藏快要发怒的父亲的神情。星空暗色庞大让他茫然失措，否认人的所有价值，即，让他不明白自己算什么和能知道什么，还能做些什么。生活在忘记天空的楼群的房间心安理得，有时生命显得琐碎、枯燥，难以忍受。

此时，我很久没有遇到这样明亮的繁星。我独自想象外星人从星空中走出，和星星一样发光。当人的能力越来越无与伦比却越来越感到现实太复杂，难以把握和获得安全。人们盼望的外星人就越来越像万能人。我继续想下去，我希望发现外星人，不是高度发达的人，而是一道人形的光。这样，外星人与我们的生命不同，是全新的人，住在全新的他乡。

闭目，放松，冥思。人们看见某物一是亲眼所见，另外就是脑袋里直接开眼，同样历历在目。前者是醒见的方式，后者是梦见、回忆、神密呈现的见到和想象见到的方式。半夜我行走在稀疏的路灯下，空荡荡的街道，看到一个黑影踌躇不前，注视片刻，看清一些，他长着内陷的闪烁清光的眼睛，好像是我过去编造的人物阿悉。他转身消失在黑暗，他身后还隐藏着三个瘦长的人，好像是他的影子。我隐约感到：他们来自外星。

当时我这样想象："阿悉淹死在北方冰冷的海水……"我可以重新述说，阿悉没有长途跋涉去冰封的大海，而是与当时还年轻的我、少年阿圈、青年女子览儿一起走进干燥的大沙漠，为什么要走进沙漠？还是本身就在沙漠？我们周围树丛团团翠绿。

我的思维被此事件控制，事件自然而然向前推进……我们走了两个多月，清晨旷野的远处一长条灰白细线，是海浪披着夕阳的红光涌起，越来越高如同山峦。我们一步步向后退，冰凉苦涩的咸水，眼前漆黑，窒息。我们在海水里沉浮，爬上被人丢弃的破旧小船。

海风寒冷，昏暗中我们看不清各自的面容，摸摸衣服，却是干的。我们静坐任船漂浮，只听到海浪撞击船身啪啪啪、啪啪啪。太阳没有升起，刹那间，天就明亮。天空深厚的蓝色，附近散布乌黑的礁石大小不一。览儿沉睡。阿圈说："我讨厌这些石头，快点离开！"阿悉跳到海里游向礁石。我见礁石中有很宽的通道，用手划水，让船从那里通过。船在礁石间停下，时空凝固住，我的脑袋空白。

好像变换了一个空间，礁石是金子铸的人，我看到他们这个样子心一酸。他们的魂灵从铸像飘出来，好奇地观看我们。一个胖子说："你们不会把我们当金子敲走，我送给你们一点法力。"船晃动，我用手划水，阿圈还在大叫。身后的礁石还是礁石，阿悉爬上最高的礁石。

法力能够满足我们的愿望，我想去海边，海滨城市高楼丛立，翠绿海面晃荡，喧哗的白浪不断涌向沙滩。靠岸的小船油漆脱落，烂木头发黑，颗颗铁钉锈迹斑斑。我们希望船大一些，船就又高又大。我们希望船新一些，船就换上了新木头，涂上了白漆。有人大喊，多漂亮的船啊。海滩上游客层层相围，闷热、汗酸、粗黑的汗毛、尖叫。瞬间我失去法力，我们憋足气往外挤，船也丢失。

走散的我们又一一回到海边，沿花岗岩小道散步。棵棵挺拔的大王椰子树高耸，丛丛红背桑鲜红，洒金榕鲜黄，天色越来越昏暗，云朵还带有深红的颜色。

我和阿悉交谈："我们到底要到什么地方去？"

他说："白白等待和茫然寻觅。"

览儿和阿圈在我们身后，我听到览儿对阿圈说："有一条近路。"

我和阿悉回过头，见览儿指着漆黑夜空说："先到那两颗星上，就在那里，极其遥远，你要仔细看一会儿才能看到模糊的亮点。到了那里，然后再飞下去。过去，古代许多仙人就这样往返。"

茫茫的乌蓝色天空，两颗暗淡的星星突然明亮地闪烁，慢慢垂下，如篮球般大小，旋转的花纹蓝白相间。我刚举手，星星又回到遥远处。只能一个一个来。览儿和我握握手，她的手柔软暖和，她在夜空消失。阿圈跟着消失，阿悉也消失。他们都飞走，只留下我独自望着满天繁星。

他们是我想象的人物，他们可以获得所有我能想象的愿望和幸福，可是我只能留在对自身、他人和其他生命的命运、处境一筹莫展的地方。甚至由于自己的疑虑和悲观，在想象的人物身上也加上那么多的苦恼。他们无法选择，总是默默忍受。一片海浪声里我等待与他们见面，而身边不断走过的男女如影似幻与我毫不相关。

时间流逝，流逝，我像寻找美景走遍大地的人，当我再也不愿出门的时候，出于过去的习惯偶尔听听窗外的声音，望望路和海，有时情不自禁地仰起头，看到或发现沉默的硕大夜空。

新的想象的事件尽管任我描画，却无法代替和消除过去想象的事件。阿悉被冰冷的海水淹死的忧虑、心痛和惶惑像一道无法痊愈的伤痕，而茫茫夜空又使我一瞬间憧憬和震悚，难以忘记。两件事交织一起成为另外的事件。

三、参观飞行器作坊，骚乱，飞与怕

又走出去，一直走到海边。海水翡翠绿，起伏的远山如同半透明的暮云。有了海，城市咚咚砰砰赛跑的建筑物犹豫止步，留下一大片辽阔天空。我坐长木椅仰头望去，日光还很明亮，转眼橘红色的太阳落入不远处黑沉沉的山后，极力挥舞宽衣长袖，光彩冲天爆发，西方的云霞火焰般燃烧，连最为遥远的东方，朵朵黑色卷云的头顶都有一抹粉红。傍晚昏蒙，凉爽湿润。云间的蓝空柔和、纯净，让人间少年的面容、新娘的装束都显得灰蒙蒙、油腻腻。为什么要取悦我们？

一颗颗星星开放、闪烁，南方有一颗星比浮云还低，仿佛要降临人间。阿悉他们是不是飞向与此相似的星，又从那颗星飞到什么地方？就像古代的仙人，跨过天地间不可逾越，甚至是无法觉察的障碍，进入他乡。

草地开阔，许多人放风筝，三角有红黄蓝三色。花蝴蝶尾巴上有黄圈。老鹰棕红色。花脸白的、黑的粗线条。知了碧绿。风筝飞到遥远的高空，几个黑点不动。一个黑点移动，瞬间察觉到那是一只大鸟，它超过最高的静止的黑点，瞬间失踪。我感到一丝被牵扯的悲哀。大多数风筝低空盘旋。眼前成群结队的细小的红蜻蜓、绿蜻蜓飞蹿，它们的高低也受到体能、飞虫的限制。

天色一层层暗下去，片片云朵淡黑色，戴上发亮的金黄色头箍，

缓慢变形，瞬间一亮变成花朵盛开的旷野。看不清风筝的颜色，大群黑色的鬼影摇晃。云安详，色彩悄然浓淡。飞鸟自由，灵活地展翅高飞。风筝象征着黑暗中压抑的欲望，以及心情的焦虑不安。

天乌黑，远处红红绿绿的霓虹灯左顾右盼。人们收线，灯光下，风筝的影子挣扎几下就转头坠落，依偎主人。风筝片刻风采全失，一身廉价的塑料薄膜或薄花纸。想到古人放风筝剪断线，风筝急速飘去，内心感受到轻松、自由，感受到辽阔无边，那个一生里随时会涌现的幻影般的期盼。唉，真是不该反复扯回来，反复放飞。是的，风筝飞到空中，有了仙气、灵气，不属于地面和人间。云朵大团、大团，又回到洁白的原样，天空有几潭清水乌蓝，里面星星明晃晃。

我的头颈有点僵直、酸疼，摇摇头，发现身边有位男子，也仰着头望天。他友善地看我一眼，我们继续默默观望。低头时，发现黑沉沉的海面也是群星闪烁。人们，包括我，为了地面的事耗尽心血，把天空淡忘，就是在遮蔽天日的楼群的街道与天空撞个面，对这个珠老玉黄、失色走气的东西也是毫无感觉。人们不必显露做作的幼童般的好奇心，沾惹吃饱没事干的闲情逸致。放放风筝，是宠宠孩子。飞机狂飙般飞升，期盼早点到达地面。

无法想象，我少年时天空是个巨无霸的万花筒，是那样绚丽和灿烂。如果阿悉他们没有去外星，我的生命日益消沉衰败，微信走家串户，挤入人堆里叽里呱啦，有时长久地闭门发呆、昏睡。

夜深人静，云朵全都飘散，壮丽的弧形天棚，辽远处银河如雾，低垂的星星颗颗大如绣球花，似乎踮脚抬手就可以采摘。男子起身走开，我跟随他。他的住处不远，客厅与屋外一样缀满遥远的亮星，朋友来来往往探寻外星人。总是有人游离地面的风景和声音。

几年来我虚构外星人降临的事件，男子明确告诉我外星人来过，外星人的世界和我们的完全不同，有些被人们想象到，比如明月之屋，人的飘飞和变幻，也许还有一道永生的光影。外星人留下几张星图，他指着天空给我看，就是那几颗，外星人等待我们飞上去。我疑虑，咄咄怪事？那几颗星是黄色的，排成一朵玫瑰花的形状。他又给我看他们制造的翅膀，透明、轻盈、碧绿。白色的三角风筝，小山般的细线团。黑色弯曲的管道和不断跳闪的镜片把人变成光芒。他告诉我，天空、晚霞、繁星的存在都含有深意，是召唤匍匐地面的人仰起头，发现一个又一个世界，知道地面不过是一只翅膀，一架随时会断线的风筝。男子告诉我，他们正在策划出逃。夜色里，他的木雕般的坚毅面容黑黝黝，眼睛是星一般发亮的粉红钻石。他教我把竹片削成竹蜻蜓，即在三寸长的竹片削出两个相反的斜面，竹片中间打一个小孔，安置一根短竹棒，用手来回搓竹棒，最后用力向前一搓，放飞，竹蜻蜓向高空转去。他说这是重要的飞行器。

竹蜻蜓飞满天空，就像真的蜻蜓群。人们骚乱，挥手、蹦跳着想飞，腾空，飞得自由自在。人们的头顶蒸腾湿重的红色雾气，罩住自己或他人。他们一个个像被网捕获的大鸟徒劳地挣扎，最后呆呆站立，躺倒。高空无数眼球飞舞，纸币飞舞，风筝飞舞，肥臀飞舞，群鸟飞舞，枪支飞舞，云朵飞舞。幢幢摩天大楼缓慢靠拢，路被封死，只留下狭窄、高深的天空。我拿起竹蜻蜓搓动，雨伞一般大，带我起飞，我为什么内心恐惧？头顶也蒸腾湿重的红色雾气？

我向下张望，建筑群倒塌，大堆大堆竹蜻蜓被埋没。男子叫道："大人重，让孩子先走！"两组人拉紧粗长的牛皮筋的两头，当中的人把孩子当泥球弹射出楼房，楼房外有人接应，抱起小孩就逃。有的小孩被弹到高处，在夜空拼成一朵又一朵玫瑰花。下水道破裂，形成湍急的乌黑、发臭的漩涡。有人说沿下水道可以出去。海边的管道出口安装了铁丝网，洪流从中涌出，污水底下女子的叫声箭一样飞出，射落飞向高空变成星星的小孩。这个事件突然消失，我靠坐海边的木凳，边上的男子低头想什么，一会儿他起身走远。

四、飞天阿悉回返；电影明星烤证明外星人没有来

起风了，层层海浪扑扑、扑扑拍打石岸，接着无数雪白的浪花此起彼伏，轰隆隆震响、飞溅。蓝黑色夜空渐渐变淡、发白，许多星星不知去向，只有一朵黄色星星排列的玫瑰花。阿悉就在石堤上走。如果他远行北方时落入冰海，我看到的就是他的魂灵。他看到我踌躇不前。人鬼殊途，都惧怕对方。如果他飞到其他的星球，有没有带回外星人？他怕别人问：阿圈和览儿为什么没有回来？当我回忆与他们聊天，不要说我们想象外星人自由浪漫，我们是期盼和等待另外一个时代到来。当阿悉他们在夜空消失，我迷失于想象和真实的错乱中，经常呆呆地遥望夜空，仿佛看到外星人居住的辽阔花园，他们笑容舒展，悠然自得。

阿悉和三个瘦长的人好像会飞。路灯下树顶繁叶红光波动，阿悉和三位瘦长的男子聚集交谈。他们的声音如同夜鸟呖呖呼唤，我极力聆听，也许不是说话而是奏乐，弦声跳跃、流淌。阿悉说："什么也逃不脱！"我一惊，新的消息再次确定生命等等必有无理可讲的限定。他们抬头忧虑地望我，又急忙闪进路灯昏黄的小巷。

有位行人与我擦肩而过，他停下脚步，回过头看我，他的眼睛星一般璀璨，我从未见过有男子是用星光和云霞做成。他是外星人吗？我欲开口，他先说："什么也不会有，如果他们的心像牛羊一样干干净净，吃草、虫咬、交配和被杀……明明存在而不会有。"说着，说着，他像黑影摇晃，两眼如耀眼的远光灯。我昏头昏脑跟他走。

阿悉的同伴，瘦长的外星人从树后偷偷张望。一个黑影失魂般

逃走，美男子飞过去，对着他的肚子猛击上钩拳，痛得他满地打滚，我好像看着朋友的德高望重、不可一世的父亲跪地求饶。一摊积水渗入地下，美男子一头钻进地里追赶。

路人的黑影忽隐忽现，他们交头接耳：“外星人，外星人，外星人，谣言，活得不耐烦，听专家的话，不同，我老子，他，好，快，快，啊，傻瓜，呼呼……”他们吵吵闹闹、拉拉扯扯涌进影剧院。受到新兴产业急拍拍影视公司的冲击，大厅只剩两条白石头做的长凳，舞台似乎搭建在茫茫野地。聚光灯照亮一位穿红衣服的女演员，人群挤成一堆蚂蚱先后跳上舞台围住她。女演员名叫烤，拍电影时，突发奇想咬住自己的辫子，就是羊毛出在羊身上，就是骆驼掉下骆驼毛，她竟然没有咳嗽、哮喘。她的英勇坚毅的做派横空出世。导演、大众只相信她，别的什么也不相信。夜空沉默不语，人造事物、人造价值轻浮和速朽，唯有真明星和假天才给予我们忘川的水，给予我们希望和宽广的大道，少男少女扑向他们的迷魂阵叫喊流泪，成年人羡慕他们有大把金钱，风流韵事随便玩。

烤先卖给观众五百箱自制燕窝饮料易拉罐，然后用手转动黑色的八仙桌，又叫观众转动另一只黑色的八仙桌，两张八仙桌越转越快，碰在一起就不转，分开来又飞快地转动。烤跳上桌子问：“你们知道这是什么意思吗？”众人一起喊：“问得好，不知道；问得好，不知道。我们不敢想，噢。”一个人小声说：“知道了就是明星啦。”烤说：“人人都可以成为明星！明星非明星，非明星是猩猩。朋友们，大家看清楚刚才的实验，外星人不可能来到地球。因为，宇宙飞船在转，地球也在转。飞船碰到地球，两者都会停下来。一年来，太阳天天照样升起，宇宙飞船不可能着陆，一辆泥头车不可能隐藏在小汽车群。”众人鼓掌、叫好。大家都开始转圈子，与他人相碰真的不转了，分开来又可以转圈子，完全可以反复证实。一些女性积极分子拧开高音喇叭嘻嘻哈哈扭动身体转圈子就像扭秧歌。

烤继续说："假如外星人夜里到了地球，当地球停止旋转，我们会永远生活在黑暗中，草木枯黄，冰天雪地；当然，假如他们白天登陆就会带来永久的白天，酷暑难当，洪水滔天。这个地方的人们全会死光。"烤的话引起极大的恐慌，众人尖叫、哭喊、逃窜，踩伤好几个小孩和女人。保安人员把安全门一一关死，谁也不许出去，人们渐渐平静。

烤说："我都不怕，你们怕什么？刚才大家不是看到两张桌子分开又会转动。当太阳不再升起或者太阳不再移动，我们去寻找飞船，捕捉外星人，把他们绑在火箭送回太空，地球又像球星脚前的足球飞快转动。"众人一次接一次鼓掌叫好。

安全门全部打开，一股冷风让人直打寒战，两个受伤的男孩凸出大大的白眼珠。烤说："这都是不懂道理，不懂道理！"众人边扯头发边呜咽边咒骂自己。一会儿明星烤和众人悄悄离开，只有穿宽大的丝绸衣裤的冷风在空空的大厅盘旋。我走出影剧院，四周宁静，夜色更深了，路面结一层暗红色薄冰。我冷得颤抖，止步顿足，跳跃。阿悉在树后等我，我们并排走。我问阿悉去北方怎么没有告诉我？

"那天非常闷热，我们浑身不干不净，突然被某个想望抓住，一时冲动出走的。

"去北极，黑夜，寒风呼啸，肆虐的雪干燥如沙，穿厚厚的羽绒衫也像裸露一副骨架。寒气透过双腿、手臂、头颅、胸膛、灵魂，被杀一般的疼痛和悲哀。寒风切割、磨损记忆，为了忘却？流着泪，不顾一切地疾走，疗伤。

生命丢在安逸的地方昏昏欲睡。黑夜，低头顶着狂暴的寒风，刺眼的雪雾中看不到灯光，死亡随时会降临，去遥远的北方原来也没有什么意义，只是让我们增多一个念头：极力活下去，亢奋、激昂，前景是感人的情谊和温暖舒适的生活。当你脱离危险，回返家中，不一会儿生命又会昏昏欲睡。”

“你们去了其他的星。天上来人了吗？”

他左右观望，点点头。

“为什么害怕？外星人乘飞船来，骑马来，自己会飞，还是一道彩色的光芒？他们带来天空花园了吗？”

美男子从我身边快速走过，阿悉朝我摇摇头，躲进一条小巷。我想知道，阿悉他们飞到哪一颗星？跨越了什么和到达了哪一维空间？想象摆脱美男子，我正在询问阿悉。高楼大厦的尖顶一层蓝光的花瓣，我和阿悉走上铁桥，栏杆编织成多变的精美图案，三位女子在我们前面走，长发高高盘髻，脖子细腻、修长，她们的衬衫后背像萤火虫一明一暗，显示的图形是黄的、红的手和脚。她们也是外星人吗？我一时什么也不想问，什么也不想说。

五、外星人神出鬼没，无法删除；外星人被同化

太阳三天没有露面。电视传来远方的消息，有些地方太阳停留在地平线，有些地方太阳挂在当空，几天过去丝毫不动。明星烤的科学预测是百分之百的正确。外星人登陆了。满街汽车都拉响警笛横冲直撞，行人的脑袋灵活转动，个个眨动便衣警察警觉的双眼。

我们的城市，漫漫长夜一个月，星有高与低，暗淡与明亮，群星像凝固的烟火。有人看到郊野有外星人时隐时现，他们的黑风衣上缀满星光。我常常默想，外星人来做什么？传授给我们新的知识？建造我们从来没有见过的花园？给予我们超凡脱俗的想象力，感受、想象遥远的风景？万物重新充满魅力，人的生命再次热情洋溢？

阿悉找我好几次，刚想说话，美男子就如闪电从黑沉沉的夜空

显身，阿悉立即无影无踪。外星人被抓住几位，他们出入钢筋水泥监狱不费吹灰之力，后来他们被专家装进特制的玻璃瓶。法官宣读审判书，以扰乱社会秩序罪、破坏公共安全罪为名，判处外星人死刑。

卡车装运巨大的正方形玻璃瓶，里面关押五位外星人。人群的波浪前呼后拥，沿街的窗口整齐排放一叠叠眼睛。玻璃瓶里悬挂一盏白炽灯，照见外星人围坐瓶底喝茶聊天。玻璃瓶怎么关得住外星人？他们多次从瓶中飘出，坐在木塞上乘凉，或者起身向人群念念稿子、挥挥手。一对外星人男女当众亲吻，害得疲惫不堪的警察当空抛撒马赛克。

卡车开到城外的黄土山射击场，五位外星人站立一排，子弹炸响震耳欲聋，尖利呼啸着飞向他们的胸膛。外星人站得稳稳当当，没有流血，法医没有找到弹孔，深度检查也没有发现一个汗毛孔。当白光一样的外星人举手高飞时，地平线上的天空转亮、转红，圆圆的深红色太阳渐渐升起，天空被染得一片金黄。发生这样严重的坏事，竟然还有人学着举手蹦跳想跟外星人走，他们的头顶蒸腾湿重的红色云雾把自己罩住，坐地面徒劳地拿剪刀剪绳子。

举城欢呼，几天后人们开始失望。一天一夜变成五十三小时，体力最好的夜猫子都打熬不住，送急诊室挂几瓶水。城里几座最高的砖墙清晨是云霞墙，好像秋天菊花展览扎制的花墙。过去游人只能在墙边转圈子，现在脑袋可以伸进墙，进出自由。游人看到墙内的院子空荡荡，几棵黑色的枯树，悬挂褪色的宣纸破风筝。人们认为这是外星人的恶作剧，如果置之不理他们会把什么都变成云雾，变成颓废的景物。这引发公众浪涛滚滚地抢购大米、油盐酱醋、矿泉水，三角裤、鞋垫子……社会地产公知们纷纷发言，拍胸脯拍出些气息来，立即发微博小品文给红薯粉丝，信誓旦旦说，能够快速召唤外星人自首归案，嗯，啊，嗯，呵呵。

第二天，一座大桥变成了粗麻绳，导致十五万人放假；第三天，两座高楼长翅膀，像两只老鹰飞掉，没下楼的人从老鹰的羽毛中挣脱，大群草原百灵鸟如灰色纸片颤动，飞舞。阿悉和他的三个影子首先被人们通缉，布告栏贴着阿悉的照片，商家广告也要加印阿悉的照片。阿悉立即红了，上升为社会公知。许多时髦的年轻人，他们都自称为阿悉，在各个派出所门口排起长队。人们终于发现阿悉和他的三个影子的住处，家具都是射灯光影的堆积物，小房间藏着一大堆竹蜻蜓、三角风筝。

阿悉的一个影子叫我关紧书房的门，安安静静等待阿悉。白色的身影从墙面飘出，眼睛渐渐从脸部出现，闪烁星星的光芒，他就是阿悉。阿悉能告诉我什么？一个个念头纷至沓来，大胆、邪气和无聊，乱七八糟，互相纠缠。阿悉的脸变得光明，我的杂念立即烟消云散。杂念根本无法左右他，现在也无法左右我，但是虚无感又占据我的内心。也许我不必变成一道光芒，面对白浪喧天的大海久久不肯离去多么好。阿悉和我交谈一会儿离开，几句话都很尖锐，我记不住，只留下些懊恼和失望。我可以肯定外星人来过，但如果他们和人相似，只会引起短暂的轰动，“新星”登台呜呜咽咽唱歌舞蹈，像一瓶打开的香槟酒，喷洒自如，香气飘溢，台下拍手、尖叫。过夜就酸臭，空瓶被人们丢弃。

我寻找阿悉。有时，他站在楼顶，我爬上去他已经离开。有时，他从一摊雨后的积水中冒出，我走过去他又沉下去不见踪影。有时他身穿交通警察服疏散堵车，我打招呼，他开车离开。有时他坐在证券交易大厅，我们见面支支吾吾，无话可说。阿悉和三个影子像我的朋友极一般逃到山上。武装人员带着狼狗，在山脚下打一圈桩，绑上铁丝网。我看见阿悉东躲西藏，突然明白我也被关在铁丝网里，非常紧张。很快，我和阿悉以及三个影子都被活捉。人们把我们安排到城市的中心广场，那天我飞得很高，看到广场上人群默默让道，我和四个人走进去。一声枪响，我看到广场上的我跳了一下，倒下，胸膛上都是血。枪声再次响起，阿悉和三个影子的胸口都涌出鲜血。原来我们都不是外星人。人群喧腾，杀错了，杀错了。接着通宵燃放欢庆的鞭炮，投机客预测明天烟花股、白酒股要大涨啦，军工股要大跌啦。我在空中看着四人直挺挺躺在血污中，其实没有杀错，我们全都感染上外星人病毒，烧得不轻。

太阳正常升起，昼夜二十四小时。外星人和拟似外星人肯定清除干净了，不必怀疑他人或抓人，以后生病喝点板蓝根，煮点醋消消毒保证万事大吉。明星烤有时还跑到剧场的舞台露露面，谈谈外星人的虚弱、脆弱、穷弱，只有三三两两的老人坐在那里唠家常、打瞌睡。最后，一个五人歌舞小组占据舞台，他们在刺眼的灯光下蹦跳，甩长发，敲铁皮鼓，弹电吉他，声嘶力竭号叫，引得台下的观众手拿绿色荧光棒摇臂晃脑。谁要说外星人，人们都会用异样的眼睛观看，心里想春天百花争艳是精神病的高发期。外星人是吞下喉咙的美酒呕吐出来的酒气。

夜空还是过去的夜空，深夜和梦中熠熠生辉的繁星向我逼近，一颗星大如银色的篮球围绕我旋转，然后回到高深的黑夜。我记起过去想象外星人骑马从遥远的星球飞驰而来，最好他们是一道道变幻莫测的光芒。如果他们驾驶飞船会令我失望，一架冷冰冰的人造机器，钻出和我相似的从里到外全都有限的生物。也许，遥远的含义不是距离，而是指某个空间与我们空间的内容完全不同，我们渴望又似乎不存在，又无法到达的世界才是真正的遥远。生活在这个空间的任何地方，哪怕飞驰亿万光年都离不开必将毁坏的现实，这个想法令人沮丧，心灰意懒。

天空又飞来一颗星，原来是一座大厦，屋顶长着许多树木、花草。三个戴宇航员头盔的男子，抓住从大厦底部放下的绳子落到地面。大厦飞走，返回到群星间。外星人又来了，可是谁也不把他们当成外星人，他们就无法成为外星人。空降的事物太多，花样层出不穷，煤老板、地产商、IP大佬、基金经理等按捺不住，纷纷组建段子与小品文团队穿行互联网，几张嘴巴牢牢掌握呼风唤雨的权力，金钱世界里有钱就是老大。

我跟踪三位外星人，他们的宇航服换成宽松鲜艳的休闲装，有时还穿上黑西装，出入豪华的摩天楼。他们喜欢上网玩游戏，喜欢健身房、桑那浴、海边垂钓、炒房、玩股票，喜欢斜靠床上让小姐捏捏脚、推推背……外星人与我没有交往，我也不再去理睬他们。

一天，我在洗车场看到几位外星人，他们身穿黄条纹工作装用高压水龙头洗小车，然后擦干打蜡，他们把车洗得特别干净光亮。前来的汽车嘟嘟吧吧，路口都被堵死，斜眼老板高兴得东跑西颠。

我在路上也见过明星烤，这位研究外星人的始祖如今越来越瘦弱，像她那样的人如果没有鼓掌和喝彩无疑是把她放到冰格里速冻。几年后，报纸的角落有一小块她的讣文，不是由于她是名人，而是她的事件太吸人眼球。她独自死在家中，发现时被她养的饿坏的蚂蚁啃光筋肉。

六、草帽大的星星，男子穿彩衣骑飞马

我也怀疑有什么迥别我们的外星人，但想象使地面的事物以及生死变得心灵可以接受，一旦幻灭，万物丑陋和乏味，人们无可奈何。黄昏时我伤感地向窗外望去，过早闪亮的路灯和即将来临的夜色又让我遐想，产生模糊的期待。

东方一颗亮闪闪的星比黑黄两色的云层低，海边曾经见过这颗

星。许多小鸟飞上高远的雾霭般的云层。那颗星摇晃，慢慢移动，细看纹丝不动。小鸟的黑点忽隐忽现，那么高的地方不会有肉嘟嘟、香喷喷的飞虫。天快黑暗，你们找得到栖身的树吗？小鸟像人心高飞，不着边际，超凡入圣。一不注意，东方的那颗星变为草帽般大小的一团光：一位男子骑银马，五彩衣衫的下摆随风扬起。他是外星人吗？再细看，星还是小小的一颗星，纹丝不动。群星一颗颗一跳一跳闪亮，我分辨不出哪颗星是刚才看到的星，也许那颗星真的飞走了。

天空有颗星缓慢移动，我跟随。一直仰头奔走，竟然能穿过条条车辆繁忙的街道，绕过蜘蛛网般的小巷。最后我的下巴和胸口还是重重撞到墙壁，眼前黑气弥漫，我蹲下，胸口闷痛、恶心。许久，景物才渐渐显现，一大团光雾凝聚成一盏路灯。墙壁内一栋古老的青瓦平房，墙面弧形，与周围线条简洁、明快的高楼大厦完全不同。古屋门框窗框上雕塑繁花、常青藤和宁静、幽雅的舞蹈女子。我好像到过这里，想起来了，房内圆形的大厅。很久以前，我身处一个空间，瞬间出现和消失。我围房子转圈，没有门。墙壁内的房子好像是过去见过的飞船。不太可能是吧，大约是为了纪念什么人物而造，我也想建造记忆或想象中的事物。

光把我的手臂和衣服照得雪白，抬头看到白马荧光发绿站立菱形的房顶，骑马男子的衣着五色斑斓，如同雕塑正在瞭望远方。白马再次驮着男子腾空行走，我继续跟随，沿狭窄的小巷，转了好几个圈到达郊外。

六月了，月光下麦子红彤彤，散发干燥的清香。大片流云遮住月亮时，绿莹莹的萤火虫爬上土块和麦秆上忽闪，有的像流星在空中快速滑过。麦田间的小路如同白色的溪流，我独自走，头顶开阔的青蓝夜空。走到高坡，长满茅草的荒坟种几棵扁柏，散发油性很重的腻味，是人油在挥发吗？只要看到扁柏就使人想起陵园、孤坟、尸体，感到沉郁、不洁。我坐坟边休息，圆圆的大月亮从云里走出，高坡边一条蜿蜒的小河立即粼光波动。红通通的无边的麦田中一条笔直的夜光石铺成的路，通向夜光石铺成的巨大的圆形广场，好像有人聚居在那里，他们化为绿莹莹的团团光雾飞向天空。我走过去，全都变样，是普通的花岗岩碎石路和碎石场。爬上高坡看，又是夜光石路、夜光石广场，它们与坟地和死亡有什么关系？一颗流星滑落麦地，骑白马的彩衣男子在麦地慢悠悠前行，又腾空飘飞。我快速奔跑跟随他。身处凉爽的旷野，追赶，感觉非常美妙，也不会因为建筑物遮挡白马而一阵迷茫。不知不觉深入群山峻岭，白马和彩衣男子飞到山后。天发亮了，也许他们隐藏于白昼的光芒里。

我身边的山坡草木绿茸茸，远处波涛起伏的群山连绵不断，去追寻云雾缭绕的神灵般的险峻雪山。赏心悦目的旷荡天地和沉默的高耸的山峰，有时也让我迷茫、望而生畏。巨大的灰色浮云如大乌龟，带有妖孽的味道，肚子张开魔鬼样的大红嘴。一束阳光从云的间隙透出，笔直严厉的目光，落到对面山坡的荒草，如同白衣巨人躺在地上。一座山独自燃烧起绿色的火焰，其他的山峰更加昏暗、黝黑。天空的舞台，上演什么戏？乌龟扭曲碎裂，万马奔腾。云影中的山峰忽明忽暗，浪花般地涌现和消失。

白马和彩衣男子突破阳光的遮蔽爆发出耀眼的银光。我看他们越过一座小山，钻进对面的山坳。我走过去，小山的背面一片废墟，许多空空的门洞，倒塌的房屋、断墙、乱砖。荼锦雪白，蚂蚱啪嗒嗒惊飞。周围模糊的乌蓝的群山。

我继续爬山，山越来越高，越来越险峻，头顶的山峰倒下来怎么办？脚下万丈深渊让我心惊胆战，腿发软。身边枯黄的草，山顶凄凉的白雪。我无法承受这里的危险和荒凉。当我下山去遥远的地面，无意中抬头看到高得连老鹰都不会筑巢的山崖上面，离开雪线不远的地方有小片嫩黄的菜花田和小片绿油油的麦田，还有一栋让人感到随时会滚下山坡的房子。如果他们是常人，是什么样的痛苦让他们远离人群？如果不是常人，他们遥望远方，想看到什么？在等待什么？也可以这样说，他们期盼什么才攀到几乎与世隔绝的绝岭危崖？他们是不是外星人？

七、山峰雪线下有座废墟；夜晚两位老人骑飞马

我离雪线下的房子和田园非常远，想到那里看看，可望而不可即。又想回到山下的平原。一块山泥掉到我的头上，抬头看不远处就有一小块平地，一幢歪歪斜斜如同岩石般的两层楼房，白墙灰剥落，露出伤痕累累的乌黑墙砖。二楼的山墙开一扇正方形小窗，一位七十来岁的灰黑枯瘦的老太掰弄手中的泥块。我叫喊，挥手比画："怎么走？"其实，我也不知要去什么地方。她胡乱地指指前方。我走几十步，回头看，她还在东指西指。我走了很长的山路，口干舌燥，筋疲力尽。正午，干燥的风吹来，热乎乎的野草的芬芳，到处是难以逾越的陡峭的大山，这里是个死角，好像古代逃亡者的最后的归宿。我往回走，到废墟天黑了。

我进客厅，破烂的木桌上一盏摇晃的油灯，老太婆蜷缩角落，黑黝黝看不清她的面容。我问她好，没有任何反应。屋里点一连串引导我前行的油灯。我跟油灯沿新涂桐油的木梯上楼，卧房顶垂挂长长的毛竹筒，原来是精致的天文望远镜。我向里面张望，如同身处野外，颗颗银光闪闪的星星大如草帽，天空辽阔得不可思议。这是古代的观星台吗？几颗星像云一样飞，好像唱起歌："我们都有外星人……"我太累，睡地铺上。被单下铺着刚晒过的干草，散发丝丝星星的芳香。

老太婆穿宽大彩衣飞进来，说黄昏时她打盹，梦里看到我向回走，就点好灯，铺好床。她又说，骑白马的彩衣人是她的丈夫。她让我起身用毛竹筒向外张望，我看到宁静的乌蓝色夜空没有星星，也没有云，前后两团光芒从远处飘近，一男一女身穿彩衣，骑着散发银光的白马。他们面容雪白。骑马的女子还非常年轻，但成熟理性，安详、温和的表情无比动人。我不能问老太婆，你怎么既在天空飞行，又在我的身边，你怎么也会衰老？就问："你的丈夫呢？"

她张口朝我笑，嘴巴里竖着两三颗黑牙。她说道："我在你的身边，又在夜空，我和丈夫还在天空盘旋。"

"我一路跟随你的丈夫，怎么没有看到你？"

"我也没有看到他。"

"你的丈夫要到什么地方去，为什么把我引到这里？"

"没有引他吧，是他跟他。对，他跟他。他也许遇不到外星人，他喜欢想来想去，他没有得到什么，疯疯癫癫寻找他想到的东西。"

"你知道吗，到处都不通顺，到处观望看不到他喜欢的人，找不到他乡。"

"我就瞎想想。就算有块空地也懒得用泥巴捏成梦里的小人、花草。"

"你们是外星人吗？

吱哈，吱哈，她的笑声像蝙蝠叫，口水流淌："我们怎么是外星人？我们从小生活这里。你休息吧。我正在骑马，天上散散步。"

我睡醒时，小方窗透进一束洁净的晨光。房间里没有毛竹和家具，墙壁上几条粗大的蜈蚣爬行，地铺是烂棉花和枯树叶。我从窗口看到老太婆挖起一块山泥吃，山泥上长着杂草和粉红的石蒜花，钻出条青色的粗蚯蚓扭动。

我下楼，地板上一个方洞，没有楼梯，我小心翼翼爬，掉下去，重重摔倒。跨出高门框，天空通红，雾气在清冷的群山飘荡。老太婆还在嚼山泥，下巴和胸口沾满口水搅拌的稀泥。她的眼皮陷入眼窝，露出两小圈流血的伤口，她又聋又瞎。她嚼到山泥上的石蒜花，就像孩子梦里微微一笑，使我依稀看到另外一个地方：夜空乌蓝，老太婆变成一位年轻的女子，身穿彩衣，骑白马，衣裾飘飞，美若天仙。

嘟嘟、嘟嘟鸣喇叭，锈迹斑斑的乡村公共汽车从我身边开过，把我吓了一跳，悬崖绝壁上可以开车？车厢里满载淳朴的红脸村姑，她们穿牛仔裤、文化衫。车开得飞快，拐进山后。我跟过去，这里根本没有路，难道汽车能爬过大石头，爬过陡峭的山坡？难道它会飞？

八、女子说看到天使；山洞里摸索；骨架疾飞，流沙如碧水

群山峻岭，前面的岩石上，我不认识的年轻女子回头说：看见天使。天使？让我一惊，万物和我瞬间生动，被茫茫的神秘和美妙的风景滋润，全身长出嫩叶，笑容绽放。外星人如果是幻想中的天使？我只能看到女子白色的模糊身影。她不顾一切往最险峻的山峰攀登，我的魂也跟着她。我看到蓝蒙蒙的天空，散发无边无际的柔情蜜意，越往上光芒越洁净，女子与光融为一体。在最高的一块岩石上她举起双手。我感到自己高耸入云，向下望，深渊底下细线般的蜿蜒江水。开始我还镇静，一会儿就觉得恐怖。我发现自己身处山上之山的山脚，女子站立的峰顶和星星一般高，她瞬间隐没，白云间密布一块块宁静蓝空。

仔细观望对面的高山，发现半山腰的松树边有一个大山洞。内心独自低语：山洞通向天空，外星人建立的通道……我站立洞口，洞里漆黑。内心独自低语：山洞通向天空……在山洞里爬山可以消除

群山包围、道路险峻的恐惧。

走进山洞阴冷潮湿。不用照明，眼前总是明亮，正像人生，迈向漆黑的难以探测的未来总是在当下的白亮之中。回头看，弯曲的山洞如同生命一段段沉入黑暗。洞壁铜矿闪烁清晨与黄昏云霞般的色彩，流动绿树与河水般的波纹。我离开云霞、河流……那些可以把握的事物。青铜剑、青铜礼器盛满冷血。地道通向天空，天空是什么？山洞后漆黑，没有夜晚那么温柔多情，依然可以唤回往事，忍受独自一人和前景捉摸不透的行程。

走过几个弯道，狭窄的台阶一直向上，有座柱子粗大的红漆亭子，边上有个洞口，外面正下着大雪。老人笑眯眯倒茶，让我坐下。老人把他的左手拿下来，挖出眼球放一个在手心，一个放到头顶。他的脸色苍白，粗眉毛下黑洞洞的眼眶淌血，手心、头顶上的眼睛在微笑。老人说，还可以换成其他位置。老人拿一只脚与一只手互换位置……老人不断把手脚换来换去，他说他的脑袋混乱，他不知道他原来的样子，但他很快乐。

我的身边白影一晃，穿白衣的女子，她刚才说过她看到天使。女子钻进黑暗的山洞，奔跑着往上。我也起身登爬，穿过一条条小道，洞口，走出了山洞。外面平整的稻田，根本感受不到山的存在。

我返回山洞，四周布满了岩石，脚下流过冰凉的溪流，这景象让我觉得熟悉，想不出是何年何月的事情。向前我走了一段路，洞口渐渐窄小。洞顶爆开许多裂缝，细沙落下瑟瑟如风，一会儿好似打开许多沙龙头。我的眼睛、鼻子和嘴巴里都是沙子，我什么也看不见，惊恐地来回奔逃，腿陷沙中拔不出来，沙埋到胸口，头也被沙埋没，漆黑，我感到窒息，身体扭曲，瞬间渐渐松软又慢慢僵硬。尸体不能动，我飘出，悬浮在如同天空的层层黄沙。我可以看到自己的尸体，向上伸直双臂，脸庞不再皱眉或微笑。一颗种子饱含着伤痛和恐惧，渴望发芽。饥渴的沙漠旅行者，会不会望到远处的海市蜃楼，干燥空气中晃动一汪清水，一棵扭曲的白黄色的树，开一朵清淡的蓝花？

干燥的沙子如干燥剂吸食尸体的水分，皮肤向骨头的凹处下陷，眼眶盛满沙，牙齿、锁骨、肋骨凸出，耻骨、髌骨、胫骨、趾骨凸出，好像一具失传的古老的击打乐器。沙漠里的干尸，城市边的僵尸……天使会把四散的魂灵重新聚拢。我怀念经历过的一切，不管有些事物令我难以接受和沮丧，我不想游来荡去，苟延残喘地开始等待。一群蛀虫吱吱忙于在皮肤、干肉间打洞，交配，养育子子孙孙，密麻麻的小黑点，它们像除锈匠一样擦得尸骨雪白，然后闹饥荒全部饿死。

沙下漆黑，尸骨像萤火虫一亮一暗一亮……手骨、臂骨大蜥蜴般吱吱嘎嘎笨重地撑起骨架，爬行。悬浮天空的我觉得尸骨里还有一个精神性的我，我不清楚那具尸骨想些什么。尸骨似乎无法忍受这样缓慢的速度，手骨、臂骨上下扑打，头骨、脊椎骨、腿骨、脚骨蝶泳般起伏，鳐鱼发光游动。白中发黄的尸骨突然飞起，疾飞，呼啸声中擦出无数红色、银色、橘黄色的火星形成一条火带，一道厚厚的沙层下的彩虹。瞬间干燥漆黑的沙子如碧水，碧绿的虚空里白色的尸骨高飞，高于悬浮的我之上。我和尸骨都悬浮在黄沙间，我没有形体。我望着茫然无边的玉黄色沙空和飞去的尸骨，独自伸开双臂慢慢地飞。沙下，快要到黄昏了。

第十三章
雪夜，女子在街头徘徊

一、生命百无聊赖；超凡脱俗的景色要告诉我们什么

什么是外星人？依稀可以察觉。我被禁锢于黑脸医生的楼房时不断想象远方，远行，烧毁的书籍，不被打扰地沉思，不能定睛观看、不能触摸的女人，动人的风景和飘忽的优美身影。夜晚朋友相聚，可以感知彼此的心灵，久久交谈直至天色渐渐发白，目光闪亮毫无倦意。走上街去，黑压压的一张张脸：紧张、急躁，或者沮丧、呆滞、死气沉沉。偶尔发现一双眼睛闪烁清辉，瞬间收敛、溜湫。我仿佛与外星人相似，昂首挺胸，步子又大又快，喜欢穿宽松衣服，后摆被风扬起飘摇，内心隐藏的外星人和悄然来到的外星人给予我们自由，优美的景色与干净的身心。回想当时的呐喊、偷情、聚会、想入非非、吊儿郎当、辩解和溜之大吉，清晰和感人的悠闲自得，单纯和真实。不是逍遥物外，而是改变和冒险。我们几乎丢失现实所有的浑浊不清的黏稠、严厉、冰冷和死板，以及我们也需要的进账。

人人惧怕外星人，仿佛外星人一旦降临天都会塌落。比如，我

被众人议论纷纷，有人说：“她本来很安静，你学外星人寄给她一封信，她的父母知道了。”我看到，大家都骂她是个烂货，她怎样辩解也无用，后来发疯。她提剑在街上来回、挥舞。第三位母亲问我有这样的事吗？我说这事发生在结婚以前。一个人说：“别人，还有别人，你寄给许多人同样的信。”我心慌：“没有，没有！那样做太可笑。”可以去想，也可以偷偷看一眼，如果寄信就害了她。

我隐约看到极跑到拥挤的百货楼前，一对对张罗结婚的男女提着大包小包刚出门，极扑过去非要吻吻欢天喜地的女人。极被人们拉扯就吐口水。极可是曾经相信砖瓦房、水泥楼里有的女子如仙似神。街道东面的天空一层暗淡的黄云亮起。当外星人反复把泥土变成银子，把银子变成泥土，天下不是一样的平庸和太平？

万物越来越清晰，自身越来越自由，仿佛从群山峻岭密林激流到一望无际的平原，人们欢呼着，奔跑着，一会儿就跑不动，大声喘气，接着丰富绚丽的天地变得单调乏味，几年后满眼满嘴漏滴沙土。暧昧，诱惑人的寻欢作乐也就那么回事，几张钱女人就可以任人摆布，剥去一个又一个女人的装饰，仔细观看、抚摩，她们隐蔽之处如此雷同，平常又怪异，哪里是想象的仙境的池苑，热烈开放的花朵。如今，想到女人就是乳房柔软，丰臀光滑，腐烂的暗道，以及气味，还会飘出轻淡洁净的绿影？最后我们不知道还能用什么滋润内心。

黑脸医生自有他的道理，人就是这样贪婪又容易餍足和失信，要把他们关进笼子、封闭的楼房，什么东西每次只能给一点，看画报也只给褪色和撕掉一半的。吊足他们的胃口，人才会抖擞精神，有梦想的美，生之目的，遥远的路。但是，黑脸医生心有余而力不足，水渗透了挡板，蚂蚁咬烂了木门，蟑螂挤过了夹缝，章鱼的爪子伸进了船舱，汽车堵塞了街道，水泥楼房挡住了人的视野。我们想象可能享有的事物，想象超越一切实在的东西，极其有限，也没有彻底改变什么。所以，哪怕是苦苦争来的东西最后也不得不丢弃如鱼骨、菜皮、烂纸，继而又一次次地站在垃圾堆。

走过禁锢的墙，两手空空，饥肠辘辘迅速到达餍足。快餐排档、老鼠会、盗版光碟、塑料花、宠物医院、美发厅、超级市场、电器城、鸳鸯浴、房产中介、会展中心、家教补习班、摇头丸、人造景点、露臀裤、股评家、电视大奖赛……许多戏剧快要演到末路，小说家中的名家高手，他们的探索从通奸到交易快感、发泄，到同性恋、受虐狂，再到中年人、老年人和女童……那些家伙争说自己最先表达这些主题，抢夺意识解放先驱的头衔。随他们去吧。靠怎样的新奇的架势和暴露才能吸引人？用放大镜、显微镜，无聊地折腾，出奇制胜一根阴毛上放大到千百块马赛克。想象的美景沉入阴雨的黄昏和污秽的泥塘，下身的资源也枯竭，好在本能生生不息，一大群宠物狗、小公鸡又开始发情，咯叽、咯叽、叽咯、咯咯叽叽、咯叽叽叽、叽咯咯咯，争先恐后跃跃欲试。老把戏天天吹出彩色的气泡，继续出名，养家糊口或发财、发愁、发福、发嗲、发笑、发昏。

我也是差不多的人，对待什么事物都是如此，半小时的挑逗激发的兴奋和半个月的无聊、厌倦。衰退中的各种欲望无法掩盖黑漆漆的阴影：破旧的现实与最后的夜幕。到头来外星人等同于任何平常人，与砖瓦、沥青、被雨淋的水泥相同，万物铺着厚厚的灰尘。我不想起床。看了半天电视懒得离开沙发和按一按开关。懒得扫去地上的瓜子壳和趴了一个多月的蟑螂干兄弟。懒得与人交往，懒得说话，懒得洗澡、刷牙，懒得洗几天堆积的脏碗，更不想出门，寻觅晦暗不清的淫荡与后悔。一天发觉自己的腿像细棍，走路发软，头昏脑涨，说话也觉得舌头肿胀，不清不楚。身体的危机没有把我激活，反而听天由命。我做些什么，去做些什么？

几位我忘掉名字的人，约我去远处散散心。少有的外部香饵。

飞机、列车走进农舍，听到猪叫，谈谈收入，吃表皮发黑的香蕉，糯性、甜美，咧嘴笑笑，登上木头快船。

快船哒哒轰鸣，划破海面，绕过石岛，起风了，白浪争涌。冰凉的浪花打湿我们的脸和衣服，众人喊叫、欢笑，我独自沉默。船停靠岩石后避风，淡绿的平静水面。万物失去想象赋予的，或者也许原本就具有的灵性，变成毫无意义地摇摇摆摆，生生灭灭。我的心空荡荡，唉，怎么办？怎么办？我摸摸海水，凉冰冰，滑溜溜，蓝蒙蒙，划来划去。回家继续懒人的生活。有时睡梦中竟然还是被空房子、烂汽车、泡沫塑料块、自大的脑袋迷惑。

可是我为什么还会做这样的事情？我身处古老殿堂的走廊，背靠墙，眼前，开阔的院落几十棵垂柳柔软的枝条在风雨中飘扬。突然发现雨点透亮有深山宝石与荷叶露珠般的光泽。雨幕浩茫，雨滴颗颗闪亮，折射彩光，被朦胧的树影染绿。这般景色带有想象的女性的衣着、神情。我抬眼张望。那仅仅是感觉吗？垂柳飘摇，一颗颗透明、闪亮的雨滴无声地飞落，飞落……我从这个景象中退出，无法再进去，它独自悬浮在一旁，完整得似乎没有留下脚印，也没有人的气味，甚至没有也不会有哪怕是意识的污迹，让我不断地抬眼遥望。

又一次聚众远游仿佛到天边，荒凉的土灰色山峦间湖水暗黑色，渡过湖泊，经过黄沙半岛。天放晴，无比清澄，蓝幽幽的广阔湖面浪花扑岸好似大海。我沿沙路走，被太阳晒得昏沉沉。有人骂骂咧咧：“为什么领到这么难走的死人路？”沙地萌生粉红色花朵，细瓣如丝向下弯曲，蓬蓬松松，大片、大片如同云霞。我对着纤尘不染的花朵，一时感动不已：你们像梦幻一样，却有着真实的热情；我寻找洁净的风景满身尘土，你们就这样静静地开放？

我的过去，向往远方，一直能感受到给予我安慰的风景。幼小的我看着大团大团白云飘飞，魂也被带走。梦幻般的绿衣女子，还有与白影般的女子沿山道逐级登阶，静静遥望整齐的辽阔田野，块块粉红、金黄和绿油油的，遥望渐渐变紫的远山如云似雾。

年轻时我常在大盒子套小盒子的住宅无望地想象和盼望，每当街道上微风如熏，树叶嫩绿，紫荆、玉兰、蔷薇、海棠忽然绽放，遥远的风景就会出现，那里的气息让我平静、干净。当某一刻现世的女子不再遥远、神秘，我从失望直到在这有限的光彩中领悟到深意，越过她们，遥望变新的天光湛蓝、浩阔，晚霞绽放一片五彩花园，雨滴明亮。

二、飞虫湿凉，女子轻歌曼舞；喧嚣的早晨，雪地上的车道和脚印

冬日来临，回想梦幻和沙漠野花让萧疏冰冷的日子不再难熬。凛冽的寒风白光闪闪，狂躁地尖叫、发飙，水泥路、马赛克墙面、玻璃墙幕、停放的汽车、光秃秃的街树显得干净、平静。风势略略和缓，深蓝的天空又一夜间黄云密布，厚重、低沉。不可一世的座座大厦，半截埋没于云雾，仿佛它们的设计师偏爱粗短身材。花草冻枯，积水结冰，迷失于欲望、梦幻的五颜六色的人群，依然如江河永不止息的潮汐，浩荡、喧闹、起伏、吐出白气。风的寒气尖刀、长针穿透手套、毛皮鞋、大衣，行人的手指、脚趾疼痛，胸腹寒凉。路口一阵狂风，他们禁不住转一个圈，打冷战，连忙跺脚、哈手、搓手，然后虾米般蜷缩起身体，继续奔走。

傍晚湿凉的小虫钻进我的眼睛、头颈。抬头看，雪花从白蒙蒙的天光中忽隐忽现，越来越密，好似一棵大树垂下无数白色枝条。飞上去，可以观望春花烂漫。欣喜与懊恼，冷漠、麻木的我一定错过许多下雪的日子。雪花洁白、优雅，我像观望梦里的雨滴、沙漠里的花丛般观望冰清的羽绒旋转着飞舞，回到往日充满期待的岁月，

感到一丝明亮和温暖。行人嗒嗒、嗒嗒奔跑。有人张大嘴，保持奔逃的姿态凝固街边，雕塑与真人难以辨别，都收紧身上也许会萌发的嫩芽。蓬松的大朵雪花悄然掉入湿淋淋的黑色路面，好像幻觉消失，蜉蝣短暂生命消失，仿佛看完电影，还沉浸在编造的爱情，走出影剧院，感到生硬、乏味的人间，感到自己孤零零的，虚构的故事消散。渐渐路面乌黑光亮，房屋和街树的倒影扩大了虚幻的内容。几家商店红艳的霓虹灯闪动，与团团轻轻落下的白雪构成贺卡上瑞雪丰年的景致。不多时他们又匆忙关灯，哗啦啦，拉下铁门。城市幽暗、潮湿，冷冷清清。

路灯亮起一串，延伸至遥远。密集匆忙的雪花瑟瑟穿过路灯的大团晕光，瞬间清晰发亮，轻盈、优美，飘过舞台，飘过一生。高楼边，黑暗的路口，出现一位颀长的白衣女子，是从昏暗积水的地下通道走出？是从深深的地铁站走出？此刻，地铁的洞穴深黑。是无中生有吗？她在风雪的迷雾和层层帘幕里穿行。抬头，伸开双臂，起舞，呜呜、呜呜哼歌。不断下落的雪花与街树、地面、房顶沙沙低语，融化。她的头顶和双肩的雪没有化去，难道她比雪还冷？渐渐她有点像街头灵活的普通女子，由于内心燃烧而脸色苍白。人们都躲进温暖的房间，她感受冷寂和雪花扑面带来的喜悦。定神看她脚踩雪地，好像舞蹈，不断与雪相携飞入天空，又反复飘落。

我没想到有人与我怪味相投。女子走到我的面前，我看到目中无人的乌黑眼睛，外面是硕大的乌黑的夜空。乌黑眼睛里还有乌黑眼睛。飘落的雪花在眼睛中形成倒影，硕大的黑夜的乌黑眼睛飘落雪花，女子乌黑眼睛里也是雪花纷飞。雪越下越大，仿佛漫漫无边。

清晨雪止，云层灰蒙蒙。过去，每一座建筑都在显示自己的身份、地位和个性：商厦浓妆艳抹；饭店张灯结彩；大公司的楼角如刀，昂首挺胸，不可一世；破旧的水泥楼一脸呆滞、苦相；歪歪扭扭的黑瓦平房像一堆堆垃圾。现在，城市是一个浩茫的白色整体，晴空下闪烁银光如同大海。上街观望，积雪还没有把一些建筑物掩盖好，老房顶露出翘起的青瓦；沙土堆一面没有雪。高举火炬的女子雕像，身穿银狐皮大衣，腹部闪烁不锈钢的寒光。一阵风，黑树枝上的积雪簌簌落下。

早晨，城市像一位无聊、苦闷、狂热的青年人，猛然拧开音响，轰然作响。随着强烈的节奏，杂乱的旋律，全世界都在号叫蹦跳。卡车与甲虫密密麻麻，交配着，嘟嘟、叭叭、呜——呼——呜——越来越拥挤。往昔，千万辆自行车轮子转动，涨起浓稠的铃声，把人托到半空。雪地上一道道车痕乌黑、黄褐色，有没有人心疼？环卫工人唰唰、唰唰扫雪，哐当当铲雪。雪翻过身，粘着街面的尘土、污迹，堆积成灰白相杂的丘丛。顽强的行人头顶寒风，如浩荡起伏的角马群，踩黑踩化积雪，流淌几股污浊的泥浆水，冲过狮群，渡过激流，长途跋涉到繁衍后代的草原，青草茂盛，繁花如星。

雪停止，天空再次昏暗，灰黄色的云层几天不散。积雪渐渐融化，路边的雪堆缩小，灰黑，几个窟窿如同骷髅的眼窝，流下的泪水结了光溜溜的一层墨黑的冰，一张丑陋、倒霉、平坦的脸面。背阳的墙脚，枯黄的草丛和树根处有几块积雪，溶空了，夹杂污迹的粗糙冰珠苟且相连。那个晚上落雪洁白，浩大，成为过去，仿佛根本不属于这个世界，迷途绕了个弯吧。肮脏的残雪怎么迟迟不肯化去？一位老人望望天空笑嘻嘻地说："这些雪等待天上的兄弟姐妹。"黄昏时刮风，气温骤然下降。

三、残雪等候她的姐妹；告雪说，飘落与往日不同的雪

我避寒在家胡思乱想。想到两个灵魂飘出来对视，交谈，相

爱，他们一直想找到对方的躯体，但怎么也找不到。想到太空人的僵尸在星空中浪漫飘游，如果迅速掠过恒星，像点着的火柴头噗嗒一声就不见。我还要发明魔粉，上街到处抛撒，楼房是起伏的山峦，塑料袋是飞舞的蝴蝶，大多数人是青翠的树和鲜艳的花草……等到我再次上街，融雪的浊水和泥浆干结，仿佛什么事也没有发生。

每个人都相似吗？如果人群中夹杂着外星人、仙人、天使、花妖；夹杂着鬼魅和狐狸精、虹神和人；闪电和树怪养育的人形活动物。人们相信大家都是人就相信吧，不想争论。我沉浸于这些思绪中去饭店，苍白的脸冻得发青，无光的大眼也许变幻各种神态：冷漠、嘲讽、茫然、呆滞……我穿过公园见枯黄的草叶一尘不染，踩上去泥土粘鞋。池塘边一小片翠绿的竹林，地上枯竹叶间散落白色的小岛，我走近看，是残雪。

我想起夜晚游荡，大雪中一位颀长的女子飘飞又落下。想起几天后穿白绸裙女子叫醒我，说外面下大雪了，让我去看。下雪？那些一眼看去雪白，其实是包裹着灰尘的冰晶。

我回家睡觉昏昏沉沉。女子笑眯眯，往我头颈里塞进凉凉的雪粒，说："今天下的雪不是过去的雪。"我嘿嘿一笑，翻个身，裹紧被子，捂住脑袋。女子的声音断断续续钻进来："漫天大雪，河水还在流淌，清澈见底……"我偷偷打量女子。女子好像影子飘来飘去，忽隐忽现，刚从黑暗闪出，一笑就用手捂嘴，整个面容跟随着隐藏于黑暗；长发一甩仿佛在灯下闪烁，灯又熄灭；目光把我的心弦一拨就消失或转身。女子出现，又消失，在门后、衣橱里走出，又躲避开……女子说："道路铺满宝石，街树的枝条结满晶莹的繁花……"

浩荡的光芒升起，我的内心忧愁浸染，陷入泥潭般痛苦地举目观望着天光。我起床，脸贴紧冰凉的窗玻璃，漆黑，什么也看不见。回头不见女子，门也关得很好，不知道女子从什么地方进出。我曾经骑一匹蓝马，走过荒山、荒野，走过街道。古老的院子里雪很厚，雪花从黑蒙蒙的空中星星点点地钻出。我被吸入灯光昏黄的房间，看到母亲躺着，面色苍白、寂静，寒气逼人，他触碰到母亲肌肤，冰冷……我从高空，像一只大鸟降落……我曾经在宽阔、浅浅、清澈、湍急的河中出生。记得我迷迷糊糊醒来，躺在河心，河流宽阔，天空淡蓝，温暖的不断流动的河水在身上滑过。我舒服地在河水里翻来覆去，肉乎乎的小脚、小腿、小手、小手臂白里透红。我发现平坦的河床铺着五颜六色的卵石，我在摇晃的色彩中晕头转向，但明白每一颗光滑的彩色卵石都是将要出生的孩子。长大后我感到那条河可能就是当空流过的银河。我想到一次次出生，一次次离开某个空间和进入新的空间而无法逆转。

四、告雪带我去高楼露台，我们是两朵雪花

我觉得告诉我下雪的人就是雪夜里游荡的女子。第一次相遇告雪显得冷漠，最近深夜常来拜访。我对告雪说：“现实中我们出游，像做梦一样；幻想时我们相聚，像清醒的时候，这就是我们。”

告雪喜欢穿白净的绸裙，身体散发寒气。初来时她的皮肤雪白，叫我模仿她摇摇晃晃跳舞，几天后就夹杂灰色，渐渐发黑。她心事重重靠坐木椅，沉默。她一直穿着渐渐破旧的白绸裙，更显得面容肮脏、憔悴。我试图用温暖的话宽慰她，她总是唉声叹气，不断地说，这样短暂。说，瞬间疲惫。说，面容、躯体污迹斑斑，能回到原来的样子吗？告雪觉得自己来自遥远处，她怀念可望不可及的故乡。她的来临就像传说一般离奇。

有许多传说，结构和内容常常被大量复制。许多书生赶考就是一位书生赶考。许多秀才遇到女鬼，就是一位秀才遇到女鬼。许多

书生喝平胃散止泻，就是一位书生喝胃平散止泻。也有些想法和经历游离惯常的结构和内容。

旅途中书生住客店，长长走廊铺乌漆地板，边上两排房门。半夜面颊桃红的年轻女子走进游人的房间，说是迷路了。

游人后来常冒冷汗，渐渐消瘦变形。街上遇到老太婆，说他的身上有异味。游人知道女子可能是怪物，心惊肉跳。老太婆拿几粒红色药丸给游人辟邪，他回去堆放床头。女子来时，贴靠门边一脸怨恨不敢前行。她告诉游人他们的交往或许已尽，但还有一线希望，她叫游人看在情谊上面，把药丸丢到窗外，再和她冒一次险，她会复活。她告诉游人，五天后坐长途马车到青霞山，找小河边的三头桃树，她就埋在树下，挖的时候可要小心。游人见女子的脸红扑扑的，热血冲头，浑身冒汗，把良药当成毒药，立刻抛到窗外。那一夜，女子千娇百媚。清晨两人分别，游人竟然依依不舍，甘愿柔情蜜意地相摩而死。

游人五天后，挖开三头桃树下的土堆，打开朽烂的长木箱，女子面容雪白如生，一会儿微微喘气，睁开漆黑的双眼。书生用被子把她包好，送回旅社。

还会发生什么事？也许游人做几个怪梦，竟然相信梦里的事，挖出一堆白骨。也许那个游人是个疯子，他找到女子的父母，说他们的女儿会活过来，结果被臭骂、赶走或被毒打。也许他偷偷地去挖坟，被村民抓住，活活吊死在树上。也许女子的家人很讲道理，知道有个疯子要来挖坟，就日夜看守，游人在坟墓前和女子的家人争吵、推搡不休。比如，游人爬上坟头，挥动铁铲演讲：“谁敢过来？你们根本不知道情况紧急。我是一个外地人，这里我谁也不认识。我难道真的吃饱了没事做吗？是你们的女儿告诉我的，我可以救活她……”女子的父母也跳上坟头，把游人推下去，哭诉：“你竟然不让死人安心。大家看看这是什么样的人，堕落沦丧到什么地步。死人哪有活过来的？我们必须搞活教育，像高压水枪清洗汽车灰尘那样毫不留情。请你走吧，我要发火啦。你滚！”有人冲上去夺走游人的铁铲，把他推开。游人发疯似的挣扎，还想咬人。结果错过发掘时间。也许河边的一棵棵树都是三头桃树，一个土堆也没有。也许游人根本不相信梦话，不会由于幻觉遭遇麻烦。那位女子大约形象出众，年纪轻轻就死去，人们都希望她还活着，就开始七叹八想，九编十传。也许女子可以活过来，她听到忽隐忽现的吵闹声，抬不起手，幽闭于又闷又臭的黑暗中默默流泪……就像告雪那样默默流泪。

告雪的声音引导我去郊外，田野赤露的土块红黄相间干燥蓬松，几棵黑树，残枝败叶受尽风吹雨打。告雪冷冰冰示意我坐下，告雪也坐下，显得衰老、丑陋。告雪仰面凝望什么，过一会儿脸上有点红晕。我看看天空浓云密布，心情也变得阴郁。旷野寒风凛冽，冷得我直跺脚。我要回去，告雪却说再看看云朵。我说我不觉得有什么好看。

我们回城走近古老的灰黑色高楼，大块花岗岩垒墙，宽阔的台阶上，大门黑洞洞敞开又似乎拒人千里之外。我幼时就经常路过这里，每次都会向里面张望，但从未进去，也不知派什么用处和住些什么人。告雪带我进正门，昏暗的大厅里有许多打开的小门。小门里有上楼的通道，通道里放着一只正方形的红色大气球。我和告雪坐上气球，听到下面咔嚓的剪刀声，气球缓缓上浮。

告雪低头想些什么，我与她交谈，问问题，她心不在焉，回答得含含糊糊。我不再开口，察觉告雪瘦削的黑黝黝的脸越来越动人，就像摇晃火苗的煤块，靠近感到温暖，碰到会烫疼，远望如亲切的灯光。她的内心是否真的烈火燃烧？青说过：“水是没有用的，要靠火。”我不知道告雪感受到什么样的痛苦和喜悦？我也不知道是否能忍受那些经历？我猛然看到楼层数：七百三十二。

走出电梯，外面是宽阔的楼顶，凝结一层冰，蓝幽幽的。天空蔚蓝如海，一轮小而耀眼的太阳，下面云朵像茫茫雪原和起伏的雪山灿灿生辉。告雪皱紧眉头，难受地呕吐，呕出一口口沙尘。告雪的皮肤和长裙变得洁白，她举起双臂如同白翅，身上云气升腾。告雪朝我微笑。

“你是天使？”

“什么天使？”

“云霞、雨点和雪花……”

“一团漆黑。天下雪。花朵的颜色。谁也不知道为什么？说不清。永远的告别。这样的悲哀。”

“你说什么？我不断寻找幼时就感受到的遥远风景，也许是我凭借万物的光影想象和塑造的风景，存在于心里如同与生俱来。那里清亮如水，颜色干净，微风般来去无影无踪又不可磨灭。”

“无法确认是回忆，还是想象？”

“多少次我在花丛、竹林、蓝天、闪烁光点的湖面……看到那片风景，整个无味的天空开始散发淡淡的香气。我在月光下走过山道，徘徊湖边。还和松林、野蔷薇花一起静静遥望绣花绸缎般的田野，遥望远山渐渐变紫如同玉石。你也让我感受到和仿佛看到那片风景。”

“我和你命运相同，变脏、衰老和死亡。我和你一样无望地谈论故乡、他乡。我们走吧，我们内心的毒素还没有排出、散发。”

“这有深意吗？”

“我们不能停留，从露台飘下去吧。”

“那里吸引人？”

“回去……”

我们站到护栏，我看到白云的海涛起伏和奔涌，有点害怕。告雪握紧我的手，告雪的手冰凉，片刻烫得我的手心火辣辣疼痛。我跟随告雪往下跳，眼前一片令人晕眩的蓝色，我们的手分开，我觉得身体越来越轻，像一片洁白的雪片转圈子，飘飞。为什么不向高空飞扬呢？我和闪闪烁烁的雪花向银光刺目的云团飘去，落入其中灰色蒙蒙，黄色昏昏。脸，身体被寒冷的湿气打湿。当我再次看清万物，落到郊外阴沉沉的黑冰河岸。天空浓云密布，田野冻得僵硬，干枯的荒草与禾叶结着白霜。告雪飘落在哪里？

五、残雪的姐妹再次来临；梦里下起大雪，老友来了

告雪几天没来，我的心里时时出现高楼和高空的情景，升起在一切欲望之上的平静辽远的欲望，在一切欢愉之上的没有忧虑的无边无际的欢愉。心灵洁净，浸润美景中的想望，令我想在旷野狂奔。我去古老的花岗岩建成的高楼，高高的宽阔台阶上大门紧闭。

公园的竹林里面还有几团白色的残雪。当墙角的雪融化凝结成灰黑的渣块，残雪的大群姐妹一夜从高空飘落，飞舞，千奇百怪的生病的色彩瞬间被掩盖。残雪此时会有怎样的心情？

我坐长途车去郊外，踏入白色的雪地，迎着大雪往前走。大群饥饿的麻雀反复落下和飞起，像大团松松散散的黑云在空中飘来荡去，迷失于茫茫白色。谈不上什么方向和迷失，天空放下层层帐幕，地面厚厚的积雪，失去所有的参照物。我透过雪幕看到雪景，感叹任何一处都是美的开始和终点。我身穿灰色的大衣，但愿身披雪花，化为白雪，与雪景一样无声无息，灿灿生辉。

半夜我筋疲力尽回到家，喝杯热乎乎的奶茶，躺在松软的被子里，抚摸冰冷、疼痛的双脚很快入睡……我坐沙发，焦急地等待告雪，告雪迟迟不来。想找告雪，可是没问过她的住址。我上街四处张望，又下起大雪，寂静的古老民宅被雪映照银光闪闪。我出门踩着积雪，留下一长串浅蓝色脚印。白云降落，脚印像云间的片片蓝天。

雪花越来越大，圆球掉到地上，小男孩活蹦乱跳，他们手拉手又升入高空。

极来看我，我和极去园林古老的客厅，寒冷廓落，木梁柱、木椽子、青色的砖墙。木质雕花窗红漆剥落，窗外雪轻盈幽雅地飘溢。我们谈话细声细气，但清晰和感人。当我们默不作声想心事，就听到雪花蹭树枝淅淅簌簌。

极谈起他飞到天空，看到自己是一条鱼被人钓起，他的灵魂飘飞，与空中浮动的躯体合拢。他又像雪从云层飘落，遮盖一堆垃圾。我默默无语。极出去，窗外，绒毛般的朵朵雪花前后紧紧跟随不断飘落，慢慢转为金黄。我看到了告雪含笑的身影，一直跟随着我。告雪神采飞扬和我坐在客厅，周围家具、字画典雅，我们对视，渐渐靠近……对面还是空位。

极回来时，我想起一件模糊的往事，我对极说："很久以前我和几个人为塑像揭幕，据说塑像是三个金属圆圈。掩盖塑像上的白布越拉越长，渐渐人群都站在雪地里。我们帮忙拉也拉不完。白布突然像瀑布滑落，露出乌黑高大的铁塔。

"你记得吗，我们曾聚会，有人提议讲讲自己经历的最为恐怖的事情？你讲，有天你在家靠椅子休息，看到神来了，神用手支撑地面倒立着说话。你讲着讲着，我们发现神真的推开门。神倒立着，好像中风，表情痛苦、呆滞，口一开一合，可是发不出声音。"

"唉，还说这些事？我们去过连绵的山头圆润的峰峦，梅花盛开。"

"是的，梅花如同淡白的云一抹粉红，还有碧绿的云，暖洋洋的淡蓝色天空……神倒立着，说不出话……"

我和极几位朋友边走边谈，路旁满树红梅、绿梅，夕阳下宝石般闪耀。

我告诉极，我很早就感受到和去寻找遥远的风景，现在我失去热情，不知道做什么事好，我希望那个风景存在。不久前，我遇到了一位女子叫告雪，告雪说，正在飘落与过去都不同的雪。

“我知道，我知道，可是，一遇到她，我们就会失魂落魄，心在煎熬。”

“不是这样，你不知道。”

极笑笑，起身和我告别，温暖的雪在我周身飞舞。

六、冰天雪地，宣告：我要冬泳！大衣怎么也脱不完

清晨，我推开门，白光哗一下扑入双眼，渐渐看清深蓝的天空下浩茫的雪景。我独自走到大街，没有脚步声，也没有脚印，仿佛一朵厚云在松软的云上飘过。

高楼攀爬着冰雪凌霄花光彩熠熠，平滑如镜的街道通向光芒如雾的远方。大钟敲响九下，大街小巷仍不见人。玻璃墙幕一层冰花，好像精致的白色森林和花纹，折射出五颜六色的光芒。灌木无数纤细的枝条欢呼般举起白色手臂。乌黑高大的街树，粗枝托起一层厚厚的月光。微风吹到皮肤上，凉丝丝又立即发热。万物恬静，仿佛不在沉睡，而是悄悄等待。天地简单、单纯，少了纷繁的色彩争奇斗艳，杂草疯长淫秽多欲，人群乱哄哄地鼓噪。我隐约感到无法接受这样的纯净，这不是真实的世界。

我曾想望又忧虑哪一天会出现这样的世界。我早就意识到不纯净的肉体、不纯净的内心、不纯净的环境，那才是我熟悉的既爱又恨的同胞和家园，那才让我得以沉思默想和具有朦胧的希望。走进面前的风景会不会又像孩子那样天真，或者变成一个傻乎乎的人？我感到雪景散发出的气息不断感染我，直渗入我的心灵和

骨髓，那不是和我的心灵相抵触的冰凉和虚幻的事物，这样的气息我也具有，而且是我身上最富有生命力的泉流与火焰。

河面污浊，漂浮绚丽的霞光，杂石里镶嵌着美玉……我边走边想，来到中心广场，晴空中飘飞起雪花，雪落在树上、楼顶、地面，发出蓝色的火花，万物变得透明如蓝色的水晶。这是告雪说的雪吗？我身穿灰色的大衣，是白茫茫、光灿灿的天地里的黑点。我领悟到，我也可以变得雪白、闪亮，我仰起头，张开双臂，飞旋的雪花扑入我的眼睛和怀抱，蓝色的大火在我的身上燃烧，四周绽放大片大片蓝色的花朵。

瞬间我内心的大火也被点着，我喜悦、窒息到痛苦而号叫，我感到我的躯体在火中干枯、缩小，渐渐被烧成灰烬。我跪下，倒地，在积雪中翻滚、呻吟。青说过要用火，不是点着煤气煮菜的火而是烧得魂飞魄散的热情吗？在喜悦和痛苦中不断变化、升华。我失去知觉。醒来，我的衣服、躯体比原来更加灰暗和沉重。

我在街上。谁给我穿上灰色的大衣？我脱掉大衣丢在一边，发现我还穿着大衣，我脱掉一件又一件大衣，我还穿着大衣，大衣怎么脱也脱不完。脱下的大衣高高一堆。

要饭的老人穿得破烂、单薄、肮脏，赤裸带血的断臂。老人在寒风中颤抖，走到我面前，眯缝流泪的红眼盯住大衣。我脱下一件大衣塞给老人。老人结结巴巴："哦啊，哦啊……"

我和老人是同样的无望。童年，有一个我跟随云朵远去，浩茫的蓝空，无拘无束，自由自在。雪花为什么要回来，飘落到地面上？告雪也是在洁白无瑕的时候凋零，由于同情、使命、空虚、爱和必然？凭空制造了一个瞬间消逝的美景。还是回家吧，躲到被子里，还是回家吧，呆呆地看着窗外雪花飞舞，轻轻敲打玻璃。

一位穿黄色羽绒衣的年轻人问道："你在做什么？"

我在做什么？我猛然清醒过来。我像疯子，我是疯子。不远处一条河道冒着白色水汽，我脱口而出：“我要冬泳！”

年轻人倒吸一口气：“这么冷的天？”

我仰起头：“我就是要冬泳！”

黑压压的人群把我围成一圈，我忽然感到少有的兴奋，我夸张做作地脱掉一件又一件大衣好像街舞。这是孤独、苦闷的另一种强烈的表现。脱下的大衣越堆越高，我还穿着大衣，阻碍我走向河边。观看者交头接耳，说说笑笑。我喊道：“我要冬泳，我有勇气，你们看吧！”我越来越焦急，到底穿了多少件大衣，怎么脱也脱不完？

大雪铺天盖地飘荡，人群如同白色的围墙越来越高，眼睛无数圆点，像红色的颜料撒在墙面。我希望围观者快点走开，为什么不去打牌？为什么不去流水线？为什么不去逛商店？为什么不去健康城？为什么不去研制魔力金钻？为什么不去看股票行情？人们有那么多的坛坛罐罐、闪闪烁烁、滋滋味味、噼噼啪啪：高楼、图章、大公司、名车、别墅、花园、美女、美餐，还有那浑身名牌和不可一世的派头……你们也厌倦生活的沉浮、盈亏，也渴望新奇荒唐的笑话，观看一个无辜的傻瓜跳到河里活活冻死？

我脱大衣是因为大衣难看和沉重，却成了冬泳狂吸大众的眼球，得到嘲弄的目光和自己内心虚假的满足和深深的耻辱。怎么会这样？你们为什么要死死盯住我？

我摊开双手：“我有勇气，这不怪我，这讨厌的大衣脱也脱不完。好！我就这样往河里一跳，你们看好啦，你们看好啦。”我看到人群里有位女子往前挤。女子身穿白衣，白毛围巾把头裹紧，只露出一双眼睛，冰蓝色的忧虑。是告雪！我连忙低下头，不敢向那里张望。我快步向河边走，我决心跳到河里。人们谈论又怎么样？反正我听不见。一百年后，现在活着的人还能剩下几个？我回头发觉人墙雪白，人们都仁慈地闭上眼睛，我感动得鼻酸、泪涌，停下脚步。原来人们转身去观望另一个表演者。他们在看什么？我挤不进去。有人告诉我：“白衣女人表演吞刀吐火。还是个美女哟！”

人们瞬间忘记我的表演，人人自视很高，人们看重的东西总是在别处，来这里无非是解闷、消遣、寻快乐。本来就没有过分在乎什么美妙、白痴、情感、做大头梦，也不会在乎蚊虫般的微不足道的小丑、傻瓜、秃毛狗等穷酸的异类别别扭扭地叽里呱啦。

人们活得开心就要学会填埋记忆，忘记尴尬的冬泳表演是一种忘却，不断地去寻找新鲜的刺激物和占有大包小包，以及游艇、飞机又是另外一种忘却，就像大树不断地往水潭里撒下枯叶，再也不和黑黝黝的潭水相见。

七、雪雾迷茫，我和告雪仿佛重生

我疲惫懊恼地离开人群，沿黄色的车迹回家。家里，粉墙被窗外的雪光映得惨白，家具上的一层灰尘变得显眼。厨房，碗没有洗。卧室，床头堆满书籍，被子皱皱的一团。我重重地向后倒在床上，眼睛睁大，什么也不看。沉浸于过去的时日，早晨遇到的洁净的雪景，回忆起一汪汪深蓝海水般的天空，慢慢可以忍受自己的处境。

门被推开，风卷进密密麻麻的雪片。告雪站在门口，面容和衣服洁白无瑕，冰蓝的眼睛望着我。我们靠拢，紧紧相拥。我不知道人为什么要承担难以把握的命运，为什么人的生命有限和不干不净，这到底是为什么？告雪喃喃细语，就像雪落枝头淅淅簌簌，仿佛没有任何意义，但我明白，如同知道风中的树、开阔的褐色的土地和黄昏绚烂的霞光的诉说。

告雪冰凉的脸火辣辣烫得我的皮肤疼痛，告雪颤抖，浑身流淌冷汗，脸变得脏兮兮，衣服湿透，污迹斑斑。告雪的眼眶止不住涌出两道浑浊的泪水。告雪抽泣，推开我，快步走出大门。门外大雪迷漫，我跟随忽隐忽现的告雪走，我知道我们活得不清不楚，匮乏、肮脏和无望，最终都会悲惨地死去。大团大团的雪花飘落无声，仿佛风情万种，包含着无穷无尽的爱，可是无法避免透出砭骨的寒冷。

我又骑着蓝马去古屋，大树下幽暗院子的上空团团白云缓缓飘过，几位朋友在宽阔的雪地揉雪，手中飞出各种颜色的小鸟……我渐渐忘记自己，迎着轻柔飘飞的雪花走，我的眼前出现明亮的光芒，出现绿蒙蒙的远景。我觉得自己在缓缓飞升，告雪又变成天使，无数的天使在飞舞。

我面对美景奔跑，口干、胸闷、腿软，急促地喘息。一阵大风，急速射来的冰凉雪片刺得我脸疼，眼睛也睁不开。没有风的时候我停下来四处张望，无边的雪地，雪花轻轻飘落，分量轻微的一团一团，光雾般围绕我，温暖着我。

告雪如果不走，和我一起观望这样的景色多好。我看到告雪正站在不远处向我微笑，她的面容、衣着比进门时还要洁白。我上前想拥住告雪，告雪向后退，叫我不要动。告雪轻轻一摇，宽大的长裙就脱落，身躯柔嫩雪白。我的衣服也不见，看看自己消瘦的身体，淡黄的皮肤也在大雪中渐渐丰满和洁净。告雪飞起像一朵微微透红的白云，冰蓝的眼睛闪过一道秀美的流光。我的每一个毛孔全部朝天喷洒白雾，长久、舒畅地喷洒，渐渐白雾弥漫在整个天空，与灰暗的云层融合，云层竟然如晚霞般霍闪彩光。

八、是天使吗？告别；飘雪的音乐

一连几场大雪后，终于转晴。无限开阔、幽深的苍穹里明亮的太阳在欢笑，雪地、房顶、街树和公园一层层湿润的光芒；房檐、落水管、街树上，垂挂的冰凌开始滴水。面色灰暗，身穿白色长裙的告雪来看我。告雪说，家被雪封住，不过现在可以进出。我和告雪并排走去，高楼大厦的墙面淌水，街面污水湿漉漉，行人嘈杂，汽车的废气让鼻孔发黑。走到郊外，出现雪地，道道脚印、车迹黑色、暗黄色，踩上去嚓嚓、嚓嚓。我们走了好久，来到小巷深处的院落。

雪这么厚？粉墙角落的翠竹只露出尖细的头和几片绿叶，房顶几条乌青瓦楞半没雪中仿佛铺在地面。沿着积雪里开挖出的通道走下去，房间漆黑、寒冷。告雪打开一盏黄灯，四壁、地面蓝宝石一般散发光彩。白色的家具夹杂灰色污迹，很像告雪的灰白色的皮肤。我们对坐在木凳上，喝冰凉的水，杯底一层尘土。

告雪说："我要走了。"

我想起，村落的桃树瞬间焕然一新，花苞紫色，花朵粉红。我竟然不知说什么好。告雪抽动脸皮笑一笑，我也抽动脸皮笑一笑。默默对视。雪淅淅、淅淅融化，滴水答答、答答。

新下的雪也会变脏和融化，什么都会变质和朽烂。我怎么会这样亲近雪景的洁净光芒？我浑浊的体内也流淌着一条相同的光芒，相同的向往，等待大雪再次飘落。意义是那样的可靠，但竟然只能期盼，不能进入，竟然永远不属于我和告雪。我想跪下，光呵，求求你接受我们吧，为什么只让我们的心灵属于你？

灯在摇晃、明灭，地上寒冷的积水没过了我的小腿。告雪的脸乌黑消瘦，不断流淌肮脏的汗水和眼泪。告雪说："走吧，快走吧。"

"不想走。"

"要看看孩子吗？"

"我们的孩子？"

告雪点头："你去吧……"

我走出暗道，一股股温暖的风，天深蓝、深蓝。我听到背后轰然震响，回头时，告雪的住房倒塌，一条浊浪奔腾的江河，漂浮油花、菜皮、死狗、白塑料块。什么都会泯灭，就好像做了一个长长的白日梦。

我一无所有吗？不管我走到什么地方，我所寻找的风景会在远处遥望我，等待我，俯身搂住我。大团白云飘来，一串串雨点亲热地扑向我，贴紧我的脸，钻进我的头颈，又凉又湿，好像是孩子趴在我身上流口水。云团飘去，告雪的白影依稀可见。不必到处寻找，而是去追忆和安静地等待。夏日院子上、蓝空中的云朵洁白松软，久远的人事和情感好像回返：梦里的雨点，明亮的他乡，地下的手臂兰，地上的蜡梅曾经开放，还在开放，还要开放。

雪花从高空飘落，茫无边际，无声，轻盈，飘洒在房顶，树枝，街道，人们的肩头、眼里，有点凉湿，落到碧绿的河里就隐藏，无数双手，光花，一个风景，不同于任何风景，安睡，风吹得雪花摇晃，或者风静止，雪在说着什么，这样娓娓动听，人的心自然而然对轻柔的雪做出回应，我们原来不属于这里的，我们的心飞回家，洁白的音乐，雪花的落下，我们就飞舞，等待到达未知的让我们内心期待的地方，再慢一些，慢慢到达，让我们有长久的时间好好体会，我是透明的，是幻影，雪穿过了我的身体，穿过了所有人的身体，我们最后是为雪而生，为雪而活，你不见了，我看不到你，四处雪花在飘落、飞舞，我在雪地里走，没有脚印，我们都是雪花，我们是向上飘的雪花，你说，那样的音乐，那样的想感谢，那样的安静的披雪的石马，我看到石马温顺的眼睛，几朵飞动的六角星花朵，这个空间破碎之处，划伤我，我难受得张开口，石马，安静的石马，只有落雪的时候才这样动人，树上纤细的树枝，白色的光团，是不是太沉重，不能腾空，和我在一起飞升，我们不会离开，结冰的河流，也盖上雪，安静下来，我们静静等待，静静体验，潮湿和寒冷多么美妙，让我们疼痛和挣扎着回忆一个个动人的身影，茫茫的野地里独自一人，我不想让你回来，你看得到我吗，飞升，永远地远离了这样的空间，不要说只是雪花飘落，你还在原地，那是你们不明白的飞升，永远地脱离，不知道自己在什么地方，洁白的，会那样的干净，就是落到污水里也是那样的干净，安慰我们吧，无边的爱，我们像孩子，又成了孩子，睁大眼睛的安安静静的孩子，身边一片洁白，头上漫天雪花，其他我们什么也不知道，也不去想，雪片飞舞是我们的天地……